De droom van de Jaguar

Van dezelfde auteur:

Nachtrituelen
Duivelsritueel
Het boek van licht en schaduw

Michael Gruber

De droom van de Jaguar

2008 – De Boekerij – Amsterdam

Oorspronkelijke titel: Night of the Jaguar (William Morrow, HarperCollins)
Vertaling: Hugo Kuipers
Omslagontwerp: Wil Immink Design
Omslagbeeld: Imagestore/Arcangel Images

Achter in het boek staat een woordenlijst.

ISBN 978-90-225-4940-7

Voor E.W.N.

Credibilium tria sunt genera. Alia sunt quae semper creduntur et numquam intelleguntur: sicut est omnis historia, temporalia et humana gesta percurrens. Alia quae mox, ut creduntur, intelleguntur: sicut sunt omnes rationes humanae, vel de numeris, vel de quibuslibet disciplinis. Tertium, quae primo creduntur, et postea intelleguntur: qualia sunt ea, quae de divinis rebus non possunt intelligi, nisi ab his qui mundo sunt corde.

Er zijn drie soorten geloofwaardige dingen: de dingen die altijd zijn geloofd en nooit begrepen: zo is alle geschiedenis, zo zijn alle wereldse zaken en menselijke handelingen. De dingen die worden begrepen zodra ze worden geloofd: zo zijn alle menselijke redeneringen betreffende getallen of andere zaken. Ten derde de dingen die eerst worden geloofd en later worden begrepen: zo zijn de goddelijke zaken, die alleen kunnen worden begrepen door een zuiver hart.

Augustinus, *De diversis quaestionibus,* LXXXIII, 48

1

Jimmy Paz gaat rechtop in bed zitten, als een knipmes uitgeklapt vanuit zijn middel. Zijn hart bonkt zo hard dat hij het bijna boven het jengelen van de airconditioning uit kan horen. Eerst weet hij niet waar hij is; zo levendig was de droom. Dan kijkt hij om zich heen en weet hij weer dat hij in de slaapkamer van zijn huis in South Miami in Florida is. Hij ziet de vertrouwde contouren in het schijnsel van de digitale wekker en het valere licht van de maan dat door de luxaflex naar binnen valt, en hij voelt het warme lichaam van zijn vrouw naast zich. Hij ziet op de wekker dat het tien over drie in de nacht is.

Paz heeft in geen zeven jaar zo'n droom als deze gehad, maar vroeger had hij ze aan een stuk door. Er zijn gezinnen die dromen serieus nemen, die er aan de ontbijttafel over praten, maar niet de familie Paz, al is de moeder van dat gezin psychiater in opleiding. Paz laat zich weer in zijn kussen zakken en denkt aan de droom. Het was het soort droom waarin je een goddelijk perspectief hebt, boven een tafereel zweeft en de spelers ziet optreden. Hij herinnert zich iets over een moord, iemand die midden in een of ander dorp is doodgeschoten, en Paz en... Iemand, een immense aanwezigheid naast hem, God of een machtige figuur, kijken naar de mannen die geschoten hebben op... Paz weet het niet meer, maar het is iemand van belang... terwijl de moordenaars in een bos van hoge bomen ontsnappen, en om gemakkelijker door dat bos te komen laten die mannen de bomen... exploderen. Ze raken de bomen aan en die veranderen in rood stof. Het stuk bos waar ze doorheen zijn getrokken is niets dan een roestbruine woestijn, en in de droom is er grote droefheid en verontwaardiging om dat alles.

De moordenaars zijn op de vlucht voor één man die in ruwe dierenhuiden is gekleed, als Johannes de Doper. Hij schiet met pijl en boog op hen, en ze vallen een voor een, maar het lijkt wel of het aantal niet afneemt. Paz vraagt de Iemand wat dit alles betekent en krijgt in de droom een ant-

woord, al weet hij nu niet meer wat het was. Er is daar een enorme geest, tegelijk woest en kalm...

Paz schudt heftig zijn hoofd om de flarden van het droomleven te verdrijven, en als hij dat doet, mompelt zijn vrouw iets en beweegt ze even. Hij dwingt zich te ontspannen. Dit zou hem niet meer mogen overkomen: dromen met betekenis. De afgelopen zeven jaar heeft hij de herinneringen aan zijn vroegere leven uit zijn hoofd gezet. In dat leven was hij rechercheur geweest en waren hem bepaalde dingen overkomen die in een rationele wereld niet konden gebeuren. Hij heeft zich er bijna van overtuigd dat ze niet echt zijn gebeurd, dat er niet echt heiligen of demonen zijn die onbegrijpelijke spelletjes spelen in de onzichtbare wereld. En als zulke spelletjes bestonden, zoals veel mensen geloven, was Jimmy Paz daar geen speler in. Of pion.

Nu vervaagt de droom. Hij moedigt dat aan, hij streeft naar vergetelheid. Hij is al vergeten dat de man in de dierenhuiden, de man met de boog, zijn eigen bruine gezicht had. Hij is al vergeten dat zijn dochter Amelia erin meespeelde. Hij is de kat vergeten.

Op een zondag schoten ze op het plein van San Pedro Casivare de priester neer. Het was kort na de mis, die hij had opgedragen omdat de priester van het dorp ziek was en hij had aangeboden het te doen. Hij had in geen jaren een mis opgedragen voor een verzameling gelovigen. De priester lag daar minutenlang; de dorpelingen wilden hem niet aanraken, vanwege de moeilijkheden die hij had veroorzaakt en omdat de schutters nog tegen hun auto geleund stonden en nieuwsgierig en sigaren rokend naar de mensen keken. De mensen stonden zwijgend in groepjes bij elkaar. Boven, op de daken, klapten zwarte gieren hoopvol met hun vleugels. Het was een warme dag en er stond geen zuchtje wind. Een paar minuten voor twaalf uur stapten de schutters in hun auto en reden ze weg om ergens wat schaduw en een drankje op te zoeken. Zodra ze weg waren, verscheen een groep indianen, zes of zeven man, uit het niets en droegen ze de priester in een blauwe deken weg. Ze liepen over de straat naar de rivier, waarbij ze een spoor van bloeddruppels in het vale stof achterlieten. Aan de rand van het brede bruine water legden ze hem voorzichtig in een lange boomstamkano. Ze peddelden weg, stroomopwaarts naar de Puxto.

Hij hoorde pas twee dagen later van de schietpartij, al droomde hij van witte vogels en wist hij dus dat er iemand zou sterven. En hij had de dood gezien van iemand die door de nacht liep, naar de rivier, en hij kon zien dat het niet de dood was van een Spreker van Taal, een Runiya, maar van een *wai'ichura*. Hij wist dan ook wie het was, want er was maar een van hen in het dorp. De man was alleen op zijn erf. Hij lag in zijn hangmat en verkeerde zoals gewoonlijk in een lichte trance toen hij de ratels hoorde. Langzaam en met de nodige tegenzin trok hij de vingers van zijn wezen in zijn lichaam, en kwam terug in zijn dagelijks leven. Hij liet het tijdloze leven van de planten en dieren achter en werd weer mens: Moie.

Hij stond op, waste zijn gezicht bij een aardewerken kom en goot het water zorgvuldig op de grond bij zijn huis, waarna hij de modder met zijn teen in beroering bracht, opdat geen vijand de resten van zijn weerspiegelde gezicht kon grijpen om hem kwaad te doen. Met een kalebas nam hij een slok koel chicha-bier uit de aardewerken pot. Het geratel ging door.

Hij ging naar buiten, de doffe dageraad in, en zag twee doodsbange jongens. Ze schudden met de ratel die van gordeldierschubben was gemaakt en die de dorpelingen gebruikten om Moie te roepen, en ook om boze geesten te verjagen. Hij riep dat ze moesten ophouden, dat hij hen had gehoord en straks zou komen. Hij ging zijn huis weer in en at gedroogde aardappelen en vlees. Toen rolde hij een sigaar en stak hem aan, en terwijl hij rookte, neuriede hij het gebruikelijke gebed tot de zon, die hij dankte omdat hij ook deze dag was opgekomen. Hij pakte de spullen die hij nodig dacht te hebben bij elkaar en deed ze in een fijn gevlochten nettas. Hij zette zijn hoofdtooi op, deed zijn cape van toekanveren om en bond ten slotte de bundel van otterhuid waarin hij zijn dromen bewaarde zorgvuldig om zijn middel. Toen hij zijn huis uitliep, voelde hij dat de dromen een beetje tegen elkaar aan klikten, een geruststellend geluid. Het was een bewolkte dag, en de lucht was benauwd en verdichtte zich tussen de hogere bomen tot mist. Die mist dempte de bosgeluiden, de kreten van apen en vogels, maar Moie had geen geluiden nodig om te weten waar hij in het bos naartoe ging. Hij liep over het pad, op behoedzame afstand gevolgd door de twee jongens.

Het dorp was niet ver, maar wel ver genoeg om niet al te veel te duchten te hebben van de magische oorlogen die om Moies erf heen woedden en ook ver genoeg bij de rivier vandaan om geen last te hebben van waterheksen en geesten van verdronken mensen. Een stuk of tien langhuizen stonden aan primitieve straten die op het centrale plein met de vaderboom uitkwamen, en tussen die huizen stonden kleinere gebouwen waarin de heilige genootschappen bijeenkwamen, en hokken voor de kippen en varkens. De vaderboom was wat ze een *ry'uulu* noemden, een mahonieboom, en hij stak vijftig meter hoog tot in de wolken. De met steunberen versterkte voet kon alleen omspannen worden wanneer acht mannen elkaars hand vasthielden. Moie groette de vaderboom beleefd in de heilige taal, en de boom antwoordde dat hij welkom was in het dorp. Toen vroeg Moie in alledaagse taal aan de jongens waar de priester was. In het doodzanghuis, antwoordden ze. De 'kerk', verbeterde hij; hij gebruikte het Spaanse woord. In zijn jeugd was Moie stroomafwaarts gegaan naar waar de *wai'ichuranan* vandaan kwamen en had hij enkele jaren bij de dode mensen geleefd, en hij herinnerde zich hun taal nog. Die sprak hij altijd als hij met de priester praatte.

Moie ging de kerk binnen. Dat was het grootste deel van een gewoon langhuis, op palen en met een dak van palmbladeren. De priester was goed met zijn handen en had een altaar van amarante gebouwd, en van hetzelfde hout een grote crucifix dat erboven hing. Met echte spijkers was daarop een beeltenis getimmerd van de man die de mensen Jan'ichupitaolik noemden, 'de persoon die tegelijk levend en dood is'. Pater Perrin had hem het uiterlijk gegeven van een Runya-man, met het typerende bloempotkapsel, hoog opgeschoren aan de zijkanten, en met de tatoeages op zijn gezicht en de rest van zijn lichaam. Moie boog beleefd. Officieel was hij christen, want hij was vele jaren geleden met de naam Juan Bautista gedoopt, maar zoals velen van hen was hij niet praktiserend en geloofde hij er ook niet in. Hij was erg op de priester gesteld en had uit beleefdheid toegestaan dat het water over zijn hoofd werd gegoten en over het hoofd van de anderen in het dorp. Van zijn kant had hij de priester ingewijd in de *ayahuasca* en de andere sacramenten van de Runiya.

Pater Perrin lag in zijn hangmat in de kleine ruimte achter een matgordijn die hij altijd met een glimlach de pastorie noemde. Moie begreep die grap niet, maar glimlachte ook altijd. De priester had zijn *wai'ichura*-kleren gedragen als hij naar de stad ging, maar nooit Thuis. Hij had uitgelegd dat niemand daar met hem wilde praten tenzij hij die kleren droeg, vooral de witte boord om zijn hals, al was die niet helemaal wit meer maar grijsgroen van de schimmel. En Moie had dat heel goed begrepen, want hij droeg zelf ook altijd bijzondere kleding als hij zijn eigen werk deed en met belangrijke mensen praatte. Maar de vrouwen hadden die kleren uitgetrokken en de priester lag naakt in zijn hangmat en leek nog meer op een lijk dan gewoonlijk. Hij had drie kogelwonden in zijn borst en buik, waarop kompressen van heilige planten waren gebonden. Moie legde zijn hand daarop en voelde het murmelen van de plantengeesten die aan het werk waren. Ze murmelden ontevreden, want het was na hun werktijd.

De mensen bleven zwijgend op een afstandje staan toen Moie zijn onderzoek verrichtte. Hij gebaarde dat Xlane bij hem moest komen. Xlane was de dokter van de plantengeesten in het dorp, zoals Moie de dokter van de dierengeesten was. Ze spraken op gedempte toon over de patiënt. Xlane zei: 'Hij was bijna dood toen ze hem brachten. Daarom liet ik jou roepen. En omdat hij een *wai'ichura* is, wist ik niet wat ik moest doen. Ik dacht dat zijn dood misschien anders was dan de onze. Kun jij het zien, Moie Amaura?'

Moie hield zijn hoofd schuin en keek in de kleine ruimte om zich heen op de zijdelingse, turende manier die hij lang geleden had geleerd. Hij zag ze, de *achauritan* van de mensen, achter hun linkerschouders staan, vaag en nevelig bij de jongeren, duidelijker omlijnd bij degenen die eerder zouden sterven. De *achaurit* van de priester stond dicht achter het hoofd van de man, zo massief als vlees zelf, gedeeltelijk aan het oog onttrokken door de vrouw die het gezicht van de gewonde man koelte toewuifde met een palmblad. Moie zei tegen de vrouw dat ze daarmee moest ophouden en zei toen tegen haar en de rest van de mensen dat ze de kamer moesten uitgaan. Toen ze weg waren, liet hij zich op de mat zakken en haalde hij een aardewerken stopflesje en een klein trommeltje uit zijn nettas. Hij tikte een melodie op het trommeltje en zong zijn naamlied, opdat de wachters bij de overgangen naar de geestenlanden hem zouden kennen, zouden weten dat hij *amaura* was, een ingewijde, wijs en sterk, en ook dat hij geen kwaad in de zin had en geen heks was die een van de geesten die ze bewaakten wilde ontvoeren. Toen hij daarmee klaar was, stak hij een smal riet in het aardewerken flesje en snoof *yana* op, één lange, huiverende ademtocht voor elk neusgat.

Na enige tijd zag hij dat de kleuren uit de gewone dingen in de kamer wegtrokken. De hangmat met de stervende man, de dakbalken, de palmbladeren die omlaag hingen, de planten buiten en de weinige bezittingen van de priester werden allemaal grijs en half doorzichtig als rook, en alle kleur in de kamer concentreerde zich in de figuur van de dood en in zijn eigen lichaam, dat rood gloeide als hete kooltjes. Dit was gebruikelijk, maar het verraste Moie dat er geen gloeiende groene en rode draden waren tussen de dood en de man die daardoor in bezit was genomen. Hij schraapte zijn keel en sprak in de heilige taal tegen de lichtgevende figuur.

'*Achaurit* van pater Perrin, deze persoon die geen kwaad doet ziet dat de draden verbroken zijn. Waarom ben je hier nog en vlieg je niet naar de maan om je bij de andere doden te voegen? Omdat pater Perrin een *wai'ichura* is?'

'Blijkbaar,' zei de dood. 'De *wai'ichuranan* houden hun dood in zichzelf en zijn altijd dood, maar blijkbaar ben ik anders. Misschien omdat hij zo veel met jullie heeft gesproken, of om een andere reden. In elk geval kan ik niet wegvliegen, al zijn de draden verbroken. Ik ben bang dat ik een geest word.'

Moie voelde het klamme zweet uit zijn poriën komen en over zijn zij en gezicht lopen. Er was lange tijd geen geest in Thuis geweest. De laatste was een vermoorde man geweest, wiens moordenaar over de rivier was gevlucht en de boete aan de clan van de dode man dus niet kon betalen. De woedende geest had tientallen mensen gedood met ziekten en rampen: brand, verdrinking, pijlen van andere stammen, vraatzuchtige dieren. De Runiya hebben geen woord voor 'ongeluk'. Moie had wekenlang door het geestenrijk moeten reizen om de schuldige op te sporen en hem te dwingen de wereld weer goed te maken. Hij hoopte echt dat hij dat niet nog eens hoefde te doen.

'Moet ik de mensen opsporen die hem hebben neergeschoten om hen de boete te laten betalen?' vroeg hij. 'En hoe vind ik de clan van pater Perrin in de landen van de dode mensen?'

'Nee, het heeft niets met boetes en clans te maken. Dit is een *wai'ichura* en die zijn anders dan jij. Hij wil je iets vertellen, en zolang hij dat niet heeft gedaan, kan ik niet vertrekken naar de plaatsen die je kent.' Dat was een beleefde uitdrukking voor de plaats waar de doden zich bevonden, hoog boven de wereld. 'Luister nu naar wat hij te zeggen heeft, en dan zal ik je verlaten. In deze wereld is het veel te warm voor mij.'

Daarna ademde de *achaurit* zichzelf in de neusgaten van de stervende man, die twee keer hoestte, zijn ogen opendeed en zijn hoofd omhoogbracht.

'Wat is er gebeurd?' vroeg hij in het Spaans toen hij Moie zag. 'Ik praatte met mijn moeder en ze zei: "O, Timmy, je was altijd al zo vergeetachtig. Je moet een tijdje teruggaan."'

Moie was blij dat de man weer tot leven was gekomen maar had moeite met wat hij zei. Er waren goede redenen waarom Regen en Aarde een barrière hadden ingesteld tussen de wereld van mensen en de wereld van de doden, toen die twee voor het eerst met elkaar hadden gepaard en eerst Jaguar en daarna de eerste menselijke kinderen hadden voortgebracht. De priester ging rechtop in zijn hangmat zitten en keek naar Moie en zijn eigen lichaam, voelde de wonden, raakte zijn bleke huid aan. Het was een tengere, kleine man, niet veel groter dan Moie, zijn armen en hoofd donker van de zon. Maar hij had een neus als een papegaai en een kort baardje; aan die twee dingen kon je zien dat hij een vreemde was. De vrouwen noemden hem *vaitih*, dat genoeg op 'pater' leek om voor een beleefdheid te kunnen doorgaan maar in werkelijkheid de naam van een kleine groene papegaai was. Moie keurde dat niet goed, maar je kon niets beginnen tegen vrouwen en hun grappen. Moie noemde hem altijd Tim, wat leek op het woord dat de Runiya voor een onhandige maar vertederende baby gebruikten.

'Het is moeilijk uit te leggen,' zei Moie. 'De woorden ervoor komen niet in deze taal voor. Maar je bent dood en je dood kan niet weggaan naar waar hij thuishoort voordat je me iets vertelt. En dus praat ik nu met je.'

'Op die manier,' zei de priester na een lange stilte. 'Nou, dit had ik niet verwacht. Wat doe ik nu?'

'Je dood zei dat je ons iets te zeggen had. Alsjeblieft, zeg het en ga dan weg.'

'Ja, we hebben dezelfde traditie.' Pater Perrin liet een droog grinniklachje horen, en Moie huiverde een beetje. De lach van de doden is onaangenaam. 'Mijn laatste biecht, en… hm, dit is heel vreemd, ik merk dat ik niets meer om mijn afschuwelijke geheimen geef.'

'Nee,' zei Moie, 'de doden spreken altijd de waarheid. Ga verder.'

Weer een grinniklachje. 'Goed dan. Zegen me, eerwaarde, want ik heb gezondigd. Het is tweeëntwintig jaar en ik weet niet hoeveel dagen geleden sinds ik voor het laatst heb gebiecht. Weet je nog de dag dat ik hier kwam, Moie?'

'Ja. We wilden je doden, want dat doen we altijd met *wai'ichuranan*, maar je viste op een vreemde manier en dat wilden we zien.'

Beide mannen keken op naar Perrins hengel, die aan het plafond hing.

'Ja, ik gebruikte een oude Greenwell's Glory aan een long-belly-lijn van acht pond en ik had in twee minuten beet. Het was een pauwoogbaars, een *tucunaré*.'

'Dat weet ik nog. We waren verbaasd. En daarna ving je de grootste *pacu* die we ooit hadden gezien. Je maakte ze schoon, bakte ze en nodigde iedereen uit om te eten, en we lachten toen je het vlees at terwijl het nog warm was.'

'Ja, ik wist niet dat vis een koud dier was en koud moest worden gegeten. Daarom schoten jullie me niet vol met vergiftigde pijltjes. Indertijd verbaasde ik me daarover. Eigenlijk was ik een beetje teleurgesteld.'

'Je verlangde naar de dood?'

'Ja zeker. Zo ben ik hier terechtgekomen.'

'Ik dacht dat het om het vissen was.'

'Dat was een leugen, en ook dat ik jullie zielen wilde redden. Eigenlijk was het allemaal bedrog. Leugens van een mislukte priester. Nee, in werkelijkheid verlangde ik naar de dood, wilde ik dat er een eind aan de schaamte kwam. Dit is de waarheid. Ik werkte in de omgeving van Cali, waar de drugsbaronnen en de *latifundistas* mensen het land onthielden dat ze in het kader van de landhervormingen moesten krijgen. Ik verdedigde hen, organiseerde bijeenkomsten. Het waren hopeloos ontoereikende christelijke daden, en ze zeiden dat ik mijn mond moest houden. Ik moest de mis opdragen, zeiden ze, en de weduwen en wezen troosten als de mannen door schurken waren gedood. Maar ik hield mijn mond niet. Ik zal wel romantische ideeën over het martelaarschap hebben gehad. Eerst schoten ze op me, maar ze misten, en toen schoten ze nog een keer op me en misten opnieuw, het was een jongen op een motor die dat deed, maar er kwam een spijker of zoiets in zijn band en de band ontplofte en hij kwam om, God hebbe zijn erbarmelijke ziel. Toen wilden ze mijn auto de lucht in laten vliegen, maar er ging iets mis met de bom en niet ik maar de aanslagpleger kwam om het leven. Dat bezorgde me een zekere reputatie. Ik denk dat de mannen die me wilden vermoorden bang werden, want het zijn daar allemaal bijgelovige heidenen, net als jij, mijn goede vriend, maar ze hoefden zich niet druk te maken, want ik richtte mezelf te gronde met Judy. Weet je wat Punch en Judy is? Nee, natuurlijk niet. Punch en Judy is de naam van een... een soort dans voor kinderen, maar Punch is ook een soort pisco en Judy is een vrouwennaam in mijn land, en dat zijn de twee redenen waarom priesters mislukken: drank en vrouwen. Jongens ook, denk ik, maar dat zit nog niet in die uitdrukking. En vreemd genoeg heette ze écht Judy, Judy Ralston. Ze was een verpleegkundige uit Braintree in Massachusetts. Ze was klein en had een grote bos zwart haar en lichtgroene ogen en ze was altijd kwaad, kwaad op de regering, de politie, de gezondheidsdienst in Cali en de Kerk. Ze was een afvallige katholiek, moet ik daaraan toevoegen. Vertel me, weet jij wat "eenzaam" betekent, mijn vriend?'

'Ja. Zoals je weet, hebben we daar geen woord voor, maar toen ik als jongen over de rivier was gegaan, leerde ik dat woord en had ik dat gevoel ook in mijn hart.'

'Ja, nou, het hoort nu eenmaal bij het werk, maar ik had nooit beseft wat het zou betekenen. Niemand om mee te praten, geen boeken, nooit het geluid van je moedertaal in je oren. Ik besefte pas hoe erg ik daaronder leed toen ze met haar jeep, haar tas vol medicijnen en haar Amerikaanse stem bij me aankwam.'

'Je nam haar in je hangmat.'

'Nee, ze nam mij in háár hangmat. Ja, ik weet het, het is erg *siwix* om dat te doen, maar we waren verdorven. Ze hoefde het me maar één keer te vragen. Dat was na de bomaanslag op mijn auto, en we beefden van angst toen we onze kleren uittrokken. Zij wist alles en ik wist niets en zo gingen we door met de liefde tot ze een kind verwachtte. Zeg, als ik het woord "abortus" gebruik, weet je dan wat ik bedoel?'

'Nee, wat betekent het?'

'Een kind dat ongewenst is en van wie de vrouw zich wil ontdoen?'

Moies gezicht klaarde op van begrip. 'O, je bedoelt *hninxa*, een meisjesbaby die aan Jaguar wordt gegeven.' Moie wist dat de priester die praktijk afkeurde, maar hij wist ook dat de doden niet kwaad meer konden worden.

'Ja, zoiets is het, maar in ons geval wordt de baby aan de rioleringsdienst van Cali gegeven. Ach, nu merk ik dat de doden niet kunnen liegen maar nog wel schaamte kunnen voelen. Ik zeg tegen mezelf dat het kind de vernietiging van belangrijk werk zou betekenen als het ooit werd ontdekt. Ik was een beroemde figuur in die omgeving, een symbool voor degenen die het tegen de landdieven en *drogeros* wilden opnemen, en dat was belangrijker dan die ene baby. Judy kwam terug, en we gingen ermee verder, maar het was nu niet hetzelfde. Toch klampten we ons eraan vast, we hielden ervan en verafschuwden het tegelijk; en je hebt geen idee waar ik het over heb. Maar later vertelde iemand het natuurlijk aan de bisschop, en er kwam een onderzoek, nog wel door de politie. Duizend moorden per jaar in Cali, en bijna nooit wordt er een opgelost, maar ze hadden tijd voor mijn abortus. Ze stuurden me naar Amerika terug, tenminste, dat was de bedoeling, maar toen ik op het vliegveld was, kon ik niet tegen het idee dat ik terug zou gaan en eruit gegooid zou worden. Ik was banger voor de minachting en voor het verdriet dat ik zou veroorzaken dan voor het vooruitzicht van verdoemenis, en dus wisselde ik op het laatste moment mijn ticket in en nam ik een ander vliegtuig, niet naar Bogotá en Los Angeles maar naar San José del Guaviare, en van daaruit liep ik naar het zuiden het woud in. Ik was van plan langs de rivier te lopen en te vissen tot God me nam, en in plaats daarvan vond ik jullie. Maar blijkbaar was het altijd al voorbestemd dat ik zou worden doodgeschoten door een schurk, en dus heb ik ondanks mijn verdorvenheid en schande toch de eer gekregen om voor het volk te mogen sterven. Gezegend zijn de wegen van de Heer.'

'Wilde je me dit vertellen? Over de manier waarop je hier gekomen bent?'

'Helemaal niet. Dat was niets. Ik moest je vertellen dat jij en je hele volk in groot gevaar verkeren. De dode mensen zijn van plan een weg aan te leggen en een brug over je rivier te bouwen. Ze willen naar de Puxto komen en daar alles vernietigen.'

'Maar hoe kunnen ze dat doen? De Puxto is voor altijd van ons. Het is een inheems reservaat. Tenminste, dat heb je altijd gezegd.'

'Ja, het is een reservaat. Het hele tafelland wordt beschermd door de wet. Maar de hebzucht vindt altijd een weg. Er is een bedrijf dat jullie bomen wil hebben. De Puxto heeft een van de grootste arealen maagdelijk tropisch hardhout in Colombia. Er is smeergeld betaald. Je begrijpt niet wat ik zeg, hè?'

Moie stak zijn kin naar voren, zoals Runiya doen als ze verbijstering te kennen willen geven.

'Goed,' zei de priester. 'Je weet wat geld is, hè?'

'Natuurlijk! Ik heb bij de dode mensen geleefd en ik ben geen onwetend man. Het zijn bladeren met het gezicht van mensen of de snuit van dieren erop. Je werkt en ze geven ze aan je, en dan geef jij ze aan hen en krijg je dingen. Een dode man geeft bijvoorbeeld geld aan een andere dode man en dan geeft die hem een machete, en een ander geeft geld en krijgt een fles pisco.'

'Heel goed, Moie, je bent bijna een econoom. Nou, laten we zeggen dat een van die bladeren die je hebt gezien een biljet van duizend peso is. Drie van die bladeren zijn hetzelfde als een van de bladeren uit mijn deel van het land van de doden, het blad dat we een dollar noemen.'

'Ja, dat woord heb ik gehoord.'

'Ongetwijfeld. Daar valt niet aan te ontkomen. Nu kun je met een biljet van duizend peso een fles pisco kopen, en met tien van die biljetten een machete. En een stuk *ry'uulu*-hout, wat ze mahonie noemen, van zo groot' – de priester gaf nu een kubieke meter aan – 'is vijftienhonderd dollar waard.' De priester vertaalde dat bedrag in pisco en machetes en flessen suikerrietdrank, en de levende man lachte. 'Dat is krankzinnig,' zei hij. 'Niemand zou ooit zo veel machetes kunnen verslijten, en tien handen mensen zouden in hun hele leven niet zo veel pisco kunnen drinken.'

Het was moeilijk om op te houden met giechelen, al wist hij dat het onbeleefd was om te lachen in het bijzijn van de doden, maar hij moest aan al die *wai'ichuranan* denken, stomdronken en zwaaiend met een heleboel machetes in beide handen.

Toen Moie sputterend tot zwijgen was gekomen, ging de priester verder. 'Ja, krankzinnig, maar ook de waarheid. Ze willen de *ry'uuluan* en de andere grote bomen hebben en ze komen over hun weg naar de Puxto en kappen elke boom die ze zien. Ze kappen het hele bos tot alleen de rode aarde overblijft, en als de regering dan tegen hen zegt dat ze het verkeerd hebben gedaan, zeggen ze: "O, sorry" en betalen ze een boete, dertig dollar per boom, en ze nemen lachend de dode bomen mee. Zo gaat dat. En als jullie ze tegen willen houden, schieten ze jullie allemaal dood, zoals ze bij mij hebben geprobeerd.'

Moie liet die woorden in zijn oren toe, maar ze kregen geen vat op zijn geest, want als je zei dat de Puxto kon worden vernietigd, zei je in feite dat de hemel omlaaggehaald kon worden of dat de lucht in water kon veranderen. De dode man las blijkbaar zijn gedachten (dat verraste hem niet) en zei: 'Ja, dat kunnen ze, en ze gaan het doen ook, tenzij ze worden tegengehouden. Daarom ben ik naar San Pedro gegaan en daarom hebben ze me gedood.'

'Ik ga ook naar San Pedro,' zei Moie, 'en ik zal ook tegen hen zeggen dat ze daarmee moeten ophouden. Misschien zullen ze mij niet zo gemakkelijk doden.'

'Ik denk dat het hun een beetje moeilijk zal vallen jou te doden, maar evengoed schiet je er niets mee op. Het was dom van me om dat te denken. Nee, de mannen in San Pedro zijn alleen maar kleine takjes van de boom. Zelfs die in Bogotá zijn nog maar takken. Om er een eind aan te maken zouden we naar Miami in Amerika moeten gaan, het land waar ik vandaan kom. Daar zijn de stam en de wortels van de boom, en dan zouden we iedereen daar moeten vertellen wat er in de Puxto aan de hand is. Maar ik ben nu dood en er is niemand anders die kan gaan.'

'Ik zal gaan.'

'O, mijn vriend, je weet niet hoe ver het is en je spreekt hun taal niet...'

'Die spreek ik wel. Ik spreek de taal van de *wai'ichuranan* heel goed.'

'Nee, je spreekt heel slecht Spaans, met veel woorden in het Quechua en je eigen taal, en dat is goed genoeg om met mij te praten, maar op het Consuela-kantoor zouden ze je alleen maar uitlachen.'

'Wat is dat Consuela-kantoor?' Moie schrok van die woorden. Het was lang, lang geleden dat iemand hem had uitgelachen.

'Het is... het is een soort jachttroep van de *wai'ichuranan*, en ze jagen op dollars, en ze jagen en jagen en hoeveel ze ook krijgen, ze zijn nooit tevreden, ze zeggen nooit: we hebben genoeg, laten we zingen en eten tot het allemaal op is, zoals jullie levende mensen doen.'

'Omdat ze dood zijn.'

'Ja. Omdat ze dood zijn. En ik zal je nog wat vertellen. Wie weet, kan er nog steeds een wonder gebeuren. Iemand van buitenaf zou het kunnen opmerken en jullie komen helpen. Ik zal je de namen geven van de mannen die de leiding hebben van Consuela Holdings LLC. Die namen zijn niet erg bekend, want zulke mannen zijn net anaconda's, ze verbergen zich in de schaduw en besluipen hun prooi om die te grijpen en te wurgen. Dus je moet ze goed onthouden. Kun je dat?'

Bij wijze van antwoord plukte Moie een streng van de vloermat en hield hem omhoog. 'Zeg hun namen!' zei hij. De priester gaf hem vier namen, en bij elke naam die in de lucht viel maakte Moie een knoop in de streng. Toen de laatste naam over de dode lippen was gegaan, kwam er een verandering over pater Perrin. Zijn ogen gingen wijd open en hij keek alsof er iets prachtigs te gebeuren stond. Het was de uitdrukking van een kind dat een stuk zout te likken krijgt. Toen viel hij in de hangmat achterover, en Moie zag zijn dood in goede orde vertrekken. Hij was immens opgelucht.

Daarna moest Moie een tijdje wachten voordat hij weer in staat was om met levende mensen te praten, en hij verdreef de tijd door aan wijlen pater Perrin, Jaguar en *kosmologie* te denken. Dat was een van de woorden die hij in zijn gesprekken met de priester had geleerd. Hij had niet geweten dat er zelfs een taal bestónd om over zulke dingen te praten, want de gewone taal van zijn mensen zat ín hun leven; ze vertelden in hun verhalen hoe de wereld was ontstaan, en voor dingen die niet tot uiting gebracht konden worden, hadden ze muziek en dans. Zeker, Moie en zijn mede-*jampirinan* hadden de heilige taal, maar die werd alleen gebruikt om met de geestenwereld in verbinding te komen en de geesten over te halen de mensen te helpen. Voor zover Moie wist, stond geen enkele Runiya ooit met zijn geest buiten alles wat was en wat hij als één geheel zag, zoals een vrouw naar een yam kijkt. Het was angstaanjagend, maar ook opwindend.

Moie had gehoord dat de *wai'chura*-missionarissen in andere dorpen allereerst tegen de mensen zeiden dat alles waarin ze geloofden verkeerd was, en dat alleen het verhaal dat ze over Jan'ichupitaolik vertelden waar was. Ze gaven voedsel en dingen aan de mensen, opdat die zouden inzien dat de missionarissen gelijk hadden en dat Jan'ichupitaolik niet graag mensen zonder kleren zag en ook een hekel had aan de dingen die mensen altijd hadden gedaan om in harmonie met de geestenwereld te leven. Pater Perrin was niet zo'n missionaris, hij was helemaal geen missionaris, zoals hij vaak zei, en hij vond dat de Runiya min of meer gewoon moesten doorgaan met hun leven. Hij zei dat Jaguar bijna hetzelfde was als Jan'ichupitaolik en dat Aarde bijna hetzelfde was als de Vader en dat Regen bijna hetzelfde was als de Heilige Geest, maar dat Jaguar niet meer wilde dat de Runiya hem kleine meisjes te eten gaven; dat was het enige wat hem boos maakte. Als Jaguar een meisje at, nam pater Perrin zijn hengel en ging hij vissen, soms dagenlang, en in al die tijd praatte hij helemaal niet met Moie. Later vergaf hij het Moie en liet hij hem beloven het niet meer te doen, en dan probeerde Moie hem uit te leggen dat hij niet de meester van Jaguar was, dat Jaguar kwam wanneer hij wilde en zich door niets liet tegenhouden. Pater Tim accepteerde dat niet. Het was een *theologisch* verschil (ook een nuttig woord).

Moie had ook moeite met vergevingsgezindheid, en met de opvatting van pater Perrin dat niet macht maar liefde de overheersende kracht op de wereld was. Je had vijanden en het was de plicht van een man om ze indien mogelijk te vernietigen, of ze tevreden te stellen, als dat niet mogelijk was. De idee dat je je vijanden moest liefhebben, leek hem krankzinnig en niet *ryuxit*. Pater Perrin zei dat de *wai'ichuranan* dat woord niet kenden, alleen woorden voor kleine delen ervan, zoals *harmonie, schoonheid, vrede* en *gelukzaligheid*. Moie wist dat de wereld werd beheerst door *ryuxit*, de harmonie van de verschillende kinderen van Jaguar, boom rots slang vis vogel allemaal samen met mensen. Wat niet *ryuxit* was, was *siwix*, de dingen die onharmonieus en dus verboden waren. Je kon houden van iets wat *ryuxit* was, zoals je van een vrouw hield, maar je kon niet van *siwix*-dingen houden; dat was een tegenstrijdigheid. Een *paradox*. Pater Perrin had hem dat woord ook geleerd. Het betekende iets wat waar was en tegelijk niet waar was, als iets wat nat en tegelijk droog of licht en tegelijk donker was. Pater Perrin zei dat Regen, Aarde en Jaguar allemaal afzonderlijke dingen maar tegelijk één en hetzelfde waren. Ik maak een theoloog van je voordat ik doodga, zei hij altijd; zo noemden de dode mensen hun *jampirinan*. Moie was niet zo zeker van dat alles, want zulke gedachten deden pijn aan zijn hoofd, maar toch liet die idee hem niet los, en hij zag dat er iets in zat wat hij niet tot uiting zou kunnen brengen. Volgens pater Perrin kon Jan'ichupitaolik van *siwix* houden. Door ervan te houden veranderde hij het in *ryuxit*, en dat niet alleen: zelfs in een betere *ryuxit* dan er tevoren was geweest.

Moie zou dit alles als onzin van dode mensen hebben afgewezen, als hij de geest van pater Perrin niet in een droom had bezocht, kort nadat de priester in Thuis was aangekomen. Hij had daar niet alleen de verschrompelde deerniswekkende ziel gevonden die kenmerkend was voor de *wai'ichuranan*, maar ook iets wat immens en krachtig was: *ryuxit* boven *ryuxit*. En dus had hij toegestaan dat de man in Thuis leefde en zijn kerk oprichtte en had hij hem zo veel over het leven van de Runiya en *axa'jampirin*, het pad van de geesten, geleerd als hij gepast vond. Tegelijk had hij veel over de *axa'jampirin* van de dode mensen geleerd.

Nu was Tim dood. Hij was bij Jaguar boven de maan, of in de hemel bij zijn God, en misschien was dat werkelijk hetzelfde, zoals pater Perrin vaak had gezegd. Moie zuchtte, stond op en keek naar het lijk. De vliegen en kakkerlakken hadden het al gevonden. Ze legden hun eitjes in ogen en mond en knabbelden in donkere, wriemelende zwermen aan het verscheurde vlees bij de drie wonden. Hij riep en er kwamen mannen binnen om het lijk naar de rivier te brengen. Daar maakte Moie de rituele sneden en vulde hij de lichaamsholte met zes grote ronde witte stenen. Hij boorde een gat in de hersenen om te voorkomen dat een heks ze weer tot leven wekte, en daarna zongen ze de begrafenisliederen, zoals ze ook voor een van hun eigen mensen zouden hebben gedaan. Ten slotte gaven ze het lijk aan Regen door haar kind de Rivier.

De kerk werd afgesloten, niet alleen fysiek met matten en touwen, maar ook geestelijk met geheime middelen die Moie gebruikte. Geen mens zou daar plunderen, en er zouden ook geen kwaadaardige geesten zich komen voeden met de spirituele resten van de vroegere bewoner. Er was die avond het gebruikelijke feest met voedsel, chicha en dans, want pater Perrin was een geliefde persoon in Thuis en bovendien stond er een volle maan, wat altijd een goed teken was. Iemand die bij volle maan stierf was een vriend van Jaguar en verdiende dus bijzondere eer. Moie dronk op de wake minder dan gewoonlijk en ging weg toen er nog volop werd gedanst. Het maanlicht drong nauwelijks door het dichte baldakijn van het gebladerte heen en het was zo donker dat hij zwevende lichtvlekjes zag, alsof hij zijn ogen stijf dicht had, maar hij volgde paden die hij goed kende en na een tijdje werd de grond onder zijn voeten harder, rotsachtiger, en werden de bomen kleiner en stugger. Hij bevond zich nu op de kalkstenen rotsmassa die zich midden in het Puxto-tafelland boven het regenwoud verhief. Vanaf deze plaats had hij een onbelemmerd zicht op de nachtelijke hemel, en dat was ook de bedoeling, want de mensen hadden er altijd voor gezorgd dat op dit kleine stukje grond niets groeide. Deze grond was aan Jaguar gewijd en diende de Runiya tot zowel kathedraal als observatorium, al bestond de gemeente of het astronomische personeel uit maar één persoon.

In het midden van die ruimte bevond zich een lange, lage witte kei, bijna in de vorm van een ineengedoken kat, waarin Eerste Mens kort na de schepping van het universum een beeltenis van zijn maker had gebeiteld. Eerste Mens had het hoofd en de oren gemaakt, de mond opengezet en twee grote natuurlijke smaragden in de oogkassen gedaan. Hij had er ook rozetten in uitgehakt, en daar was donker mos in gegroeid, zodat het effect bij nacht verrassend levensecht was.

Moie ging op een lage steen voor die beeltenis zitten, nam twee neusgaten *yana* en zong zijn naamlied met een luide, heldere stem, het lied waarmee hij zijn god vroeg of hij mocht spreken. Jaguar verborg zich nu achter wolken die voorbij waaiden als palmbladeren in een storm. Hij tuurde even naar de hemel, en nog eens, en opeens maakte een langgerekte wolk zich los die helder schitterde aan de zwarte hemel: twee diepe ogen, een snuit en een gebogen bek, een gevlekte kop en een net van snorharen. In de heilige taal bad Moie om hulp voor zichzelf en zijn volk, en toen er enige tijd was verstreken, zwol Jaguar aan. Hij werd helderder en daalde uit de hemel naar zijn beeltenis neer.

De god luisterde naar Moies verhaal over de priester, diens dood en het gevaar dat hij had voorspeld. Toen sprak Heer Jaguar, en het was of de stem uit de stenen kaken kwam. Hij zei: Moie, je moet naar het land van de doden gaan en tegen de dode mensen zeggen dat dit voor hen verboden is. Zeg dat de Puxto er voor mij is, en voor de sprekers van taal, de Runiya, en niet voor de doden.

Nu beefde Moie van angst en hij zei: '*Tayit*, hoe kan één mens dat doen? De dode mensen zijn met zo velen en ik spreek hun taal niet erg goed. Ze zullen me uitlachen en uit hun dorp verjagen.'

Jaguar antwoordde: ik zal je bij de dode mensen bondgenoten geven die mijn woorden voor jou zullen spreken. En als de heren van de dode mensen niet doen wat ik wil, zal ik hen doden en hun lever opeten. Verdrijf nu de angst uit je hart, Moie, want ik zal met je meegaan en mijn kracht zal de jouwe zijn. En de Heer Jaguar vertelde hem nog meer dingen die hem op zijn reis zouden helpen. Toen liet Jaguar een deel van hemzelf uit de stenen bek springen. Dat ging Moie binnen door zijn neusgaten en Moie viel bewusteloos op de grond.

Toen hij bijkwam, was de dageraad aangebroken, grauw, betrokken en met een verkillende mist. Moie stond op en liep naar het dorp terug. Hij sloeg met zijn armen tegen zijn borst om weer wat gevoel in zijn lichaam te krijgen. De angst pulseerde diep in zijn buik, maar steeg niet op naar zijn hart, want Jaguar was er. Het dorp sliep en er was geen ander geluid te horen dan dat van de dieren: het klokken van de kippen en het knorren van de varkens, gedempt door de mist. Hij dacht even aan wat de mensen zouden zeggen als ze merkten dat hij weg was. Ongetwijfeld zou een andere *jampiri* zijn plaats innemen en de mensen zouden hem accepteren of niet, of misschien zou er strijd komen tussen twee *jampirinan* en zouden Runiya het slachtoffer daarvan worden. Trouwens, hij had elke dag kunnen sterven; niet dat er veel verschil was tussen sterven en wat hij nu ging doen. Hij zou zijn beroep graag aan een leerling hebben overgedragen, maar die had hij niet. Jaguar had daarvoor al lange tijd geen jongens aangewezen.

Toen hij bij de kerk aankwam, trok hij de matten weg en ging naar binnen. Er stond een koffer van stof in de kamer waar de man was gestorven. Moie pakte die koffer en de kleren en het visgerei van de priester en ging naar zijn huis terug. Pucu, de jongste van de twee vrouwen, was al wakker. 'Waar ga je heen?' vroeg ze.

'Weg. Doe wat eten in een mand.' Terwijl ze dat deed, pakte hij de attributen van zijn beroep in een nettas, en ook zijn blaaspijp met pijltjes en een waterzak van pekari met de vacht er nog op.

'Wanneer kom je terug?' vroeg ze. Hij keek haar aan en trok een streng gezicht, al deed het hem pijn dat dit mooie jonge gezicht het laatste gezicht van zijn volk zou zijn dat hij ooit zou zien. Hij maakte een handig pak van alles wat hij meenam en zei: 'Als je me ziet terugkomen, zul je het weten.' Toen liep hij weg.

Bij de rivier pakte hij een nieuwe viskano voor één persoon, laadde zijn spullen in de boeg, pakte een peddel, een reservepeddel en een kalebas voor het hozen, en toen stak hij zonder achterom te kijken van wal, de zwarte rivier op die door de dode mensen Paluto werd genoemd. Het bleef regenen. Soms motregende het, maar meestal viel het water met bakken uit de hemel en sloeg het op zijn blote rug. Tegen het eind van de middag was hij voorbij San Pedro Casivare. De stortregen had hem aan de blikken van de *wai'ichuranan* onttrokken.

Hij peddelde dagen en dagen, handen dagen, sliep af en toe, at het gedroogde voedsel dat hij had meegenomen tot het op was en leefde daarna van vis die hij ving met de hengel en de spoel van de priester en die hij rauw opat, en soms van fruit dat in de rivier dreef of aan een overhangende boom hing. Om de honger en de vermoeidheid te bestrijden kauwde hij op cocabladeren. Hij schoot een keer een aap met zijn blaaspijp, maar die zonk voordat hij erbij kon komen. Hij volgde de Paluto totdat die in de Meta uitkwam, een veel bredere rivier. Moie wist de naam van die rivier niet, en hij wist ook niet dat de nog veel bredere rivier waarin de Meta uitkwam door de dode mensen de Orinoco werd genoemd. Er lag een vrij grote stad op de plaats waar de rivieren samenkwamen, en hij zag daar grote boten die zich als heuvels boven zijn kano verhieven. Hij kwam ook snelle witte vaartuigen vol *wai'ichuranan* tegen, mannen en vrouwen, als papegaaien in felle kleuren gehuld, en als papegaaien schreeuwden ze en maakten ze klokkende geluiden naar hem. Ze wezen met zwarte stokken en zilveren waterzakken naar hem als hij voorbij peddelde, maar ze deden hem geen kwaad. Hij voer nu alleen als het hard regende of als het heel vroeg in de morgen was. Er kwam een somberheid over hem, en Jaguar zond onaangename dromen van dode mensen en hun eindeloze dorpen, straten van steen en rotswandhuizen van steen en glas, als glanzende massieve lucht, en rijdende dingen die stonken en dode mensen die samendromden, meer dan je met handen kon tellen, zo talrijk als de bladeren in het woud.

In de hemel ging Jaguar weg om een bezoek aan zijn moeder Regen te brengen. Hij verschrompelde tot leegte. Toen kreeg hij genoeg van de raad van zijn moeder, zoals dat bij alle mannen gaat, en keerde hij terug om rond en fel op de eindeloze wateren te schijnen. Hij ging weg, kwam weer terug en ging weg. Hier en daar stuitte Moie op stroomversnellingen en draaikolken, maar hij had bijna zijn hele leven op de schuimende wateren van de Boven-Paluto gevaren en deze bleken niet erger te zijn. Na de stroomversnellingen kwam kalm bruin water, zo breed dat hij in de nevel van de vroege ochtend geen van beide oevers kon zien. De regen nam af en hield op, en het land langs de Orinoco veranderde van regenwoud in drogere palmbossen. Hij kwam 's nachts langs een grote stad die op de stad in zijn droom leek, met felle stippen van licht die als gevangen sterren uit de rotswandhuizen kwamen. Een bulderend ding ging boven de rivier door de lucht en verdween. Hij had gehoord dat de dode mensen metalen kano's hadden die als vogels vlogen en zag nu dat het waar was. Moie zelf gebruikte een andere, geluidloze methode om door de lucht te vliegen.

Na nog meer dagen kwam er weer een grote stad, en toen gingen de palmbossen over in moerassen en splitste de rivier zich op in smallere stromen. Hij liet zich door Jaguar leiden. Op een dag stak hij zijn hand in de rivier, dronk het water en merkte dat het zout was. Hij had van pater Perrin gehoord dat de zee zout was, maar hij had het niet echt geloofd, en nu wist hij dat het waar was.

Hij kwam langs mangrovebossen en moddervlakten en voor hem lag een uitgestrekte watermassa, met aan de verre horizon een bruine vlek waarvan hij dacht dat het Miami Amerika moest zijn. Hij bond zijn kano aan een mangrovewortel, pakte zijn blaaspijp en waadde naar de rand van de zee. Algauw kwam hij bij een ondiepe baai vol flamingo's en andere zeevogels die naar voedsel zochten. Hij schoot twee flamingo's. Op het strand maakte hij een groot vuur, en hij ontleedde de vogels, schroeide hun veren weg, verpakte het vlees in palmbladeren en begroef het in de hete kolen. Hij at het pezige vlees en dronk water uit de huid die hij had meegenomen. Toen duwde hij zijn kano de kalm aanrollende golven in.

Hij deed er een hele dag over om de oceaan over te steken, en toen hij aan de andere kant kwam, verbaasde het hem enigszins dat Amerika erg op San Pedro Casivare leek. Pater Perrin had hem veel verhalen verteld over het land waar hij vandaan kwam en dat was heel anders dan wat hij hier te zien kreeg: een vervallen houten steiger, wat lage hutten tussen de palm- en peperbomen en mensen met een zwarte huid die allerlei dingen deden. Hij trok zijn kano het zand op en ging aan wal, correct gekleed in zijn schoudercape met veren en zijn hoed met quetzalveren, want hij wilde die mensen laten weten dat hij een *jampiri* was en dus respect verdiende. Er stonden en zaten zwarte mensen voor een gebouwtje en hij ging naar hen toe en zei in het Spaans: 'Pardon, heren en dames, is dit Miami Amerika?'

Ze staarden naar hem. Hij stelde de vraag opnieuw, maar ze kwetterden alleen maar wat in een vreemde taal en hun kinderen gingen om hem heen staan en keken met grote ogen naar hem. Een vrouw rende de straat door en kwam terug met een oude, gelige man. Die sprak Spaans. Hij vroeg Moie waar hij vandaan kwam. Van Thuis, zei Moie, en ik wil weten of dit Miami Amerika is, want ik ben de zee overgestoken nadat ik over vele rivieren heb gereisd en ik heb gehoord dat het aan de andere kant van de zee ligt.

De man zei dat dit niet Miami was, maar Fernandino op het eiland Trinidad, en hij zei ook dat Moie helemaal niet de zee was overgestoken, maar alleen de Golf van Paria. Hij legde uit dat de zee veel, veel groter was en dat je hem niet in een kano kon oversteken. En wilde meneer iets drinken?

En dus gingen ze op een stoel in de schaduw zitten en dronken ze een soort chicha uit flessen, wat Moie niet meer had gedaan sinds hij een jongen was, en de man, Ezra, vertelde hem dat hij ooit de hele wereld had bereisd. Hij had op schepen van de blanke man gewerkt; dat waren kano's zo groot als heuvels. Hij kende zowel Spaans als Engels, de taal die ze in Amerika spraken, al spraken ze in Miami ook Spaans. En hij zei dat als meneer naar Miami wilde reizen, hij naar Port of Spain moest gaan, ten noorden van Fernandino, en zich daar 's nachts aan boord van een schip moest verstoppen. Dat schip zou hem naar Miami brengen. Ezra vertelde hem hoe hij dat moest doen en hij vertelde hem ook over de vele gevaren die eraan verbonden waren, want vroeger, toen hij zee-man was, had hij op zijn manier geholpen veel mensen naar Amerika te brengen, waar ze rijk konden worden, zoals hij rijk was geworden door op de schepen te werken.

Toen riep Ezra iets, en een vrouw kwam met iets aanlopen, en Ezra deed een glanzend ding op zijn gezicht waardoor zijn ogen op die van een vis leken en bestudeerde het ding dat de vrouw had gebracht, dat wit was als een wolk, ritselde als bladeren en bedekt was met kleine zwarte tekentjes, als dode mieren. Moie had pater Perrin hetzelfde zien doen met het ding dat hij bijbel noemde en waarmee hij tot de doden van zijn volk sprak. Moie wachtte eerbiedig af terwijl Ezra tot de doden sprak, en toen glimlachte Ezra en zei hij dat de vrachtvaarder *Guyana Castle* over twee dagen met een lading timmerhout naar Miami zou vertrekken. Hij kende dat schip en beschreef het, opdat Moie het zelfs in het donker zou kennen. Moie bedankte hem en Ezra zei dat hijzelf dankbaar zou moeten zijn, want Moie was het interessantste wat het dorp Fernandino sinds de laatste orkaan was overkomen. Hij zei ook dat Moie, als hij in Miami was, kleren moest aantrekken, want anders zouden ze hem arresteren. En hij legde uit wat 'arresteren' was.

Twee nachten later keek Moie vanuit zijn kano omhoog naar de roes-tige zwarte romp van de *Guyana Castle*. Het schip was aan een lange straat gebonden die het water inging, en in die straat brandden *wai'chura*-lichten die feller waren dan de volle maan, en er stonden daar mannen voor een kleine straat die omhoog leidde naar het schip. Maar Moie was aan de andere kant, op het zwarte, olieachtige water, bij-na onzichtbaar in de schaduw van het schip zelf. Vijf mannenlengten boven hem was er een lage plaats op de zijkant van het schip, en daar moest hij zien te komen. Omdat niemand tegen die steile wand om-hoog zou kunnen klimmen, vermengde Moie wat poeders uit kleine huidzakjes die hij uit zijn nettas haalde en snoof die poeders op door een buisje, waarna hij zacht prevelde. Terwijl hij prevelde, bond hij een touw om alles wat hij wilde meenemen, en toen nam hij het stuk touw in zijn mond. Zijn zintuigen veranderden, breidden zich uit, terwijl het deel van hem dat Moie was verschrompelde. Hij rook en hoorde dingen die mensen niet gewaar konden worden. Door andere ogen keek hij op naar de reling ver boven hem. Er bouwde zich spanning op in zijn benen. Hij had vaag het gevoel dat hij door de lucht opsteeg en verdween toen helemaal in zichzelf.

Toen hij merkte dat hij weer Moie was, bevond hij zich diep in de donkere buik van het schip, met om hem heen de stank van olie en damp en de meer vertrouwde geur van gehakt hout. Harde dingen drukten tegen zijn rug, en het schip lag niet meer in de haven, maar bewoog. De motoren dreunden in zijn oren en door zijn hele lichaam. Hij was doodmoe, zoals hij na dat soort ervaringen altijd was, maar hij herinnerde zich dat hij zich goed verborgen moest houden en hij had zijn koffer en andere bezittingen bij de hand. Nadat hij uit zijn waterhuid had gedronken, maakte hij het zich tussen de pallets met hout zo comfortabel mogelijk. Hij at de kruiden en begon aan het ritueel dat zijn lichaamsfuncties zou vertragen tot hij bijna dood was, al wist hij dat zijn geest levend genoeg zou blijven in een andere wereld.

Hij werd wakker van stilte. Het schip bewoog nu ook niet meer. Hij deed zijn ogen open en zag schemerig licht. Ze hadden de luiken in de boeg van het schip opengemaakt, en de bundels zonlicht vormden heldere pilaren. Moie liep vlug naar achteren en naar beneden, zodat de stapels planken zich als een duistere rotswand boven hem verhieven. Machines kletterden en kreunden en Moie wachtte op de duisternis, zoals Ezra hem had aangeraden. Hij had grote honger.

Het daglicht vervaagde, de geluiden van het uitladen hielden op, en het enige wat hij nu nog hoorde was het vage gerommel en gekletter van *wai'ichura*-machines. Moie pakte een mahoniehouten plank van drieënhalve meter lang en een halve meter breed uit zijn pallet en trok hem achter zich aan terwijl hij een ladder beklom. Zijn koffer was met het touw om zijn middel vastgemaakt. Er was niemand aan dek. Net als op Trinidad was het schip in de lengte aan een steiger vastgemaakt, en om eraf te komen moest je langs een bewaker. Moie liep geruisloos naar de andere kant, liet de plank vallen en volgde hem het warme water in. Hij schoof op zijn buik op de plank en peddelde naar de lichten van de stad in het westen.

Het was een heldere avond en het oppervlak van de baai werd alleen verstoord door een lichte zeebries. In de wolkeloze zwarte hemel kwam Jaguar opzetten, terug van zijn reis naar Regen. Moie keek naar de hemel en voelde dat zijn hart in zijn borst bleef stilstaan. De bekende sterren van zijn eigen land waren allemaal weg. De Oude Vrouw, de Otter, de Dolfijn, de Slang: allemaal verdwenen en vervangen door een chaos die geen enkele betekenis voor hem had. Alleen met grote moeite en met hulp van Jaguar bedwong hij zijn paniek. De machines van de *wai'ichuranan* moesten wel erg machtig zijn, als ze de sterrenhemel konden veranderen. Evengoed heerste Jaguar over de nacht, zelfs hier; dat was tenminste iets. Moie dwong zichzelf rustig te worden en peddelde naar de kust, op weg naar wat eruitzag als een klein stukje bos tussen de grote rotswandhuizen van de doden.

Toen hij modderig zand onder zijn voeten voelde, liet hij de plank achter en liep hij de wal op. Er stonden hier bomen, sommige vreemd maar andere bekend, die grote vijgenboom bijvoorbeeld. Hij bleef staan en snoof de avondlucht op. Die stonk naar vreemde gassen, zoals het schip, maar hij bespeurde ook dieren, sommige vreemd voor hem, andere bijna bekend. Hij voelde zich een beetje beter. Hij zou tenminste niet omkomen van de honger.

2

Jennifer Simpson werd wakker van vogelgezang: een spotvogel die in de tuin kwinkeleerde en de vinken in hun gevlochten kooi op de patio van het grote huis. De spotvogel was klaar met een lange frase en imiteerde nu de vinken. Ze stond op en ging naakt in de deuropening van haar huisje staan, een lang meisje met hoge borsten en een dichte massa rossig goudblond haar dat tot onder aan haar rug viel. Ze zat van top tot teen onder de lichte sproeten. Haar gezicht was ovaal, met fijne trekken en lichtblauwe ogen die zo open en uitdrukkingsloos waren als die van een kind. (Iemand die naar haar keek, en er was zo iemand, dacht niet voor het eerst 'Botticelli'.) De lucht was zo koel als het die dag zou worden, en elk blad, elke stengel in de tuin was bedekt met glinsterende dauw. Het was haar favoriete tijdstip van de dag, want hoewel ze geen bezwaar had tegen gemeenschappelijk wonen, had ze ook behoefte aan privacy. Ze nam een masker en snorkel van een haak aan de verandapaal, pakte een opgerolde zak van waspapier uit een nis in de ruwe natuurstenen muur, stak haar voeten in rubberen teenslippers en liep het pad van koraalgrind af. Na enkele meters stuitte ze op een enorm spinnenweb dat dwars over het pad hing. Het werd bewoond door zo'n spin met een spichtig lijf dat eruitzag alsof het van gekleurd plastic was. Ze kon niet op de naam komen. Scotty zei haar altijd hoe alles heette, maar het was moeilijk om ze allemaal te onthouden. De Natuurjongen, noemde Kevin hem, maar niet in zijn gezicht, en ook wel de Hobbit.

Vanaf het terras van het huis slaakte Shirley een kreet, en toen krijste ze drie keer: 'Het eten is klaar!' Jenny bleef staan en keek achterom. Ze wachtte af of Kevin wakker was geworden van het lawaai. Nee, en daar was ze blij om, want hoewel ze van hem hield en zo, had hij de neiging om altijd maar bij haar rond te hangen, en ze wilde nu wat tijd voor zichzelf hebben. Ze knielde neer en kroop behoedzaam onder het spinnenweb door, enigszins huiverend toen het aan haar rug bleef plakken.

Ze hadden de regel dat niets in de tuin werd gedood. Alles leefde in harmonie, zonder verdelgingsmiddelen, zonder kunstmest, precies zoals de natuur het wilde. Jenny was het daarmee eens, en Scotty zorgde ervoor dat het werkte.

De vijver was uit levende koraalrots gegraven, en wat eruit was gekomen hadden ze gebruikt om een heuveltje te maken waarop tientallen verschillende soorten bromelia's en orchideeën groeiden. Van dicht bij de top gorgelde een flinke waterval vrolijk de vijver in, aangedreven door een pomp op zonne-energie. Het water was zo helder als lucht en Scotty leidde het naar de tuinsproeiers toe, waarna het door de poreuze bodem sijpelde om terug te keren naar zijn bron, precies zoals de natuur wilde. De regen maakte eventuele verliezen goed. Ze spuwde in het masker, maakte het schoon, zette het op en ging op het licht golvende wateroppervlak liggen.

De vijver was een imitatie van een natuurlijke vijver in het Amazonegebied, en hij was tweeduizend vierkante meter groot en op het diepste punt twaalf meter diep. Rupert, de eigenaar, was verscheidene keren in het Amazonegebied geweest en had zich daar bij het aanleggen van de vijver door laten inspireren, al had hij het evenwicht nooit helemaal goed gekregen, totdat hij Scotty had leren kennen. Scotty was een genie in praktische ecologie, zei Rupert. Iedereen was ergens geniaal in, vond Rupert. Als maar de juiste maatschappelijke omstandigheden werden gecreëerd, kwam die genialiteit vanzelf tot bloei. Jenny had nog niet veel van haar eigen genialiteit gemerkt, maar Rupert zei dat ze nog maar negentien was en geduld moest hebben. Toen Jenny zeven was, was een van haar pleegouders met haar naar een tandarts in Sioux Falls gegaan, en daar had in de wachtkamer een groot aquarium vol tropische vissen gestaan, schitterende, vliegensvlugge dingen vol licht en leven. Er was in dat aquarium ook een beeldje van een zeemeermin geweest. Die maakte van tijd tot tijd een kleine piratenkist open en daaruit steeg dan een massa glinsterende luchtbellen naar de oppervlakte. Jenny had er gefascineerd naar gekeken en ze had gedacht dat geen enkele hemelse vreugde, zoals die werd beloofd door de zondagsschool van de Discipelen van Christus, ooit kon evenaren wat het was om die kleine zeemeermin te zijn, omringd door schitterende vissen, en die piratenkist steeds te openen. En hier was ze dan.

Ze haalde diep adem en dook met haar lange lichaam de diepte in. De vissen stoven voor haar uiteen, honderden vissen, ze wist niet hoeveel. Scotty wist dat wel; hij hield gegevens van geboorte, groei en dood zorgvuldig bij; dat hoorde allemaal bij het ecologisch evenwicht. Jenny interesseerde zich daar niet erg voor, al wist ze de namen van de belangrijkste soorten: discusvissen als geëmailleerde etensborden, een stuk of tien soorten cichliden met helder gekleurde vinnen, zwermen plechtige maanvissen, kopstaanders met rode strepen, wolken van juweelachtige tandkarpertjes, dorado's, bijlvissen als schichtige glanzende scherven metaal, en ook, langzaam zwemmend in een dicht aaneengesloten groep, als straatvechters voor een snoepwinkel, een vrij grote school rode piranha's. Dat waren Ruperts lievelingen, en Jenny vond dat een beetje vreemd. Het waren ook de enige wezens in het hele complex die rood vlees kregen, want als Rupert thuis was, gooide hij elke avond vanaf het hoogste punt van de watervalheuvel slachtafval naar hen toe en keek dan naar het kolkende water als ze in hun bloeddorst tekeergingen. Scotty zei dat ze volkomen onschuldig waren, tenzij je bloedde of een grillige beweging maakte, al wist ze niet wat een piranha onder een grillige beweging verstond en geloofde ze ook niet dat iemand anders dat wist. Als ze ging zwemmen, ging ze die vissen zo veel mogelijk uit de weg, want ze vertrouwde ze niet. De blik in hun kraaloogjes stond haar niet aan. Ze had genoeg jongens gekend met zo'n blik in hun ogen.

Toch was ze in de hemel, maar dan nog beter, de kleine zeemeermin in het heldere water, ver van Iowa, in Miami, met veel seks en voedsel en ergens waar je kon wonen zonder dat ze aan je kop zeurden, en met een belangrijk doel in je leven. Het aardse paradijs: een van Ruperts frasen, en het was waar.

Het belangrijkst was het redden van de tropische regenwouden. Daarvoor had Rupert hen allen in zijn huis verzameld. Het was de bedoeling dat ze op een ecologisch verstandige manier leefden, een voorbeeld voor de wereld vormden en een politieke beweging smeedden. Jenny vond dat er van dat smeden niet veel terechtkwam. De gemeenschap – de professor uitgezonderd – zat over het algemeen naakt of halfnaakt bij elkaar, rookte superieure marihuana en besprak van welke dingen het oké was om ze te eten of te gebruiken, afhankelijk van de ecologische kwaliteit van het product. Ook besteedden ze veel tijd aan recycling; de totale wekelijkse afvalproductie van hen zessen, plus gasten, kon met groot gemak in een schoenendoos. Het smeden kwam vooral neer op haar en Evangelina Vargos, die buiten het complex woonde. Ze gingen bijna elke dag met het kleurrijk beschilderde Volkswagenbusje op pad, zetten tafels op een openbare plaats neer en probeerden mensen over te halen om folders aan te nemen, petities te ondertekenen en een bijdrage te geven aan de Forest Planet Alliance.

Jenny had een geheim: ze stopte de vissen stiekem voedsel toe en verstoorde daarmee het ecologische evenwicht dat Scotty zo ijverig (en irritant) nastreefde. De vissen mochten alleen plantaardige en dierlijke materie eten die afkomstig was uit de tuin die bevloeid werd met het modderwater dat door de zonnepomp omhoog werd gezogen. Wat zij aan ze voerde, was dus meer dan on-koosjer: broodballen van giftig brood dat ze stiekem bij de Winn-Dixie kocht en in verschillende schuilplaatsen op het complex had verstopt. Nu hing ze in het kristalheldere water en stak ze haar arm uit naar een wolk van levende juwelen die met hun delicate snuitjes op haar vingers en het verkruimelende brood af kwamen. Het was zo cool, absoluut het coolste in haar leven tot nu toe, beter dan dope, vaak ook beter dan seks met Kevin, en ze wilde dat ze het samen met iemand kon doen. Toen waren er alleen nog kruimels over, elk omringd door een kleine menigte vissen, en even later was zelfs dat weg en verspreidden de vissen zich om weer in hun gebruikelijke patronen soepel door het water te glijden.

Ze dook op en ging op haar rug liggen drijven. Haar jonge borsten dobberden parmantig boven het water. De tepels waren verstijfd door de wat lagere temperatuur onder de oppervlakte, en dat veroorzaakte een aangename tinteling in haar kruis. Ze dacht dat als Kevin nog in bed lag ze bij hem zou kruipen, dan kon hij haar een goede beurt geven, zoals vaak na deze expedities. Toen zag ze Rupert over het pad naar de vijver lopen, naakt, oud en vreselijk behaard. Ze zuchtte. De aanblik van de naakte Rupert Zenger zette altijd een domper op haar opwinding, en daar schaamde ze zich dan ook altijd even voor. Per slot van rekening kon hij er niets aan doen dat hij vijftig was, en het lichaam was natuurlijk gezond, zoals hij zelf vaak zei, al wou ze dat hij er niet zo mee liep te pronken. Hij was een stevig gebouwde, uitzonderlijk behaarde man, met een baard als een pannenspons tot op zijn borst en een kop vol haar dat dezelfde structuur had en een centimeter of twintig rondom zijn hele langgerekte hoofd naar buiten stak. Hij had een benig gezicht, lelijk zoals dat van de altijd eerlijke Abraham Lincoln lelijk was geweest, en grote, milde bruine ogen die Jenny aan een zoogdier in het Amazonegebied deden denken dat in een van de Forest Planet-brochures stond, een spieshert of een tapir. Ze zag hem in haar richting lopen en trapte zich naar het ondiepe gedeelte. Zoals altijd ging haar blik naar zijn kruis, al was het maar even. Hij had beslist een grote, absoluut de grootste die ze ooit had gezien, en het was tegelijk grappig en een beetje angstaanjagend dat het ding als een slinger heen en weer zwaaide wanneer hij liep. De Driepoot, noemde Kevin hem. Ze vond het helemaal niet prettig dat haar vriendje altijd insinueerde dat Scotty's vriendin Luna en zij iets met dat ding wilden hebben. Telkens weer zei ze tegen hem dat ze niet geïnteresseerd was en dat Luna dat volgens haar ook niet was, en dat die van hem echt groot genoeg was. Zenger bleef bij de grote, triplex doos vol handdoeken aan de rand van de vijver staan en pakte er een uit.

Ze hees zich op de glad gemaakte koraalplaat langs de dichtstbijzijnde rand van het zwembad, zette haar masker af en wrong het water uit haar haar. Zenger kwam achter haar staan en zei: 'Goedemorgen, Jennifer. Heb je gezwommen?'

Ze draaide zich een beetje om en jammer genoeg bevond Het zich maar een halve meter bij haar vandaan. Ze dwong zich om op te kijken naar zijn gezicht.

'Ja, het is geweldig. Het wordt weer een mooie dag.'

'Zeg dat wel. Er zijn croissants voor het ontbijt. En de mango's.'

Dat was zijn manier om een bevel te geven. Het was eigenlijk wel een beetje ergerlijk. Hij vroeg nooit om iets en behandelde niemand ooit als een personeelslid, maar Jenny verzorgde elke ochtend het ontbijt voor hem en de hele groep. Dat werd van haar verwacht, al kon ze zich niet herinneren wanneer ooit was besloten dat het een van haar taken was. Shirley krijste weer, en dat was beslist een van háár taken. Rupert liep langzaam de lichte helling af, het water in.

Tien minuten later stond Jenny, gekleed in een t-shirt van Forest Planet en een witte korte broek, in de grote, koele en uitstekend uitgeruste keuken. Ze sneed mango's in plakken en legde die in waaiertjes op een blauw geglazuurde schaal. Ze had de organische, in de schaduw verbouwde wereldwinkelkoffie gemalen en in de druppelmachine gedaan en de croissants in de oven gezet. Geen kankerverwekkende magnetron in dit huis. Toen de mango's klaar waren, legde ze een witte camelia op de rand van de schaal en bracht hem naar de patio. De tafel was voor zes personen gedekt met kleurrijke inheemse keramiek uit Latijns-Amerika en het Caribisch gebied, en het tafellaken en de servetten waren door inheemse handwerkslieden van hennepvezels gemaakt. Ze ging weer naar de keuken, goot de koffie in een thermosfles en gebruikte een Oster-sapcentrifuge om het sap uit twaalfeneenhalf organische sinaasappels te halen. Terwijl ze dat deed, kwam Scotty binnen en hij zette, zoals elke ochtend, de bloemen die hij zojuist in de tuin had geplukt in een hoge kristallen vaas: gele orchideeën, rode jasmijn, een tak violette bougainville. Jenny keek van haar machine op om hem dat te zien doen. Scotty zei dat bloemschikken in Japan als een echte kunst werd beschouwd en dat de samoerai wedstrijden hielden om na te gaan wie er het best in was. Jenny wist niet of het een van Scotty's rare verzinsels was of dat het echt waar was, maar ze zag wel dat de bloemen er op een andere manier bij stonden als Scotty ze had geschikt. Het leek dan net of ze zo gegroeid waren, en dat wilde haar nooit lukken als ze het in de augurkenpot in haar huisje probeerde.

De Hobbit. Zoals altijd wanneer Kevin een bijnaam bedacht, moest Jenny daar steeds aan denken wanneer ze de persoon in kwestie zag. Scotty was tamelijk klein, zeker vijf centimeter kleiner dan Jenny zelf, en gebouwd als een bierton, met een hoofd dat een beetje te groot voor zijn lichaam leek, en hij was inderdaad buitengewoon behaard en be-baard en had donker haar dat hij in een staart droeg. Maar in tegenstel-ling tot de hobbits in de films (en Jenny had ze allemaal gezien, allemaal meer dan eens), had Scotty's gezicht, dat op een ruwe manier best aan-trekkelijk was, iets onverbiddelijks, bijna chagrijnigs, alsof het leven hem hardnekkig iets had ontzegd waarvan hij vond dat hij het verdien-de. Zijn ogen waren vermoeid blauw en staken af tegen de diepbruine kleur van zijn gezicht. Hij was maar net in de dertig, maar leek ouder; Jenny zag hem als een oude man, in dezelfde categorie als Rupert en de professor.

Hij was klaar met de bloemen en ging met de vaas naar de tafel, dat alles zonder een woord tegen Jenny te zeggen of haar een blik waardig te keuren. Ze was dat wel gewend en voelde zich niet gekwetst. Mensen hadden hun eigenaardigheden, dat had ze al vroeg in een reeks pleegge-zinnen geleerd, en als jij je met je eigen zaken bemoeide, en zij zich met die van hen, kon je het samen wel rooien. Scotty had een ochtendhu-meur; Rupert wilde dingen maar vroeg het nooit ronduit; Kevin was bijna altijd stoned; Luna was pietluttig en benepen op allerlei manie-ren; de professor was nooit naakt in het openbaar en praatte raar, want hij kwam uit Engeland. Geen onoverkomelijke gebreken. Wat Jenny zelf betrof: ze had het buskruit niet uitgevonden, zoals ze Luna over haar had horen zeggen in een gesprek met Rupert, een gesprek waarvoor ze niet speciaal onder een raam was gaan zitten om het af te luisteren maar dat ze toch toevallig had gehoord. Het had haar indertijd wel gekwetst, maar eigenlijk had ze zoiets al veel vaker gehoord, en wat gaf het ook? Er waren andere dingen in het leven dan een groot brein, en mensen die het hadden waren volgens haar helemaal niet gelukkiger dan de dom-me rest van de wereld.

In La Casita (want zo heette het huis, en die naam stond ook op een met de hand beschilderde aardewerken plaat die aan een van de dikke koraalzuilen bij het hek was bevestigd) kwam de Forest Planet Alliance elke morgen bij elkaar om onder het ontbijt de taken van de komende dag te bespreken. Alle andere maaltijden waren informeel of je werd ervoor uitgenodigd. Rupert at vaak buiten de deur of ontving belangrijke mensen in de grote, luchtige eetkamer. Bij die gelegenheden diende Jenny het eten op en ruimde ze de tafels af, terwijl Scotty en Luna kookten en Kevin de afwas deed. Ze kregen daar niet voor betaald, want officieel waren ze werknemers van de Forest Planet Alliance Foundation en werden ze betaald om de belangen van deze non-profitorganisatie te dienen, niet om voor keukenpersoneel te spelen, maar ze deden het nu eenmaal, min of meer in ruil voor kost en inwoning. Jenny vond het een prima regeling, en Kevin vond het uitbuiting, maar ze zag hem niets doen om daar op korte termijn verandering in te brengen.

Intussen zaten ze bij het ontbijt heel democratisch allemaal aan deze tafel, en daaruit bleek dat ze helemaal geen personeel waren, vond Jenny. De tafel stond in het midden van een patio met versleten, bloedrode tegels, en het huis verhief zich er aan vier kanten omheen, een huis van één verdieping, opgetrokken van goudkleurige koraalsteen en met een dak van rode Spaanse pannen, afgezien van de oostkant, die twee verdiepingen hoog was en 'de toren' werd genoemd. Daar had Rupert zijn slaapkamer. De professor, Nigel Cooksey, had de kamer daaronder, maar Cooksey was er nog niet toen Kevin kwam aanlopen, gekleed in een spijkerbroek met afgeknipte pijpen en een blauw werkhemd zonder mouwen. Hij zag er fris en engelachtig uit, met prachtige goudblonde dreadlocks, een baardje en slaperige bruine ogen. Er ging altijd een schokje door haar heen als ze hem 's morgens vroeg zag; ze was zo blij dat ze hem had. Toen ze elkaar pas hadden leren kennen, in een kraakpand in Cedar Rapids, had hij tamelijk kort haar en maar één oorring gehad en was hij nog niet zo lang van huis geweest, zodat zij beter wist hoe je je kon redden dan hij. Ze dacht dat hij daarom op haar gevallen was, daarom en om de seks, en ze dacht dat hij net als de anderen zou weggaan als hij achter haar probleem kwam. En ze was zelfs met hem naar de club achter het rangeerterrein gegaan, waar ze stroboscooplichten hadden, en toen had ze natuurlijk een aanval gekregen, zodat ze op de plakkerige vloer was terechtgekomen. De andere mensen hadden gedaan alsof er niets was gebeurd en de muziek was blijven schetteren, maar tot haar enorme verbazing en dankbaarheid was hij bij haar gebleven. Ze dacht nog steeds met een beetje opwinding aan dat moment terug, zoals hij op haar had neergekeken, niet alsof hij naar iets bizars keek, maar menselijk en bezorgd. Telkens als hij zich rottig gedroeg, dacht ze aan dat moment terug. Maar nu keek hij haar met een grijns aan, gaf haar een heimelijk kneepje en slurpte een stuk mango op, waarna hij naar het Mexicaanse wagentje met de koffiekan ging en een kopje inschonk.

Toen kwamen Rupert en Luna uit het kantoor. Dat was een grote kamer in de hoek van het huis en Luna bracht daar het grootste deel van haar tijd door. Zoals altijd droeg Luna een schoon wit shirt met korte mouwen en een wijde kaki korte broek. Ze was een slanke, atletische vrouw van een jaar of dertig. Het leek wel of ze gebouwd was van pianosnaren en materialen uit het ruimtetijdperk. Zelfs haar haar, dat kort, donker en glanzend was en aan één kant met een oranjebruine klem omhoog werd gehouden, leek uit een stuk plastic te zijn gemodelleerd, als het spatbord van een Corvette. Ze had een bril met ronde, in staal gevatte glazen op haar spitse kleine neus. Jenny zou hebben gedacht dat ze een seksloos, maagdelijk type was, maar ze wist zeker dat Scotty het regelmatig met haar deed; ze woonden zo dicht op elkaar, en het was 's nachts zo stil, dat het seksleven van elke bewoner algemeen bekend was, in elk geval wat de geluiden betrof. Jenny en Kevin konden hen bijna zo goed horen alsof ze in dezelfde kamer waren, en Luna's aanzwellende kreet van genot en Scotty's voldane gekreun vormden vaak de begeleiding van het avondlied van de spotvogel. Voordat ze naar La Casita kwam, was Jenny in dat opzicht nooit zo'n lawaaimaker geweest, maar nu voelde ze zich geroepen om haar eigen kreten, vaak volkomen echt, aan de nachtelijke geluiden toe te voegen. Kevin vond dat blijkbaar wel grappig.

Shirley krijste vanuit haar kooi, zoals ze altijd deed wanneer ze Rupert zag. Luna zei dat ze haar snavel moest houden, en ze zweeg. Net als de andere bewoners van het huis deed de grote blauwe ara altijd wat Luna zei. Scotty ging naast Luna zitten. Hij had zijn sociale gezicht opgezet, maakte luchtige opmerkingen over het weer en het snoeien van de fruitbomen en kreeg het gebruikelijke compliment van Rupert over de bloemen. Het ontbijt kwam op gang en ze vertelden elkaar wat ze die dag gingen doen. Rupert en Luna hadden het over een mailing, over de aankoop van mailinglijsten van andere milieuorganisaties, en daarna over computerdingen die Jenny niet kon volgen. De milieubeweging had een brievenschrijfcampagne op touw gezet tegen het s-9-pompstation in het noorden, dat vervuild water in de Everglades pompte en al het wild daar doodde. Scotty had het over de rototiller die kapot was en andere dingen die gerepareerd moesten worden, en daarna kregen ze een beetje onenigheid over wat composteerbaar was en wat niet. Het ging bij Jenny het ene oor in en het andere uit. Ze liet het opgaan in het ruisen van de lichte bries in de dunne palmen die zich boven de binnen-plaats verhieven, en in het geluid van de waterval. Ze knikte en glim-lachte als Luna tegen haar sprak. Robotica, noemde Kevin haar, had toestemming van de bibliotheek in Coconut Grove gekregen om een ta-fel met een display op het pleintje voor het gebouw neer te zetten. Evan-gelina Vargos zou daar ook heen gaan en Kevin zou het Volkswagenbus-je besturen. Jenny keek even naar Kevin, die zijn ogen ten hemel sloeg.

'Tenzij je liever Scotty met de rototiller helpt,' voegde Luna er na-drukkelijk aan toe.

'O, nee, mevrouw,' antwoordde Kevin. 'Laat mij maar rijden. Als kind dacht ik al: als ik groot ben, wil ik mensen rondrijden die foldertjes gaan uitdelen. Bomen omhakken om papier te maken om te voorkomen dat mensen andere bomen omhakken. Volkomen logisch.'

'Die folders zijn op kringlooppapier gedrukt,' zei Luna met haar ty-pische geërgerde zucht.

'Dat weet ik, Luna. En dat is goed. Reken maar dat de houtbaronnen en die klootzakken van de multinationals die het regenwoud kapotmaken wakker liggen van ons recyclingproject. Ze staan te trillen op hun benen.'

'Wat wil jij dan dat we doen, Kevin?' vroeg Luna. 'Het Panamerica Bancorp Building opblazen?'

'Dat zou een begin zijn,' snauwde Kevin.

'O allemachtig, Kevin, word nou eens volwassen!' zei Luna.

Het werd stil om de tafel, zoals altijd wanneer Kevin zijn hart lucht-te, en Rupert verbrak die stilte door met zijn kalme, langzame stem te zeggen: 'Jennifer, zou je even willen kijken waar Nigel blijft?'

Jenny stond meteen op, blij dat ze even weg kon. Ze wist zich niet goed raad met de frictie die de mooie ochtend en hun ontbijt had ver-stoord. Er was iets aan de hand wat ze niet begreep en wat haar niet aan-stond, en het ging verder dan dat Kevin zich mal gedroeg. Er was een blik gewisseld tussen Luna en Kevin, alsof er ondanks hun onenigheid iets tussen hen aan de gang was. Het leek wel of ze elkaar als het ware oppompten, of ze een verkeerd soort energie aan elkaar onttrokken. Het was maar een gevoel; ze zou het niet onder woorden kunnen bren-gen.

Nigel Cooksey had de hele zuidoostelijke hoek van het huis, een klei-ne slaapkamer met badkamer en een grotere kamer naast het Alliance-kantoor die hij als studeerkamer annex magazijn gebruikte. Hij was hoogleraar, wist alles over het regenwoud en had daar jarenlang geleefd; zo veel wist Jenny van hem, en ook dat Rupert en Scotty hem met het grootste respect behandelden. Kevin noemde hem Professor Ooievaar en vond het tijdverspilling dat Nigel altijd maar bezig was het probleem te bestuderen, want wat had het voor zin om alles over het regenwoud te weten als er geen boom meer overeind stond tegen de tijd dat je er-aan toe was om het allemaal op papier te zetten en te publiceren? Cook-sey leefde op zichzelf of zat urenlang met Rupert over de strategie van de Alliance te discussiëren. Twee oude nichten, had Kevin over hen ge-zegd toen Jenny en hij het jaar daarvoor waren gearriveerd, maar daar-voor waren de vibraties te sterk geweest, en toen ze dat zei, had Kevin smalend gereageerd (o, jij en je vibraties!), maar ze had gelijk gehad. Rupert mocht dan een beetje vreemd zijn, hij was volkomen heterosek-sueel. Er waren een paar vrouwen die hij regelmatig in zijn slaapkamer in de toren van het huis ontving, en als je op de geluiden mocht afgaan die op die avonden de tuin in zweefden, wist hij heel goed met zijn spec-taculaire instrumentarium om te gaan.

Ze wist nog niet wat Cooksey was, misschien was hij echt homo, maar blijkbaar deed hij er niets aan. Misschien was hij helemaal niet geïnteresseerd in seks, al kon ze dat idee niet helemaal bevatten. Soms dacht ze dat er iets mis met hem was, want hij was de enige bewoner die niet naakt in de vijver baadde, zodat niemand ooit zijn klokkenspel had gezien. Het was kolossaal, paars, met stekels en mesjes erop, zoals dat van een demon in undergroundstrips, zei Kevin, maar Jenny dacht dat hij alleen maar eenzaam was en deed altijd haar best om aardig voor hem te zijn. Ze hield ook van zijn stem, die klonk zoals je ze op tv hoor-de. Soms zette ze het toestel aan en kwam ze bij een praatprogramma terecht, en voordat ze op haar serie overschakelde, luisterde ze even naar de accenten van die mensen, die praatten alsof er geen wolkje aan de lucht was en niemand ooit gemeen tegen hen zou kunnen zijn.

Ze klopte op de deur van Cookseys slaapkamer, en toen ze geen ant-woord kreeg, ging ze naar de volgende kamer, zijn studeerkamer, waar ze haar hoofd om de hoek van de deur stak. Dozen, kisten, vaten, wankele stapels boeken op de vloer, boekenkasten bijna tot het plafond, opgezet-te dieren en skeletten van dieren, een rij archiefkasten van verschillende grootte en ouderdom, een langzaam draaiende plafondventilator van vlechtwerk, de stoffige lucht gehuld in groenig daglicht dat door de mangobomen die voor het raam stonden werd gezeefd, Nigel Cooksey die in een houten draaistoel achterovergeleund zat, zijn in sandalen ge-stoken voeten en dunne knokige benen op de rommelige werktafel, tus-sen een stuk of vijf vuile theemokken en een opgezette stinkvogel op een voetstuk. Er hing een merkwaardige, penetrante geur in de kamer, de geur van oud papier, vrijgezel, formaline, whisky en niet helemaal goed geconserveerde organische materialen.

Jenny schraapte haar keel, kuchte en zei: 'Eh, professor...?' Meteen vlogen de benen omhoog. De stoel klapte tegen een houten kist en draaide om zijn as en de man die erin zat keek haar met grote ogen aan, als zo'n opgezet jungledier op de planken. Een klein wit voorwerp kletterde over de tegelvloer. Jenny bukte om het op te pakken. Het was een gipsafdruk van een pootje. Ze gaf het aan hem.

'Rupert zei dat hij u graag wil spreken.'

'Lieve help! Het kan toch nog geen negen uur zijn?'

Er stond een houten klok in een boekenkast. De wijzerplaat werd bijna helemaal door stapels afdrukken uit tijdschriften aan het oog onttrokken. Jenny schoof ze opzij en zei: 'Het is half tien. Bent u in slaap gevallen?'

'O, helemaal niet, nee, ik was in gedachten. Het werd donker om me heen.'

Donker was het inderdaad, dacht Jenny, met al die rook. Cooksey was de enige roker (van tabak) in het huis, en de witte muren van de werkkamer waren bruin geworden. Hij keek naar haar zoals hij vaak keek, alsof ze een wezen was dat hij vanuit een verborgen plek gadesloeg. Zijn ogen waren grijs en droevig en lagen diep in hun kassen. Hij zei: '"Nimmer zal een jongeman, tot wanhoop gedreven door die honingkleurige bolwerken bij je oor, van jou om jou alleen houden en niet om je blonde haar." Yeats.'

'Sorry?'

'Niets, jongedame. Ik mijmer maar wat. Nou, ik kom eraan.' Hij legde het gips op de tafel.

'Wat is dat, een pootafdruk?'

'Ja. Van een tapir. *Tapirus terrestris*. Je kunt veel over de grotere zoogdieren te weten komen door naar hun pootafdrukken te kijken. Hun gewicht natuurlijk, en soms ook hun geslacht en leeftijd. Dit is een mannetje van een jaar of twee.'

'Hoe weet u dat?'

'Hoe? Nou, het staat hier onder op de afdruk geschreven.' Hij lachte, een droog grinniklachje, en even later lachte Jenny ook.

'Goh, en ik maar denken dat wetenschap moeilijk was.'

'Als dat zo was, zou ik het niet kunnen, traag van begrip als ik ben. Serieus: je observeert de dieren, en als ze weg zijn, kom je vlug tevoorschijn en giet gips in de afdrukken, en dan heb je een klein dingetje met een veer en dat druk je dicht bij de afdruk in de grond tot het net zo diep zit als de afdruk, en dan weet je het gewicht, of beter gezegd, je leidt het gewicht af uit de meetgegevens. En als je dat een paar jaar doet, weet je ongeveer hoe dieren groeien en zich in leven houden. Elk dier heeft een unieke afdruk.'

'Net als vingerafdrukken.'

'Ja. Ik heb een grote verzameling van die afdrukken, alle zoogdieren natuurlijk, en de grotere hagedissen en krokodilachtigen, en de hoenderachtige vogels.' Hij stond op en wees naar de deur. Hij was lang en erg mager en droeg altijd een kaki shirt en dito korte broek.

'Na u, jongedame.'

Dat was ook een van de redenen waarom ze de professor graag mocht. Na u, jongedame! Het was net of je in een oude film op tv was terechtgekomen.

Toen ze over de Main Highway naar de Grove reden, was Kevin in een slecht humeur. Jenny was gespannen, want misschien zou hij het op haar afreageren. Als hij zo'n humeur had, bestookte hij haar soms met vragen, of hij praatte over dingen die ze niet kon volgen en werd dan sarcastisch, of hij liet haar praten over dingen die haar in haar kindertijd waren overkomen, de scholen of de pleeggezinnen of de vreemde kinderen in die gezinnen, of de pleegouders zelf. Ze had heel wat verhalen achter de hand, sommige erg droevig, en net wanneer ze dacht dat ze hem dingen vertelde die ze meestal niet aan anderen wilde vertellen, had hij er genoeg van, en dan voelde ze zich een trut die maar doorzeurde over dingen van vroeger. Of als hij ongeveer een half uur naar haar had geluisterd, zei hij opeens: waarom blijf je maar over die ouwe dingen praten? Dan voelde ze zich wéér dom en kon ze wel janken.

Zelf praatte Kevin niet veel over zijn verleden. Ze wist dat hij naar een particuliere school was geweest, zoals hij het zelf noemde. Ze wist niet precies wat dat inhield, al wist ze wel dat je geld moest betalen om naar zulke scholen te mogen gaan, waarschijnlijk veel meer dan de 16,83 dollar per maand die de staat Iowa haar pleegouders had betaald voor haar levensonderhoud in het jaar voordat ze ervandoor ging. Op zo'n school zou iedereen wel in dure kleren van Abercrombie's in het winkelcentrum rondlopen. Ze stelde zich een school met veel gras voor, en met blanke mensen in wijde kleren die wat rondlummelden en er cool uitzagen. Kevin had ook gestudeerd, maar was daarmee opgehouden vanwege alle onzin die je van de docenten moest accepteren, en omdat het zo bourgeois was en je beter een revolutionair kon zijn, zoals hij was. Revolutionair zijn hield in dat je veel dope rookte en leuzen op muren spoot en met een sleutel in dure auto's kraste, tenminste, dat nam ze aan op grond van wat ze Kevin zag doen. Dat alles zou op den duur een eind maken aan de kapitalistische infrastructuur die de aarde vernietigde, al was ze niet slim genoeg om te zien hoe dat in zijn werk zou gaan.

Ze was blij dat Kevin het voorlopig niet op haar had voorzien maar zijn woede koelde op die stomme klootzakken van Forest Planet die de hele dag niks anders deden dan ouwehoeren. Hij was vooral gebeten op dat arrogante kreng van een Luna, die nog niet half zoveel wist als hij en ook nog een burgerlijke trut was. Intussen rookte Kevin een dikke joint, en dat vond Jenny niet prettig. Niet dat ze bezwaar had tegen joints als zodanig, maar wel als hij met het busje over de Main Highway reed. Ze was bang dat ze aangehouden zouden worden, al had Kevin, toen ze dat een keer zei, haar de wind van voren gegeven en haar een waardeloze angsthaas genoemd. Overigens had hij, voor zover zij wist, nooit in een cel gezeten; zij wel (voor bezit van een verboden substantie), in Cedar Rapids, en ze had geen zin om dat nog een keer mee te maken. Hij bood haar de dope aan, maar dat sloeg ze af, ze werd al een beetje high door- dat ze bij hem in het busje zat.

Hij stopte het tenminste weg toen ze bij het winkelcentrum van de Grove kwamen. Kevin reed de Volkswagen achteruit naar de leveran- ciersplaats voor de bibliotheek, en Jenny zag dat Evangelina Vargos een boek zat te lezen op de trappen van de bibliotheek. Ze was een kleine, tengere vrouw met een leuke bos bruin haar, blonde vleugen daarin, groene ogen, een huid zo glad als ivoor en met precies die kleur. Ze droeg een witte spijkerbroek, gecompliceerde en waarschijnlijk dure witte sandalen, een t-shirt van de FPA en veel opzichtige gouden sie- raden. Jenny's hart maakte een sprongetje toen ze haar zag. Geli Vargos was op dit moment zo ongeveer haar beste vriendin, dacht ze, al had ze door alle verhuizingen die ze als pleegkind had meegemaakt niet veel ervaring met beste vriendinnen. Geli luisterde met medegevoel naar de verhalen over haar moeilijke jeugd, en zij luisterde naar die van Geli; die gingen allemaal over rijke Cubanen in haar familie die gemeen tegen el- kaar waren geweest, en ook tegen Geli omdat ze niet trouwde met de lombroso met wie ze wilden dat ze trouwde.

Geli zag hen, stond op en zwaaide. Ze kwam de trappen af om hen te helpen de display uit te laden. Begroetingen: een kus op de wang voor Jenny, een enigszins spottende groet voor Kevin, die haar met een sar- castische grijns beloonde. Kevin en Geli konden niet met elkaar op- schieten, een fenomeen dat Jenny ook in talloze comedyseries op tv had gezien (de beste vriendin en het vriendje die stekelige opmerkingen uitwisselden) en dus normaal vond; in feite bewees het dat ze eindelijk een versie van het echte leven leidde. Ze luisterde niet naar alle adviezen om niet meer met die Cubaanse burgertrut om te gaan of die nepfiguur in te wisselen voor een fatsoenlijke jongen, en was heimelijk blij dat iemand haar hoog genoeg aansloeg om haar leven te willen veranderen.

Ze laadden een lange klaptafel, drie klapstoelen en een grote display van vier panelen uit, samen met dozen Forest Planet-lectuur en een kleine stereo-installatie. Kevin zette de installatie neer en startte een bandje met Andesmuziek, ijle fluiten van bot, ocarina's en trommels met een vlies aan beide uiteinden. De vrouwen zetten het frame van de display op en hingen de panelen eraan: RED HET REGENWOUD; het FPA-logo, een blauw-groene bal met bomen die eruitstaken als kruidnagelen uit een pomander, en grote gelamineerde foto's van planten en dieren uit het regenwoud en ook van inheemse mensen met gevederde hoofdtooien. Nigel Cooksey had die foto's op zijn vele reizen naar die regio gemaakt. De rest van het display bestond uit korte tekstpanelen die de flora en fauna beschreven en vertelden dat de regio in groot gevaar verkeerde. Er waren ook kleinere foto's van een geplunderd gebied, met bulldozers die bomen omgooiden, en kaarten waarop te zien was hoe het regenwoud steeds meer terrein verloor.

Luna had de display zelf gemaakt, soms onder Jenny's verwonderde blikken. Het was de eerste keer geweest dat Jenny iemand iets oorspronkelijk uit het niets had zien maken; dat wil zeggen, iets wat verder ging dan eten koken, een jurk naaien of plaatjes inplakken. Luna had het bedacht, de dingen bij elkaar gezocht en een computer, printer en lamineermachine gebruikt. Ze had het frame van de display via internet besteld en… bingo! Daar had je het! Hoe wísten mensen zulke dingen? Geli wist ook dingen. Ze was pas afgestudeerd, werkte op het oceanologisch instituut en kende veel verhalen over wat vissen deden als ze alleen waren. Ze moedigde Jenny altijd aan om weer naar school te gaan en iets van zichzelf te maken, alsof Jenny net zo intelligent was als zij, wat ze niet was, maar het was leuk dat iemand dat dacht. Jij kunt goed waarnemen, zei ze, en je hebt gevoel voor dieren. Jenny wist niet precies wat ze daarmee bedoelde.

Toen de tafels en stoelen op hun plaats stonden en de display was opgesteld, gingen de twee vrouwen op een stoel zitten in afwachting van de sukkels, zoals Kevin ze noemde. Het was een mooie oktoberochtend in Miami, en het centrum van Coconut Grove liep vol met toeristen en jonge mensen die daar altijd rondhingen. Geli en Jenny praatten met toeristen, waarbij Jenny zich op de kinderen concentreerde. Ze had altijd goed met kinderen overweg gekund; Kevin zei vaak dat het door haar kinderlijke geest kwam. Ze praatten enthousiast over de afgebeelde dieren en het interessante leven daarvan. Zoals gewoonlijk kreeg Kevin er algauw genoeg van. Hij zei dat hij ging kijken of er in het park iets te doen was. Aan de rand van het grasveld dat naar de baai afhelde stonden politiewagens en een bruin busje van faunabeheer. Er had zich daar ook een kleine menigte verzameld.

Jenny zag hem de straat oversteken en in de menigte opgaan. Ze voelde zich een beetje bedroefd en was ook bang dat Geli deze gelegenheid zou aangrijpen om Kevin op zijn nummer te zetten. Toen ze weer opkeek, was daar de indiaan. Hij stond voor de display en keek naar het innemend domme gezicht van een luiaard. Hij droeg een sjofel zwart pak en een wit overhemd met alle knoopjes dicht, en hij had een boodschappennetjes aan zijn schouder hangen en een vlekkerige, versleten koffer bij zijn voeten staan. Hij raakte de foto even aan en bracht toen zijn vingertoppen naar zijn neus.

'Dat is een luiaard,' zei Jenny. 'Ze leven in de bomen.'

Toen hij dat hoorde, draaide hij zich om en keek haar aan. Ze zag de tatoeages op zijn gezicht, drie strepen op elke wang en twee korte verticale strepen op zijn voorhoofd, en ze keken elkaar in de ogen. Onwillekeurig ging haar blik naar een grote foto van Yanomami-stamleden, en toen weer naar de indiaan. Hij staarde nog naar haar. Er ging een lichte huivering door haar heen en ze voelde dat de haartjes op haar armen overeind gingen staan. Ze moest haar ogen neerslaan en zag de man langs de display lopen en de foto's een voor een bekijken. Hij bleef een hele tijd voor elke foto staan, het langst voor die van een jaguar.

'Geli,' zei ze zachtjes. 'Moet je die man in dat zwarte pak eens zien. Hij lijkt op die mannen op onze foto.'

Geli keek op van de petitie die ze zojuist ter ondertekening aan een paar toeristen had voorgelegd. Ze keek eens goed naar de man. 'God, je hebt gelijk. Wat doet hij in Miami?'

'Vraag jij het hem maar. Ik geloof niet dat hij Engels spreekt.'

Maar de man was bij de display vandaan gegaan en liep nu naar de twee vrouwen toe. Hij zei iets tegen hen, en het duurde even voor Geli begreep dat hij in haar moedertaal sprak. In het Spaans antwoordde ze: 'Neemt u me niet kwalijk, meneer, maar ik versta u niet.'

De man zei: 'Ik moet naar Consuela Holdings. Om met mannen te praten. Ik moet zeggen, niet... niet...' Hij keek gefrustreerd, liep toen naar de display en tikte op de foto van de houtkap. 'Niet dit in reservaat Puxto.'

'U komt uit de Púxto?'

Zijn gezicht klaarde op en hij liet zijn bijgevijlde tanden zien. 'Ja, Puxto! Consuela is niet… is *siwix* om zo te doen. Verbieden.'

'Wat zegt hij?' vroeg Jenny.

'Dat weet ik niet zeker. Hij zegt dat hij uit het Puxto-reservaat komt. Dat ligt in Colombia. Hoe is hij in godsnaam hier gekomen? Zo te horen wil hij dat we verhinderen dat iemand bomen kapt in de Puxto.'

'Nou, dan is hij hier aan het juiste adres,' zei Jenny zelfverzekerd.

'Ja, maar, god, dit is zo vreemd.' In haperend Spaans ondervroeg ze de man. Hij zei dat hij Juan Bautista heette en in een dorp bij een rivier woonde waar Geli nooit van had gehoord. Ze hadden pater Perrin vermoord, maar na zijn dood had pater Perrin hem verteld dat Consuela Holdings al het bos in de Puxto ging kappen, opdat de doden veel machetes en flessen pisco konden kopen. En dus had Jaguar gezegd dat hij moest gaan, en hij was met zijn kano de rivier afgezakt naar een grotere rivier en vandaar naar de zee, waar de *Guyana Castle* hem en Jaguar naar Miami Amerika had gebracht en nu moest de vrouw hem naar Consuela Holdings brengen, want hij had de mannen met wie hij moest praten in een streng gebonden en hij zou met hen praten en dan teruggaan naar de Runiya, want het was erg moeilijk voor zijn *huppeldepup* om in het land van de dode mensen te zijn.

'Ik begrijp dat woord niet,' zei ze.

'*Ryuxit*,' zei de indiaan weer. Hij wees naar de hemel en de aarde en ging toen vlug naar de foto's van dieren en planten toe en tikte daarop. Daarna legde hij zijn hand even op zijn hart, balde zijn vuist en drukte de vuist stevig tegen Jenny's borstbeen. 'Zoals die… allemaal zo,' zei hij. 'Hier in Miami niet…' Hij maakte een vloeiende beweging met zijn hand.

'Wat? Wat zegt hij?' zei Jenny. Ze had een vreemd gevoel in haar borst op de plaats waar hij haar had aangeraakt.

'Het is nog een beetje vaag. Wacht even. Ik ga iets nakijken.'

Ze rende de trappen van de bibliotheek op en ging naar binnen. Jenny glimlachte naar Juan Bautista, die Geli triest nakeek.

'Ze komt zo terug. We willen je echt helpen, man.' Ze stond op en wees naar de kaart van het Amazonegebied. 'Kun je me laten zien waar je vandaan komt?'

Geen reactie. Jenny wees naar zichzelf en zei: 'Ik ben Jenny. Kun je "Jenny" zeggen?' Een nietszeggende blik, maar Jenny liet zich niet uit het veld slaan. Veel van de pleegkinderen die ze in haar jeugd had gekend, waren achterlijk geweest en ze had altijd goed met hen kunnen opschieten. Je moest het gewoon heel langzaam doen. Ze wees naar een van de foto's. 'Dit is een orchidee. Zeg *or-chi-dee!*' Ze wees naar zijn mond en maakte een openende en sluitende beweging met haar hand. Ze zag zijn ogen oplichten.

'De Kleine Broeder van het Bloed,' zei hij in zijn eigen taal, en hij ging verder: 'Dit is een erg nuttige plant. We vermalen de knollen, weken de pulp in rietalcohol en koken hem tot we een siroop krijgen. Die gebruiken we tegen artritis, diarree, hoofdpijn, koorts, hoest en spijsverteringsziekten en om wonden en builen te genezen.'

'Goed,' zei Jenny glimlachend. 'En wij noemen het een *or-chi-dee*. Nou, dit is een aap. Kun je *aap* zeggen?'

Hij kon het, en zo ging het verder met de andere foto's. Bij de jaguar zei hij: 'Weet u, dat is erg gevaarlijk. Ik denk niet dat Jaguar het prettig vindt dat u zijn ziel op die manier gevangen houdt. Er zou iets slechts kunnen gebeuren.' Jenny glimlachte en knikte. Hij praatte tenminste.

Kevin kwam opgewonden terug. 'Hé, ze hebben de kop van een wasbeer in een boom gevonden. Overal bloed, met darmen en al. De politie denkt dat het een troep wilde honden was, of zwervers die op jacht waren. Wie is dit?' Hij wees naar de indiaan.

'Hij heet Juan Bautista. Hij komt uit het Amazonegebied en we gaan hem helpen te verhinderen dat dit bedrijf zijn regenwoud kapt.'

'Dat meen je niet! Waar heb je hem gevonden?'

'Hij was er opeens. Alsof het lot het wilde.'

'Ja hoor, het lot. Heb je hem verteld dat wij helemaal niks doen?' Hij sprak tegen de indiaan. 'Fouto groepo, man. Wij niet stoppo de kappo de bomo, alleen prato, prato, foldero uitdelo.'

'Hé, nu hebben we een kans, Kevin. Ik snap niet waarom je altijd zo negatief over alles moet zijn. Deze man heeft de naam van het bedrijf dat het doet en hij zegt dat ze hier in Miami zitten.'

Geli Vargos kwam stralend terug. 'Ik heb het opgezocht en het klopt. Er is hier in Miami een bedrijf dat Consuela Holdings heet, en ze hebben een kantoor aan North Miami Avenue, 540 North Miami. En ik heb het Puxto-reservaat op internet opgezocht. Ze mogen daar helemaal niet aan bosbouw doen; dus het is illegale houtkap. God, wat zal Rupert opgewonden zijn.'

'Ja, hij stuurt vast een brief naar de kranten. Zo opgewonden zal hij zijn,' zei Kevin. 'Of misschien maakt hij zich zo druk dat hij probeert een interview op NPR te krijgen. Hé, ik heb een idee. Laten we die schoften confronteren met hoe-heet-hij hier, het bewijs voor hun misdaden. We hebben het adres.'

'Dat lijkt me niet verstandig…' zei Geli.

'O, pleur op met je verstandig!' Hij keek de indiaan aan. 'Hé, man, we gaan nu meteen naar Consuela, en dan zeggen we: niet kappo mijn bomen, oké? Ga je met me mee? *Pronto*, Consuela, *con me.*'

'Consuela, *pronto, sí,*' zei de indiaan. Hij maakte een eigenaardige draaibeweging met zijn hoofd, blijkbaar om te kennen te geven dat hij akkoord ging.

Kevin leidde de indiaan naar het Volkswagenbusje. Geli zei: 'Kevin, kom op, doe niet zo kloterig. We hebben hier al deze spullen. Hoe moeten we die meenemen als jij het busje neemt? En je spreekt geen Spaans. Je weet niet wat er aan de hand is.'

'Ik heb het op school een jaar gehad. *Hasta la vista*, schatje!' Hij zette de indiaan op de voorbank en sprong achter het stuur.

'Kevin, verdomme, hou op!' zei Jenny. 'Dit is stom. We moeten alles inpakken en samen vertrekken, en dan overleggen met Rupert.'

Kevin gaf veel gas en joeg wolken scherpe rook de lucht in. 'Meiden, zorg vooral dat die petities worden ondertekend,' riep hij uit. 'Tonto en ik gaan stampij maken op het kantoor van de plunderaars. *¡Viva la revolución!*'

Met die woorden reed hij de straat uit en verdween hij in de verte voordat ze ook maar een woord terug konden zeggen.

Moie zit rustig en met een voldaan gevoel in het busje. Dit is de eerste keer dat hij in een gesloten motorvoertuig zit, maar hij is niet bang en ook niet onder de indruk. Hij weet dat de *wai'ichura*-machines sterk en snel zijn, maar hij vindt ook dat ze de *wai'ichura* niet veel schoonheid geven.

Jaguar had gezegd dat hij bondgenoten onder de dode mensen zou vinden, en die bondgenoten heeft hij nu. De dode persoon naast hem heeft zijn dood diep in zich opgeborgen, al is hij nog erg jong. Moie voelt dat hij ook elk moment dood wil maken; hij zit geen moment stil en maakt de hele tijd apengeluiden met zijn mond. Nu raakt hij een deel van zijn machine aan en komt er een hard geluid uit de binnenkant, een pijnlijk gebrom, vermengd met nog meer apengeluiden en ook een trommel, maar die trommel zegt niets wat betekenis heeft, zoals de trommels van zijn eigen mensen.

Hij vindt het een beetje jammer dat de vrouw er niet bij is, die met het vuurkleurige haár, en niet de vrouw die Spaans kan spreken, want hij had elk van beiden liever bij zich gehad dan deze aap. Vuurhaarvrouw is niet helemaal dood. Ze is een beetje als pater Tim. Hij kan de schaduw van haar dood bijna op zijn gebruikelijke plaats achter haar zien en hij vraagt zich af wat ze heeft gedaan om zo levend te zijn in het land van de doden.

3

In de hal van het kantoorgebouw keek Kevin naar een vitrine met de lijst van huurders. Hij was zich ervan bewust dat de bewaker naar hem keek. Hij vond een hoopvolle regel in de lijst en zei tegen zijn metgezel: 'Je hebt de namen van die kerels, hè?' Een nietszeggende blik. O ja, Spaans.

'¿Quienes los hombres de Consuela?' Weer die nietszeggende blik. Hij vloekte, en de bewaker keek een beetje scherper naar hem. 'Nee, hè... ¿Como se llaman los hombres malos, los jefes de la Consuela Holdings?'

Het bruine gezicht toonde begrip en de indiaan haalde een eind geknoopt touw uit zijn tas. Bij elke knoop die hij losmaakte zei hij een naam: Fuentes, Calderón, Garza, Ibanez. Kevin keek naar de lijst. 'Oké, hier heb ik een Antonio Fuentes. Laten we herrie gaan schoppen, Tonto.'

Ze gingen met de lift naar de tweeëntwintigste verdieping. De indiaan was erg stil. Kevin danste op de ballen van zijn voeten en floot een toonloos deuntje. Toen de lift stopte, stapten ze uit en liepen door de gang. Ze keken naar deuren tot ze er een hadden gevonden met het opschrift CONSUELA HOLDINGS in vergulde reliëfletters. Binnen keek Kevin om zich heen. Hij vond de inrichting teleurstellend. Zijn kennis van multinationale ondernemingen was beperkt gebleven tot wat hij in films had gezien. Dit kantoor zag er nog goedkoper uit dan dat van zijn vader op de bank: een kleine ruimte met vloerbedekking tegenover een receptiebalie. Een aantrekkelijke Cubaanse secretaresse met lange lavendelblauwe nagels was aan het telefoneren toen ze binnenkwamen. Ze keek op, zei iets in de telefoon en drukte op een knop.

'Kan ik iets voor u doen?'

'Ja,' zei Kevin. 'We willen Fuentes spreken.' Er volgden de gebruikelijke mededelingen over afspraken, en daarna kwam er geschreeuw en gevloek van Kevin, waarop weer de dreiging volgde de bewaking te bellen, en toen pakte Kevin de indiaan vast en ging hij door een deur, terwijl de receptioniste koortsachtig nummers intoetste op haar telefoon. Er was een halletje en aan het eind daarvan was er weer een deur. Daarachter bevond zich een groot hoekkantoor met uitzicht op Biscayne Bay door ramen aan twee kanten. Er stond een groot mahoniehouten bureau, en daaraan zat een kleine, donkere man met dicht zilvergrijs haar en een hoornen bril met dikke glazen. Kevin ging recht tegenover de man staan en zei wat hij te zeggen had: dat ze wisten wat ze daar in het regenwoud deden, dat ze illegaal hout kapten in het Puxto-reservaat, en dat ze het aan iedereen zouden vertellen en hen zouden tegenhouden, en dat deze man (hij wees nu naar de zwijgende indiaan) het bewijs was, hij wist alles van de illegale houtkap en desnoods gingen ze naar de Verenigde Naties, ze zouden boycotten, ze zouden demonstreren...

Na drie minuten praten, inclusief uitleg waarom mensen en het lot van de aarde belangrijker waren dan winsten van bedrijven, was Kevin aan het eind van zijn Latijn. De man had geen woord gezegd; hij keek hen tweeën alleen maar onbewogen aan en zijn donkere ogen verrieden niets dan een vage verveling, alsof hij op een trein wachtte. Toen kwamen drie grote mannen in blauwgrijze uniformen het kantoor binnen en zeiden dat ze moesten weggaan. Kevin zei dat hij niet wegging zonder de schriftelijke garantie dat alle illegale activiteiten in de Puxto met onmiddellijke ingang werden stopgezet, en toen greep een van de bewakers zijn rechterelleboog en -pols vast en deed hij Kevin op de een of andere manier zo veel pijn dat hij op zijn knieën zakte en de grootste moeite had niet in zijn broek te plassen. Geen van de bewakers raakte de indiaan aan, die zich rustig liet wegleiden, terwijl vlak voor hem Kevin schreeuwde en tierde en dreigde met alles en nog wat, dreigementen die hij nooit in praktijk zou kunnen brengen.

Terwijl hij nog veel pijn leed, reed hij naar Coconut Grove terug. Zijn pols deed pijn, en een van de bewakers had hem in de lift een paar stompen in een nier gegeven. Toch voelde hij zich zo goed als hij zich in lange tijd niet had gevoeld. De fascisten hadden zich eindelijk blootgegeven. Ze hadden hem zo gewelddadig behandeld als hij had verwacht en hadden daarmee zijn eigen gewelddadige fantasieën gerechtvaardigd. Hij keek naar zijn pols op het stuur en het deed hem goed dat die rood en een beetje opgezwollen was. Hij vond het alleen jammer dat er geen bloed was gevloeid, want volgens hem ging er niets boven een ingebeukt gezicht als je de sympathie wilde wekken die hij als de sleutel tot echte politieke actie beschouwde. Onder het rijden gaf zijn slimme brein een andere draai aan de gebeurtenissen in het kantoorgebouw.

Hij zag nu angst in het gezicht van Fuentes, die in werkelijkheid alleen maar met minachting en verveling had teruggekeken. In zijn fantasie hoorde hij hoe de man met een jengelende stem probeerde zijn misdaden goed te praten. Kevin had zijn argumenten tenietgedaan met de ene briljante tegenwerping na de andere, die hij nu in de auto bedacht en verfijnde. De bewakers hadden geprobeerd hem in bedwang te krijgen, maar hij had ze met zijn kennis van vechtsporten languit op de vloer gesmeten. O ja, en de indiaan... Ze hadden de indiaan iets willen doen en toen had hij zich met vreemde junglemanoeuvres aan hun fascistische greep onttrokken, waarna zij beiden met opgeheven hoofd waren weggelopen, als helden in een film. Dat was een probleem: als hij de indiaan meenam naar het huis, zouden ze met hem praten. Luna sprak Spaans en de professor ook, en dat zou alles kunnen bederven. Maar waarom zou hij hem meenemen? Wie wist wat een indiaan deed?

Kevin verliet Bayshore Drive om McFarlane Road te nemen, en bijna zodra hij dat deed, zag hij dat de display en de rest van de FPA-spullen bij de bibliotheek weg waren. Blijkbaar hadden de meisjes Scotty gebeld en was die met de wagen gekomen. Hij parkeerde daar evengoed en stapte uit. Tegen de indiaan zei hij: '*Vámanos, tenemos buscar las mujeres.*' Hij liep om het busje heen en maakte het portier aan de passagierskant open.

'Kom op, man, *vamos*, jij gaat langs die kant. *Busca allí.*' Hij maakte een gebaar om de domme indiaan te laten weten dat hij langs de zijkant van de bibliotheek moest lopen. Toen hij weg was, ging Kevin het gebouw in en keek daar zo'n dertig seconden om zich heen. Toen stapte hij weer in het busje. Shit. Ik weet niet waar hij is, legde hij aan de mensen in zijn hoofd uit. Ik ging naar de bibliotheek terug en jullie waren weg en we zochten en zochten en toen was hij opeens nergens meer te bekennen. Hij was gewoon verdwenen. Kevin startte het busje en reed weg.

Toen hij bij het huis stopte, kwamen ze allemaal op hem af gerend, al werd de ontvangst veel minder enthousiast toen ze hoorden dat hij de indiaan was kwijtgeraakt. En ze waren ook niet erg onder de indruk van zijn verhaal. Vooral Luna was woedend, en ze kon fel uitvallen. Meestal deed ze dat niet waar Rupert bij was, maar nu schold ze hem de huid vol. Hij was een onverantwoordelijke idioot, een lui, liegend, hopeloos stuk stront. Hij had zojuist het grootste geluk verknoeid dat ze ooit hadden gehad: een echte getuige uit het regenwoud, iemand over wie ze artikelen hadden kunnen schrijven, iemand die met hen op televisie

kon zijn verschenen, god nog aan toe, een man die vijfduizend kilometer had gereisd, voor het grootste deel in een kano, om zijn woud en zijn
mensen te redden, die onnoemelijk veel gevaren had getrotseerd en
daarna uitgerekend de stomste klojo van het westelijk halfrond tegen
het lijf was gelopen! Zo ging het nog een hele tijd door. Rupert probeerde er tussen te komen, Kevin schreeuwde zinloze obsceniteiten terug,
Scotty keek minachtend en zelfgenoegzaam, de professor keek verbijsterd, en de tranen stroomden langzaam over Jenny's wangen. Ten slotte
hield Kevin het niet meer uit en gooide hij een bloempot tegen de
muur. In de geschokte stilte die daarop volgde liep hij vloekend en met
grote passen naar hun huisje. Even later hoorden ze dat de deur werd
dichtgesmeten.

'Hij moet weg, Rupert,' zei Luna in de echo van dat geluid. 'Ik meen
het. Hij is een luie donder, hij doet niets anders dan wat rondhangen en
dope roken, hij is in politiek opzicht een ramp, en deze nieuwste stunt
is volslagen onvergeeflijk. Jezus! We hadden zo veel van die man kunnen leren, we hadden hem onderdak kunnen geven...' Ze sloeg haar
blik ten hemel en balde van pure frustratie haar vuisten, wat geen mooi
gezicht was. 'Nou? Kunnen we hem alsjeblíeft wegsturen?'

'En Jenny dan?' Dat zei Scotty, en het leverde hem een scherpe blik op
van Luna, die vlug zei: 'O, Jenny is oké. Niemand heeft iets tegen Jenny.'

Jenny snotterde en zei mokkend: 'Ik blijf hier niet zonder Kevin.'

'Wat was voorbestemd te gebeuren, zal gebeuren, Luna,' zei Rupert
kalm, tergend kalm. 'En als wij niet in vrede met elkaar kunnen leven,
welke hoop is er dan voor de wereld als geheel? Dat is toch zo, Nigel?'

Na een korte stilte zei professor Cooksey: 'Ja.' Hij verontschuldigde
zich en ging naar zijn werkkamer terug.

'Nou,' zei Rupert, 'zullen we allemaal wat tijd nemen om tot bedaren
te komen? Jenny, kun je... eh... iets aan die plant doen?' En ze gingen
elk naar hun eigen kamer, met achterlating van Jenny op de patio. Ze
keek naar de kapotgegooide bloempot en de aarde op de bloedrode tegels.

Nacht. Moie ligt in zijn hangmat hoog in een grote vijgenboom in Peacock Park in Coconut Grove. Hij ziet de maan opkomen vanuit zee. Hij
ziet dat Jaguar bijna van zijn moeder is teruggekeerd, en aan de hand
daarvan berekent hij hoe lang het geleden is dat hij uit Thuis vertrok.
Hij herinnert zich het woord 'eenzaam', voelt wat dat woord betekent en
vraagt zich af of hij ooit zal terugkeren. Hij denkt ook een beetje aan
Vuurhaarvrouw en vraagt zich af of hij haar terug zal zien. Hij heeft

haar geur in zijn neus en kan haar gemakkelijk vinden, denkt hij, zelfs in de ondraaglijke stank van deze plaats. Als het moet.

Maar nu zoekt hij in de lucht naar een andere geur, die hij eerder op deze vreemde dag heeft opgedaan, namelijk die van de man Fuentes. Hij kon niet verstaan wat Aapjongen tegen Fuentes zei, maar de betekenis was volkomen duidelijk, evenals de reactie van Fuentes. Hij voelt hoe de woede van Jaguar oplaait en hij voelt ook een vage droefheid om de man, zoals hij soms ook had als ze een klein meisje aan de god schonken. Maar sommige dingen zijn noodzakelijk. Het is niet aan hem om daarover te oordelen. Hij kauwt nog wat op de pasta die hij heeft klaargemaakt, en na een paar minuten heeft hij het gevoel dat de god zijn lichaam overneemt. Moie heeft deze gebeurtenis nooit met iemand besproken. Hij heeft nooit iemand gekend die Jaguar in zich droeg, behalve zijn oude leermeester, die al jaren dood is, en zelfs toen hij nog in leven was, praatten ze er niet over, net zomin als ze zich druk maakten om de omloop van hun bloed.

Moie krijgt een verdoofd gevoel in zijn handen en voeten; de golven van verdoving stromen naar zijn middelpunt en komen samen op een bepaalde plek in zijn buik. Geluiden en geuren vervagen; zijn zicht wordt ook vaag, trekt zich samen, gaat over op zwart. Hij is nu buiten zijn lichaam getreden en kan weer zien, zij het nevelig. Hij ziet zijn lichaam daar op de boomtak, volkomen inert, de armen en benen omlaag bungelend. Hij kijkt er met niet meer dan lichte belangstelling naar, met niet meer belangstelling dan hij voor de schors van de boom heeft, en de bladeren daarvan, en de kleine nachtelijke insecten die erin rondkruipen, en de beweging van de maan door de wolken heen. Hij staat vrij in de natuur, is onverschillig voor de weldaden en gruwelen daarvan en aanvaardt ze onvoorwaardelijk. In zijn verregaande staat van afstandelijkheid ziet hij Jaguar natuur ongedaan maken. Eerst is er een man in een boom, en dan is er een soort gebeurtenis (niet echt, want een gebeurtenis heeft een duur en dit vindt plaats buiten de normale tijd), en dan wordt dezelfde plek ingenomen door een goudgele kat met zwarte rozetten, een wezen met ongeveer vier keer de massa van de man. In dat wezen zit Moie, die als een herinnering in het bewustzijn van de god wordt vastgehouden. Hij zal zich herinneren wat nu gaat gebeuren, zoals wij ons dromen herinneren.

Wanneer de wassende maan hoog aan de heldere hemel staat, komt Jaguar uit de vijgenboom omlaag. Als een massief schijfje maanlicht stroomt hij het park uit en gaat naar het zuiden. Hij sluipt door de slapende tuinen, over muren en schuttingen, begeleid door een koor van heftig hondengeblaf. Hij stuit op waterwegen en manoeuvreert zich daar omheen naar het westen of zwemt naar de andere kant. Hij kan goed zwemmen. Zo laat op de avond zijn er in deze buurten weinig mensen buiten; ze slapen veilig achter hun alarmsystemen en bewakingsdiensten. Jaguar blijft op de oever van een kanaal staan en snuift de lucht op.

Antonio Fuentes ligt rusteloos in zijn bed in zijn mooie huis aan het kanaal bij Leucedendra. Hij kan de Indio niet uit zijn hoofd zetten. De schreeuwende Amerikaan was niets, maar de Indio was níét niets, die had daar helemaal niet moeten zijn, en de Amerikaan had niets moeten weten over het Puxto-project, had niet moeten weten dat Consuela Holdings achter het Colombiaanse bosbouwbedrijf zat dat de houtkap deed. Er waren vennootschappen opgezet om die connectie te verhullen, dus hoe konden een onwetende Indio en een *pendejo* van een milieufanaat daarachter zijn gekomen? Antwoord: dat konden ze niet, en dus wilde iemand hen een hak zetten, iemand met connecties in Colombia. Dat was het probleem als je zakendeed met Colombianen: er was daar helemaal geen wet, zelfs geen corrupte wet; je wist nooit of je iedereen had omgekocht die roet in het eten kon gooien. Daarom hadden ze er iemand als Hurtado bij gehaald.

Hij stapt uit bed, trekt een ochtendjas aan en loopt naar de openslaande deuren van zijn slaapkamer. Zijn vrouw beweegt, maar wordt niet wakker. Ze nemen allebei een slaappil, en hij hoopt dat hij die nacht geen tweede pil nodig heeft. Dan zou hij de hele ochtend suf zijn, en dat kan hij echt niet gebruiken. Hij heeft een bijeenkomst georganiseerd met de andere directeuren van Consuela om over de dreiging te praten die van dat incident in zijn kantoor uitging. Hij hoopt dat ze het kunnen oplossen zonder de Colombiaan erbij te halen. Fuentes heeft in de loop van zijn carrière al vaak een loopje genomen met de wet, maar dit is de eerste keer dat hij zaken doet met een echte *narcolista*. Al is er officieel, op papier, geen enkel verband. Het staat hem niet aan, maar de potentiële winsten zijn enorm groot en het is nu ook weer niet zo dat ze zelf in de drugshandel gaan. Of misschien toch een beetje, maar het is vooral belangrijk dat hij er niets over hoeft te weten. Hij moet zich ervan vergewissen dat de afscherming nog intact is. Mocht dat niet zo blijken te zijn, dan moet hij er iets aan doen. Als het moet, zal die schreeuwende jongen niet zo moeilijk te vinden zijn.

Fuentes zet de openslaande deuren open en stapt het balkon op. De lucht is fris en ruikt naar de 's nachts bloeiende jasmijn en de zilte geur van de baai. Hij bevindt zich op de eerste verdieping en kan over het water uitkijken. Het is een heldere nacht met een wassende maan hoog boven een enkele rij wolken. Hij kan nog net de lichten van Key Biscayne en Cape Florida in het oosten zien. Soms, heeft hij ontdekt, maakt een beetje heen en weer lopen over dit balkon hem moe genoeg om hem in slaap te doen vallen.

Hij doet een paar stappen en blijft abrupt staan. Er is iets mis. Maar wat? Iets wat hij is vergeten te doen? Hij kijkt achterom naar de muur van de slaapkamer: het smaragdgroene bewakingslicht is aan en het huis is volkomen afgesloten. Hij hoort een krassend geluid boven zich en schrikt daar hevig van, maar permitteert zich dan een heimelijk spottend lachje. Wasberen. Hij moet die man met zijn vallen weer eens laten komen. Door dit hele incident is hij schrikachtig geworden. Ik ben zo nerveus als een kat, denkt hij bij zichzelf, en hij loopt heen en weer.

Hij loopt de drie meter, draait zich om, loopt drie meter terug, en al die tijd zit zijn hoofd vol cijfers. Hij is de cijferman van de onderneming. Calderón heeft de Colombiaanse contacten, Garza heeft het oprichtingsgeld verschaft en Ibanez heeft de machinerie om het hout in geld om te zetten, want er zijn nog veel mensen die zo op eersteklas mahoniehout gebrand zijn dat ze niet naar de herkomst vragen. Het zou goed zijn als ze ter plekke een onderzoek lieten instellen naar bijvoorbeeld het aantal bomen dat ze per hectare konden verwachten. Dan zouden ze een helderder beeld hebben. Je kon wel met gemiddelden werken, maar ze hadden geruchten gehoord over de ongelooflijk dichte begroeiing in de Puxto. Zou het mogelijk zijn dat er vier bomen per hectare stonden? Het tafelland was driehonderdduizend hectare groot, dus als er vier bomen per hectare stonden, hadden ze het over zeker een miljoen bomen, en als die dan een gemiddelde doorsnee van anderhalve meter hadden en dertig meter hoog waren, zou dat betekenen dat elke boom tweehonderd kubieke meter bruikbaar hout opleverde en… en midden in die overpeinzingen hoort hij weer dat geluid boven zich, dat geschraap over de dakpannen.

Hij kijkt op naar het dak, ziet niets en gaat verder met heen en weer lopen en rekenen: tweehonderd miljoen kubieke meter eersteklas mahoniehout, oude groei, jezus nog aan toe! Al zouden ze de markt een beetje moeten bespelen, want het was niet de bedoeling dat de prijs veel onder de huidige vijftienhonderd dollar per kuub zakte… Maar dan komt er weer een geluid tussen zijn cijfers, als het snorren van een kat maar dan luider.

Ararah. Ararararh.
Fuentes kijkt weer op. Nee, geen wasbeer.

Jimmy Paz liep de keuken van Guantanamera in, zijn restaurant (eigenlijk van zijn moeder), en wierp een geoefend oog om zich heen. Omdat het woensdag was, waren de specialiteiten zeevruchtensalade en *ajiaco criollo*, een stoofschotel waarvan het recept al generaties in de familie van zijn moeder was en die beroemd was onder plaatselijke liefhebbers van de eenvoudige Cubaanse keuken. Cesar, de kok, was dan ook bezig alle zeebewoners klaar te maken voor de salade – kreeft, steenkrab, garnaal, inktvis – en Rafael, de hulpkok, was de vruchten en wortels aan het snijden – malanga amarilla, yuca, groene pisang, boniato, malanga blanca, calabaza en ñame yam – die in de stoofschotel gingen. Aan diezelfde tafel was tot Paz' verbazing ook Amelia aan het werk. Ze sneed bloemen uit ingelegde paddenstoelen en radijsjes en sneed ook citroenen in tweeën en gaf ze een kartelrand; dat alles voor de garnituur van de zeevruchtensalade. Ze stond op een kruk, en het schort dat ze droeg viel tot over haar roze gymschoenen, want ze was maar een meter groot.

'Waarom ben je niet op school?' vroeg Paz.

'Het is studiedag voor de meesters en juffen. Dat heb ik je verteld, papa. En we zouden na de lunch naar Matheson gaan. Dat ben je vergeten.'

'Ja, dat ben ik vergeten,' zei Paz. 'Denk je dat ik de slechtste papa van de wereld ben?'

Het kind dacht daar even serieus over na. 'Niet van de héle wereld. Maar je moet dingen niet vergeten. *Abuela* zegt dat je je hoofd nog zou vergeten als het niet aan je hals vastzat.' Dat laatste zei ze in Cubaans Spaans, met het accent van Guantanamera dat Paz zo goed kende. Het kind was perfect tweetalig.

'Ik weet nog waar je kietelig bent, en als je dat mes niet in je handen had, zo ik je héél erg kietelen,' zei Paz, en hij werd beloond met een giechellachje. 'Ik heb het druk, papa,' zei ze, en daarmee imiteerde ze haar moeder, dokter mama, die het altijd buitengewoon druk had. Paz keek even naar zijn dochter die de groente sneed. Ze was langzaam maar nauwkeurig en had respect voor het mes zonder er bang voor te zijn. Haar oma had haar wortelen laten schrapen toen ze vier was, en nu, bijna drie jaar later, had ze al veel klein snijwerk goed onder de knie. Het mes dat ze gebruikte was zo scherp als een scalpel, maar daar maakte Paz zich helemaal geen zorgen over, want als ze zich sneed, zou het een zuivere, rechte wond zijn, en zulke snijongelukjes hoorden bij de opleiding van een kok. Overigens zou hij zoiets nooit tegen de moeder van het kind zeggen. Hij deed zijn eigen schort om en sneed vlees voor de *ajiaco*: ribstuk, steak uit de flank en *tasajo*, gezouten en gedroogd rundvlees.

Vier uur later stond Paz op het hoogtepunt van de lunchdrukte in een ogenschijnlijke chaos; ogenschijnlijk, want de drie mannen en de vrouw die het keukenpersoneel van restaurant Guantanamera vormden waren net getrainde atleten of soldaten. Te midden van flitsende messen, borrelende kookpotten, branders die hoge vlammen lieten uitschieten, koekenpannen met sissend vet, balanceerden ze op de rand van de catastrofe. De obers schreeuwden, de koks schreeuwden terug, de vaatwasmachine rommelde, en Jimmy Paz bemande de grill in een door hemzelf gecreëerde cocon van kalmte. De ongeveer tien stukken duur eiwit voor hem – gemarineerde steaks, varkenslappen, snapperfilets, kreeftenstaarten, reuzengarnalen – die allemaal met verschillende snelheden op weg waren naar verschillende gradaties van gaarheid, op een grill waarvan de temperatuur elke paar centimeter verschilde en die geleidelijk heter werd naarmate de uren verstreken, zaten allemaal als kleine klokjes en berekeningen in zijn hoofd. Het zat allemaal in zijn onderbewustzijn, maar het verdrong eventuele onwelkome gedachten uit zijn dankbare geest. Paz deed dit in plaats van religie of meditatie. En zo produceerde Paz, gedachteloos zoals een vis zwemt, een maaltijd voor een gezelschap van vier: een kreeft, een steak, wat varkenslappen, een handvol tijgergarnalen, allemaal precies gaar genoeg en allemaal precies tegelijk klaar. Hij deed elk gerecht op een warm bord en schoof ze naar Yolanda, de hulpkok die ze van garnering, saus en groenten voorzag en in het luik zette. En nog een en nog een, totdat het ongeveer half drie was en het tempo subtiel terugliep. Het geluid nam af en er lagen nog maar twee of drie dingen op de grill, en toen was het voorbij. Paz ging naar de spoelbak, plensde wat water over zijn gezicht en dronk met twee grote teugen een ijskoud flesje Hatuey-bier leeg.

'Papa?'

Paz keek op en zag dat zijn dochter gekleed was voor de receptie. Ze droeg een zwarte rok die tot de vloer reikte, een weelderig geplooide witte blouse (met een naamplaatje waarop AMELIA stond) en glanzende Mary Jane-schoenen, en ze had een rode hibiscus in haar lichtbruine krullen: de kleinste gastvrouw ter wereld. Dit was het werk van haar *abuela*, en ze zag er zo lief uit dat mensen die op een tafel wachtten vaak op hun knieën gingen van blijdschap. Ze was er ook erg goed in, en het moest wel een erg lastige klant zijn als hij tegen dit meisje klaagde over de plaats die hij kreeg toegewezen.

'Oom Tito wil je spreken,' zei het kind. 'Tafel acht.' Ze ging weg, en nadat hij zijn jasje had dichtgeknoopt en tegen Yolanda had gezegd dat ze op de grill moest passen, deed Paz dat ook.

De eetkamer in het Guantanamera was hoog, koel, wit en goudkleurig, met rotanventilatoren die de met airconditioning gekoelde lucht in het rond bewogen; kroonluchters met veel armen wierpen het heldere licht dat karakteristiek is voor Cubaanse restaurants. Het was in alle opzichten, behalve de grootte, een replica van de eetzaal in de grote tabaks-*finca* waar Paz' moeder voor de revolutie als kind had gewerkt, en haar moeder voor haar, tot in de tijd van de slavernij. Allemaal hadden ze meegeholpen aan het opbouwen van de Cubaanse keuken. Paz wist niet hoeveel van dat alles ironisch bedoeld was en hoeveel een kwestie van slimme marketing was. De oorspronkelijke cliëntèle van het restaurant had bestaan uit ballingen die naar het soort *comidas criollas* verlangden dat volgens blanke Cubanen alleen authentiek geproduceerd kon worden door zwarte mensen. Dat was een van de problemen die Paz met het restaurant van zijn moeder had. De oude garde was uitgedund, de toeristen waren seizoensgebonden en de yuppen hadden geen zin om in een felverlichte zaal gerechten te zitten eten die vol calorieën en kruidige vetten zaten. Paz probeerde de kamer altijd donkerder en het menu lichter te maken, vandaar de zeevruchtensalade, maar met Margarita Paz viel daar eigenlijk niet over te praten.

Tito Morales wenkte hem. Zoals altijd wanneer hij Morales zag, ging er een steek van spijt door Paz heen, vermengd met jaloezie en een zekere rancune. De man was rechercheur bij de politie van Miami, zoals Paz ook was geweest voordat hij ontdekte dat het neerschieten van mensen een ervaring was die hij nooit meer wilde meemaken en zijn ontslag uit het korps had genomen. Hijzelf had Morales bij de recherche gehaald. Hij had hem uit de patrouilledienst gerekruteerd en tot zijn partner gemaakt, en hoewel Morales nu zijn eigen partner had (het was veelzeggend dat die er nu niet bij was), kwam hij soms naar het restaurant om te eten en Paz om raad te vragen.

Paz ging zitten. 'Wat heb je gehad?'

'De *ajiaco*.'

'Hoe was die?'

'Ongelooflijk. Mina heeft het een paar keer thuis voor me klaargemaakt, maar dat was niet te vergelijken met de jouwe.'

'Dat is maar goed ook. Je wordt dik, Morales. Je had de salade moeten nemen.'

Morales lachte tevreden. Hij vond het mooi dat een man die voedsel verkocht tegen hem zei dat hij dik werd. In de zeven jaar dat Paz hem kende was Morales van een jongen met een babyface veranderd in een stevig gebouwde man van dertig met een vrouw en twee kinderen, en in een bekwame, zij het niet echt briljante rechercheur. Als hij briljant denkwerk nodig had, kon hij voor de prijs van een maaltijd over Jimmy Paz beschikken.

Ze praatten een tijdje over familie, sport, het korps en de bezwaren die daaraan verbonden waren, het nieuwste politieschandaaltje, een van de blijkbaar eindeloze reeks stommiteiten van de politie van Miami. Toen was het tijd voor de reden van het bezoek, afgezien van Morales' voorliefde voor Cubaans stoofvlees.

'We hebben vannacht een vreemde zaak gekregen. Tony Fuentes is vermoord. Ooit van gehoord?'

'Ik las het in de *Herald*. Worsteling met een inbreker en hij viel van zijn balkon. De dader is ontkomen.'

'Dat brengen we in de openbaarheid,' zei Morales duister.

'En wat niet?'

'De dader heeft hem opgegeten. En we denken niet dat het een inbraak was.'

'Dat is knap politiewerk, Tito. De gemiddelde inbreker heeft het op sieraden voorzien, niet op de lever.'

Er kwam een vreemde uitdrukking op Morales' gezicht, en Paz zag daarin een van de redenen waarom de man nooit een toprechercheur zou worden: hij was veel te doorzichtig. In feite was hij een doodgewone aardige jongen, in tegenstelling tot Paz. 'Hoe wist je dat het de lever was?' vroeg de rechercheur.

'Dat is het smakelijkste deel, als je in de gauwigheid van een lijk wilt snacken. Ik zeg dit als professional op het gebied van voedselverstrekking. Wat heeft hij nog meer gegeten? Of moet ik "het" zeggen?'

'Het hart en wat dijspieren. Het was een lelijk gezicht, mijn vriend. Fuentes is als een blik bonen opengetrokken in zijn eigen tuin. Iemand heeft hem kort na half twee 's nachts van zijn balkon gerukt. Ze hebben eerst zijn keel opengescheurd. Waarschijnlijk was hij al dood voordat hij in de crotonstruiken viel. Tenminste, dat hoop ik voor hem. Zijn vrouw stond om zeven uur op en vond hem. Hebt u, afgezien dáárvan, een fijne dag gehad, mevrouw Fuentes?'

'Ik neem aan dat jullie de echtgenote niet verdenken?'

'Nee, we zijn dom, Jimmy, maar niet volslagen debiel. Geen teken van moeilijkheden in het gezin. Wat zakelijke concurrenten betreft is er ook niets bijzonders aan de hand. Het enige ongewone wat Antonio in de vierentwintig uur voor zijn dood is overkomen, is dat er een paar kerels naar zijn kantoor kwamen die tegen hem schreeuwden over een of ander natuurreservaat ergens in Zuid-Amerika dat hij aan het vernielen zou zijn.'

'Waren dat latinotypes?'

'Nee, een van hen was een lelieblanke gringo. Een hippie, zei de secretaresse. Hebben we nog hippies?'

'Hij zal zichzelf wel een anarchist noemen.'

'Wat dan ook. Hij was degene die schreeuwde. Lang blond dreadlockhaar, een zwart T-shirt met een logo erop, maar ze kon het niet thuisbrengen. Ze moesten de bewaking bellen, en die vent verzette zich, wilde niet weggaan. De bewakers wisten ook niet meer wat voor logo het was. Niemand ziet nog iets. Ik snap dat niet.'

'Het zijn meestal geen getrainde waarnemers, zoals jij. Wie was die andere man?'

'Dat was een indiaan. Daar zijn ze het tenminste allemaal over eens. Een kleine indiaan. Uit de beschrijvingen krijg ik de indruk dat hij niet hiervandaan kwam, maar van over de grens. Hij had van die tatoeages op zijn gezicht.' Morales trok denkbeeldige strepen over zijn wangen en kin. 'Dat doen ze in bijvoorbeeld het Amazonegebied, hè?'

'Als jij het zegt.'

'En dan was er ook nog een kat.'

'Een kat? Op de plaats van het misdrijf, bedoel je?'

'Ja. Tenminste, daar lijkt het op. Een grote, misschien een poema of een luipaard. We hebben afdrukken van de sporen gemaakt en we wachten tot de jongens van de dierentuin zeggen wat het was. Het klinkt vreemd, maar de forensische mensen zeggen dat die kat misschien die wonden heeft toegebracht. Kun je een kat leren iemand dood te maken? Ik herinner me dat ik op school een vreemd verhaal heb gelezen over iemand die een aap had geleerd iemand voor hem te vermoorden...'

'"De moorden in de Rue Morgue" van Poe. Maar dat had hij verzonnen.'

'Nou, wat denk je ervan?'

'Volgens mij is het een duidelijke zaak. Iemand heeft een tijger. Hij voert hem Friskies-tonijn uit van die kleine blikjes, en op een dag zegt hij: "Verrek, waarom zou ik steeds weer die blikjes opentrekken, twee voor een dollar negenentwintig, als ik Lucille hier gratis Cubaanse zakenlieden te eten kan geven." En dan krijg je dit.'

Morales lachte, zij het kort. 'Nee, serieus.'

'Serieus? Zie je de kleren die ik draag? Aan de witte kleur kun je zien dat ik in de restaurantbranche zit en niet in die gekke recherchebranche.'

'De commissaris vroeg me het aan jou te vragen, Jimmy,' zei Morales met een passende serieuze uitdrukking op zijn gezicht.

'O, de commissáris. Nou, dan moet ik alles laten vallen en me hierop concentreren.' Paz zei dit zo sarcastisch mogelijk, en meteen had hij even een hekel aan zichzelf. Commissaris Douglas Oliphant had Paz altijd goed behandeld toen Paz een van zijn rechercheurs was, en verdiende niet zo'n reactie. Werd Paz de laatste tijd niet steeds scherper? Hij haalde diep adem en liet de lucht ontsnappen. 'Ik zie niet hoe ik zou kunnen helpen,' zei hij op mildere toon. 'Ik bedoel, jullie gaan de dingen doen die voor de hand liggen, de mensen natrekken die grote katachtigen hebben, uitzoeken wie die milieufanaat en zijn indiaan waren...'

'Ja, natuurlijk, maar ik moest je van de commissaris vragen of er een of ander ritueel in het spel kan zijn.'

'Ben ik de expert op het gebied van kannibalistische rituelen?'

'Je weet er meer van dan ik,' zei Morales zonder omhaal.

'Ik verklaar me schuldig. Maar we waren het er toch over eens dat de dader hem aan die kat heeft gevoerd? Waar is het ritueel?'

'Oké, geen ritueel, niet als zodanig.' Morales zweeg even en Paz zag iets op zijn gezicht wat ook vaak op zijn eigen gezicht was verschenen: die halve glimlach die we opzetten als we op het punt staan iets te zeggen waardoor we idioot overkomen, iets ongelooflijks of absurds. 'Dus er is geen cultus of zo, geen sekte die dieren aanbidt en mensen aan ze voert?'

'Misschien in films. Waarom zou je zoiets verzinnen? Iemand met een afgerichte tijger is al erg genoeg. Of een maniak die wil laten voorkomen dat de moord door een tijger is gepleegd.'

Een korte stilte, en toen zei de rechercheur: 'Omdat er niemand was. De grond was mooi zacht. De tuinman was die ochtend geweest en had verse compost bij de planten gestrooid. Er was nergens in de tuin ook maar één menselijke voetafdruk te vinden, en er staat een muur van zes meter hoog om het hele terrein heen, met een hek en een alarminstallatie. Er waren nergens sporen van braak.'

'Dan was het een soloactie van de kat,' zei Paz. 'Een wild dier, ontsnapt uit zo'n particuliere dierentuin waar je wel eens over leest. Iemand heeft veertien half verhongerde Siberische tijgers in een dubbele woonwagen…'

'En die tijger ontsnapte en vond zijn weg naar het huis van Antonio Fuentes. Hij bleef op het dak liggen wachten tot de man zijn balkon op kwam en besprong hem, al is dat deel van de stad vergeven van de honden, katten en wasberen. Er liepen daar ook pauwen rond. Zo'n buurt is het. Denk je dat hij die dag wakker is geworden en zei: hmm, ik neem vanavond lekker een Cubaanse ondernemer?'

Er gingen een stuk of wat gevatte opmerkingen door Paz' hoofd, maar hij wees ze allemaal van de hand. Hij haalde zijn schouders op en zei: 'Oké. Ik zou het echt niet weten. Wat wil je dat ik zeg, Tito? Nog meer magie in Miami?'

'Dat zou een begin zijn.' Hij zweeg even en ging toen aarzelend verder: 'Het was gisteravond bijna volle maan.'

'O, goed. Het zal een weerwolf zijn geweest. Of een weertijger, in dit geval.'

'Zíjn er weertijgers?'

'Zíjn er…? Tito, allemachtig, luister nou naar wat je zegt!'

Morales lachte nerveus en sloeg zijn ogen ten hemel om (valselijk) te laten blijken dat die opmerking een grap was geweest. 'Ja, oké, maar serieus, zijn er verhalen over mensen die roofdieren op een rituele manier gebruiken, een sekte…'

Paz stond op. Hij had plotseling genoeg van dit gesprek. 'Nee, Tito, ik weet niets van sekten. Ik wil niets met die onzin te maken hebben. Dat heb ik nooit gewild en zal ik ook nooit willen. Op dit moment wil ik met mijn kind naar het strand. Sorry. Doe de groeten aan de commissaris.'

Na die woorden ging hij naar de keuken terug. Yolanda had de laatste lunches opgediend en op de grill lag alleen nog een aangebrande vetrand. Hij verwijderde hem met ontvetter en een stalen schraper en gebruikte daarvoor meer kracht dan nodig was, binnensmonds vloekend. Toen de grill schoon was, trok hij een spijkerbroek met afgeknipte pijpen, sandalen en een schoon nethemd aan en ging naar het kleine kantoortje. Het meisje zat op de draaistoel van haar oma en tekende met kleurpotloden. Ze had haar rode badpak, korte broek en roze gymschoenen al aan.

'Waar is je oma?'

'Voor. Ze schreeuwt weer tegen Brenda. Die was in de war met de bestelling van tafel twee en de man werd boos.'

'Dan nemen we de achterdeur,' zei Paz.

Matheson Hammock bestaat uit een mangrovenbos en een breed modderig strand waar lauwe golfjes tegenaan kabbelen. Het is bijna het laatste restant van de Gold Coast van Florida, dus de kust van zuidelijk Florida zoals die eruitzag voordat blanke mensen vonden dat het strandleven status had. Amelia kwam er graag omdat ze bang voor grote golven was en omdat het strand letterlijk krioelde van kleine wezens: krabben, zeevogels, kwallen en weekdieren. Ze kende hun namen en gewoonten en gaf Paz daarin les op een manier die hem absurd genoeg aan haar moeder deed denken. Nog niet zo lang geleden was Jimmy Paz een soort casanova geweest, en totdat hij vader werd had hij niet veel van kinderen moeten hebben. Zoals veel bekeerde losbollen had hij zich ontpopt tot een uitstekende echtgenoot voor een vrouw die niet zo gemakkelijk in de omgang was, en wat het vaderschap betrof: elke keer dat hij naar zijn dochter keek, voelde hij zich zwak van liefde.

Ze rende voor hem uit over het strand. De zon, die al lager aan de hemel stond, wierp een lange schaduw voor haar uit en wekte paniek in de troep wenkkrabben waar ze achteraan rende. De zon maakt ook een gouden stralenkrans van de op en neer gaande krullen om haar hoofd; ze was helemaal van goud; zelfs haar ogen waren van goud. Formeel gezien was ze als kind van een mulat (Paz) en een blanke vrouw een quarteroon, en als ze een eeuw eerder in Cuba was geboren, zou ze regelrecht naar de bordelen van Havana zijn gegaan. Tegenwoordig was er voor een meisje van gemengd ras natuurlijk helemaal niets aan de hand. Voor Paz' kleine lieveling was er geen vuiltje aan de lucht. Als Paz terugdacht aan zijn middelbareschooltijd – toen hij als zwarte, half blanke Cubaan de ongewone eer had genoten mishandeld te worden door alle drie meest voorkomende rassen tegelijk – trok zijn maag zich samen. Nu de moeder in kwestie arts was, hadden ze het natuurlijk over een particuliere school in een onberispelijke progressieve sfeer, maar Paz wist ook alles van progressievelingen. Er viel niet aan te ontkomen.

Aan de andere kant was het een mooie dag, was het kind gezond en pienter en lag dat alles nog in de niet te voorspellen toekomst. Paz liet zichzelf weer eens zien hoe goed hij erin was om verontrustende gedachten af te kappen; dat had hem door veel bizarre, angstaanjagende gebeurtenissen heen geholpen toen hij nog bij de politie was. Niet voor niets had Tito Morales hem geraadpleegd over die moord door een kat of een kannibaal. Nee, daar moest hij ook niet aan denken.

Het kind kwam bij een plaats waar de duinen en het strandgras zich tot de baai uitstrekten. Er was al vaak tegen haar gezegd dat ze niet op blote voeten over zoiets moest lopen, maar nu deed ze het toch, al riep

Paz dat ze het niet moest doen. Ze kreeg een warkruid in haar voet, viel voorover en kreeg er ook een in haar hand. Ze krijste, blèrde, weigerde papa ernaar te laten kijken, hinkte afschuwelijk om dat te voorkomen, maar toen kreeg hij haar te pakken en verwijderde hij het hinderlijke aartje. Het kind was op slag van een intelligent, competent engeltje in een wriemelend dier op zijn schoot veranderd. Toen de operatie was voltooid, jengelde ze van vermoeidheid en eiste ze naar hun deken teruggedragen te worden.

Paz deed dat maar al te graag. Hij voorzag dat er een eind kwam aan de tijd dat hij haar nog kon dragen en wilde er zo lang mogelijk van genieten. Op hun deken bood Paz haar een roze, pluizig ding aan dat in de wasmachine bijna tot pulp was vergaan. Zolang ze zich van iets bewust was, had ze het nodig gehad om in slaap te komen. Nu zei ze: 'Ik denk dat ik te oud ben voor een knuffeldekentje, papa.'

'Maar we kunnen het ook als gewoon dekentje gebruiken,' antwoordde Paz, en dat deden ze. Het meisje ging met het versmade voorwerp over zich heen in de kromming van zijn arm liggen en sliep binnen enkele minuten. Paz probeerde een tijdschrift te lezen, maar nadat hij tien minuten bezig was geweest het nieuwste schandaal in het bedrijfsleven te doorgronden, sukkelde hij ook in slaap.

En werd in paniek wakker: Amelia was er niet. Hij vloog overeind en keek naar het strand, en meteen ging er een immense opluchting door hem heen, want daar zag hij het rode badpak. Op het strand waren nu meer mensen, die zich een beetje ontspanden na hun werk: een paar gezinnen, tieners die een frisbee overgooiden en kinderen die met een zwarte labrador door de ondiepten plensden. Amelia praatte blijkbaar met een jongen die in een piepschuimen bootje stond dat op de kleine golven dicht bij het strand dobberde. De labrador blafte uit alle macht naar hen, maar dat had blijkbaar geen enkele uitwerking. Paz liep naar het water, en toen hij dichterbij kwam, zag hij dat het helemaal geen jongen was, maar een erg kleine, potige man, donkerder dan Paz, met sluik blauwzwart haar en tekens op zijn gezicht. Er hing iets aan een koord om zijn hals. Toen Paz hen tweeën tot op zes meter was genaderd, duwde de man het bootje de zee in met de aluminium roeiriem die hij in zijn hand had. Terwijl hij rechtop in de achtersteven bleef staan, stuwde hij het vaartuig snel weg door vreemde draaiende bewegingen met de riem te maken.

'Wie was dat, schat?' vroeg Paz.

'Gewoon een man. Hij praatte raar.'

'Raar Engels?'

'Nee, raar Spaans. Ik kon hem niet goed verstaan. Hij zei dat ik een mooie kaurit had. Wat is een mooie kaurit?'

'Dat weet ik niet, meisje. Je weet dat je niet met vreemden mag praten als mama en ik er niet bij zijn.'

'Dat weet ik, maar hij was in een bootje,' zei het kind met de logica van zeven jaar. 'En hij was verdrietig.'

'Waarom was hij verdrietig?'

Ze haalde haar schouders op. 'Dat kon ik niet verstaan. Gaan we een ijsje eten?'

Moie peddelt over het glanzende kalme water. Toen hij die ochtend in zijn boomhangmat wakker werd, had hij een volle maag en een hoofd vol dromen waarin werd gedood. Hij had ook de smaak van warm vlees tussen zijn tanden. Hij stopte zijn hangmat en zijn zwarte pak in zijn koffer en liep in alleen zijn lendendoek naar de rand van de baai. Hij zag dat de *wai'ichuranan* daar boten hadden aangelegd die iedereen mocht meenemen, zoals bij de Runiya, en nam er een.

Moie denkt dat zijn boot gemaakt is van verkruimeld wit hout, zoiets als balsa. De peddels zijn van metaal en van een hard rood materiaal, en ze zijn te lang. Hij moet rechtop staan en er een als vaarboom gebruiken.

Hij gaat langs de kust naar het zuiden, voorbij Sunrise Point, voorbij Tahiti Beach, langs het kanaal waaraan het huis staat waar de man Fuentes door Jaguar is gedood. Hij weet niet waarom hij naar het zuiden gaat, alleen dat het nu de juiste richting is. Algauw komt hij bij een lange zandtong die zich naar het oosten in de baai uitstrekt. Er zijn daar veel *wai'ichuranan*, al zijn ze niet aan het vissen en repareren ze geen boten. Ze zitten daar maar wat en eten of rennen rond als honden, of ze schreeuwen in hun apentaal. Hij moet dicht langs het strand varen om zijn koers te kunnen vervolgen, en dan ziet hij het kleine meisje. Ze staat over het water uit te kijken alsof ze op hem heeft gewacht. Ze draagt een rode doek, zoals de Runiya de kleine meisjes laten dragen die voor Jaguar worden achtergelaten, en dat trekt zijn aandacht. Bovendien kan hij haar dood heel duidelijk achter haar linkerschouder zien glanzen. Het was hem al opgevallen dat de dood van de *wai'ichuranan* te zien was als ze kleine kinderen waren; als ze doodgingen, trok de dood zich in hen terug. Omdat de dood op de leeftijd van dit meisje vaak al weg is, is dit ongewoon. Misschien heeft Jaguar dit meisje voor zichzelf bestemd en moet Moie iets met haar doen. Maar Jaguar zwijgt in zijn hart.

Niettemin peddelt hij dicht naar haar toe en zegt in het Spaans: 'Klein meisje, geef mij antwoord! Ben jij *hninxa*?'

Het meisje zegt: 'Nee, ik ben Amelia. Hoe heet jij?'

Natuurlijk zal hij een klein meisje zijn naam niet vertellen. 'Zeg me de waarheid,' zegt hij. 'Moet ik je meenemen en aan Jaguar geven? Je kunt in de kano komen, al is het verkeerd dat meisjes en mannen in dezelfde kano zijn. Maar misschien is dat *ryuxit* in het land van de doden.'

Maar het meisje keek hem alleen maar onbeleefd aan en zei niets. Toen zag hij dat er een bruine man naar hen toe kwam, en er was iets aan die man wat Moie niet aanstond. Niet dat de man precies zijn dood volgde, zoals een echt mens deed, maar hij werd vergezeld door iets anders, iets wat Moie nooit eerder had gezien. Het maakte hem bang. Tegen het kleine meisje zei hij: 'Je hebt een mooie *achaurit*', en toen gebruikte hij de peddel om snel bij het strand vandaan te komen.

4

Omdat professor Cooksey niet reed, vroeg Rupert aan Jenny of ze hem met de Mercedes naar de Fairchild Tropical Gardens wilde brengen, waar hij een lezing zou geven. Eigenlijk vroeg Rupert haar het aan Kevin te vragen, de chauffeur van de groep, maar sinds de bonje van de vorige dag lag Kevin stoned in bed, met een koptelefoon op. Ze had geen zin om de stekker eruit te trekken en daar ruzie over te maken en reed dus maar zelf. Ze vond dat helemaal niet erg, want ze reed graag in de grote oude auto, een model 230 uit 1968, roomkleurig met een rode leren bekleding. De auto was nog van Ruperts moeder geweest en als ze in dat ding reed, was het net of ze in een oude film was terechtgekomen, vooral met de professor naast zich, met zijn Britse accent en de kerkachtige muziek die hij graag op de radio hoorde. En wat voor haar ook ongewoon was: ze droeg een rok, want het leer werd heet onder haar dij als de auto in de zon moest staan; ook dat gaf haar het gevoel dat ze in een andere tijd was terechtgekomen.

Ze wist niet waarom de professor niet reed. Volgens zijn persoonlijke theorie was hij te oud, maar Kevin zei dat hij alcoholist was en dat ze zijn rijbewijs hadden afgepakt. Al had ze hem nooit dronken meegemaakt, dus dat was misschien ook maar een van Kevins verhalen. Toen ze daaraan dacht, herinnerde ze zich het verhaal dat hij had verzonnen over die indiaan die hij was kwijtgeraakt. Zelfs zij geloofde dat niet, en toen ze hem later vroeg waarom hij dat had verteld, werd hij nijdig, en toen pakte hij zijn koptelefoon en zette hij de muziek zo hard dat ze de punk langs de randen kon horen krijsen, en dat was dat. Soms werd hij zo kwaad op haar dat ze dacht dat hij haar ging slaan, maar dat deed hij nooit, in tegenstelling tot andere jongens die ze had gekend, en dus vond ze dat het eigenlijk best goed ging tussen hen, tussen Kevin en haar.

Het was niet ver rijden naar Fairchild, een paar kilometer op zijn hoogst, en Jenny had hem kunnen afzetten om hem later weer op te pikken, maar in plaats daarvan bleef ze bij de Gardens wachten. De sfeer die op dat moment bij het huis hing, werkte op haar gemoed. Het was een miasma van prikkelbaarheid. Dat kwam door Kevin, maar misschien ging het ook niet zo goed met de Forest Planet Alliance. Onder het ontbijt had Luna nors tegen haar gedaan en had ze Rupert fluisterend toegesproken, en ze hadden haar allebei raar aangekeken. Alsof het haar schuld was dat Kevin een zak was. Ze was blij met de kans even weg te zijn totdat het allemaal was overgewaaid. En ze vond het prettig om bij de professor te zijn.

'Waar gaat u over spreken?'

'Vijgenwespen.'

'Ik ben eens door wespen gestoken,' zei ze. 'Ik zal een jaar of zes zijn geweest en ik zat achter een bal aan. Ik woonde bij een boerenfamilie op een boerderij. En ik stak mijn hand in het gat waar de bal in was gerold, en goh, ik zat er helemaal onder! Ik dacht dat ik doodging.'

'Ja, nou, deze wespen steken niet. Ze bevruchten vijgenbomen. Elke soort vijg heeft zijn eigen soort bevruchtende wesp.'

'Zoals bijen?'

'Precies. Alleen zoeken bijen hun voedsel in allerlei planten. Bijen worden aangetrokken door de kleur en geur van bloemen, en deze wespen brengen het stuifmeel naar maar één soort vijg en worden aangetrokken door hormonen. Het wijfje moet zich in het onrijpe synconium graven. Dat is een taaie peul met onrijpe bloesems. Ze moet door zo'n nauw gat dat ze haar vleugels en antennes verliest.'

'Goh! Dat moet heel moeilijk zijn. Hoe vliegt ze er weer uit?'

'Dat doet ze niet. Ze heeft haar functie vervuld en blijft de rest van haar korte leven in het synconium. Haar eitjes komen uit en haar vrouwelijke nakomelingen bevruchten andere vijgenbomen. Een typisch voorbeeld van de kracht van het instinct, aangedreven door chemische prikkels. Er is trouwens veel interessant onderzoek gedaan naar de feromonische interactie tussen planten en insecten. Zo hebben Kostowitz en Petersen ontdekt dat bomen van het geslacht...'

Als professor Cooksey eenmaal over zijn insecten begon, ging hij een hele tijd door. Jenny vond dat niet zo erg, ze was het wel gewend om geluiden uit te schakelen, en met die stem was het net of ze aan het strijken was met *Masterpiece Theatre* of een natuurprogramma op de achtergrond. Ze was eens in een pleeggezin geweest waar dat het enige was waarnaar je mocht kijken, alleen educatieve programma's en niets met seks en geweld, zelfs geen tekenfilms. Vreemd genoeg bleef altijd iets van wat hij haar vertelde in haar hoofd zitten en kwam het er later weer uit zonder dat ze had geweten dat het er was. Soms vroeg ze zich af hoe het was om veel te weten en het soort boeken te lezen dat professor Cooksey had, met kleine lettertjes en zonder plaatjes, al had hij er ook veel met plaatjes en mocht ze die best van hem bekijken. Als ze erover nadacht, voelde ze iets zwaars achter haar ogen. In zekere zin had ze medelijden met die mensen. Het was net of er in hun hoofd geen ruimte meer was voor hun eigen persoonlijkheid omdat al die kennis op hen neerdrukte.

Ze parkeerde de auto en hij begaf zich met zijn houterige, vogelachtige manier van lopen naar het Garden House Auditorium. Zij slenterde naar de meren. Het was een zonnige, milde dag en de hoge palmen deinden in een zachte zeebries. Zoals altijd hadden het gebladerte en de precisie en kunstigheid van de beplantingen een psychedelische uitwerking op haar, zelfs nu ze niet chemisch stoned was. Ze dacht dat als er een hemel was en als die op Fairchild leek de dood haar niet hoefde af te schrikken. Hoewel ze al op jonge leeftijd door de feilloze methode van de gedwongen kerkgang haar geloof had verloren, was ze nog heel goed in staat ontzag te voelen, zoals nu ze een corridor van gigantische koningspalmen betrad, met daartussen allerlei andere planten waarvan vele hun bloesems lieten zien: roze trompetbloem, paradijsvogelbloem, klokbloem, grondorchidee. Ze bleef verrukt voor de bloeiende planten staan, als een eenvoudige landman in vroeger tijden voor een eeuwenoude madonna, volkomen in gedachten verzonken. Bloemen maakten haar gelukkig, en ze stuitte op de grote vraag waarom niet iedereen gelukkig kon worden van de dingen die er nu eenmaal waren. Toen zag ze iets bewegen: een anolishagedis rende over een tak van een pokhoutboom. Ze ging erheen om hem van dichterbij te bekijken. Hij was felgroen, een wandelend toonbeeld van wat groen wás, en het was een mannetje in volledig ornaat om te paren. Zijn knalrode keelzak kwam drie keer naar voren om te verkondigen dat hij in die staat verkeerde, en toen maakte hij zich uit de voeten.

Ze schoot in de lach. 'Mannen,' zei ze hardop. Ze praatte vaak hardop in zichzelf als ze in de Gardens was, of tegen de planten en dieren daar. Het was een gewoonte die ze als kind had opgedaan om niet te sterven van eenzaamheid. Ze had op plaatsen gewoond waar maandenlang niemand tegen haar praatte, behalve om haar een bevel te geven.

Ze liep om het Royal Palm Lake heen, en langs het amfitheater en toen naar de tentoonstelling over het regenwoud. Dat was een van de dingen waar ze zich heimelijk voor schaamde: hoewel het regenwoud heel, heel belangrijk was, en hoewel ze werd onderhouden door een organisatie die naar het behoud van dat woud streefde, hield ze er eigenlijk niet zo veel van, zelfs niet van de verkleinde versie in de Gardens. Het was er muf, somber, heet en klam, en ze vond het geen prettig idee dat alles over al het andere heen kroop om bij het licht en bij voedsel te komen. Op een vreemde manier deed het haar denken aan de winter in een keuken in Iowa: damp en vieze geuren en de volwassenen die boven je opdoemden en de ongewenste kinderen op de ruwe vloer die schreeuwden en tegen elkaar aan duwden. Toch ging ze hier steeds weer heen, in de hoop dat ze ervan ging houden, en als dat dan niet gebeurde, voelde ze zich terneergeslagen.

Toen ze bij het paadje kwam dat naar de ingang van de grote serre met de delicatere tropische planten leidde, kwam ze drie dravende mensen in het geelbruine uniform van de onderhoudsdienst van Fairchild tegen. Zo te zien waren ze op zoek naar iets. Ze riepen naar elkaar en keken steeds achter takken. Even later kwamen ze in een langzamer tempo over het pad terug, gevolgd door een bewaker in blauw uniform.

'Hebben jullie hem?' vroeg een van hen aan de anderen, en die antwoordde: 'Nee, hij moet over de muur geklommen zijn.'

'Wat is er aan de hand?' vroeg Jenny.

Een van de onderhoudsmensen, een stevig gebouwde vrouw met kort grijs haar en een bril zonder montuur, zei: 'Iemand die planten steelt. Hij stond daar alsof hij aan het winkelen was in een supermarkt. Hij sneed dingen af met een mesje en deed ze in een tas.'

Een collega van haar zei: 'Ja, meestal komen ze 's nachts over de muur. Wat heeft hij meegenomen, Sally?'

'Niet veel, voor zover ik kon zien. Meestal graven ze planten uit, maar hij sneed er alleen iets af. Hij heeft ook wat schors afgekrabd.'

'Zei je dat hij zwart was?' vroeg de bewaker.

'Niet echt. Ik heb hem niet goed gezien, maar ik zou zeggen dat hij een soort indiaan was. Hij had een bruinige rode huid en sluik zwart haar. Hij droeg een soort badpak, in elk geval had hij een blote borst, en allemachtig, wat was hij snel verdwenen. Ik was drie meter bij hem vandaan, en ik zag hem in de jatoba snijden, en ik riep: "Hé, meneer, dat mag niet", en toen was hij meteen verdwenen.'

De radio van de bewaker maakte een gorgelend geluid. Hij sprak erin en zei toen: 'Nou, we zullen naar hem uitkijken, maar ik denk dat hij alweer in het reservaat terug is.'

Hij ging weg en de anderen gingen ook ieder een kant op. Jenny liep over het pad terug naar het kleine regenwoud. Ze keek naar de etiketten van de planten en sprak moeizaam al die namen uit, tot ze bij de plant kwam die HYMENAEA COURBARIL – JATOBA heette. Er stonden kleine lettertjes onder de naam om uit te leggen waar de inheemse bevolking de boom voor gebruikte. Dat las ze niet, maar ze keek langs de stam omhoog. De onderhoudsvrouw had gezegd dat hij in deze boom had gesneden, en Jenny dacht dat hij waarschijnlijk nog steeds daar in de buurt was. In elk geval was het een geschikte plaats om als eerste te zoeken.

Het was een boom met grijze schors, minstens tien meter hoog, met glanzende dikke bladeren en donkerbruine peulachtige vruchten. Het gebladerte begon op ongeveer driekwart van de hoogte en er hadden zich dichte lianen omheen geslingerd. Ze keek op naar de groene massa en riep zachtjes: 'Hé, Juan! Of hoe je ook heet! Ben je daar?'

Er was geen ander geluid te horen dan de bries die door de takken streek en een grasmaaier in de verte. Ze bleef naar boven kijken, en toen haar ogen aan de schaduw gewend waren, zag ze iets bruins dat geen vrucht, schors of schaduw was. Eerst dacht ze dat het een dier was, een wasbeer of absurd genoeg een luiaard, maar toen zag ze dat het een mannengezicht was. Zijn gezicht.

'Hé, kom maar naar beneden. Ze zijn weg. Ze denken dat je de Gardens uit bent. Kom naar beneden!' Ze maakte een weids gebaar en wenste weer dat ze niet zo dom was en Spaans kon spreken. Maar blijkbaar begreep de indiaan wat ze bedoelde. In een ommezien gleed hij als een python langs de stam omlaag en stond hij haar ernstig aan te kijken. Hij droeg alleen een lendendoek en een vreemd soort riem, en hij had een band om zijn hals waar een zakje aan hing. Verder had hij zijn koffer met een gevlochten band aan zijn ene schouder hangen, als een postbode met zijn tas.

'Hé, we dachten dat we je kwijt waren!' zei ze. 'Je had niet weg moeten gaan toen je bij Kevin was. Trouwens, ze hadden je wel kunnen arresteren. Je mag hier niet in planten snijden en zo. Het lijkt op een regenwoud, maar het ís het niet.'

De indiaan keek haar nietszeggend aan.

'Hoor eens, man, hier in Gardens, jij niet mag plukken! Jij niet mag dit doen!' Ze ging naar een kleine struik, keek om zich heen om er zeker van te zijn dat er geen personeelslid keek, plukte een blad af en schudde daarbij heftig haar hoofd. 'Dit niet doen, snap je? Mag niet.'

Hij nam het blad van haar over en bekeek het. In zijn eigen taal zei hij: 'Dit is *mikur-ka'a*. Ik gebruik het vooral voor huidziekten, maar het is ook goed tegen hoofdpijn. En ook als iemand door een heks is vervloekt. Ik laat ze baden in een afkooksel van de bladeren, en meestal werkt het vrij goed, afhankelijk van de heks en zo. We kunnen het proberen, als je dat probleem hebt.'

'Precies,' zei ze aanmoedigend. 'Niet doen. Niet plukken. Komen grote problemen van.'

'Al lijk jij me niet behekst,' voegde hij eraan toe. 'Dat is moeilijk te zeggen bij dode mensen.'

'Ja, maar we kunnen hier niet blijven staan praten,' zei ze. 'We moeten je naar de auto brengen en hier weghalen. Ik ga voorop en kijk of de kust veilig is, en als ik dan zwaai, kijk zo, dan kom jij ook. Wil je zo veel mogelijk buiten de paden blijven?' Ze zuchtte. 'Je in de struiken verbergen, ja? Sí. Wij gaan auto, sí?'

'Sí,' zei de indiaan.

Ze glimlachte. 'Geweldig! Oké, kom maar mee!'

Ze liep over het pad dat van het regenwoudgedeelte naar het parkeerterrein leidde. Ze wachtte tot een groep toeristen voorbij was en maakte toen het gebaar om hem achter haar aan te laten komen. Het pad achter haar was verlaten. 'O nee!' riep ze uit. 'Hij is weer weg!'

Maar ze had die woorden nog maar nauwelijks uitgesproken of de indiaan kwam achter een grote sagopalm vandaan, op niet meer dan een meter afstand. Haar mond viel open van verbazing. 'Goh, wat goed! Hoe heb je dat gedaan?' Toen ze geen antwoord kreeg, zei ze: 'Oké, kom maar mee.'

Ze liep door, ditmaal zonder het gebaar, maar bleef elke vijftig meter staan om zich ervan te vergewissen dat hij nog met haar mee kwam. Telkens dook hij vlak bij haar op uit de planten, al zag of hoorde ze hem niet bewegen. Toen ze bijna bij de ingang waren, leidde ze hem over smalle paden naar de muur die de Gardens van Old Cutler Road scheidde.

'Oké, je moet over de muur hier, want je kunt niet zomaar langs de bewaker lopen. Ik haal de auto en pik je op. Jij *comprendo*?' Ze maakte grote gebaren: klimmen en wachten, en bleef dat doen tot ze er zeker van was dat hij het begreep. En blijkbaar had hij het inderdaad begrepen, want toen ze kwam aanrijden, stond hij er en kon ze hem oppikken. Toen reed ze met de Mercedes naar het parkeerterrein terug en zette hem daar in de schaduw van een cocoloboboom.

Ze zette de radio aan en draaide aan de knop. 'Als ik alleen ben, luister ik naar country. Kevin heeft daar de pest aan. Hij houdt van alternatieve muziek, van punk en zo, Limp Bizkit en Maroon 5, dat soort dingen. Soms hou ik ook wel van dat soort muziek, maar country is meer het echte leven, als je begrijpt wat ik bedoel. Het gaat over, je weet wel, liefde en moeilijke tijden, zoals het leven is, of misschien ben ik een boerentrien. Dat zegt Kevin. Natuurlijk ben ik vergeleken met jou zo stads als het maar kan.' Ze lachte. 'God, wat ben je een idioot, Jennifer! Jij verstaat geen woord van wat ik zeg, hè? Maar toch weet je op een rare manier wat ik bedoel. Dat kan ik merken. Zoals een hond het weet, maar dan beter. Misschien kan ik je Engels leren. Wil je Engels leren? Oké, daar gaat hij dan: ik ben Jenny.' Ze wees naar zichzelf en herhaalde de zin, en toen alleen haar naam, en toen wees ze naar haar mond. 'Jen-ny.'

'Jenny,' zei de indiaan.

'Goed! Geweldig! Nou, hoe heet jíj? Heet je Juan? Ik ben Jenny, jij bent...' Ze wees. De indiaan stak zijn kin naar voren, zoals ze al eerder had gezien, en nu begreep ze dat het een soort hoofdknikje was. Maar nu aarzelde hij blijkbaar. Hij keek haar een hele tijd aan, diep in haar ogen, alsof hij een besluit moest nemen. Ten slotte legde hij zijn hand plat tegen zijn borst en tikte daar twee keer op.

'Moie,' zei hij.

Ze sprak de naam uit zoals hij had gedaan; *Moe-ie-ie*. 'Geweldig! Jij Moie, ik Jenny, dit...' Ze raakte het interieur aan en wees om zich heen. 'Dit is auto. Zeg *auto!*' En zo ging ze door, met voorwerpen en lichaamsdelen. Jenny wist niet hoe ze werkwoorden moest uitbeelden, maar ze voelde wel aan hoe je een dom kind iets moest bijbrengen, want ze had vele jaren aan de andere kant gestaan, en ze vond dat ze nu goed vooruit kwamen. Na ongeveer een uur haalde ze een thermosfles met ijsthee en een verkreukelde joint tevoorschijn. Ze stak de joint aan, zette de muziek harder, nam een trek en gaf de smeulende joint aan Moie door, die de brandende kant in zijn mond stak en eraan zoog.

Ze keek er verbaasd naar en zei na een tijdje: 'Het is de bedoeling dat je hem teruggeeft, man.' Toen dat idee in woord en gebaar was overgebracht, vulden ze het interieur van de Mercedes met hypnotische dampen, waarna Jenny het portier openzette en de raampjes openmaakte. Moie wees naar de wegtrekkende rook. '*Chaikora*,' zei hij.

'Ja, wij noemen het wiet, of ganja, of marihuana. Veel namen. Dope. Dit is vrij goeie dope. We kweken het zelf. Bevalt het je?' Ze beeldde welbehagen uit door over haar buik te wrijven, breed te glimlachen en haar hand te kussen, en hij reageerde daar in zijn eigen taal op: 'Jullie dode mensen zijn erg vreemd. Jullie kennen *chaikora*, maar jullie nemen het zonder te zingen, en jullie vermengen het ook niet met de broeders en zusters ervan, opdat het goed tegen jullie kan spreken. Wij zeggen dat *assua* de broeder en *uassinai* de zuster van *chaikora* is. Samen zijn ze een

73

van de kleine heilige families waarmee je naar de dierlijke geesten kunt luisteren. Zonder de rest van de heilige familie kunnen we de dierlijke geesten niet goed horen, maar alleen de geesten in ons eigen hoofd. Wat heb je daaraan?'

Ze giechelde. 'Ja, ik hoor je, man. Het is fantastisch spul. O, wacht, dit is een goed nummer.' Ze leunde achterover, deed haar ogen dicht en luisterde naar 'I Love This Bar' van Toby Keith. De tijd ging voorbij.

Toen was er het geluid van een autoportier dat openging. Professor Cooksey kwam op de achterbank zitten.

'Nou, Jennifer, ik zie dat je onze vriend hebt gevonden. Je blijft me verbazen.'

'Ja, hij was in de Gardens stukjes van planten aan het stelen. Hij werd bijna opgepakt, maar ik kreeg hem daar weg. Ik ben hem Engels aan het leren.'

'O ja? Goed zo.' Jennifer zag dat de professor op een vreemde manier naar de indiaan keek, heel strak, alsof hij in zijn hoofd wilde kijken, en de indiaan keek terug alsof hij hetzelfde wilde doen. Ze had het vertrouwde, trieste gevoel dat er dingen zouden gebeuren die zij niet kon begrijpen.

'Jongedame, wil je die muziek wat zachter zetten? Ik wil graag horen wat deze meneer te zeggen heeft.'

'Hij spreekt Spaans,' zei ze. 'Geli praatte met...'

'Ja, maar hij spreekt die taal vast niet erg goed,' zei Cooksey, en toen sprak hij in een taal die ze nooit eerder had gehoord. Ze voelde zich al beroerd omdat ze werd buitengesloten, maar toen zag ze Moies gezicht opeens stralen van plezier. Uit zijn mond dezelfde taal.

'Het verbaast me, *Tayit*, om Runisi te horen in het land van de doden. Ben je een priester?'

'Nee, maar ik ben lang in het Jimori-land geweest. Ken je ze?'

'Ik heb natuurlijk van hen gehoord. Ze zijn slecht en stelen vrouwen en eten baby's.'

'Zij zeggen hetzelfde over het Runiya-volk. En ook dat jullie alle vreemden in jullie land doodmaken.'

'Dan zijn het ook nog leugenaars,' zei Moie, en na een korte stilte voegde hij eraan toe: 'Maar we maken inderdaad vreemden dood. Tenminste, de meeste vreemden. Heb je pater Tim gekend? Hij was een dode persoon, net als jij.'

'Nou, je weet dat er veel van ons zijn, zo veel dat we alle anderen niet kennen, zoals bij jullie wel mogelijk is. Waarom noemen jullie ons dode mensen?'

'Omdat wij Runiya levend zijn in deze wereld. Wij zijn erin, en de planten en dieren, stenen en hemel en sterren, zon en maan, zijn onze vrienden en verwanten. Dat betekent het om in leven te zijn. Een vis leeft en een vogel ook. Maar jullie zijn buiten de wereld, jullie kijken in de wereld zoals geesten doen en richten onheil en verwoesting aan, zoals geesten doen. Daarom zeggen wij dat jullie doden zijn, net als zij. Bovendien: mensen die leven dragen hun doden achter zich aan. Daar...' En nu wees de indiaan over Cookseys linkerschouder. 'Dat is ook een manier waarop we een levend persoon van een geest kunnen onderscheiden. Maar jullie dragen jullie dood altijd in jullie om de macht van de dood over alle dingen te hebben. En dus noemen we jullie dode mensen.'

'Ik begrijp het,' zei Cooksey. 'En het is ook heel logisch. En vertel me nu dit: je bent van heel ver gekomen om ons dode mensen ervan te weerhouden jullie bos te verwoesten. Dat heb ik van mijn vrienden gehoord. Vertel me eens: hoe denk je dat je ze kunt tegenhouden?'

En dus vertelde Moie wat hij van pater Perrin had gehoord nadat die was gedood. Hij zei ook dat hij het niet kon tegenhouden. Eén man kon zoiets niet tegenhouden en hij was niet zo dwaas dat hij dacht van wel. Maar Jaguar had hem beloofd dat als hij hem naar het land van de doden bracht Jaguar het zou tegenhouden.

'En hoe gaat hij dat doen?'

Moie maakte een eigenaardig gebaar met zijn handen en zijn hoofd; het was gemakkelijk te interpreteren als schouderophalen. 'Wij zeggen: we kunnen Jaguar vragen wat er gaat gebeuren, en hem vragen wat we moeten doen, maar nooit hoe hij zal doen wat hij doet. En als hij het ons vertelde, zouden we het niet begrijpen.'

'Dat is waarschijnlijk verstandig,' zei Cooksey, en toen sprak hij over veel dingen. Cooksey beantwoordde veel van de vragen die Moie over het land van de doden had, totdat hij zag dat Jenny steeds ongeduldiger werd. Hij ging in het Engels verder: 'Nou, ik denk dat we nu maar naar het huis terug moeten gaan voor het middageten. Dan kunnen we daarna bespreken hoe we onze vriend hier kunnen helpen. Rijden, Jennifer.'

Ongeveer op datzelfde moment zaten enkele kilometers naar het noorden drie mannen aan een tafel met een wit laken en zilveren bestek in een kleine directie-eetkamer op de negenentwintigste verdieping van het Panamerica Bancorp Building. Ze hadden alle drie dezelfde achtergrond. Ze waren Cubanen, afkomstig uit de families die het tot aan de revolutie van 1959 generaties lang op dat eiland voor het zeggen hadden gehad. Ze waren als jonge mannen uit Cuba vertrokken (en bepaald niet op een gammel bootje) en het was hun in de Verenigde Staten voor de wind gegaan. In zuiver financiële termen waren ze veel rijker dan hun voorouders, maar toch koesterden ze rancune, net als de meesten van hun generatie en maatschappelijke klasse. Hun Amerikaanse relaties, met wie ze zakendeden en golf speelden, waren machtige mannen, maar hadden nooit een land volkomen in hun bezit gehad, inclusief alle mensen die er woonden. Zo ver had hun macht niet gereikt. Deze Cubanen hadden met instemming van Amerika veel van hun cultuur naar het zuiden van Florida overgebracht, en dat deel van het land bestuurden ze nu als een soort leengoed. Het was nu eenmaal een onwrikbaar principe dat iemand die de betrekkingen met het monster aan de overkant van de Straat van Florida wilde normaliseren nooit president van de Verenigde Staten kon worden. Het waren zelfverzekerde, sensuele, intelligente, fantasieloze ijverige heren, en als ze één gezamenlijke angst hebben, dan was het de angst dat ze nooit in de gelegenheid zouden zijn om op Fidels graf te dansen.

En nu was daar een urgentere angst bij gekomen. De man die om deze bijeenkomst had verzocht, Antonio Fuentes, was de afgelopen nacht vermoord, want ze hadden contacten bij de politie en wisten wat voor een gruwelijk misdrijf er was gepleegd. Cayo Delgado Garza, gastheer van deze lunch en president-directeur van de firma Bancorp waaraan het gebouw zijn naam ontleende, had dit overleg uit respect willen afzeggen, maar de twee anderen hadden erop gestaan dat het doorging. Dat waren Juan X. Fernandez Calderón, bijgenaamd Yoiyo, de energiekste van de drie, projectontwikkelaar en financier, en Felipe Guerra Ibanez, die een grote handelsonderneming bezat. Ze waren alle drie gekleed in een duur donkerkleurig pak met een stemmige das; Garza en Ibanez hadden een speldje van een broederschap op hun lapel; daar had Calderón een Amerikaanse vlag van email. Ze hadden alle drie een onberispelijk kapsel, lichtbruin in het geval van Calderón, zilvergrijs in het geval van de twee anderen. Ze hadden zachte gemanicuurde handen met een geërfd gouden horloge aan de pols. Garza was dik, Ibanez mager, Calderón nog slank en atletisch. Hij speelde vaak tennis en golf en had een jacht; in tegenstelling tot de twee anderen had hij blauwe ogen.

Een stille bruine ober in een wit jasje met glanzende knopen serveerde drankjes en ging weer weg. Ze dronken met dankbare teugen en spraken met veel gevoel over de overleden Fuentes. De ober kwam terug. Ze bestelden nog een rondje drank en de lunch en kwamen toen ter zake. Garza vroeg aan Calderón: 'Nou... Yoiyo, wat vind je ervan?'

Een welsprekend schouderophalen. 'Ik ben net zo verbijsterd als jullie. Wie zou Tony nu willen vermoorden? Voor zover ik weet, had hij geen vijanden. En hem dan ook nog openscheuren! Het is niet te begrijpen.'

'Dat is het wel als iemand ons bang wil maken,' zei Garza rustig. Calderón keek hem even aan en richtte zijn blik toen op Ibanez, die met een uiterst subtiele uitdrukking van zijn gezicht te kennen gaf dat ze die mogelijkheid beslist in overweging moesten nemen. Calderón begreep dat ze de kwestie al zonder hem hadden besproken, en daar maakte hij zich even kwaad om. Aan de andere kant hadden de drie mannen al jarenlang profijtelijk zaken met elkaar gedaan. Ze kenden elkaar goed, in elk geval als het op zaken aankwam.

'Wat, bedoel je dat het misschien iets met Consuela te maken heeft?'

'Hij was de president-directeur, het gezicht naar buiten toe voor zover we dat hebben,' antwoordde Garza. 'En dan was er dan incident van gistermiddag, de reden waarom Tony wilde dat we bij elkaar kwamen.'

'Dat is krankzinnig, Cayo. Een of ander milieutype hakt iemand niet in stukken om zijn argumenten kracht bij te zetten.'

'Hij had een Zuid-Amerikaanse indiaan bij zich,' zei Ibanez.

'Oké, dus hij had een indiaan. Daarvoor moeten we dan wel op het woord van die stomme secretaresse en die nog stommere bewakers afgaan. Hoeveel Zuid-Amerikaanse indianen hebben ze ooit gezien? Ik bedoel, denk nou eens even na! Een man komt een kantoor binnenstormen, schreeuwt een heleboel propaganda, wordt eruit gegooid, en wat dan? Hij gaat naar het huis van de zakenman in kwestie, vermoordt hem, hakt hem in stukken en wil het doen voorkomen alsof een soort tijger het heeft gedaan? Dat is absurd.'

'Ze wisten van Consuela en de Puxto,' zei Garza. 'Misschien maakt dat het een beetje minder absurd.'

Daar had Calderón niet zo gauw van terug. Hij knikte en nam een slok Laphroaig. 'Ja,' zei hij. 'Dat is verontrustend. Ze hadden niet van de Puxto mogen weten. Maar toch is het onzinnig om die twee gebeurtenissen met elkaar in verband te brengen zolang we niet meer informatie hebben. Misschien hebben die twee dingen niets met elkaar te maken.'

'Acht je dat waarschijnlijk, Yoiyo?' vroeg Ibanez op milde toon. Calderón keek recht in het gerimpelde schildpadgezicht en zei: 'Waarom niet? Hé, wat was het, acht of negen jaar geleden? Een zwarte maniak hakte Teresa Vargas in stukken, en dat stond nergens mee in verband. Een of andere krankzinnige sekte of zoiets... Dit zou hetzelfde kunnen zijn, met die katafdrukken. Je bent hier in Miami, en daar gebeuren zulke dingen. Je denkt dat het niemand overkomt die je kent, maar nu is dat toch gebeurd. Het is het meisje Vargas overkomen, en nu Fuentes. Dat is één mogelijkheid. Dan is er ook de mogelijkheid dat het iets politieks was. Tony gaf geld aan het verzet. Hij deed dat discreet, maar het was geen geheim. Dat doen we toch allemaal? Dus misschien was dat het.'

'Denk je dat Fidel een agent heeft gestuurd om Antonio Fuentes te vermoorden?' vroeg Garza ongelovig.

'Natuurlijk niet. Ik zet alleen maar de logische mogelijkheden op een rijtje. Nou, dan is er, ja, de mogelijkheid dat het iets met Consuela te maken heeft. Iets uit Colombia. Waarom? Alles is daar prima geregeld, en dat is al maanden zo. We weten het dus niet, en eerlijk gezegd zou ik het moeilijk kunnen geloven. Ik heb sterk het gevoel dat het weer een maniak was. Misschien heeft die zwarte volgelingen achtergelaten en hebben ze het deze keer niet op zwangere meisjes maar op mannen voorzien.'

'Maar je gaat die Colombiaanse mogelijkheid evengoed na, hè?' zei Ibanez. Opnieuw zag Calderón dat die twee een blik wisselden. Consuela was zijn project geweest, en dat betekende dat als zich op dat front moeilijkheden voordeden hij voor een oplossing moest zorgen. Hij kreeg een kwart, nee, nu een derde van de winst, maar hij moest al het werk doen. Dat wekte een zekere rancune bij hem op, maar als er iets gedaan moest worden, deed hij het liever zelf dan dat hij het aan die twee *viejos* overliet. Toch wachtte hij een hele tijd met zijn antwoord. Dat deed hij om te laten zien dat hij niet hun boodschappenjongen was. 'Natuurlijk,' zei hij toen. 'Dat zal ik graag doen, Felipe.'

De rest van de lunch verliep aangenaam genoeg. Ze praatten over zaken, plaatselijke politiek en hun interesses. Na de lunch belde Calderón zijn chauffeur op diens mobiele telefoon en toen hij naar buiten kwam, stond zijn witte Lincoln al voor hem klaar. Hij werd naar het hoofdkantoor van zijn onderneming teruggebracht, dat in een nieuwe spiegelende glazen kubus aan Andalusia Avenue in Coral Gables was gevestigd. Zijn privékantoor was ingericht met mahoniehout, leer en versleten oude Perzische kleden, alles duur maar niet opzichtig en uitgekozen door een binnenhuisarchitect die niet vaak voor Cubaanse zakenlieden werkte. Calderón wilde helemaal niet met dat soort Cubaan worden geassocieerd, de mensen die in Havana een klein winkeltje hadden gehad en in Amerika een grote magnaat waren geworden. *Cursilería* was het woord voor de stijl van zulke mensen, vulgair en praalziek.

Hij was efficiënt grof tegen zijn personeel, en na enig gepraat en gedraaf leidde hij een bijeenkomst over een golfbaan- en appartementenproject dat hij in de buurt van Naples aan de westkust van de staat aan het opzetten was. Het was het grootste project dat hij ooit had ondernomen, en hij had het gefinancierd met een instabiele structuur van doorlopend krediet, naast bijna al zijn eigen liquide kapitaal. De winst zou kolossaal zijn, maar op dit moment liep hij erg grote risico's, en dat was ook de voornaamste reden waarom hij Consuela Holdings LLC had opgezet. Het houtgeld zou net op tijd binnenkomen om hem in staat te stellen de eerste promesses met betrekking tot Consuela Coast Resort and Condominiums te voldoen. Mits alles volgens schema verliep.

Toen hij weer alleen was, belde hij een nummer in Cali, Colombia, en na enkele korte gesprekken in het Spaans met ondergeschikten had hij een man met een diepe, zachte stem aan de lijn. Calderón wist dat Gabriel Hurtado een drugsbaron was, zoals de Amerikaanse media het noemden, maar meestal kon hij die wetenschap buiten zijn bewustzijn houden. Hij was een man met aristocratische pretenties en gewoonten, en onder zulke mensen is het gebruikelijk om niet naar de uiteindelijke bronnen van je rijkdom te kijken. De Kennedy's en Bronfmans gaven met een zuiver geweten geld uit dat met dranksmokkel was verdiend, en de fortuinen van zijn eigen familie en van de meesten van zijn Cubaanse vrienden waren uiteindelijk vergaard door van slavenarbeid te profiteren. Geld wast handen schoon, zoals ze dan zeggen, en trouwens, Hurtado was geen ordinaire crimineel. Hij onderhield goede contacten met de regering van zijn land en was minstens zo goed afgeschermd van de moordende drugskartels als Joe Kennedy van de machinegeweren van Al Capone. Er ging een immense stroom Latijns-Amerikaans geld naar Miami om daar veilig geïnvesteerd te worden. De herkomst van dat geld was meestal niet tegen een kritisch onderzoek bestand. In de loop der jaren hadden veel dollars van Hurtado hun weg gevonden naar de projecten van JXF Calderón Associates Inc., en beide mannen waren daar wel bij gevaren.

Ze wisselden beleefdheden uit, en toen vertelde Calderón hem over de gebeurtenissen van de afgelopen dagen. Hij benadrukte vooral dat die maniak in het kantoor van Antonio Fuentes blijkbaar op de hoogte was geweest van de activiteiten in de Puxto.

'Ik bel dus,' ging hij verder, 'om na te gaan of er aan jouw kant iets is gelekt.'

'Dat is onmogelijk,' zei Hurtado. 'Mijn mensen weten dat ze hun mond moeten houden.' Dat zei hij met een zekerheid waaraan niet te twijfelen viel, al dacht Calderón er liever niet te lang over na hoe hij die zekerheid kon hebben. Hij zei: 'Natuurlijk. Ik bedoelde de mogelijkheid dat iemand daar ons en jou in moeilijkheden wil brengen. Een rivaal. Iemand die vindt dat hij niet genoeg… respect, beloning of wat dan ook heeft gekregen.'

Stilte op de lijn. 'Ik zal me erin verdiepen. Er was een gekke priester hier in San Pedro die dreigde herrie te schoppen, maar hij is uit beeld. Intussen loopt er daar bij jou in Miami een *cabrón* rond met informatie die hij niet zou moeten hebben. Wat gaan we daaraan doen, Yoiyo?'

'Ik regel het aan deze kant,' zei Calderón.

'Misschien heb je hulp nodig.'

'Ik red me wel, Gabriel. Ik wilde het alleen even aan je doorgeven.'

'Dat is goed, maar je moet wel bedenken dat ik in dit verband verplichtingen heb tegenover mensen hier. Ik heb het over belangrijke mensen. Dus het mag niet misgaan. Dat is toch duidelijk?'

'Ja. Absoluut.'

'Goed. Alles oké met je gezin? Olivia, Victoria en Jonni?'

'Het gaat goed met iedereen,' zei Calderón.

'Mooi. Je houdt me op de hoogte, hè?' De verbinding werd verbroken voordat Calderón kon reageren. Eigenlijk was het ook geen vraag geweest. Calderón vroeg zich af of hij in de loop van hun uitgebreide zakelijke relatie Hurtado ooit iets over zijn gezin had verteld. Zoiets deed hij niet gauw. Hij had het ouderwetse Cubaanse idee van strikte scheiding tussen zaken en gezin. In elk geval was hij er absoluut zeker van dat Hurtado nooit eerder naar hen had gevraagd en hen zeker ook nooit bij name had genoemd. Plotseling merkte hij dat hij het kantoor uit wilde om een stevige whisky te drinken.

Moie ziet de wereld voorbijdrijven door de ramen van de *wai'ichurakano* die over droge grond vaart. Hij zegt de naam 'auto' in zijn hoofd en is Vuurhaarvrouw er dankbaar voor dat ze hem die naam heeft gegeven. Het is altijd goed om de namen van dingen te hebben. Hij is blij dat hij Cooksey heeft leren kennen en antwoord heeft gekregen op veel van de vragen die hem dwarszaten. Hij begrijpt nu dat de *wai'ichuranan* de sterren in de hemel niet kunnen veranderen, en ook dat ze helemaal niet wisten dat ze dood waren maar dachten dat ze in leven waren. Hij denkt weer aan de sterren, dat ze niet altijd hetzelfde zijn maar dat ze met bomen langs een pad te vergelijken waren; als je een heel eind over de aarde reist, veranderen ze op dezelfde manier. Dat is vreemd voor hem en stemt hem een beetje verdrietig.

De auto gaat opzij en komt bij een aantal gebouwen. Ze stappen alle drie uit. Er zijn hier nog meer dode mensen, onder wie Aapjongen, die met zijn ogen een vloek naar Moie zendt. Moie wendt die vloek af met woorden in de heilige taal. Er is een kwade vrouw die te veel en te hard praat en een man met een baard die langzaam spreekt en de hoofdman van deze plaats is, en nog een man met een harig gezicht, maar die zegt niet veel. Ze praten in hun apentaal maar ook in het Spaans tegen hem, en als hij het niet begrijpt, zegt Cooksey in het Runisi wat ze hebben gezegd.

Ze gaan aan een tafel zitten en Vuurhaarvrouw brengt voedsel dat naar klei en warm bruin water smaakt. Hij heeft helemaal geen honger maar neemt een beetje om de goden van deze plaats niet te beledigen. Kwade Vrouw praat over de dood van de man van de Consuela tegen wie Aapjongen de vorige dag heeft geschreeuwd in het huis ter grootte van een berg, het huis waarin je een kleine hut zonder ramen betreedt waarna je een gezoem in je buik kunt voelen. Aapjongen is blij dat hij dood is, maar de anderen weten niet wat ze ervan moeten denken. Wie heeft hem gedood? vragen ze zich af. Moie zegt in zijn eigen taal dat het Jaguar is, en ze kijken hem allemaal vreemd aan. Ze zwijgen even. Dan vraagt Cooksey: 'Moie, heb jij die man zelf gedood?' En Moie antwoordt: 'Misschien zou ik dat hebben gedaan als hij naar mijn land was gekomen, maar hier heb ik geen macht. Nee, Jaguar alleen heeft het gedaan. Hij is kwaad op de mannen die zijn land willen verwoesten, en als ze niet zeggen dat ze ermee ophouden, denk ik dat hij nog meer mensen gaat doden.' Hij ziet dat ze verbaasd zijn, maar voorlopig zeggen ze er niets meer over.

5

Het gegil haalde Paz uit zijn droom. Wankelend kwam hij uit bed, terwijl de verlamming van de droom langzaam uit zijn benen wegtrok. Hij hees zich moeizaam in een ochtendjas. Zijn vrouw, zelf nu ook wakker, riep: 'Wat is er?'

'Amy heeft een nachtmerrie.'

'O, jezus, niet weer! Hoe laat is het?'

'Half vijf. Ga maar weer slapen,' zei Paz, en hij liep vlug de kamer uit. Toen hij in de kamer van zijn dochter kwam, zag hij in het schijnsel van het Tweety Bird-nachtlampje dat Amelia rechtop in bed zat. Ze huilde en hield haar oude roze deken tegen haar gezicht. Ze stak haar armen naar hem uit en hij ging op de rand van het bed zitten, hield haar tegen zich aan, maakte sussende geluiden en streek door haar haar. Dit was de vierde nachtmerrie in veertien dagen.

'Wat was het, schat, heb je een nare droom gehad? Vertel het papa maar. Wat was het? Heb je een monster gezien?'

Het kind haalde diep adem en zei: 'Het was een dierbeest.'

'Een dier, hè? Wat voor dier?'

'Weet ik niet. Hij was geel en hij had grote tanden en hij ging me helemaal opeten.'

Er ging een schok van angst door Paz heen. Op dit moment begreep hij dat er een eind aan zijn zeven jaar van rust was gekomen. Wat hij altijd 'idiote shit' noemde was nu officieel terug. Hij wilde met Amelia mee huilen, maar haalde in plaats daarvan diep adem om zichzelf tot bedaren te brengen en vroeg hoopvol: 'Je bedoelt een soort hond?'

'Nee, hij leek een beetje op een dinosaurus en een beetje op een poes.'

'Goh, wat eng,' zei Paz, zelf ook doodsbang. 'Maar het is nu allemaal voorbij. Hij kan niet bij je komen, hè? Dromen zitten alleen maar in je hoofd, weet je. Dieren in dromen kunnen je niet echt bijten en krabben. Daar hebben we het al eerder over gehad.'

'Ja, maar papa, ik werd wakkerder… Ik werd wakkerder en het dier was er nog. Ik was helemaal wakkerder en het was er nog.'

Ze was enigszins in babytaal teruggevallen, en dat was geen goed teken. Hij zei: 'Ik weet het niet, schat, soms is het heel moeilijk om precies te zeggen wanneer je helemaal wakker bent, vooral wanneer je een nachtmerrie hebt. Hoe dan ook, het was maar een droom. Het was niet echt.'

'*Abuela* zegt dat dromen echt zijn.'

Paz haalde diep adem en vloekte in zichzelf. 'Ik geloof niet dat *abuela* dat bedoelde, schat. Ze zal wel hebben bedoeld dat dromen ons soms dingen over onszelf vertellen waar we moeilijk op een andere manier achter kunnen komen.'

'Nee! Ze zegt dat *brujos* je lelijke dromen kunnen sturen en dat ze je écht kunnen laten stikken.'

'Maar de droom die jij hebt gehad, was helemaal niet zo,' zei Paz met gezag. 'Het was maar een droom. Nou, het is midden in de nacht en ik wil dat je weer wat gaat slapen.'

'Eerst voorlezen.'

'O, schat, het is midden in de nacht…' jammerde hij, maar het kind was al zo lichtvoetig als een elfje naar haar boekenkast gesprongen en teruggekomen met een groot boekwerk dat *Dieren uit de hele wereld* heette, en Paz moest van 'aardvarken' doorbladeren naar de beesten van veld en woud, van zee en rivier, één dier van elke letter, en hij moest alle bijschriften lezen en geen woord overslaan, want het kind kende het hele boek bijna uit haar hoofd.

'Dat is het dier dat in mijn nare droom zat,' zei ze, en ze wees met haar vingertje naar de bladzijde.

'O,' zei Paz nonchalant. Het kwam er nu op aan dat hij zich niet druk maakte en vlug doorging naar de onschuldige kangoeroe. Bij de opossum was ze in slaap gevallen. Hij zette het boek op de plank, stopte haar in met een kus en ging weg, maar niet terug naar bed.

In de keuken trof hij zijn vrouw in een ochtendjas van roze chenille aan. Ze zette een grote, zwart uitgeslagen espressomaker in de vorm van een zandloper op de brander.

'Hoe gaat het met haar?'

'Goed,' zei Paz. 'Het was maar een droom. Blijf je op?' Hij wees naar de koffiepot en ging aan de ontbijtbar zitten.

'Ja, ik moet nog wat notities maken. Daar was ik gisteravond mee bezig, maar toen viel ik in slaap.'

'Het is nog steeds gisteravond.'

'Ja, goed. En voor ik het vergeet: vanavond, ik bedoel over twaalf uur, is het etentje met Bob Zwick en wie dan ook, weet je nog?'

'Is dat vanavond?'

'Ik wist wel dat je het zou vergeten.'

'Ik ben een slechte echtgenoot. Kan ik je niet overhalen om in bed te komen? We kunnen wat rotzooien.'

Ze keek hem met opgetrokken wenkbrauwen en een vaag glimlachje aan. Ze was nog steeds een knappe vrouw, vond hij, tegen de veertig en na zeven jaar van een vrij goed huwelijk. Ze maakte zich niet meer zo druk om haar gewicht en was een beetje weelderiger dan ze was geweest, maar ze was stevig gebouwd en kon het hebben. Een Marilyn Monroe-type, blond en met royale borsten en heupen, al paste haar gezicht niet bij het pin-uplichaam van de jaren vijftig, want het had scherpe trekken en kwam intelligent over, soms op het neurotische af. Toen ze trouwde was ze doctor Lorna Wise geweest, en nu was ze doctor dokter Lola C. Wise Paz. Net als haar naam was ze voor geen kleintje vervaard.

'Je brengt me in de verleiding, maar ik moet echt die notities maken, anders is mijn hele dag verneukt.'

'Je geeft de voorkeur aan het figuurlijke boven het letterlijke, bij wijze van spreken.'

Ze lachte. 'Schuldig.'

'Mag ik in dat geval, omdat je je zo professioneel opstelt, een consult hebben?'

De koffiepot siste en ze ging erheen, schonk een grote kop teerzwarte koffie in en hield hem de pot voor. Hij schudde zijn hoofd. 'Nee, ik ga straks nog een paar uur slapen.'

Ze ging tegenover hem zitten en nam een paar slokjes. Hij had haar in het begin van hun relatie aan dit soort koffie verslaafd gemaakt, en het had haar door haar medische studie heen geholpen. 'Nou, het consult kan beginnen. De dokter is aanwezig.'

'Oké. Vlak voordat Amy schreeuwde, had ik een levendige, heldere droom zoals ik ze meestal niet meer heb. Ik zit in onze huiskamer, maar in plaats van op de bank leun ik tegen een soort muur van vacht, zeg maar een wand van luipaardvel, en ik wacht op iets. Ik ben vergeten op wat; ik heb alleen een voorgevoel. En dan besef ik dat de vacht heen en weer beweegt, en dat het een levend dier is. Ik leun tegen een dier, geel met van die ronde zwarte stippen, als een luipaard. Dit is allemaal ongelooflijk helder. Het is een luipaard ter grootte van een paard, kolossaal, misschien nog groter dan een paard. En ik ben niet bang of zo, het is allemaal vanzelfsprekend, en dan hebben we een vreemd gesprek. Hij zegt iets in de trant van: "Je weet dat de wereld op sterven na dood is", en ik zeg: "O ja, oorlog, vervuiling, opwarming", al die onzin, en hij zegt zoiets als: "Je kunt het tegenhouden, als je dat wilt", en dan ben ik helemaal enthousiast: "Ik wil alles doen, alles wat je maar zegt." En hij zegt: "Je moet me je dochter laten opeten."'

'Grote goden, Jimmy!'

'Ja, maar in de droom was het volkomen logisch, en toen vroeg ik me af hoe ik jou dat kon uitleggen; dat het logisch was, bedoel ik. Die krankzinnige droomlogica. En de luipaard staat op en rekt zich uit, en hij is net als iets op een vlag, weet je, iets uit de mythologie. En ik wil neervallen en hem aanbidden, al gaat hij Amy opeten. En dan hoor ik haar huilen, en ik wil tegen haar zeggen: hé, het is oké, het doet geen pijn, het moet gebeuren om de wereld te redden, maar dan dringt tot me door dat ze echt huilt en word ik wakker.'

'Het was me de droom wel. Neem een halve milligram Xanax voor je gaat slapen.'

'Maar wat betékent het, dokter?'

'Het betekent dat er ruis ontstaat in de remslaap, als je hersenen materiaal van het kortetermijn- naar het langetermijngeheugen overbrengen, en je cortex maakt een incident van die ruis. Net als wanneer je muziek hoort in het snorren van een ventilator of afbeeldingen ziet in wolken. De hersenen zijn een orgaan dat patronen creëert. Die patronen hoeven geen betekenis te hebben.'

'Dat weet ik, dat zeg je altijd, maar luister. Oké, ik ga bij Amy kijken. Ze zegt dat ze een nachtmerrie heeft gehad over een dier dat haar wilde opeten, het soort nare droom waarin je denkt dat je wakker wordt maar in werkelijkheid nog droomt. Ik kalmeer haar een beetje en ze haalt haar dierenboek, laat me dat aan haar voorlezen en wijst het dier aan. Het dier uit haar droom.'

'Je gaat me vertellen dat het een luipaard was, hè?'

'Een jaguar. Wat vind je daarvan?'

'Toeval.'

'Is dat je professionele medische opinie? Toeval?'

Lola keek hem even aan. 'Ja, natuurlijk! Wat kan het anders zijn? Telepathie?'

'Of zoiets. Ik vergeet altijd dat je niets van vreemde dingen wilt weten.'

'Dat heet rede, Jimmy. Het rationele denkvermogen van de mens. Wat doe je?'

'Ik bemoei me met jou. Ik beweeg mijn handen onder je lelijk gevlekte chenille ochtendjas. Ik kijk of het er nog is. O, ja. Wat vind je daarvan, dokter?'

Lola deed haar ogen dicht en leunde tegen hem aan. Ze zei: 'Dit is zo gemeen van je, als ik moet werken.'

'Een vluggertje. Ga op het aanrecht liggen.'

'En Amy dan?'

'Ik heb haar krachtige drugs gegeven,' zei hij. 'Barbituraten, bruine heroïne.' Hij tilde haar op het formica.

Ze zei: 'Dat krijg je ervan als je met een Cubaan trouwt.'

'Wat, neuken Joden niet op het aanrecht?'

'Dat weet ik niet, ik zal er eens naar informeren,' zei ze terwijl zijn mond zich over de hare sloot. Een tijdlang vergat ze haar werk en vergat hij de dromen.

Lola Wise Paz werkte in die tijd op de afdeling neuropsychiatrie van het South Miami Hospital, een klein eindje fietsen van haar huis. Ze had al een studie klinische psychologie achter de rug toen Jimmy Paz en zij elkaar ontmoeten. Ze had het kind gekregen en was daarna, in een soort paniek omdat de gevleugelde strijdwagen van de tijd maar voortvloog, op vierendertigjarige leeftijd geneeskunde gaan studeren. Paz had haar daarbij gesteund en ze hadden allebei als karrenpaarden gewerkt om de kost te verdienen, tijd vrij te maken voor haar studie en de eindeloze taken van het ouderschap te verrichten. Wat dat laatste betrof, hadden ze hulp gekregen van de machtige Margarita Paz, de *abuela* van het Noodlot. Tegenwoordig was Lola 's morgens vaak al op de fiets naar haar werk als Paz het kind aankleedde en haar te eten gaf, bij de eerste klas van de Providence Day School afleverde, naar het restaurant ging, de lunch voorbereidde en een groot deel daarvan klaarmaakte. Intussen werd Amelia door de *abuela* van school gehaald en naar restaurant Guantanamera gebracht. Margarita's grootmoederlijke genegenheid bleek nog sterker te zijn dan het verlangen om de volledige heerschappij over het restaurant uit te oefenen in elke minuut dat het open was. Toen de lunchdrukte was afgezakt tot af en toe een bestelling, zag Paz zijn dochter een koksschort aantrekken dat haar oma blijkbaar voor haar had vermaakt. Paz keek met een professioneel oog naar de piepkleine hulpkok. Tegen zijn moeder zei hij: 'Ze ziet er goed uit. Zullen we haar morgen de lunch laten doen? Dan hoeven we haar niet te betalen, want ze is nog maar een klein kind.'

'Ik krijg ook betaald!' protesteerde Amelia. '*Abuela* heeft me een dollar gegeven.'

'Oké, maar geef het niet uit aan drank en sigaretten, tenzij je je hele leven een meter groot wilt blijven. En kietelig.'

Nadat de kreten waren verstild, gaf Paz haar een schaal met radijsjes om roosjes van te snijden. Toen ze klaar was, ging hij met zijn moeder praten. Margarita Paz was een zwarte boerin uit Guantánamo, en ook nu ze tegen de zestig liep, vertoonde ze daar nog de kenmerken van: sterke armen, brede heupen, een boezem als een plank en een harde, berekenende blik. Ze hield van felgekleurde kleren, lipstick en nagellak, want die kleuren staken zo mooi af tegen haar glanzende chocoladebruine huid. Ze droeg vaak een tulband, zoals ook nu. Paz was altijd een beetje bang voor haar geweest; hij kende niemand die niet bang voor haar was, behalve zijn dochter.

'De groente was vandaag vullis,' zei ze toen hij haar kleine kantoortje binnenkwam. 'Praat eens met Moreno. Zeg tegen hem dat we absoluut op Torres Brothers overschakelen als het nog eens gebeurt. Zeg tegen hem dat zijn vader ons nooit als Amerikanen heeft behandeld.'

'Ik zal ervoor zorgen, *mami*,' zei Paz, al was de groente zo goed geweest als altijd. Met klagen en commanderen toonde ze haar genegenheid. 'Zeg, ik wilde je iets vragen… Amelia heeft nachtmerries, ze wordt 's nachts gillend wakker, en als ik tegen haar zeg dat ze zich geen zorgen moet maken, dat de monsters in de dromen niet echt zijn, wat krijg ik dan te horen? "*Abuela* zegt dat ze wél echt zijn." Wil je niet meer zulke dingen tegen haar zeggen?'

'Wil je dat ik lieg tegen mijn kleindochter?'

'Ze raakt erdoor van streek. Ze is te jong om zich zorgen te maken over zulke dingen.'

'En jij? Ben jij ook te jong?'

Paz haalde diep adem. 'Ik wil daar nu niet over praten. *Santería* is jouw afdeling. Daar gaan we ons niet mee bezighouden. Ik niet, en Amelia beslist niet.'

'Wat voor dromen?' vroeg zijn moeder, die zijn laatste mededeling negeerde, zoals ze deed met alles wat ze niet wilde horen.

'Dat doet er niet toe. We willen niet dat je zulke dingen tegen haar zegt.'

Ze wierp hem een scherpe blik toe; het was dat 'we'. Mevrouw Paz had zich altijd voorgesteld dat als haar zoon een schoondochter mee naar huis zou brengen het een meisje zou zijn dat zich door haar liet leiden, zoals het hoorde. In plaats daarvan had ze een Amerikaanse arts met krankzinnige ideeën over opvoeding gekregen. Een arts! De man zou de arts moeten zijn, en de vrouw zou voor de kinderen moeten zorgen, met de nadruk op het meervoud, en met respect naar haar *suegra* moeten luisteren, want hoe zou de samenleving anders kunnen voortbestaan? Maar deze schoondochter was zo brutaal geweest om meer dan eens te zeggen dat als Margarita het meisje met alle geweld in 'jouw sekte' wilde inwijden, ze zich zou moeten afvragen of het wel verstandig was Amelia zo veel tijd met haar oma te laten doorbrengen; en dat alles vanwege een paar kleine amuletjes, een *ide* voor haar dunne pols, het offeren van een paar vogels om de toekomst van het kind te voorspellen en haar tegen gevaren te beschermen... Het was absurd, vooral na alles wat ze voor hen had gedaan. Ze vroeg zich geen moment af waarom haar zoon een vrouw had uitgekozen die precies zo koppig als zijn moeder was.

Ze slaakte een overdreven zucht en hief haar handen ten hemel. 'Goed! Wat kan ik doen, ik ben maar een oude vrouw en jullie kunnen me gerust negeren. Na het leven dat ik heb geleid, had ik nooit verwacht dat ik nog eens op deze manier veracht zou worden, maar het zij zo! Ik zal geen woord meer tegen het kind zeggen; nooit meer. Haal haar weg!' Nu trok ze een felgekleurde zijden zakdoek uit haar mouw en bette daarmee haar ogen af.

'Kom op, *mamí*, maak me niet gek. Zo is het niet en dat weet jij ook wel...'

'Maar,' zei ze, en nu keek ze hem met haar verschrikkelijke oog aan, 'maar er is wel iets.' Met handen als vogels maakte ze een gebaar om het onzichtbare op te roepen.

'Wat voor iets?'

'Iets...' Duister. 'Er beweegt iets in de *orun*, ik weet niet wat het is, maar het is erg krachtig en het heeft te maken met jou, mijn zoon, en met haar. Ja, je denkt dat ik dom ben, maar ik weet wat ik weet.'

Daar was niets op te zeggen. Paz kuste zijn moeder op de wang en ging weg.

'Dat is een goed roosje,' zei hij tegen zijn dochter, 'maar je moet de blaadjes dunner snijden, dan buigen ze om en lijken ze meer op een echte bloem. Kijk maar.' Hij pakte een mesje en een spierwitte, knapperige radijs uit de schaal en maakte er in acht seconden een bloem van.

Amelia keek koeltjes naar de garnering die hij haar voorhield. 'Ik vind het mooier zoals ík het doe,' zei ze, en daarmee liet ze weer eens zien hoe dicht de appel in de familie Paz bij de boom viel.

Enkele uren later stond Paz weer te zweten bij een grill, maar inmiddels had hij een portie van zijn eigen bananendaiquiri genomen en voelde hij zich vrij goed. De grill stond op zijn eigen patio, met sissende en rokende ribstukken die in Cubaanse stijl werden gebarbecued, gemarineerd in limoensap, komijn, oregano en sherry. Amelia had de picknicktafel voor vijf personen gedekt, en ze hadden een zeevruchten- en witlofsalade klaargemaakt die lag af te koelen in de koelkast, vergezeld van twee magnums met goed drinkbare Spaanse wijn en tien potjes flan. Hij had een bandje opgezet, *guajira*-muziek, Arsenio Rodriguez, die door de open ramen naar buiten zweefde en zich vermengde met de zoet geurende rook van de grill. Voor zijn huwelijk had Paz bijna nooit thuis gekookt en had zijn sociale leven uitsluitend bestaan uit activiteiten die voorafgingen aan seks. Lola was socialer ingesteld sinds ze haar studie had afgesloten, en ze nodigden nu bijna elke week mensen uit. Hij vond het niet erg om dan te koken en hij had ook geen hekel aan Lola's vrienden. Ze ging niet om met mensen die hem neerbuigend behandelden. Voor zijn huwelijk had Paz bijna al zijn kennis van de intellectuele wereld opgedaan terwijl hij met zijn hoofd op een kussen lag. Hij ging alleen met intelligente vrouwen om, bezorgde hun een goede tijd met veel atletische seks en zoog daarna hun hersenen leeg, want hoewel hij van nature intelligent was, had hij niet het geduld om in collegezalen te zitten en saaie professoren aan te horen, of om zich over studieboeken te buigen of tentamens te doen. Hij had een buitengewoon goed geheugen, dat uitsluitend auditief werd gevoed, en hij kon tijdens die etentjes opmerkingen maken die niemand van een laag opgeleide kok en ex-politieman zou verwachten. Het deed hem enorm veel goed als dat gebeurde, en zijn vrouw ook, de intellectuele snob. Soms zag hij het aan haar gezicht: kijk, hij is niet alleen een dekhengst.

Hij hoorde het klikken van een fiets. Lola kwam aanrijden over het pad. Amelia kwam luid roepend op haar af om de slinger van gele allamandabloemen die ze had gemaakt en ook de dollar die ze in het restaurant had verdiend aan haar moeder te laten zien. Toen kreeg Paz een kus. Lola keek om zich hen en snoof weldadig.

'Dat ruikt fantastisch. Je bent weer de perfecte echtgenoot.'

'Niet perfect. Ik heb Yolanda vanmorgen in de koelruimte in haar billen geknepen.'

'O, daar heb ik alle begrip voor,' zei ze. 'Ik weet hoe mannen zijn, je hebt in geen billen geknepen in, hoe lang, zeven uur?'

'Zeven uur en tweeënderrig minuten,' zei Paz. 'Maar wie houdt dat nu bij?' Ze lachte en ging douchen en andere kleren aantrekken. Paz dronk nog wat daiquiri en streek nog wat saus over zijn vlees.

Bob Zwick was een stevig gebouwde, zelfverzekerde man met een vrij lang Joods afrokapsel en een halsstarrig New Yorks accent dat hij ook bij officiële gelegenheden maar zelden achterwege liet. Hij was op zijn zestiende aan het MIT afgestudeerd en had daarna vijf jaar met Edward Witten in Princeton aan snaartheorie gewerkt. Nadat hij de geheimen van de subatomaire structuur zo diep had doorgrond als hij wilde, had hij iedereen verrast door over te stappen op de moleculaire biologie. Hij had in Stanford een graad in dat vak behaald, en omdat hij daarna behoefte had aan een beetje rust, was hij naar Miami gegaan om bruin te worden en geneeskunde te studeren. Daar had hij Lola leren kennen. Hij was meteen verliefd op haar geworden, zoals hem overkwam bij nagenoeg elke vrouw die zijn pad kruiste, was lachend afgewezen en was haar vriend geworden. Zwick, het moest gezegd worden, liet zich niet door dat 'nee' uit het veld slaan en koesterde ook geen rancune. Paz zou hem niet als vriend hebben uitgekozen, maar hij kon goed met hem opschieten, had hem zelfs een paar keer in de boot meegenomen om te gaan vissen. Hij vond Zwick interessant op een stekelige manier, zoals daiquiri's.

Deze avond droeg Zwick een korte broek, sandalen en een T-shirt met PRINCETON COSMOLOGICAL CO. INC. UNIVERSA OP MAAT. Hij kwam aanlopen, omhelsde en kuste de gastvrouw, pakte Amelia van de grond en draaide haar zo snel rond dat ze giechelde, gaf Paz een hand en stelde zijn nieuwste vriendin voor, een langbenig blondje met een smal, spottend gezicht. Ze droeg een topje en een lange nauwsluitende rok van een bobbelige stof, lavendelblauw van kleur. Paz voelde een trilling in zijn buik, maar ze knipperde niet eens met haar ogen.

'Beth Morgensen,' zei ze, en ze stak hem een koele hand toe. 'Jij moet Jimmy Paz zijn.'

'Dat ben ik,' zei hij, en hij vroeg zich af of ze het Zwick had verteld, en wat nog belangrijker was, of ze die avond iets zou laten blijken.

'Is dat een bananendaiquiri?' zei Zwick. 'Ik wil er wel een. Beth, deze man maakt de beste bananendaiquiri's in het melkwegstelsel. Het zijn kosmische daiquiri's.'

'Dat heb ik gehoord,' zei Morgensen, die er acht jaar geleden heel wat van had gedronken in de maanden dat ze een van Jimmy Paz' vele vriendinnen was. Hij haalde de drankjes tevoorschijn, samen met een dienblad vol gekookte garnalen en kleine potjes met sauzen, en ontweek haar blik.

Ze dronken aan de picknicktafel en praatten. Hun schouders gingen hulpeloos heen en weer en hun vingers tikten mee met de muziek, en

Paz stond verscheidene keren op om de blender bij te vullen, geholpen door Amelia, die het leuk vond om limoenen te persen en bananen in stukjes in de beker te laten vallen. De laatste keer dat hij daarvoor naar binnen ging, kwam hij Beth Morgensen tegen, die net van het toilet kwam. Paz stuurde Amelia met een volle blender naar buiten. Morgensen keek haar na.

'Zo, Jimmy Paz,' zei ze, en ze keek hem recht aan. 'Huisvader geworden. Wie had dat ooit kunnen denken? Blijkbaar heb ik mijn kans verknoeid.'

'Ik wist niet dat ik in aanmerking kwam. Je mikte op een hoogleraar, als ik het me goed herinner.'

'Dat was dan dom van me. Hoe lang ben je getrouwd?'

'Een jaar of zeven.'

'Oei, de gevarentijd.'

'Ik weet het niet. Ik ben wel gelukkig.'

'Dan moet ze een caleidoscoop van verrukkingen zijn.' Ze kwam dichter naar hem toe, legde haar armen op zijn schouders en wiegde een beetje met haar heupen op de muziek. 'Het is moeilijk te geloven,' zei ze, 'dat jij aan trouw doet. Dat is niet de Jimmy Paz die ik heb gekend.'

'Mensen veranderen, al was jij, nu ik erover nadenk, altijd al gemakkelijk te versieren. Er was niet veel voor nodig om jou uit je broekje te krijgen.'

'Zeker. Wil je me er nu ook uit krijgen?'

Paz keek haar met een gemaakt lachje aan en ging bij haar vandaan.

Ze dronken nog meer. De garnalenstaarten stapelden zich op in de schaal. Zwick hield een betoog over het raadsel van het bewustzijn. Hij wilde doordringen tot wat hij 'de laatste grote onbeantwoorde vraag in de wetenschap' noemde. Paz zei: 'Ik dacht dat de snaartheorie dat was: hoe je relativiteit en kwantummechanica met elkaar kunt laten samenwerken, kwantumzwaartekracht, de Theorie van Alles, dat soort dingen.'

Beth slaakte een quasi-verschrikte kreet. 'O, nee! Je hebt hem naar de snaartheorie gevraagd! Maak me wakker als hij uitverteld is.'

'Ja, in theorie wel,' zei Zwick, en met een Duits-achtig accent: 'In the-o-rie wel, maar meer zal daar ook nooit uitkomen, die klungels blijven tot in de eeuwigheid gouden atoomkernen naar elkaar toe gooien, en misschien, héél misschien, krijgen ze iets vaags te zien, misschien halen ze iets uit de telescopen, vangen ze een glimp op van de grote oerknal op een ziljoen lichtjaren afstand, maar ze zullen nooit met het onweerlegbare experiment komen. Niet zoals het kwantumwerk, niet zoals de relativiteitstheorie, waarbij je dúízenden onweerlegbare experimenten hebt.' En hij besprak een aantal daarvan uitgebreid. Het werd een korte cursus kwantumelektrodynamica en algemene relativiteitstheorie. Hij gebruikte garnalen en bestek als deeltjes (of golven) en servetten om de Calabi-Yau-ruimten weer te geven waarin de hypothetische zeven extra dimensies van ruimte-tijd in het onvoorstelbaar kleine kompas van de Planck-lengte vervat waren. Hij was een voortreffelijke docent, grappig en met een volledige beheersing van het onderwerp. Zelfs Amelia volgde het betoog een tijdje, voordat ze wegliep om met de kat te spelen.

'Ja, maar je hebt niet gezegd waarom niets daarvan logisch is, waarom niemand kan zeggen hoe de wereld die we met onze zintuigen waarnemen uit al die waanzin voortkomt,' zei Morgensen. 'Ogenblikkelijke handelingen op afstand, de tijd die zich uitrekt, katten die tegelijk levend en dood zijn. Al die dingen. Volgens mij hebben jullie het gewoon verzonnen.'

'Omdat jij een primitief wezen en geen wetenschapper bent,' zei Zwick. 'Een verrukkelijk maar primitief wezen.'

'Neem me niet kwalijk: ik bén wetenschapper.'

'Nee, jij bent pseudowetenschapper. Sociologie is een pseudowetenschap die statistische methodologie gebruikt om een verzameling leugens naar haar hand te zetten. Het is zoiets als frenologie. Het maakt niet uit hoe nauwkeurig je met schuifmaten of wat dan ook te werk gaat, de onderliggende theorie is onzin, net als alle resultaten. Wetenschap is fysica: theorie, analyse, experiment. Al het andere is brandhout.'

'En nu eens afwachten wie een kans maakt bij mijn melkwitte lichaam,' zei Morgensen. 'Waarschijnlijk niet meneer Brandhout hier.'

'Maar vanuit een ander perspectief,' zei Zwick soepel, 'zien we dat de sociologie in feite de koningin van de wetenschappen is, diepgaand, verhelderend, on-brandhoutachtig…'

'Maar volgens jou is de snaartheorie ook brandhout,' zei Lola.

'Nee,' antwoordde Zwick. 'Die heeft de vorm van echte wetenschap. Die theorie voorspelt langs mathematische weg dingen waarvan we al weten dat ze waar zijn. Aan de andere kant is het heel onwaarschijnlijk dat het verdergaat dan bijvoorbeeld theologie – en daarom ben ik eruit gestapt. Het is een middeleeuwse toestand geworden, theorie die met geen mogelijkheid ooit bevestigd kan worden omdat er in het hele universum niet genoeg energie is om tot de snaren of de dimensies in de Planck-lengte door te dringen. En dat van de kosmos, ja, maar dat is net zoiets als naar een kat zoeken in een verduisterde kamer. Donkere materie? Donkere energie? Doe me een lol! Maar de biologie, vooral de neurobiologie, is nu op het punt waar de natuurkunde honderd jaar geleden was. We genereren enorme hoeveelheden nieuwe, reële informatie, net als indertijd Rutherford en dat hele stel. We kunnen nu in de hersenen kijken, we kunnen ze echt zien denken, zoals zij indertijd ontdekten hoe je in een atoom kunt kijken. De MRI-technologie en de cyclotron zijn vondsten in dezelfde orde van grootte. Daar komt nog bij dat we tegenwoordig genomie hebben. Dat betekent dat we inzicht kunnen krijgen in de genetische processen waardoor we nieuwe dingen leren en gedrag ontwikkelen, en dat tot op moleculair niveau. De psychologie is dus niets meer waard. Het was altijd al gelul, maar nu weten we dat het gelul is. Er is geen psyche om mee te "logen".'

Al die tijd was Paz stil geweest. Hij nam alles met een heleboel Bacardi in zich op en had intussen obsessieve gedachten over Beth Morgensen. Hij had in meer dan acht jaar nog geen drie minuten aan haar gedacht, maar nu had ze opeens grote delen van zijn middenhersenen in beslag genomen. Hoe ze in bed was, hoe anders dan Lola, zijn vrouw, hoe luchtig hun relatie was geweest, hoe leuk, hoe weinig die relatie op oorlogvoering had geleken. Aan de andere kant wist hij dat juist zulke relaties, tientallen daarvan, hem uiteindelijk zo hadden verveeld dat hij voor de huwelijkse staat had gekozen. Evengoed...

Meer om al die ballast uit zijn hoofd te zetten dan omdat het onderwerp hem echt bezighield zei hij: 'Onzin. Dat kun je nooit weten.'

'Nou, op dit moment niet, maar dat komt nog wel. Het hele terrein wordt gesystematiseerd, gefysicaliseerd, en dat is het kenmerk van alle echte wetenschap. We zijn op weg naar een echt inzicht in de neurale code, de manier waarop de hersenen wérken, zoals we ook hebben leren inzien hoe de onderliggende eigenschappen van quarks de hoedanigheid van elementaire deeltjes bepalen, die weer de hoedanigheid van chemische elementen bepalen, en vervolgens de moleculen, en vervolgens het leven enzovoort.'

'Nooit,' zei Paz.

'Waarom nooit? Wat is je argument?'

Paz won tijd door zonder dat het nodig was bij het vlees op de grill te gaan kijken. Er zweefden hem het gezicht en het lichaam van een vrouw voor ogen, lang en wit, bruin kroeshaar, spitse neus, scheefstaande grijze wolvenogen, kleine harde borsten, Silvie de filosofiestudente en de theorie van logische typen.

'De theorie van logische typen,' zei Paz. 'Alfred North Whitehead.'

Beide vrouwen vonden het prachtig dat Zwick daar niet meteen van terug had. 'Wat heeft dat er nou mee te maken?' wilde hij weten.

'Een verzameling kan geen lid van zichzelf zijn,' zei Paz met dronken zelfvertrouwen. 'Laten we zeggen dat de totale kennis die we over een bepaald onderwerp hebben een verzameling is, verzameling A. En dat alle dingen die de wetenschap, de mensen, de cultuur weten ook een verzameling zijn, verzameling B. Alle verzamelingen A passen per definitie in verzameling B. We weten alles wat maar mogelijk is over het maken van flan, over de massa van de deeltjes, over het aantal kappers in Cincinnati, nietwaar? Maar de verzameling "begrijpend bewustzijn" is van een ander type. Hij is niet ook een verzameling A. Hij is groter dan verzameling B, die in feite uit alle menselijke geesten bestaat. Het zou in strijd met de theorie zijn als de menselijke geest het bewustzijn begreep. Die specifieke verzameling A zou nooit in B passen. Nooit.'

Zwick keek hem even aan, sloeg zijn ogen ten hemel en zei: 'Dat is totaal en volslagen gelul.'

'Daar komt nog bij,' zei Paz, 'dat de geest niet noodzakelijkerwijs het product van de hersenen is. Je kunt dualisme niet weerleggen; ook een ontkenning daarvan is alleen maar een geloof. Het is geen wetenschap.'

'"De geest is niet het product…" Wat is dat, de middeleeuwen? Er ís geen geest. Wat wij als bewustzijn interpreteren, is een epifenomeen van een elektrochemische staat op een bepaald moment, voortgebracht door een stuk vlees. Het is een illusie die door de evolutie is ontwikkeld om zintuiglijke gegevens te organiseren en ze met handelingen te coördineren.'

'Met wie praat ik dan, en waarom zou ik meer in jou geloven dan jij in geesten gelooft?'

'Hé, ik kan het bewijzen. Als ik een paar kleine sneetjes in je schedel maak, besta jij niet meer. Vertrouw me nou maar, jongen.'

'Ik vertrouw je, maar het zegt niks. Ik kan naar binnen gaan en mijn radio kapotschieten als hij is afgestemd op Radio Mambí. Die radio geeft dan geen geluid meer, maar wil dat zeggen dat Radio Mambí niet meer bestaat? Niet dat ik daar veel bezwaar tegen zou hebben.'

'Wat, denk je dat er een substantie is die "geest" heet en die ergens in de ether zweeft en door onze hersenen wordt opgepikt?'

'Niet per se, maar het is even logisch als zeggen dat geest bepaald wordt door het vlees. En het vormt een betere verklaring voor demonen, dromen en helderziendheid dan jouw redeneringen.'

'Jezus! Dit zijn écht de middeleeuwen. Waar moet ik beginnen? Oké, allereerst is geen enkel dualisme bestand tegen het scheermes van Ockham. Dat wil zeggen, het voegt een overbodig complexiteitsniveau toe aan een verschijnsel dat volledig te verklaren is...'

'Ockham kan opwippen met zijn scheermes,' zei Paz, en toen: 'Wacht even. Hou die gedachte even vast!'

Er was een klein wekkertje afgegaan in Paz' niet-bestaande geest, en hij stond op en trok het deksel van de grill. De glanzende, dampende ribstukken waren juist op dat moment perfect gaar.

'Kom, we gaan eten,' zei Paz, en iedereen applaudisseerde.

Onder het eten leidde Lola het gesprek behendig van kosmologische thema's af. Ze vroeg Beth naar haar werk, een onderzoek naar het leven van straatprostituees in Miami, of meisjes die zich voor geld door jongens lieten kussen, zoals ze aan Amelia uitlegden. Zelf kwam ze met grappige anekdotes uit haar leven als psychiater op een spoedgevallen-afdeling, haar huidige functie. Ze praatte ook over de tijd dat ze tegelijk met Zwick geneeskunde studeerde, zijn volslagen onbekwaamheid ten aanzien van welke genezende taak dan ook. Blijkbaar was hij iemand die nog nooit bij de eerste poging een ader had gevonden, en vaak ook niet bij de twaalfde poging. Zwick reageerde daar blijmoedig op. Hij zei dat hij alleen maar medicus was geworden om duivelse experimenten met mensen te kunnen doen en dat hij zich daar helemaal niet schuldig om voelde.

Ze dronken enkele liters Spaanse witte wijn, en toen ze hadden afge-ruimd en het dessert hadden opgediend, haalde Paz een fles Havana Club *añejo*-rum tevoorschijn, en daar dronken ze een tijdje uit tot het kind lastig werd en naar bed gesleurd moest worden.

'Ik durf niet te slapen, papa,' zei ze toen hij haar eindelijk onder de dekens had.

'Je bent zo moe dat je slaapt voor je er erg in hebt.'

'Ja, maar als dat droomdier dan terugkomt?'

'Die komt niet terug. Vannacht valt het een ander klein meisje lastig.'

'Wie dan?'

'Waarschijnlijk een stout meisje. Heel anders dan jij.'

'Maar als er een ander dier komt?'

'Nou, wil je in dat geval mijn *enkangue* lenen? Daar zijn alle droom-dieren bang voor.'

'Hm. Die heeft *abuela* voor je gemaakt, hè? Om je tegen monsters te beschermen.'

'Dat klopt.'

'Mama zegt dat het alleen maar bijgeloof is.'

'Mama heeft recht op haar mening,' zei Paz neutraal en hij trok het amulet aan zijn band over zijn hoofd. Hij bond het zorgvuldig aan de stijl van het bed vast. 'Niet openmaken, hè?'

'Wat gebeurt er dan?'

'Dan werkt het misschien niet meer. Nou, welterusten.'

'Ik wil een verhaaltje.' Ze kreeg er een en viel al na drie bladzijden van *Charlotte's Web* in slaap.

Toen Paz op de patio terug was, deed hij een cd van Ibrahim Ferrer in het apparaat en luisterde hij naar de warme stem die een oude bolero zong, muziek uit de gouden jaren van *son*, de jaren veertig, de muziek van zijn moeder. Het was nu fluweeldonker, met insecten die in de bomen zoemden en met de geur van jasmijn in de lucht. Het enige licht kwam van citronellakaarsen in gele glazen potjes op de tafel. Hij legde zijn arm om de schouders van zijn vrouw en danste innig met haar. Vanuit de verte, ergens in de donkere tuin, hoorde hij Zwick en Beth ruziemaken.

'Waar gaat dat over?' vroeg hij in haar oor.

'Ze is dronken en agressief. Hij heeft niet genoeg respect voor haar geest. Hij vindt dat mensen die een carrière willen hebben geen kinderen moeten krijgen. Ze keek naar Amy alsof ze haar wilde ontvoeren. De biologische klok tikt bij Beth maar door, en die leegte is niet op te vullen met het vooruitzicht van een hoogleraarschap, en die is ook niet op te vullen met ook niet met briljante harteloze types als Bobby Zwick. Het arme ding.'

'Jij hebt het meegemaakt.'

'Ja. Ook met dat soort kerels.' Ze kneep hem hard.

'Dat krijg ik er nou van omdat ik een dombo ben.'

'Jij bent geen dombo, dombo.'

'Maar ik ben niet zo slim als Zwick.'

'Nee, maar je bent aardiger. Ik denk dat niémand zo slim is als Zwick. Al had je hem met die opmerking over Whitehead even te pakken. Ik sta steeds weer van je te kijken.'

De ruziegeluiden vervaagden en maakten plaats voor huilerige, zachtere woorden. Toen was er het zwakke kraken en ratelen van een hangmat van touw te horen.

'Oei. Denk je dat ze het daar doen, in onze hangmat?' vroeg Paz.

'Ik hoop het. Ze kunnen hem opwarmen voor ons. God, wanneer hebben we het voor het laatst in de tuin gedaan?'

'Niet sinds Amelia weet wat deurknoppen zijn.'

'Vermenigvuldigt u,' zei Lola.

Zwick kwam terug. Hij ging aan de tafel zitten en schonk zich een fikse dosis oude rum in. Paz en Lola kwamen bij hem zitten.

'Waar is je vriendin?' vroeg Lola. 'Gewurgd?'

'In slaap gevallen in de hangmat. Het is allemaal jouw schuld, Paz, jij en je daiquiri's en je añejo en je ontologische speculatie. Wist je dat natuurkunde een patriarchale samenleving is om een dominant wereldbeeld te bevorderen? Net als de geneeskunde.'

'Nou, als je het raadsel van het bewustzijn oplost, doet het er niet toe,' zei Paz. 'Dan kun je ieders hersenen een andere code geven.'

Zwick lachte een beetje langer dan de opmerking verdiende. 'Ja, en als dat de natuurkunde nu eens verandert? Hé, zal ik je het geheim van het universum vertellen?' Hij imiteerde iemand met paranoia die over beide schouders kijkt. 'Niet verder vertellen. Oké, laten we zeggen dat we in de natuurkunde twee zuilen hebben, de relativiteitstheorie en de kwantumelektrodynamica. Die zijn allebei zo uitgebreid bevestigd als wat dan ook op deze wereld. Misschien zijn ze zelfs te uitgebreid bevestigd, al talloze keren. Jij bent rechercheur, nietwaar? Als ik je nu eens vertelde dat we bij elke doorbraak in de natuurkunde steeds een stukje abstracte wiskunde hebben gevonden dat perfect bij het nieuwe concept past? Einstein ontdekte toevállig de Riemann-meetkunde, die bij de algemene relativiteitstheorie paste. En de kwantumjongens ontdekten toevállig de matrixalgebra en tensors. En toen ze voor het eerst met de snaartheorie kwamen, voldeed die toevállig aan de bètafunctie van Euler, een tweehonderd jaar oud stukje wiskunde dat nooit eerder voor iets was gebruikt. En toen Calabi en Yau met hyperdimensionele geometrieën aan het liefhebberen waren, beschreef dat toevállig hoe de extra dimensies die door de snaartheorie worden vereist in elkaar zitten. Om nog maar te zwijgen van het feit dat een heleboel universele constanten toevállig tot een universum leiden waarin het bewuste leven zich ontwikkelt. Als een van die constanten ook maar een klein beetje anders zou zijn, zouden er geen sterren, geen planeten, geen levensvormen zijn. Wat zou jij als rechercheur van zo'n zaak vinden?'

'Ik zou onderzoeken of het doorgestoken kaart is. Of misschien is de oplossing duidelijk.'

'Ja! Maar is het nu het een of het ander? Dat is de kardinale vraag. We zullen eens veronderstellen dat ze de snaartheorie natuurkundig kunnen bevestigen. We zullen zeggen dat Hawking gelijk heeft met zijn vermoeden dat zwarte gaten een straling tot buiten hun waarnemingshorizon hebben. Stel, we ontdekken een zwart gat dat klein genoeg is om het te bestuderen en de snaartheorie voorspelt die straling exact. Dan weten we dat het waar is. Halleluja! Dan heeft de natuurkunde eindelijk de theorie van alles, maar… maar als we het nu eens allemaal hebben verzonnen? Als het erop aankomt, is waarneming maar een dun rietje. Duizenden astronomen hebben de hemel waargenomen en hun waarnemingen in het Ptolemeïsche stelsel ondergebracht. Ze draaiden zich in allerlei bochten om de schijn op te houden tot de hele zaak instortte. Maar de snaartheorie kan niet instorten, want het is een theorie van alles, voor alles is al een verklaring gevonden, en die is bevestigd door onnoemelijk veel waarnemingen. Maar waarneming zelf is een product van het bewustzijn, en we weten niet wat dat is!'

'Daarom ben je medicus geworden.'

'Daarom ben ik medicus. Laten we eens zeggen dat ik het mis heb, dat John Searle en al die anderen het mis hebben, dat het bewustzijn geen trucje van de hersenen is. Laten we zeggen dat het iets op zichzelf staands is, een basiselement van het universum, op gelijke hoogte met ruimte-tijd en massa, dat louter incidenteel in hersenen verblijft maar zijn eigen leven heeft, misschien in de Calabi-Yau-ruimten of in een universum dat met het onze in verbinding staat. Dan hebben we jouw substantiedualisme, nietwaar? Jij en Descartes. Dan kun je ook je goden en demonen hebben, hè? Je wonderen.'

'Maar dat geloof jij niet,' zei Paz. Hij had plotseling een droge keel en schonk zich iets van het vruchtensap in dat ze voor het kind hadden neergezet.

'Nee, dit is alleen maar dronkenmanspraat. Maar stel dat we inderdaad het geheim van het bewustzijn hebben ontdekt, zoals we ook het geheim van de fysieke wereld hebben ontdekt. Dan zouden er twee nieuwe zuilen van kennis zijn, de externe en de interne wereld die zich tot in de hemel uitstrekten, en dan zou er een Einstein komen en uitzoeken hoe het allemaal in elkaar past. En wat dan? Misschien horen we dan een zoemer, iets in de trant van *ungggg*! En in de hemel verschijnt in kolossale letters de tekst GAME OVER. Of misschien leren we niet alleen hoe we de kwantumwereld moeten observeren maar ook hoe we die wereld kunnen veranderen. Misschien kunnen we de structuur van ruimte-tijd en massa-energie dan tot in details veranderen!'

'Dat gaat toch niet gauw gebeuren, hè?' vroeg Lola. 'Want ik heb net een hele lading kleren naar de stomerij gebracht.'

Zwick pakte een kaars op, hield hem onder zijn kin en zei met een stem als uit een horrorfilm: 'We zouden als de GODEN zijn! Ha-ha-ha-ha-ha!'

En ze lachten allemaal, al deden ze dat geen van allen van harte en elk om een andere reden.

6

Jenny gooide stukjes banaan in de blender, bij de selderie, de bieten, het algenpoeder en het extract van vlozaad, en drukte op de knop. Door de glazen bovenkant zag ze de smoothie tot stand komen, een rozige grijze draaikolk. Het behoorde tot Jenny's taken om in de loop van de ochtend een smoothie voor Rupert klaar te maken, naast het voeren van de vogels, de katten, het vriendje en sinds kort ook Moie de indiaan; of de Runiya, zoals ze hem moest noemen. Maar Moie at niet, en dat zat haar dwars, al had ze zelf ook geen hoge dunk van de cuisine bij FPA. Rupert vond het verkeerd om dieren te eten die waren gefokt om tot voeding te dienen. Ze moesten, zei hij, het goede voorbeeld geven met een dieet-voor-een-kleine-planeet, en ook solidair zijn met de inheemse volkeren in de regenwouden. Op verzoek van Rupert praatte professor Cooksey met Moie over zijn voeding en de bereiding daarvan, maar Moie wist niets van andere voeding dan vlees (waartoe hij ook vissen rekende, waartoe hij weer schildpadden, reptielen en watervogels rekende) en reageerde een beetje beledigd toen hem naar 'vrouwendingen' werd gevraagd. Vlees en vrouwendingen, dat was zijn indeling van eetbare substanties.

Het was ook de bedoeling dat ze op hem paste, en dat was niet moeilijk, veel gemakkelijker dan op een kind passen, want over het geheel genomen was hij volgzaam en zachtmoedig. Als ze 's morgens haar karweitjes deed, en wanneer ze zoals nu het eten klaarmaakte en opdiende, parkeerde ze hem voor de grote tv in de huiskamer. Ze hadden kabel, en meestal zocht ze een natuurprogramma voor hem op. Hij keek daar blijkbaar wel graag naar, en hij zat ook ernstig bij haar als ze naar *One Life to Live* keek, haar favoriete serie, al moest ze dan wel heel wat uitleggen, want het was moeilijk te volgen als je niet al een heleboel afleveringen had gezien.

Ze schonk de smoothie in het speciale rokerige groene glas waaruit

Rupert graag dronk, zette het op een dienblad, met Luna's kruidenthee, Geli's koffie, professor Cookseys gewone thee, extra sterk met melk, een schaaltje chocoladekoekjes en een Sprite voor haarzelf, en ging met dat alles naar het kantoor. Het gesprek ging over Moie. Ze vroegen zich af wat ze met hem moesten doen nu die oude Cubaanse man was vermoord. Dat interesseerde haar wel, en toen ze het dienblad op de tafel had gezet en ieder had gepakt wat voor hem of haar bestemd was, ging ze een eindje bij de vergadertafel vandaan op een stoel zitten luisteren. Dat vond Rupert prima, want ze moest zich beslist als een volwaardig lid van de groep beschouwen en niet als een soort dienstmeid. Hoewel ze dat laatste eigenlijk meestal wel was. Ze was ooit echt dienstmeisje geweest en wist dus het verschil.

Als je midden in zo'n gesprek viel, dacht Jenny, was dat net zoiets als wanneer je midden in *One Life to Live* terechtkwam. Het duurde even voor je wist wat er aan de hand was, maar omdat je de personages kende, kon je het algauw volgen. Luna wilde Moie gebruiken om een heleboel stampij te maken over de mensen die zijn woud wilden kappen. Ze kende een tv-producent van Channel Four, en ze dacht ze een film kon laten maken. Misschien zouden sommige landelijke milieugroepen er dan op inhaken. Het was een geweldig verhaal: hoe dat kleine mannetje helemaal in een kano uit Zuid-Amerika was gekomen. Jammer dat hij geen Cubaan is, zei Geli, en toen Luna vroeg wat ze daarmee bedoelde, zei Geli: hij is illegaal in het land, en als hij in het openbaar verschijnt, pakken ze hem op en dan zit hij met de Haïtianen in Crome Avenue achter prikkeldraad, en toen zei Luna: shit, daar had ik niet aan gedacht. Toen vroeg ze Rupert met zijn lid van het Huis van Afgevaardigden te gaan praten, want Rupert gaf veel geld aan die afgevaardigde, Jenny vergat steeds weer zijn naam, Woolite of zo, en Rupert liet hem soms dingen doen, bijvoorbeeld een toespraak in het Huis van Afgevaardigden houden over iets waar de FPA mee bezig was. Maar misschien, zei Rupert, was dat niet zo'n goed idee zolang er niet meer duidelijkheid was over die moord. En hij vroeg professor Cooksey wat die ervan vond; was Moie ertoe in staat om iemand op die manier te doden?

'Nou, hij zegt van niet en tot op zekere hoogte geloof ik hem wel,' antwoordde Cooksey nadat hij even had nagedacht. 'Hij zegt dat de man door Jaguar is gedood, en dat zet me aan het denken.'

'Wat bedoel je?' vroeg Luna.

'Het lijkt erop dat die "jaguar" een soort god voor hem is. Misschien is het dus bij wijze van spreken, zoals wij "God straft" zeggen over iemand die we afkeuren en die op een lelijke manier aan zijn eind is gekomen. Aan de andere kant kan het ook een geval van gedaanteverandering zijn.'

'En dat is…?' vroeg Luna.

'Het is een soort ritueel. Ik heb het een aantal keren in het veld waargenomen. Een sjamaan neemt een of ander middel, meestal een vorm van *ayahuasca*, een extract van *Banisteria*-stengels met andere plantenmaterialen, en raakt in trance, en dan neemt zijn dierlijke beschermgeest bezit van hem en draagt die geest bijzondere krachten op hem over. Dat kunnen dingen zijn als bovenmenselijke kracht, het vermogen om in het donker te kijken, het vermogen om te reizen in de gedaante van een geest enzovoort. Hij is niet meer zichzelf, weet je, maar de geest van het dier. En in dat geval kan onze Moie een moord hebben gepleegd zonder te weten dat hij dat heeft gedaan.'

Jenny zag dat op Ruperts gezicht de dromerige vage glimlach was verschenen die hij altijd had als hij iets hoorde wat hij niet wilde horen en waarvan hij wilde dat het wegging. 'Dat is dan jammer,' zei hij. 'Natuurlijk beperkt of, beter gezegd, elimineert dat zijn waarde voor onze organisatie. Misschien is het al met al het beste dat we de politie inlichten.'

Luna's gezicht was bleek geworden onder haar gebruinde huid, en haar ogen waren bijna dichtgeknepen. Jenny wist dat het een teken was dat er iets ergs ging gebeurden, en dat gebeurde dan ook.

'De polítie! Rupert, waar héb je het over? Waar hebben we al die tijd anders tegen gevochten dan tegen de rottigheid die ze in de Puxto uithalen en waarvan Moie het levende bewijs is? Het levende bewijs! En jij wilt hem laten opsluiten omdat een of andere Cubaanse klootzak is vermoord?'

Met zijn irritant redelijke stem antwoordde Rupert: 'Natuurlijk wíl ik niet dat hij wordt opgesloten, maar als we, eh… een schuilplaats verschaffen aan iemand die misschien een ernstig misdrijf heeft gepleegd, tasten we de principes van onze organisatie aan en lopen we ook nog het gevaar om, eh… strafrechtelijk vervolgd te worden. Dat zie je toch wel in?'

Dat was een grote vergissing, dacht Jenny; als Luna haar ogen op die manier dichtkneep, moest je óf haar gelijk geven óf een dag of drie de stad uitgaan.

'Nee,' zei Luna. 'Wat ik inzie is dat deze organisatie in feite helemaal geen principes heeft, behalve dat we sommige rijke mensen een goed gevoel geven. O, ik koop geen tropisch hardhout en ik doe eerlijke koffie die in de schaduw is gegroeid in mijn espressomachine van drieduizend dollar – geef me gauw een medaille! En ik zal iets heel, heel duidelijk zeggen. Als iemand de politie belt over die man, sla ik alarm. Dan doe ik een boekje open over deze organisatie. Dan laat ik alle milieubewegingen in de wereld weten wat hier is gebeurd en wie hij is. Ik bel alle tv-stations. Dan staan er de hele dag cameraploegen voor de poort, en dan mag jij uitleggen waarom het behoud van het regenwoud belangrijk is maar niet zo belangrijk dat Rupert Zenger er het risico voor wil nemen dat hij van een wetsovertreding wordt verdacht. Het kan me niet schelen of je ons eruit gooit, of Scotty en ik in ons klotebusje moeten slapen en op rijst en bonen moeten leven…'

'We kunnen een videoband maken,' onderbrak Geli Vargos haar woedende betoog. Luna hield meteen op, en ze keken allemaal Geli aan. 'We kunnen zijn verhaal op video vastleggen. Hij praat gewoon in de camera en we voegen daar een voice-over en ondertiteling aan toe. En dan sturen we exemplaren naar de media. Daarmee stellen we die firma Consuela aan de kaak en oefenen we druk uit op de Colombianen om niet langer het reservaat te vernietigen, vooral omdat de Puxto in eerste instantie is opgezet met bijdragen van milieuorganisaties.'

Rupert zei: 'Ik zie niet hoe dat ons probleem oplost. Zo'n video heeft voor de media geen enkele betekenis als ze niet bevestigd krijgen dat de man is wat hij zegt dat hij is. Een kleine bruine man met een bloempotkapsel en tatoeages zou iedereen kunnen zijn. We zouden onszelf dus in elk geval moeten bekendmaken. We zouden hem voor interviews moeten presenteren…'

'Nee, het is een goed idee,' zei Luna. 'Als we het goed doen, slaat het in als een bom. Hij wordt een openbare figuur, en dan doet het er niet meer toe of hij een illegale immigrant is.'

'Waarom niet, Luna?' vroeg Rupert.

'Als we het goed doen, met een massamailing van videobanden, is het allemaal al gebeurd voordat de immigratiedienst eraan toekomt. Dan hebben we de interviews al. Ik kan Sunny Riddle een exclusief verhaal beloven, de epische reis vanaf de Orinoco. En daarna mogen ze hem hebben en in de gevangenis stoppen. Ze mogen hem naar zijn land terugsturen. Allemachtig, hij wíl helemaal geen asiel. Hij wil alleen maar dat zijn regenwoud blijft bestaan. En we kunnen er ook een boek van maken, we kunnen subsidie krijgen en een team naar Colombia sturen: Moie in zijn natuurlijke omgeving. Jezus, dat zou deze organisatie op de kaart zetten!'

'Ik merk dat we ons er niet meer druk om maken,' merkte professor

Cooksey droogjes op, 'dat deze man misschien de gewoonte heeft om onder invloed van drugs mensen in stukken te snijden.'

'Nou,' zei Rupert, 'daar hebben we geen concreet bewijs voor, hè? Het zijn maar, eh... speculaties, zoals je zelf toegeeft. En Geli heeft gelijk. En Luna. Het zou een grote doorbraak voor ons zijn.' Hij wendde zich van Cooksey af en keek met zijn weldadige bruine ogen de twee vrouwen aan. 'Nou, hoe gaan we die video-opnamen maken? Misschien zou een meer anonieme locatie het beste zijn, dus niet hier bij het huis.' Hij nam een grote hap van een chocoladekoekje en wachtte op hun antwoord. Professor Cooksey draaide zich om en keek Jenny recht aan, alsof hij precies wist wat ze dacht.

Jenny stond op en liep de kamer uit. Ze nam het dienblad niet mee en vroeg ook niet of iemand nog iets wilde, zoals ze anders altijd deed. Er kwam bijna nooit woede bij haar op, want wat had het voor zin om je kwaad te maken? Maar wat ze nu had gehoord, stond haar niet aan. Ze vond dat professor Cooksey bezwaar had moeten maken, of zijzelf, al mengde ze zich nooit in discussies over activiteiten van de organisatie. Het gesprek had haar onaangenaam herinnerd aan andere gesprekken die ze had gehoord, gesprekken tussen maatschappelijk werkers en pleegouders, gesprekken over haar. Ze spraken altijd over haar alsof ze er niet bij was en vroegen zich dan af wat ze aan háár probleem zouden doen. Natuurlijk was Moie er niet zelf bij, maar ze behandelden hem op dezelfde manier, als een lastpak en niet als een echt mens die misschien ook iets te zeggen zou moeten hebben over wat er met hem ging gebeuren. Professor Cooksey praatte het meest met Moie, omdat hij de taal kende, maar dan ging het vooral over planten en de vreemde dingen die hij thuis in zijn regenwoud deed, en over goden en geesten.

Ze liep over de binnenplaats en over een tuinpad naar de vijver. Daar trof ze Moie aan, zoals ze had verwacht. Hij keek somber naar de waterval en neuriede in zichzelf. Ze hurkte bij hem neer en vroeg hoe het met hem ging.

Hij zei in het Runiya: 'Toen ik pas in het land van de doden was, dacht ik dat jullie *wai'ichuranan* de sterren in de hemel konden bewegen en was ik erg bang. Cooksey zegt dat het niet zo is. Maar dit is bijna even erg. Jullie maken hier een kleine wereld, zoals in deze vijver, deze tuin, maar het is helemaal verkeerd, helemaal *siwix*, en ik krijg pijn in mijn buik als ik het zie. De wezens leven, maar het ding is dood. Heb je nooit geluisterd naar wat een plant of dier te zeggen heeft?'

Ze knikte en glimlachte. 'Ja. Het is best mooi hier. Kijk, het is allemaal natuurlijk. De pomp draait op zonne-energie. De zon, kijk...' Ze wees naar de lucht. 'Die laat het water rondgaan. Zon, waterval, zie je?'

'Jij bent een heel vreemd wezen,' zei Moie. 'Als ik gewoon met je kon praten, zou ik je onderzoeken en nagaan waarom je onvruchtbaar bent, al sleept de Aapjongen je erg vaak naar zijn hangmat. Ik moet Cooksey daarnaar vragen, al hoort het misschien bij het dood zijn dat jullie weinig kinderen maken. Verder vraag ik me af waar jullie oude mensen zijn. Ik heb gehoord dat sommige stammen hun oude mensen opeten en misschien doen jullie dat ook. Ook dat zal ik aan Cooksey vragen.'

'Cooksey heeft een bespreking in het kantoor,' zei ze, want ze had de naam herkend. 'We kunnen hem straks opzoeken. Wil je met me naar mijn programma kijken? *One Life to Live*? Jessica en John? En Starr?' Ze deed alsof ze een televisie op een zender afstemde en tekende een scherm in de lucht. Terwijl ze met gebaren duidelijk maakte dat hij met haar mee moest komen, liep ze achteruit bij hem vandaan. Een paar minuten later zaten ze voor het scherm, zij in een versleten maar comfortabele rotan fauteuil, hij op zijn hurken, leunend tegen de bank.

Moie kijkt naar de gestolen geesten van de dode mensen in de geest-doos. Zo te zien leiden ze het gewone leven van dode mensen, al is het hem duidelijk dat de doos wordt beheerst door demonen. Soms verdwijnen de dode mensen en verschijnt er een geest die schreeuwt en geluiden maakt. Op dit moment ziet hij een demon uit een fles komen en tegen een dode vrouw schreeuwen, die naar hem glimlacht. De demon vliegt om haar hut heen en maakt alles tot metaal, als het blad van een bijl, met de zon die op de meubelen glanst, al zijn ze in de hut en is er geen zon. Dan keert de demon in de fles terug en vertelt de vrouw hoeveel ze van de demon houdt. Haar dochters zullen nooit kinderen krijgen, weet Moie. Nu wil een dode persoon een demonhond vergiftigen, maar dat werkt niet. De dode persoon doet gif in een van twee kommen, maar de demonhond kiest de verkeerde, en eet, en sterft niet maar praat in plaats daarvan tegen de man en zegt tegen hem hoe dwaas hij is geweest, hij had het gif in beide kommen moeten doen! Het is duidelijk dat de *wai'ichuranan* niet zo slim zijn als de Runiya wanneer het op het doden van demonen aankomt. Nu komt er een geflits dat hij niet begrijpt, de ene scène na de andere, zo snel dat hij niet weet wat er gebeurt, en dan komen de zoemende, piepende geluiden waarmee de terugkeer van de geesten altijd wordt ingeluid.

De Vuurhaarvrouw praat, zoals ze altijd doet wanneer de geesten in de doos te zien zijn. Moie denkt dat het deel uitmaakt van haar aanbidding. Hijzelf kan geesten in een doos vangen, bijvoorbeeld als ze het dorp tot last zijn, of als er een slecht persoon rondloopt, zoals een heks of moordenaar. Dan steelt hij de geest van die man en doet hem in de doos, opdat zijn lichaam des te gemakkelijker zal opbranden. Maar geen enkele Runiya zou er ooit aan denken tegen ze te praten. Alleen heel domme of slechte mensen laten hun geesten achter als ze boven de maan gaan, en wat kun je ervan leren om met die geesten te praten? Hij vraagt zich af of deze geesten haar voorouders zijn. Dat zou tenminste begrijpelijk zijn, want de Runiya spreken voortdurend tegen hun voorouders en bewaren daarom de gedroogde harten van hun voorouders in prachtig versierde zakken die aan de dakbalken van hun langhuizen hangen. Hij vraagt zich af of er gedroogde harten in deze geestendoos zijn. De eerste keer dat ze hem de geestendoos liet zien, wilde hij de achterkant eraf halen met zijn mes, maar ze maakte veel misbaar en trok aan zijn arm. Hij begreep dat het *siwix* voor haar was om in de geestendoos te kijken, en dus deed hij het niet.

Ze glimlacht, wijst naar de doos en praat. Ze wil dat hij iets ziet. Hij kijkt. In een kamer van een van de *wai'chura*-langhuizen staan twee geest-*wai'ichuranan* op het punt *puwis* te doen. (Er is een luider gezoem te horen, dat altijd komt als er iets belangrijks gaat gebeuren; daar is hij al achter.) Maar hij heeft dat al vele malen gezien. De dode geesten staan altijd op het punt *puwis* te doen: ze kussen, ze wrijven over elkaar, ze trekken hun stomme kleren uit, of het meeste daarvan, en toch doen ze nooit *puwis*. Natuurlijk weet iedereen dat geesten geen *puwis* kunnen doen; dat kunnen alleen de levenden.

En zo liggen die geesten van dode mensen op het platte ding waarop ze slapen, met een deken over zich heen, en de geest van de dode vrouw maakt geluiden die te vergelijken zijn met de geluiden die dat soort vrouw bij haar leven maakt; hij heeft dat nu vele malen van de Vuurhaarvrouw en de Aapjongen gehoord als ze *puwis* doen in hun hut. Boze Vrouw en Haargezichtman doen het ook, maar zij maakt een ander geluid. Moie weet dat de geesten niet *puwis* doen, want de vrouw zit niet op haar knieën om de man op te winden door hem de donkere plooien van haar *aka* te laten zien.

In elk geval kan hij hen niet meer zien. Hij ziet alleen een gat in de muur van het langhuis. 'Raam' is hun woord voor dat gat. Het zoemen wordt harder. Nu ziet hij de man en vrouw weer, en het is alsof hij door dat gat is gegaan. Moie kan dat ook, door muren gaan, en dus weet hij dat er daar ergens een *aysiri*, een tovenaar, is. Ja, nu ziet hij de *aysiri*, die zich klein heeft gemaakt om in de geestendoos te passen. De Vuurhaarvrouw praat, praat, en Moie wenst dat ze daarmee ophoudt, want dit is nu eens interessant. De *aysiri* heeft een zak in zijn handen, en Moie weet precies wat dat is, een *layqua*, een geestenvanger, want hij heeft er zelf ook een, al heeft hij hem niet meegebracht naar het land van de doden. Die van hem is kleiner en er zitten felgekleurde veren op.

Nu wordt het hoofd van de *aysiri* groot, waaruit blijkt dat hij erg machtig is, en Moie kan zijn geestenvanger van dichterbij zien. Hij ziet dat er een kleine geestendoos aan zijn *layqua* is vastgemaakt, waarin de tovenaar de geesten kan zien die gevangen zijn. Hij schudt zijn hoofd en denkt dat de *wai'ichuran*-tovenaars dom moeten zijn als ze zoiets nodig hebben, want Moie en elke andere fatsoenlijke Runiya-tovenaar zouden natuurlijk vóélen wanneer de geest die ze te pakken wilden krijgen gevangen was. Maar hij moet toegeven dat het slim en interessant is dat de *aysiri* regelrecht in de geestendoos komt en al degenen die ernaar kijken laat zien dat hij de geesten en demonen die erin zitten heeft gevangen. Moie denkt dat het komt doordat er zo veel *wai'ichuranan* zijn, niemand kan zien wie een *aysiri* is, en dus laat hij zijn macht zien aan degenen die naar de geestendoos kijken, voor het geval ze lastige geesten hebben die ze willen laten vangen, of een vijand wiens geest ze willen stelen en in de doos opsluiten. In zo'n geval zouden ze weten wie ze moeten raadplegen. Moie is tevreden over zichzelf omdat hij dat heeft begrepen; hij begrijpt zo weinig van de dode mensen en hun gewoonten. Nu zijn er weer demonen aan het dansen, onder het maken van harde onaangename geluiden, en hij wendt zich af.

'Begrijp je het?' vroeg Jenny weer. 'Ze gaan een videoband van je maken. Zoals die privédetective die Daniel en Lindsay filmde.' Ze wees naar het televisiescherm en beeldde een videocamera uit die op Moie gericht is. 'Ze gaan een opname van je maken, dan kun je je verhaal op tv vertellen. Misschien word je beroemd en kom je bij *Letterman*! Of *Oprah*!' Hij keek haar nietszeggend aan, zoals hij meestal deed wanneer ze iets ingewikkelds moest uitleggen.

'O, god, wil je hier even wachten? Dan laat ik het je zien.'

Ze rende de huiskamer uit en liep door de gang naar de kamers van professor Cooksey. Tot haar verbazing zag ze Kevin in het kantoor rondscharrelen.

'Wat doe je?' vroeg ze.

'Ik zocht jou. Wil je ergens heen?'

'Goed. Waarheen?' zei ze, een beetje geschrokken. Kevin had nog nooit een leuk reisje voorgesteld.

'O, geen idee. We kunnen naar de dierentuin gaan. Met Bill Kearney praten. Met de dieren spelen.' Toen ze aarzelde, voegde hij eraan toe: 'We kunnen het kleine mannetje meenemen. Die is waarschijnlijk nog nooit in een dierentuin geweest.'

Er ging een golf van dankbaarheid door Jenny heen. Dat was nou echt Kevin, dacht ze. Net als je het niet meer met hem zag zitten, deed hij iets heel aardigs. Ze gaf hem een knuffel en zei: 'Goed. Ik moet hem alleen nog even iets laten zien.' Ze pakte de Panasonic-camcorder van Cooksey van de plank en controleerde de band en de accu.

'Dat is een duur ding,' zei Kevin. 'Weet je zeker dat je ermee kunt omgaan?'

'O, ja,' zei Jenny. 'Ik heb eens bij een pleeggezin gewoond, en die kerel, Harold Logan, was helemaal weg van dat programma *America's Funniest Home Videos*. Hij liet de kinderen dingen doen, zoals zich te pletter rijden met hun fiets en in taarten vallen, dat soort stomme dingen. Hij wilde heel graag de hoofdprijs winnen, duizenden dollars of zo, en hij stuurde steeds maar weer bandjes naar het programma, maar die werden nooit uitgezonden. Ik heb altijd het gevoel gehad dat het doorgestoken kaart was. Hoe dan ook, omdat ik het oudste kind was, leerde hij mij met een van deze dingen om te gaan, want hij dacht dat het grappiger was als hij zelf ook in beeld kwam. Oké, dus hij bedacht iets met een trampoline die ze hadden. De kinderen sprongen van het verandadak op de trampoline. Ze klommen uit het slaapkamerraam en stuiterden omhoog. Dat was het idee. Nou, die man kwam het raam uit en sprong, en nu had hij aan die trampoline geprutst om hem te laten inzakken als hij erop terechtkwam. Dat was de stomme grap, ja? Maar het ding zakt niet in en hij stuitert omhoog, boing, en vliegt door de lucht en landt op de barbecue, die hij heeft aangezet om hotdogs en zo te maken, en de barbecue valt om, tegelijk met de tafel waarop hij de houtskoolaansteker heeft liggen, en alles valt om en hij raakt in brand. Ik bedoel, jezus, zijn haar en alles gaat in de fik, en zijn vrouw komt naar buiten en probeert hem te blussen met een kan limonade die ze in haar hand heeft, maar hij staat nog steeds in brand. Hij vloekt zich een ongeluk en zo, en ten slotte kunnen ze hem blussen met de tuinslang. Ik had het allemaal op de band staan.'

'Heeft hij gewonnen?'

'Nee, man, hij was helemaal verbrand, hij zag er niet uit, en dan hadden ze ook nog al die godverdommes moeten wegpiepen om het filmpje te kunnen vertonen. En daarna zouden ze alle pleegkinderen bij hem hebben weggehaald omdat hij ze in gevaar bracht.'

'Ja, nou, dat is showbusiness.'

'Misschien wel,' zei ze, en ze ging met de camcorder naar de huiskamer, gevolgd door Kevin.

Ze liet Moie de camcorder zien. 'Kijk. Net als op tv, alleen geloof ik dat deze beter is. Dat bedoelde ik daarnet. Ze gaan een video van jóú maken, dan kun je je verhaal op tv vertellen.' Ze richtte de camera op Moie. Tot haar immense verbazing gaf hij een schreeuw van afgrijzen en rende hij de kamer uit. Jenny keek hem ontzet na.

'Wat heb ik gedaan?'

Kevin lachte en zei: 'Misschien is hij verlegen. Wat zei je daar over een video?' Jenny vertelde hem wat ze op de bijeenkomst had gehoord.

'Ja, dat was te verwachten,' zei Kevin laatdunkend. 'Nog meer pr-shit.'

'Heb jij soms betere ideeën?'

'Wie, ik? Nee, ik ben maar een werkbij. Nou, wil je mee?'

'Ja. Ik breng dit even terug.'

Ze had het apparaat net teruggelegd toen Cooksey de kamer binnenkwam en haar onderzoekend aankeek.

'Ik liet Moie net zien wat een camcorder is,' legde ze uit. 'We keken tv, en ik zei dat hij op tv zou komen, en hij snapte het niet, en dus haalde ik dit apparaat, en weet je wat? Hij keek alsof ik hem wilde doodschieten of zo en hij rende weg. Shit, misschien dacht hij dat het een geweer was.'

'O, dat denk ik niet. Hij weet vast wel wat een geweer is.'

'Denk je dat? Nou, Kevin en ik willen met Moie naar de dierentuin. Zou dat goed zijn?'

Ze vroeg het aarzelend vanwege de dingen die gebeurd waren toen Kevin en Moie voor het laatst samen op pad waren, maar Cooksey keek opgetogen. 'Wat een uitstekend idee!' zei hij glimlachend. 'Dat wordt vast een interessante ervaring voor iedereen.'

Ze vond de indiaan in de oude schuur die hij had uitgekozen voor zijn hangmat. Hij zat gehurkt op de grond, mompelde in zichzelf en zag er ongezond uit in het licht dat door het donkergroene dak van gegolfd fiberglas naar binnen viel. Het kostte haar een beetje tijd om hem uit te leggen wat een dierentuin was en hem mee te krijgen. Ze deed allerlei dieren na – de aap, de papegaai, de tijger – en hij staarde haar maar aan. Ten slotte pakte hij de veren en stukjes bot waarmee hij bezig was geweest bij elkaar en stopte hij ze in de gevlochten tas die hij altijd bij zich had. Ze had hem een t-shirt van de fpa en een oude bermudabroek ge-geven die ze in het huis had gevonden en zorgde er nu voor dat hij die aantrok, en ook een paar rubberen slippers. Toen gingen ze naar Kevin toe, die al in het Volkswagenbusje zat.

De rit naar de dierentuin duurde veertig minuten, en in die tijd draaide Kevin een Metallica-bandje op maximaal volume, terwijl Jenny tegen Moie praatte. De indiaan zat als een braaf kind op de bank tussen hen in en keek recht voor zich uit. Het leek wel of hij in trance was, al was Jenny er zeker van dat hij iets begreep van wat ze zei. Ze bleef ho-pen dat hij, als ze maar lang genoeg tegen hem praatte, vanzelf zou le-ren Engels te spreken. Ze had eens in een huis gewoond met een kind dat helemaal niet praatte, en toen had ze dat ook gedaan, en na een tijd-je waren er een paar woorden uit hem gekomen. Ze wist nog wat een goed gevoel dat haar had gegeven.

Omdat Rupert een belangrijke figuur in de Zoological Society of Florida was, hadden ze kaartjes waarmee ze gratis naar binnen konden, en eenmaal voorbij het hek ging Kevin recht op het Metrozoo-kantoor af, waar ze hem vertelden waar zijn vriend Kearney aan het werk was.

'Hij is een buis aan het repareren bij de kinderboerderij,' zei Kevin, en ze volgden het pad in die richting. Het was een mooie herfstdag, zon-nig met kleine wolkjes, en het was aangenaam rustig in de dierentuin. Jenny legde Moie uit wat een kinderboerderij was.

'Kinderen mogen daar de dieren aanraken. En ze aaien.' Ze aaide over zijn arm om het te demonstreren. Ze kwamen langs een snackkraam en ze kocht een blikje frisdrank en een hotdog. Ze hield Moie iets voor en vroeg hem of hij wilde eten. Hij legde zijn vinger op zijn mond; ze wist inmiddels dat hij daarmee te kennen gaf dat hij niet wilde eten. Ze vroeg zich af wat het tegenovergestelde teken was. 'Jezus, man, jij eet nooit iets,' zei ze. 'Wat heb je toch?' Toen zag Kevin dat Kearney bij een afsluiter onder een deksel in het voetpad geknield zat.

Jenny keek naar de mannen terwijl ze elkaar begroetten en onder-wierp zich aan de gebruikelijke kus en vluchtige handtastelijkheden. Ze moest niet veel van Kearney hebben. Hij was klein en had een vetti-ge zwarte plastic bril, en een gluiperige blik in zijn fletse ogen. Hij had veel piercings op zijn gezicht en tatoeages op zijn armen, waardoor hij wel wat weg had van een kwaadaardige kerstboom. Kevin zei tegen haar dat ze met het kleine mannetje naar de dieren moest gaan, Kear-ney en hij hadden wat zaken te bespreken, iets waarvan Jenny dacht dat het alleen maar een smoes was om stoned te kunnen worden. Ze zei niets, maar voelde zich een beetje somber, want dit werd dus toch geen plezierreisje, maar waarschijnlijk weer een van Kevins stomme streken. Ze ergerde zich nu ook aan Moie. Ze moest altijd oppassen: op kinderen, dieren en nu ook op die stomme indiaan met wie je niet eens kon praten...

Ze pakte zijn arm vast en leidde hem door het hekje naar de kinderboerderij. Daar vonden ze een witte geit op hun pad. De geit bleef staan, staarde naar hen, draaide zich om en rende op topsnelheid weg, waarbij hij gezinnen uiteen joeg en een peuter ondersteboven gooide. De kudde schapen rende dicht opeen naar de verste hoek van hun omheinde terrein, waar ze blatend tegen elkaar gedrukt bleven staan en hun stomme kop soms even omhoogstaken om te kijken en hem daarna meteen weer in de wol van een soortgenoot lieten verdwijnen. De konijnen zochten piepend een goed heenkomen; de twee ezels deden een vergeefse poging over hun hek te springen. Een dierentuinmedewerker die een paar kinderen liet zien hoe je een kalfje de fles moest geven, schrok zich een ongeluk toen het kalf zich opeens losrukte en brullend naar zijn moeder terugrende.

Jenny leidde Moie over de kinderboerderij. Ze voelde zich steeds minder op haar gemak, want het was duidelijk dat er iets mis was. Alle dieren werden gek, en de mensen namen krijsende kinderen in hun armen en renden hard weg. Jenny zag sierduiven tot bloedens toe tegen het gaas van hun kooi op vliegen. Twee pauwen klapperden stuntelig de lucht in en streken op een lage tak van een eik neer, vanwaar het mannetje zijn demonische kreten door de lucht liet schallen. Toen ze daar liepen, drong het eindelijk tot Jenny door dat zijzelf het middelpunt van dat pandemonium waren. Ze keek aandachtig naar Moie, maar in zijn diepe zwarte ogen stond alleen maar een milde alertheid te lezen.

'Oké, dit is een beetje saai. We gaan ergens anders heen,' zei ze, en toen zag ze een bord dat verwees naar een tentoonstelling: 'De wereld van dr. Wilde, wonderen van tropisch Amerika'. Ze las het hardop voor en riep uit: 'Hé, daar kom jij vandaan, Moie. Kom op. Het wordt net een reisje naar huis.'

De wereld van dr. Wilde was ondergebracht in een nieuw geelbruin en blauw geverfd gebouw. De tentoonstelling was extreem hightech, met stemmen die uit de verschillende onderdelen kwamen en gigantische televisieschermen waarop de wonderen van de neotropen werden vertoond. Ze zaten naar die voorstelling te kijken toen Moie plotseling verstijfde, opstond en wegliep. Ze ging achter hem aan, een beetje geërgerd omdat de voorstelling best interessant was en ze liever in een halfduistere zaal met airconditioning naar het regenwoud keek dan de plakkerige hitte van het echte woud te ondergaan. Ze kwamen langs toiletten. Alsof ze met een domme hond te maken had, maakte Jenny met tekens en gebaren duidelijk dat Moie precies op die plaats moest blijven staan. Toen ze terugkwam, was hij er niet. Vechtend tegen de paniek rende ze langs het kolossale aquarium met vissen uit het Amazonegebied, langs de giftige kikkers, langs de toekans en papegaaien, de witsnuitberen en pekari's. Plotseling zag ze hem tot haar immense opluchting in verrukking voor een grote glazen kooi staan.

'Dat is een jaguar,' zei ze. 'Hier staat dat ze Anita heet.' Ze las haperend voor wat er op het bordje voor de kooi stond, maar omdat ze merkte dat de indiaan niet luisterde, hield ze er maar mee op en bleef ze zwijgend naast Moie staan kijken.

Het dier lag uitgestrekt op een brede houten plank. Het leek of ze sliep, maar opeens zag Jenny de neus trillen, de oren omhoogspringen en de goudkleurige ogen opengaan. In een oogwenk was jaguar Anita van haar plank gesprongen en drukte ze haar neus tegen het dikke glas, starend naar Moie. Ze hijgde en uit haar open mond kwam een diep en luid gegrom. Moie maakte ook een geluid, een ritmisch scanderen, dezelfde frase, telkens weer.

'Wat doe je?' zei ze, en het was net of haar oren waren opgevuld. Het geluid van haar woorden bleef in haar hoofd zitten. Haar maag trok zich samen alsof ze bang was, maar misschien kwam dat alleen maar van die hotdog. Misschien had Rupert gelijk en moest ze die troep niet eten. Er was ook iets mis met haar ogen, een geflikker van het licht, en ze keek naar de plafondlamp om te zien of het daarvan kwam. Ze moest oppassen met flikkerende lichten, want defecte tl-buizen ontketenden soms een aanval, maar hier hadden ze inbouwspotjes die een zwak regenwoudachtig schijnsel verspreidden. Ze besefte dat het niet de lampen waren maar dat álles flikkerde. De hoeken van de muren leken opeens ook verkeerd, en de glazen kooi golfde min of meer mee, als water waar wind overheen strijkt. Ze haalde nu diep adem, want ze merkte dat ze vergeten was te ademen.

Ze probeerde die vervormingen te verdrijven door met haar ogen te knipperen, maar ze werden alleen maar erger en er was nu ook een diep gezoem. Op een vreemde manier kwam dat voort uit de woorden die Moie scandeerde. Het gezoem werd dieper en dieper tot het bijna een schraapgeluid was. Ze keek of er iemand in de buurt was die ze kon vragen wat er aan de hand was, maar de lichten waren nu bijna helemaal gedimd en het was of zij, Moie en de kooi de enige dingen waren die op aarde waren overgebleven. De gangen in beide richtingen waren niets dan grijze leegte.

Toen ze weer naar de kooi keek, was Moie erin en zat hij op zijn hurken. De jaguar zat met haar snuit vijftien centimeter bij hem vandaan. Ze zaten daar volkomen roerloos, alsof ze uit de muur van een jungletemple waren gehouwen. Jenny raakte het glas aan, en het was gewoon glas, glad en een beetje warm. Ze tikte er twee keer zachtjes met haar knokkels op om na te gaan of het werkelijk nog massief was. Langzaam draaide Moie zich naar haar om. Ze zag dat zijn ogen niet meer diep en mild bruin waren, maar groengoud, met pupillen als verticale spleten. Ze slaakte een gilletje en toen was het of er een koele luchtstroom door haar heen omhoogtrok, en ze bespeurde een vertrouwde geur, misschien die van as. Tegelijk kwam er een epileptisch aura opzetten.

Toen ze bijkwam, veegde een vrouw van middelbare leeftijd met een vriendelijk, competent gezicht haar mond af. Jenny lag op haar zij op de harde vloer, met iets zachts onder haar hoofd, dat pulserend pijn deed. Gelukkig had er niets in haar mond gezeten en had ze, omdat ze net naar de wc was geweest, ook niet in haar broek gepist. Haar zicht werd helder en ze zag Moie, Kevin, een politieman die in zijn radio praatte, dierentuinpersoneel en bezoekers. Moeders zeiden tegen hun kinderen dat ze niet mochten kijken en keken zelf wel. De vriendelijke vrouw hielp haar overeind en vroeg haar of ze iets nodig had. Jenny zei dat het weer goed met haar ging, en dat zei ze ook tegen de politieman, de bezorgde vertegenwoordiger van de dierentuin en de ziekenbroeders die kwamen aangesneld op het moment dat ze het gebouw verliet. In werkelijkheid ging het helemaal niet goed met haar. Ze had pijn in al haar spieren en wilde slapen en niet meer wakker worden.

In de auto zei Kevin: 'Ik dacht dat je die pillen slikte.'

'Daar ben ik mee gestopt. Ik werd er slaperig en misselijk van.'

'Liever slaperig dan dat je die stuipen krijgt.'

'Aanvallen. Ze noemen het geen stuipen meer. Ik weet het niet. Ik hoopte zeker dat ik genezen was. Soms gaat het weg als je ouder wordt. Sinds wij elkaar kennen, heb ik alleen die ene aanval gehad.'

'Dat is er dan één te veel. Jezus, je werd helemaal grauw. Ik dacht dat je ertussenuit zou piepen. Hoe is het gekomen? Je zei dat je het kreeg van discolampen en zo.'

'Ja, maar het kan ook door andere dingen komen.'

'Wat bijvoorbeeld?'

'Je lacht me vast uit.'

'Nee, echt niet. Vertel nou maar.'

'Moie deed... iets, hij reciteerde iets en alles werd gek en, eh, hij liep door het glas. Hij was bij de jaguar in de kooi.'

'In de kooi? Hoe heeft hij dat nou voor elkaar gekregen? De deuren zitten op slot.'

'Dat weet ik niet, man, hij wás daar gewoon. Het leek wel of hij met de jaguar praatte, en toen ik op het glas tikte, draaide hij zich om en had hij, nou, jaguarogen.'

Kevin lachte. 'O, shit, ben jij even de weg kwijt!'

'Zie je wel dat je me uitlacht. Ik vertel je wat ik heb gezien.'

'Ach, jij hebt helemaal niks gezien. Je kreeg een aanval en toen heb je je dat verbeeld.'

'Dat is niet zo,' zei ze onzeker.

'Natuurlijk wel,' zei Kevin, 'want zulke dingen gebeuren in horror-films, of als je lsd slikt of zoiets. Je hebt het je verbeeld. Hé, vraag het hem! Moie, *mi hermano*, ben je daar in een jaguar veranderd? Nee? Zie je wel, je hebt het je verbeeld.'

Deze woordenwisseling maakte haar nog vermoeider dan ze meestal na zo'n aanval was, en ze sukkelde in slaap. Ze werd wakker toen er ver-andering kwam in de beweging van het busje.

Ze keek uit het raam. Ze reden langzaam door een straat met dure huizen in Spaanse stijl, met lange voortuinen vol weelderige tropische planten. De straatnaamborden waren wit geverfde betonnen zuiltjes op de trottoirs.

'Waarom zijn we in de Gables?' vroeg ze.

'Alleen even kijken. In dat grote huis daar rechts van ons woont Juan Xavier Calderón.'

'Wie is dat? Speelt hij in een band?'

'Nee, sufkop, hij is een van de drie kerels van Consuela Holdings over wie je kleine mannetje hier ons heeft verteld. Vroeger waren het er vier. Ha-ha.'

'Waarom wil je zijn huis zien?'

Kevin negeerde die vraag. 'Het zou niet gek zijn om zo te wonen, hè? Dat is je beloning als je de wereld kapotmaakt. Ik wed dat hij daar een zwembad heeft, en een tennisbaan en zo.'

'Oké, je hebt het gezien,' zei ze nerveus. 'Gaan we nu naar huis? Ik heb erge hoofdpijn.'

'Jij hebt altijd wel wat, weet je dat?' zei Kevin. Hij zette de radio har-der en gooide het busje ruw in de versnelling. Ze reden weg in een wolk van uitlaatgas en heavy metal.

Moie vraagt zich af waarom Aapjongen de auto altijd tegen hem laat schreeuwen als hij rijdt. Hij heeft gemerkt dat als Vuurhaarvrouw rijdt de auto zachter spreekt, met een vrediger gezoem. Misschien is het om hem wakker te houden, want de *aryu't* van Aapjongen is zozeer verschrompeld dat hij amper nog menselijk is. Vuurhaarvrouw probeert hem menselijk te maken, maar weet niet hoe dat moet. Als Moie haar taal kon spreken, zou hij haar daarover raad kunnen geven. En hij heeft ook poeders die kunnen helpen. De *aryu't* van de vrouw is rijk en dik, maar niet opgekweekt, als een yamplant in een vroegere tuin. Hoewel hij hun taal niet spreekt, heeft Moie de scherpe oren van een jager, en hij heeft de naam Calderón gehoord, die hij kent. Hij zal dit huis terug kunnen vinden, en de man die erin woont.

Als het redelijk weer was, zoals nu, ging professor Cooksey na het eten altijd een eindje wandelen. In de tropische avonden dwaalde hij door de straatjes achter de Ingraham Highway, of langs de Coral Gables Waterway. Hij snoof de milde bloesemlucht op, en de doffe geur van dat brede kanaal, en vroeg zich af of dit de avond was waarop hij zich erin zou storten om te sterven. Niet zozeer een restant van religieuze overtuiging als wel een fatsoensgevoel weerhield hem er altijd op het laatste moment van, al had hij menige avond langdurig langs de punt van zijn sandalen in het gladde zwarte water gekeken. Hij geloofde niet dat hij aan depressies leed – een woord waaraan hij toch al een grote hekel had, zoals hij in het algemeen een hekel had aan de neiging van de Amerikanen om zich in zichzelf te verdiepen – want hij deed zijn werk, hij was alert, hij probeerde aardig te zijn, hij interesseerde zich voor de natuur om hem heen. Hij zag de gevoelens die hij had als droefheid, of melancholie, en er was een reden voor.

Ondanks de suïcidale gedachten zag hij op die avondwandelingen bijna altijd iets bijzonders uit de dierenwereld: een kleine stoet van wasberen, een kwak die aan het vissen was bij de kanaaloever, een buidelrat in een boom, een op een tak neergestreken ara, een reusachtige panterpad, en vaak hoorde hij het lied van een spotvogel ergens boven hem. Op zulke momenten riep hij soms naar zijn vrouw, wilde hij dat ze in zijn vreugde deelde, om vervolgens te beseffen dat ze er niet meer was. Soms herinnerde hij zich dat niet vlug genoeg en hoorde hij haar stem in zijn oor. Op die avonden ging hij vlug naar huis en zocht hij vergetelheid in de whisky.

Niets van dat alles deed zich voor op deze avond, waarvan het enige bijzondere een groene aap was die hij hoog in een palm zag zitten; die zou wel ontsnapt zijn uit een dierentuin of particuliere verzameling. Toen hij zijn kamer binnenging, was hij dan ook in een beter humeur dan gewoonlijk. Hij was ook helemaal niet verrast toen hij Moie daar gehurkt in een hoek zag zitten, waar hij de schedel van precies zo'n aap bekeek.

'Opmerkelijk,' zei Cooksey in het Quechua. 'Daarnet zag ik zo'n aap op straat.'

'Eén maar?'

'Ja.'

'Een eenzaam ding dus.'

'Ja. Hij moet uit zijn kooi zijn ontsnapt. Of uit een grote dierentuin vol apen die vroeger hier in de buurt was; een orkaan heeft daar een verwoesting aangericht en toen zijn er veel apen ontsnapt. Je komt ze overal in de stad tegen.'

Moie legde de schedel voorzichtig terug in het kistje waaruit hij hem had gepakt.

'Ik ben vandaag in zo'n plaats geweest.'

'Dat heb ik gehoord. En hoe vond je het?'

'Ik vond het niet prettig. Het was een dode plaats, al leken de dieren te leven. Ze bewogen, aten en dronken, maar ze waren er niet helemaal… Het is moeilijk te zeggen wat ik bedoel, zelfs in het Quechua. Het is een "kosmologisch" probleem. Zo noemde pater Perrin het altijd.'

Hij had het Engelse woord gebruikt en Cooksey glimlachte. 'Ja, "kosmologische" problemen zijn het ergst.'

'Ja. Ze hadden daar een jaguar in een glazen doos. Ik heb met haar gesproken. Ze was in een doos geboren en had nooit gedood, en ze wist niet eens wie ze was. Ze was net een kind dat op zijn hoofd is gevallen en daarna niet meer kan praten of zien. Het was erg droevig. Toen voelde ik dat Jaguar in mij in beroering kwam, en hij liet me… Het woord in Runisi is *jana'tsit*. Ken je dat woord?'

'Nee.'

'Nee, ik heb gezien dat jullie dat niet doen. Het is een manier om naar een andere plaats te gaan zonder het pad te volgen dat er door deze wereld heen leidt. Op die manier werd ik naar dat dier geleid en ik sprak tegen haar en vertelde haar wie ze was. Maar toen ik tegen haar sprak, klom er een heilige persoon in de Vuurhaarvrouw, en ze viel neer en schudde en er stroomden witte wateren uit haar mond.'

'Je bedoelt Jenny?'

'Ja, Jenny. Ik wist niet dat *wai'ichuranan* op die manieren heiligen in zich konden dragen, maar ik wist wel dat er iets aan haar was wat niet dood was, en dat blijkt hieruit.'

Cooksey dacht even na. 'Hier bij ons noemen we dat een ziekte.'

'Natuurlijk, maar jullie denken ook dat jullie levend zijn, dus dat zegt niets. Maar ze wist niet hoe ze de heilige moest ontvangen, en dus moest ze lijden. Tenminste, zo leek het. Wist je dat er een plan is om mijn geest te stelen en bij de andere geesten en alle demonen in de geestendoos te doen?'

Cooksey onderdrukte een glimlach. 'Ja, maar dat is ook een kosmologisch probleem. Ik zal het uitleggen. Je wilt voorkomen dat die onderneming je bos omkapt, en onder de *wai'ichuranan*, die met zeer velen zijn en in veel dorpen en steden ver van Miami wonen, gaat het op deze manier. Wij hebben een machine die als een spiegel is, maar terwijl een spiegel je beeltenis alleen vasthoudt als je ervoor staat, bewaart deze machine je spiegelbeeld en kan hij het door de lucht naar alle geestendozen sturen, die we televisies noemen. En hij houdt ook de dingen vast die je zegt en stuurt ze met je eigen stem naar alle *wai'ichuranan*. Je verschijnt dus op de televisie van alle mensen, en die mensen, of tenminste sommige mensen, zullen zich kwaad maken over wat er gebeurt, en misschien zal dat die onderneming laten ophouden met wat ze doet. Het heeft niets met je geest te maken. De televisie is helemaal geen geestendoos, alleen maar een machine, zoals deze lamp op mijn bureau. Er zijn geen heksen bij betrokken. Wat jij demonen noemt, zijn afbeeldingen die door machines zijn gemaakt. De mensen die je achter het glas ziet, zijn echte mensen op verre plaatsen, geen gestolen geesten.'

'Ik heb gehoord wat je zegt, maar het kost me moeite het te geloven.'

'Waarom is dat moeilijk?'

'Omdat de gezichten van de mensen in de geestendoos, de "televisie", anders zijn dan de gezichten van echte mensen, zelfs anders dan de gezichten van veel *wai'ichuranan*. Ze hebben geen… Ik moet mijn eigen taal gebruiken. Geen *aryu't*. Een echte geest die in je zit. Jij hebt het en Jenny heeft het, en Haargezichtman ook, en zelfs de anderen een beetje, maar niet die achter het glas. Wij zeggen dat als een geest door tovenarij uit een mens wordt losgescheurd hij gescheiden raakt van de wereld en dat hij daarom altijd honger heeft. Hij wil zich opvullen en de geest uit levende dingen zuigen. Hij denkt alleen aan zichzelf, hoe hij groter kan worden, totdat hij de hele wereld opvult. En als we zo'n geest in het woud zien, weten we dat het er een is, en geen echte persoon, want de honger is op zijn gezicht te zien. Ze kunnen die honger niet verborgen houden, al kunnen ze geruststellend praten. We laten ons niet vaak misleiden. En ik zie dezelfde soorten gezichten op de mensen achter het glas van de "televisie", en daarom zeg ik dat het allemaal dode geesten zijn, ongeacht wat je over machines zegt. Vertel me: heb je dat verschil zelf niet opgemerkt?'

'Ja,' gaf Cooksey toe. 'Maar bij ons is het een soort masker. Zetten jullie geen masker op en beschilderen jullie je gezicht niet als jullie tegen jullie goden praten?'

'Ja zeker, dat doen we. Maar nu zeg je dat de televisiedode mensen goden aanbidden, terwijl je eerst zei dat ze tegen mensen ver weg praten, zoals een hert muskus op een boom smeert om een boodschap voor andere herten achter te laten. Welke goden worden op die manier aanbeden?'

'Rijkdom en roem,' zei Cooksey. 'Onze belangrijkste goden, en soms ook de god van de geslachtsgemeenschap.'

'Natuurlijk; jullie zijn dood en dus aanbidden jullie de goden van de dood. Dat begrijp ik. Toch kan ik niet in de geestendoos gaan. Het zou de dood voor mij betekenen, en dan zou ik niet Moie zijn en zou ik er genoegen mee moeten nemen in een dierentuin te leven, zoals dat arme dier dat ik vandaag heb gezien. Ik zal een andere manier moeten vinden om die onderneming te laten stoppen, of misschien moet ik wachten tot Jaguar een andere manier vindt.'

'Wat zou dat zijn?'

'Hoe moet ik dat weten? Ben ik Jaguar? In elk geval mag ik het aan niemand vertellen. Jaguar wil niet dat iedereen weet wat hij doet.'

'Ik dacht dat je ons als je bondgenoten beschouwde.'

'Ja, dat is zo. Ik denk dat jullie willen helpen, maar vaak zijn magische bondgenoten dom, vooral wanneer het mensen zijn, en al helemaal wanneer het dode mensen zijn. Ik zal moeten... Er is in deze taal geen woord voor. Wij zeggen *iwai'chinix*: hen op een ander manier laten leven voordat ze kunnen helpen, en ik weet niet eens zeker of ik dat wel kan, want ik ben hier erg zwak. Maar nu denk ik dat ik hier weg moet gaan.'

'Ja, ik kan begrijpen dat je dat wilt. Maar waar ga je heen? En hoe wil je daar leven?'

'Ik zal een grote boom vinden om in te leven. Ik heb gemerkt dat de *wai'ichuranan* over de paden lopen zonder ooit op te kijken, dus niemand zal me storen in mijn boom. Wat leven betreft: er is overal water, en Jaguar zal me eten geven. Wat heb ik nog meer nodig? Nu, als je me wilt helpen, moet je me naar een grote boom brengen.'

'Ik denk dat ik precies de boom weet die je nodig hebt,' zei Cooksey.

Ze praatten nog enkele minuten. Cooksey gaf antwoord op vragen van Moie en stelde er zelf ook een paar. Toen liepen ze beiden de duisternis in.

7

Zodra hij het geluid hoorde, kwam Yoiyo Calderón in het donker overeind. Hij greep in een bureaula naar zijn pistool en schopte tegelijk de lichte deken weg die zijn voeten in de weg zat. Hij lag niet in bed; hij had al enkele nachten niet in zijn bed gelegen, niet sinds de dromen waren begonnen. Hij sliep op het zachte, weelderige leer van de bank in zijn studeerkamer. Tegenwoordig bracht hij zijn nachten hier door omdat hij de slaap van zijn vrouw niet wilde verstoren; niet dat hij zich ooit erg druk maakte om haar nachtrust of enig ander aspect van haar leven, maar ze stelde vragen en roddelde en had een grote kennissenkring. Hij wilde niet dat in de Cubaanse gemeenschap bekend werd dat J.X.F. Calderón ze niet meer op een rijtje had, *loco* werd, spoken zag.

De geluiden kwamen van de voorkant van het huis, dacht hij. Gebonk en gekras, alsof er hout werd verscheurd, en een diep, kuchend gegrom. Hij keek even naar de telefoon. De politie bellen? Nee, niet hier in huis. Ze zouden rondkijken, vragen stellen, zich met zijn zaken bemoeien. In plaats daarvan schoot hij een dunne ochtendjas aan en liep hij met het pistool in zijn hand de kamer uit en de trap af, het donker in. In de hal bleef hij staan en luisterde opnieuw. Het was nu koel. De airconditioning was om deze tijd van het jaar niet aan en de enige geluiden waren het zachte klikken van automatische apparaten in het huis, een auto in de verte, het altijd aanwezige ruisen en ratelen van tropisch gebladerte in de bries. Hij keek naar het beveiligingspaneel. De groene lichtjes zeiden allemaal dat het huis afgesloten was, veilig, maar hij had zelf een heel ander gevoel, en met een zachte vloek zette hij het ding uit en haalde hij de voordeur van het slot.

Daar was zijn pad, zijn gazon, de vredige straat in Coral Gables. Hij ging een stap naar buiten en wees met het pistool naar voren. Er lag een zwarte hoop op het pad, en toen hij bukte om het te bekijken, vloekte hij opnieuw, ditmaal hardop. Het was een hoopje poep en het kwam hem vaag bekend voor. Calderón was niet bepaald een expert op het gebied van kattenpoep, want hij kwam uit een maatschappelijke klasse die anderen in dienst nam om kattenbakken te legen, maar zijn dochter had altijd katten gehad en hij had wel eens de gevolgen van een ongelukje gezien. Dit was van een kat, en als hij op het volume mocht afgaan, was het uit een beest gekomen dat zo groot was als een mens.

Toen hij een geluid achter zich hoorde, draaide hij zich bliksemsnel om, het pistool naar voren, de vinger aan de trekker. Hij zag twee dingen tegelijk. Hij zag zijn voordeur, waarvan het eikenhouten oppervlak met lange halen aan flarden was gekrabd. En hij zag zijn dochter Victoria in een roze zijden pyjama in de deuropening staan, haar mond wijd open van schrik. Calderón stopte het pistool in de zak van zijn ochtendjas. 'Wat is er?' vroeg ze.

'Niets. Ga terug naar bed.' Hij liep naar de deuropening.

'Het is niet niets. Ik hoorde geluiden. Daarom ben ik opgestaan. En je richtte een pistool.'

'Nou, blijkbaar wás het niets, anders zou ik hier niet met jou staan praten,' zei Calderón met stemverheffing. Hij keek naar de zachte aarde van de bloembedden aan weerskanten van het pad. Met zijn slipper veegde hij de sporen van een gigantische kat uit, of tenminste de sporen die hij vanaf het pad kon bereiken.

'Wat doe je?' vroeg Victoria.

'Niets! Hoe vaak moet ik dat nog zeggen? Ga nu naar je bed, anders komt je moeder naar beneden en daar heb ik echt geen behoefte aan.'

Hij maakte een wegjagende beweging met zijn hand, en na enkele seconden draaide ze zich om en liep weg. Hij ging achter haar aan het huis in, en toen hij het beveiligingssysteem aanzette, kwam er een ontevreden uitdrukking op zijn gezicht, zoals vaak wanneer hij aan zijn dochter dacht. Calderón was ontevreden over zijn kinderen. Juan junior, de oudste, of Jonni, zoals hij zich noemde, was in New York, waar hij acteur of zanger probeerde te worden en op kosten van zijn vader alvast het leven van een ster leidde. Dit meisje was meteen na haar studie getrouwd – de bruiloft had bijna honderdduizend dollar gekost – met die jongen van Pinero, die uit een van de rijkste Cubaanse families in Miami kwam. En die aan de drank was, zoals bleek, en merkwaardige voorkeuren had (al werd daar in de familie Calderón nooit over gepraat) en drie maanden na de bruiloft met zijn Mercedes in Alligator Alley van de weg was geraakt en in een kanaal was verdronken. Victoria kwam naar huis terug, waar ze waarschijnlijk voorgoed zou blijven. Helaas was ze geen schoonheid, maar ze was tenminste niet als die meisjes die hij in de stad zag, Cubaanse meisjes, vaak ook van goede familie, bij wie hun lichaam uit hun kleren puilden en die god mocht weten wat voor waanzin uithaalden. Hij deed één concessie aan de moderne tijd: hij vond goed dat ze werkte, natuurlijk onder zijn ogen, en wat dat betrof was tenminste gebleken dat ze de dochter van haar vader was. Hij had haar op de divisie projectontwikkeling van JXF gezet, en daar had ze er blijk van gegeven een uitstekend oog voor onroerend goed te hebben. Het Consuela Coast-project was zelfs haar idee geweest. Hij was blij dat ze zo bekwaam was, maar het was een voortdurende bron van ergernis dat hij het meisje en niet de jongen in de zaak had.

Calderón ging naar de studeerkamer terug, waar hij onrustig sliep bij een flauwe film op het gigantische televisiescherm, totdat het daglicht door de ramen stroomde. Toen hij het huispersoneel hoorde lopen, belde hij naar beneden en beval hij het dienstmeisje Carmel om de rommel op het voorpad op te ruimen, waarna hij de directeur van zijn bouwbedrijf belde en tegen hem zei dat een stel kinderen zijn voordeur had vernield en dat hij hem onmiddellijk vervangen wilde hebben. Toen hij enkele uren later naar buiten liep, waren er al timmerlieden aan het werk. Op de vraag wat ze met de oude deur moesten doen, antwoordde Calderón: 'Verbrand hem.'

Maar de deur, en de betekenis van de vernieling, kon hij niet zo gemakkelijk uit zijn hoofd zetten. De hele ochtend betrapte hij zichzelf erop dat zijn gedachten waren afgedwaald van de besprekingen die hij hield. Dan merkte hij opeens dat iedereen onnatuurlijk stil was geworden omdat hij in gepeins verzonken was. Hij zag de zorgelijke en veel te geïnteresseerde blikken van iedereen rond de tafel en moest iets verzinnen om zijn gedrag te verklaren. Dat was onaanvaardbaar, want zijn imperium werd overeind gehouden door een omgekeerde piramide van transacties, elk groter dan de vorige, elk gesteund door wat eraan was voorafgegaan. Als in bepaalde kringen het gerucht de ronde deed dat Yoiyo Calderón ze niet meer allemaal op een rijtje had, en als zijn Consuela Resort-project in het slop raakte... Hij moest er niet aan denken. Dat zou niet gebeuren. Hij zou...

Wat? Zoals veel mannen van zijn generatie, beroep en cultuur had hij geen echte vrienden. In plaats daarvan had hij connecties en relaties, en hij zou de gebeurtenissen van de afgelopen nacht beslist niet met Garza en Ibanez bespreken. Hij had beloofd alle eventuele problemen met de Puxto-houtkap zelf af te handelen, en meer hoefden ze niet te weten. Zijn vrouw was alleen maar versiering, zijn vader was seniel, zijn zoon nutteloos, hij had geen broers en hij had geen enkel personeelslid met wie hij die dingen kon bespreken.

Na de lunch had hij een gesprek over Consuela Coast met zijn verkoopdirecteur Gary Rivas, zijn financieel directeur Oscar Clemente en enkele ondergeschikten van hen. En zijn dochter. Het gesprek ging over cashflow, zoals bijna al zijn besprekingen van de laatste tijd. Zoals alle grote projecten kreeg de Coast, zoals de firma het noemde, zijn eerste financiering van banken, met het vastgoed zelf als onderpand. Dat geld ging naar de voorlopige planning en het verkrijgen van vergunningen, en vervolgens naar de eerste units en voorzieningen, in dit geval een country/jachtclub, een golfbaan en een jachthaven. Het geld dat door de verkoop van de eerste units binnenkwam, zou worden gebruikt om de betalingen op de leningen te doen en het mogelijk te maken de volgende tranche te bouwen. Winst zouden ze pas maken als zeventig procent van de huizen en appartementen was verkocht; tot dan toe draaide de onderneming op lucht. Zo ging dat altijd, en het was niets voor zwakkelingen. Daarom hield Calderón ervan.

Ze zaten een tijdje over van alles te praten, en toen deelden Rivas en Clemente spreadsheets uit en begonnen ze aan hun presentatie. Rivas had het slechte nieuws, al noemde hij het niet zo. Hij was ongeveer zo oud als Victoria, met donker haar en grote gebaren, zijn mond vol kronen, zijn kleding bijna onnatuurlijk perfect, alsof hij uit plastic was gegoten zoals de Ken van Barbie. Uit zijn presentatie bleek dat de jaren negentig voorbij waren en mensen niet meer in de rij stonden om voor meer dan een miljoen dollar een appartement aan de westkust van Florida te kopen. Hij dacht aan Europeanen en Aziaten als doelgroep, ook omdat de dollar zo sterk in waarde was gedaald, maar het zou kantje boord zijn. Victoria keek naar de prognoses en had er een heel hard hoofd in, zelfs wanneer de Coast het meest modieuze object voor elke plutocraat van Lissabon tot Shanghai zou worden, maar ze zweeg. Haar vader betwistte de cijfers ook niet, en ze gaven het woord aan Clemente.

Oom Oscar, zoals hij onder de Calderóns werd genoemd, had een sproetig kaal hoofd waarop slierten donker geverfd haar geleidelijk de aftocht bliezen. Zijn heldere zwarte ogen werden in verontrustende mate vergroot door zijn grote, dikke brillenglazen, die in een zwart montuur waren gevat. Hij sprak Engels met een zwaar accent, gelardeerd met Cubaanse frasen. Clemente was een klassiek boekhouderstype, iemand die ze van de vorige generatie Calderóns hadden geërfd. Hij had zijn sporen verdiend door de miljoenen van Victoria's grootvader uit Cuba weg te smokkelen voordat Satan het in Havana voor het zeggen kreeg. Volgens hem hield de piramide van elkaar ondersteunende leningen wel stand en zou de onderneming het tot ruim in het volgende jaar kunnen uitzingen, mits zich een hele waslijst van gunstige ontwikkelingen voordeed: lage rente, beschikbaar en volgzaam personeel, alle aannemers ijverig en op tijd, banken die bereid waren tot de gebruikelijke prolongaties, en…

Victoria's blik ging naar een stuk of wat punten die met sterretjes waren aangegeven en die er blijkbaar voor zorgden dat de spreadsheet een wonder van financiële soliditeit werd. Ze telde de bedragen in gedachten bij elkaar op en zei: 'Wacht eens even, waar komt die vijfenhalf miljoen vandaan? Investeringsinkomsten?'

Ze staarden haar allemaal aan en ze voelde dat ze een kleur kreeg. 'Ik bedoel… Dat bedrag komt niet op de nieuwste financiële gegevens voor, en als je het weglaat, ziet het er niet naar uit dat we onze betalingen op de hoofdlening van First Florida kunnen doen. Heeft de bank dit als deel van ons onderpand?'

Oscar keek Calderón aan, en Victoria besefte nu dat de financieel directeur ook niet wist waar dat geld vandaan kwam. Calderón zei: 'Dat is geld van Consuela Holdings. Het is er. Laten we verdergaan.'

'Consuela? Er is geen cashflow vanuit Consuela. Dat is een speculatieve externe investering. Waarom zetten we het als actiefpost tegenover het bedrag dat we willen lenen?'

Calderón grinnikte. 'Mijn kleine meisje is nu een financieel genie. Een jaar geleden wist ze nog niet het verschil tussen een actiefpost en een kinderwagen en nu runt ze de zaak voor me. Kinderen, hè?' Iedereen aan de tafel lachte daar hartelijk om, en nu keek Calderón haar met zijn speciale machoblik aan tot ze haar ogen neersloeg. Hij zei: 'Als ik je advies wil, vraag ik daar wel om, begrepen? Nu, Oscar, laten we dit afmaken.'

Calderón zag zijn dochter verschrompelen tot onderdanigheid. Die reactie gaf hem het gevoel dat hij de situatie weer enigszins beheerste. Na de bespreking zei hij tegen zijn secretaresse dat ze niemand moest doorverbinden en trok hij zich terug in zijn kantoor. Hij ging aan zijn bureau zitten, kneep in een rood balletje waarvan ze zeiden dat het de spanning verdreef en dacht aan het echte probleem, het probleem dat in nauw verband stond met de vijfenhalf miljoen dollar waar het domme meisje het over had. Het was duidelijk dat Fuentes door iemand was vermoord, en diezelfde persoon had nu ook hem bedreigd met het vandalisme van de afgelopen nacht. Fuentes was verscheurd door wat vermoedelijk een grote katachtige was geweest, een doorzichtige truc, en nu hadden ze gedaan alsof er zo'n grote kat bij zijn huis was geweest. Ze wilden hen zo bang maken dat ze uit de Puxto vandaan bleven, dat was wel duidelijk, en daarom was het absoluut noodzakelijk dat ze de mensen vonden die hierachter zaten en dat ze hen tegenhielden of afschrikten. Hij had al vaker met intimidatie gewerkt, soms ook met fysieke intimidatie, en hij wist dat het moeilijk was om je terug te trekken als je er eenmaal mee begonnen was. Hij draaide een nummer in Colombia, niet het nummer dat hij een paar dagen eerder had gebruikt, maar een speciaal mobiel nummer dat alleen voor noodgevallen bestemd was.

'Ja?' zei de kalme stem.

'Hurtado?'

'Ja.'

'Calderón. Zeg, die dingen waar we het laatst over hadden? Ik denk dat je er iets aan moet doen.'

'Ik luister.'

'Er is afgelopen nacht iets bij mijn huis gebeurd. Ik denk dat het in verband staat met de dood van Fuentes.'

'Heeft iemand contact met je opgenomen?'

'Nee, het was alleen wat vandalisme, een waarschuwing. De sporen van een grote katachtige, zoals ook bij het lijk van Fuentes.'

Een sissende stilte, en toen: 'En wat verwacht je dat ik daaraan doe, Yoiyo?'

Calderón haalde diep adem. 'Nou, ze hebben dus een van ons vermoord en mij bedreigd. Dit is niet het werk van een kleine milieu-*cabrón*. Dit moet van jouw kant komen, al zei je van niet.'

'O ja? En die man en zijn indiaan op het kantoor van Fuentes dan?'

'Die hebben er niets mee te maken. Die milieugekken bouwen boomhutten, slaan spijkers in bomen, leggen in het ergste geval misschien een bom, dat alles om maar in de publiciteit te komen en hun zaak te kunnen bepleiten. Dit is iets anders. Neem me niet kwalijk dat ik het zeg, maar dit voelt Colombiaans aan.'

'Het vóélt Colombiaans aan?'

'Ja!' Calderón verhief zijn stem. 'Ze hebben Antonio aan stúkken gescheurd, verdomme! Ze hebben het hart uit zijn lijf getrokken, zijn lever... Amerikanen doen zoiets niet.'

'Nee, dat is waar. Maar maak je niet druk, mijn vriend. Er kan vast wel iets worden geregeld. We moeten uitzoeken wie erachter zitten en hen daarmee laten ophouden. Dat is het belangrijkste, nietwaar?'

'Natuurlijk. Dus jij regelt dit op een of andere manier?'

'Ja. Mijn mensen zullen contact met je opnemen. En Yoyo? Je laat me dit discreet afhandelen, ja? Geen publiciteit, geen drukte en geen contact met de autoriteiten. Begrijpen we elkaar?'

'Ja, natuurlijk.'

'Goed. Doe de groeten aan je gezin.'

De verbinding werd verbroken. Calderón veegde met zijn zakdoek over zijn gezicht. Pas na enkele minuten had hij genoeg vertrouwen in zijn benen om naar de kleine bar in zijn kantoor te lopen.

Victoria Calderón ging naar haar veel kleinere kantoor terug, waar geen bar was. Haar lichaam was vochtig van het klamme angstzweet. Ze plukte aan haar kleren en wilde dat ze een douche kon nemen. Ze ging aan haar bureau zitten en probeerde te werken. De woorden en cijfers dansten verkeerd over de bladzijde en haar lippen vormden een ongebruikelijke vloek, en nog een, en toen gaf ze lucht aan haar aanzienlijke arsenaal van Spaanse krachttermen, dat ze vooral in de tijd van haar kortstondige huwelijk had opgedaan. Natuurlijk deed ze dat niet zo luid dat ze door de dunne wanden van haar kantoor te horen was. Ja, het was nog steeds waar; met een woord en een sneer kon hij haar in een hersenloos ornament veranderen.

Nu drukte ze bijna zonder na te denken op de toetsen van haar telefoon, en even later luisterde ze naar de warme, grappige stem van haar favoriete persoon op de wereld, de gekke zus van haar moeder, Eugenia Arrias, die altijd meteen merkte dat je iets op je hart had en nu dan ook de inleidende beleefdheden afkapte met: 'Wat heeft hij je nu weer aangedaan?'

Nadat ze enige tijd naar haar nichtje had geluisterd, zei ze: 'Kom naar Eskibel, dan trakteer ik je op een drankje. Drie drankjes. En dan gaan we naar het fronton en winnen we smakken geld, en misschien versieren we dan ook nog allebei een *pelotero*.'

Victoria giechelde. 'O, god, dat zou ik moeten doen! Hij zou uit zijn vel springen.'

'Het zou zijn verdiende loon zijn, de schoft. O, kom! Je kunt hier in een half uur zijn. We gaan vlug iets eten en dan zitten we om zeven uur op onze plaats. Ja?'

Victoria dacht er werkelijk even over na. Tante Eugenia, de jongste van de twee zussen, was een vrolijke, vlezige vrouw, in karakter en temperament zo verschillend van haar zus als maar mogelijk was. Ze was ongetrouwd, rotzooide met laaghartige, mooie, waardeloze mannen, dronk overdadig, had een antieke Jaguar met chauffeur en verdiende tot grote ontzetting van de familie uitstekend de kost als professionele jai alai-gokker. Op de grotere familiebijeenkomsten werd ze getolereerd, maar Yoiyo Calderón keurde haar levenswijze af en wilde dan ook niet dat zijn dochter met haar omging.

'Ik weet het niet...' antwoordde Victoria. 'Ik zou tegen hem moeten liegen, en tegen mijn moeder, en hij komt erachter en dan mag ik wekenlang niet naar buiten...'

'Wat, geeft hij je huisarrest? Vicki, ik heb nieuws voor je: je bent volwassen. Je bent achtentwintig. Wat geeft het als hij je eruit schopt? Je komt gewoon bij mij wonen en ik leer je op jai alai te gokken. Je bent goed met cijfers; je zou een natuurtalent zijn.'

Victoria schoot onwillekeurig in de lach. Het voorstel was zo absurd, helemaal niets voor haar. Ze veranderde van onderwerp en ze praatten een tijdje over familie en Eugenia's louche leven, en toen het gesprek voorbij was, voelde Victoria zich weer zichzelf. En dat was? Dat wist ze niet precies, maar toen ze zich weer over de cijfers boog, besloot ze niet uit haar leven weg te vluchten, zoals Eugenia had gedaan. Ze wilde niet vluchten, maar overwinnen. Ze was dus toch nog de dochter van haar vader.

Onder aan de boom was door de South Florida Horticultural Society een plaquette aangebracht. Volgens die plaquette was het de grootste boom van Florida en was het een FICUS MACROPHYLLA, een vijgenboom. Hij was rond 1890 door een dominee geplant om schaduw te geven aan zijn kerk. De boom gaf nog steeds schaduw aan het grote bakstenen gebouw met het spitse dak dat de oorspronkelijke kerk met metalen dak had vervangen, en laat in de middag ook aan het lage, moderne gebouw waarin de Providence Day School was gehuisvest. De boom besloeg een terrein zo groot als een binnenveld bij het professionele honkbal. Het was een immense bal van donkergroene, langgerekte, glanzende bladeren die aan tientallen stammen en zijstammen hingen, glad en grijs als olifanten, en in het spookachtige, bewolkte licht van die middag leek het of die hele bladermassa zich als een kudde olifanten met eindeloze traagheid over het grasveld eromheen verplaatste. Onder een van de dikke takken stond een houten bankje, precies tussen twee levende steunpilaren in. Daarop zat juf Milliken, de onderwijzeres van de eerste klas. Ze las haar klas voor uit *Tik-Tok van Oz*, een bijzondere traktatie aan het eind van de schooldag. De ouders wisten dat ze op paradijselijke middagen als deze hun kinderen daar bij die boom moesten afhalen, en er stond nu een kleine kring van volwassenen, bijna allemaal goed geklede matrones en jonge kindermeisjes, om de groep zittende kinderen heen mee te luisteren. De enige toehoorder die geen matrone of kindermeisje was, was Jimmy Paz.

Toen het boek gesloten werd, sprongen de kinderen overeind en begonnen ze druk te praten. De ouders kwamen naar hen toe. Sommigen pakten hun kind vast en voerden het vastbesloten mee, op weg naar strak georganiseerde activiteiten die goed waren voor de toekomst van het kind. De leerlingen van de Providence Day kwamen uit een maatschappelijke laag die er niet van hield ook maar één minuut te verspillen. Deze mensen geloofden dat het nooit te vroeg was om offers te brengen aan de goden van het succes. Jimmy Paz was niet een van diegenen, net als sommige anderen, die met hun kleding en auto's lieten zien dat ze de afstammelingen waren van de vroegere bewoners van Coconut Grove – de relaxte, artistieke mensen – al waren ze rijk genoeg om het forse schoolgeld van de Providence te betalen. Deze mensen kwamen bij juf Milliken staan om een babbeltje te maken, even over hun kinderen te praten, elkaars gezelschap te zoeken in de welkome schaduw van de grote boom.

De minder joviale Paz, geen ex-hippie, geen kunstenaar, liep achter zijn dochter aan naar het groene middelpunt van de vijgenboom. Daar gaf ze hem een demonstratie boomklimmen en moest hij toegeven dat hij niet aan zijn knieën ondersteboven aan een lage tak kon zwaaien. Daarentegen kon hij haar nog steeds kietelen, en dus verloor ze giechelend haar greep op de boom en viel ze in zijn armen.

'Papa, weet je dat er een monster in deze boom zit?'

'Dat wist ik niet. Is het eng?'

Ze dacht daar even over na. 'Een beetje eng. Niet erg eng, niet *arrrrrgh!*' Met gebaren en een dreigend gezicht liet ze zien hoe eng dat zou zijn. 'Hij praat tegen mij,' voegde ze eraan toe. 'In het Spaans.'

'O, ja? Waarover dan?'

'O, van alles. Hij komt uit een echte jungle en hij kan met dieren praten. Ik heb hem aan Britney Riley laten zien, maar die zag hem niet. Ze zei dat ik stom was. Nu haat ik haar.'

'Ik dacht dat ze je beste vriendin was.'

'Nee. Ze is achterlijk. Mijn nieuwe beste vriendin is Adriana Steinfels. Mag ze bij ons thuis komen?'

'Vandaag niet, schatje. Kun je mij het monster laten zien?'

'Oké.' Ze pakte zijn handen vast en leidde hem dieper het labyrint van steunwortels in. Het was daar vochtig en koel, met de rottende kruidenlucht van de pulp van bladeren en vruchten op de grond. Ze kwamen bij een grijsgroene zuil, zo dik als een vuilniswagen; de hoofdstam van de grootste boom van de staat. Amelia wees naar boven. 'Hij woont daarboven,' zei ze, en ze luisterde even en haalde toen haar schouders op. 'Ik denk dat hij er nu niet is. Waar is *abuela*?'

'Er is iets tussengekomen. Ze moest naar haar *ilé*.'

'Kunnen wij daar ook heen gaan?'

'Dat kan,' zei Paz, en daarmee verraste hij zichzelf enigszins. Het zou hem op ruzie met zijn vrouw komen te staan. Wilde hij dat? Misschien was het tijd om het uit te praten. Of Paz nu in *santería* geloofde of niet, al die dingen hoorden wel bij het erfgoed van het kind, om van zijn eigen erfgoed nog maar te zwijgen, en het absolute verbod was plotseling ondraaglijk geworden. Amelia was geen Britney, geen Adriana, geen blanke... Het woord *gusano*, made, schoot hem even te binnen, maar hij zette het uit zijn hoofd. Het kind had nu eenmaal verschillende achtergronden en met haar zeven jaar was ze niet te jong om te horen waar ze vandaan kwam. Oké, dan zouden ze het uitpraten. Hij hield zielsveel van zijn vrouw, van een groot deel van haar, maar haar materialistische zelfgenoegzaamheid stond hem niet aan en hij had geen zin meer om dat onderwerp uit de weg te gaan. Dat zei hij tegen zichzelf, en hij liet alvast wat argumenten door zijn hoofd gaan, zoals echtgenoten vaak doen. Intussen verliet hij het binnenste van de vijgenboom en kwam hij in de open lucht, met in zijn hand het warme handje van zijn dochter. Maar dat monster in de boom... Dat was ook geen goed teken. Amelia had een aantal denkbeeldige speelgenootjes afgewerkt, en dokter mama had uitgelegd dat zoiets volkomen natuurlijk was voor een kind van de juiste leeftijd. Was dit de juiste leeftijd? Bijna zeven? Paz had gedacht dat echte vriendinnen die sociale impuls inmiddels zouden overnemen, en het kon niet goed zijn om een echte vriendin aan de kant te zetten omdat er een denkbeeldig vriendje was opgedoken. En nu ging hij met het kind ergens heen waar bijna alle volwassenen een denkbeeldige vriend hadden die op onvoorspelbare wijze uit de geestenwereld opdook en zich helemaal meester van hen maakte; zou dat onder deze omstandigheden therapeutisch voor haar zijn? Hij wist wat haar moeder daarvan zou vinden. Paz zei tegen dat denkbeeld dat het weg moest gaan, en dat deed het, al verzekerde het dat het héél gauw terug zou komen.

De *ilé*, de *santería*-bijeenkomst, werd gehouden in het bescheiden huis van Pedro Ortiz in het grotendeels door Cubanen bewoonde stadsdeel ten zuidwesten van het oorspronkelijke Little Havana aan SW

Eighth Street, dat dan ook de Spaanse naam Souesera had gekregen. Paz moest de Volvo op twee straten afstand parkeren, zo veel auto's stonden er – voor het merendeel van eerbiedwaardige ouderdom en ook een aantal aftandse pick-ups – in de straten, en ook in de kleine vroegere voortuinen die in parkeerterreinen van groen geverfd asfalt waren veranderd. Het was de feestdag van de heilige Franciscus van Assisi, een belangrijke dag in *santería*, want toen de Afrikaanse slaven voor het eerst beelden van die heiligen zagen, hadden ze de kralen van zijn rozenkrans samengevoegd met de palmnootkettingen uit de Yoruba-waarzeggerij. Op die manier hadden ze de Italiaanse heilige in verband gebracht met Ifa-Orunmila, de *orisha* of geest van de profetie. Wanneer op die dag je toekomst werd voorspeld, werd daar bijzondere betekenis aan gehecht. Vandaar al die mensen en vandaar de aanwezigheid van Margarita Paz. Paz legde zijn dochter daar onder het lopen iets van uit. Ze nam de informatie in zich op zoals kinderen dingen volkomen kunnen aanvaarden, en vroeg toen: 'Zullen ze mijn toekomst ook voorspellen?'

'Dat weet ik niet,' zei Paz naar waarheid. 'Je kunt het *abuela* vragen. Zij weet meer van die dingen dan ik.'

'Wat zit er in die zak?'

Paz hield de plastic draagtas omhoog. 'Yams.'

Ze trok haar neus op. 'Moeten we die eten?' Amelia was geen yamliefhebber, hoe ze haar best ook deed. 'Nee, ze zijn voor de *orisha*,' zei hij. 'Ifa is gek op yams.'

'Jakkes,' zei Amelia, niet onder de indruk van de smaak van de Heer van het Lot.

Ze gingen het huis binnen. Paz' neusgaten vulden zich meteen met de typische geur van zulke bijeenkomsten: brandende was van tientallen kaarsen, de zoete wierook die in *botánicas* in de hele stad werd verkocht, de aardse geur van bergen yams, de zoetheid van kokosnoot en rum, en onder dat alles de scherpe lucht van levend gevogelte. Naast het geroezemoes van de mensen was het geklok van die vogels te horen. Het kwam uit hun hokken in een kamer aan de achterkant van het huis.

Hij hield Amelia's hand stevig vast, al liepen daar overal kinderen vrij rond. Afgezien van hen waren de mensen van alle leeftijden, zoals je in elke kerk zou verwachten, en ook van alle kleuren, al overheersten de donkere kleuren die in de Cubaanse gemeenschap gebruikelijk waren.

'Kijk, daar is *abuela*!' riep Amelia uit, en ze rukte zich los om haar oma te begroeten. Paz zag die twee graag bij elkaar vanwege de uitdrukking die altijd op het gezicht van zijn moeder kwam als ze haar *nieta* omhelsde. Het was tomeloze vreugde, een uitdrukking op haar gezicht die hij zich niet uit zijn eigen jeugd herinnerde. Ooit was er op zulke momenten rancune bij hem opgekomen, maar nu niet meer. Dat alles deed er niet meer toe, of zijn vrouw de psychiater het nu goed vond of niet. Een deel van de vreugde sloeg zelfs op hem over. Mevrouw Paz omhelsde hem, kuste hem op beide wangen, glimlachte en liet haar gouden tanden zien.

'Je hebt haar meegebracht,' zei mevrouw Paz.

'Ja, waarom niet?' Een vraag waarop wel degelijk een antwoord te geven was, en dat wisten ze allebei.

'Dank je,' zei ze, en Paz zette bijna grote ogen op. Het was de eerste keer dat zijn moeder hem ooit voor iets bedankte.

De oma en het kind bewogen zich door de menigte, met begroetingen en gekir in hun kielzog. Paz volgde geamuseerd. Hij had het gevoel alsof er een gewicht van zijn schouders was genomen waarvan hij niet had geweten dat hij het droeg. Het kind was wel lofprijzingen gewend, maar haar naaste familiekring was klein en ze werd alleen geprezen als ze iets had gepresteerd. Zo'n stroom complimentjes als nu had ze nooit gehad, en hij zag haar verlegen blozen. Paz kreeg het gevoel dat de leden van de *ilé* hierop voorbereid waren doordat oma vaak over haar kleindochter pochte. En waarom ook niet? dacht hij. Ze had een moeilijk leven gehad en dit kleine genoegen moest haar worden gegund. Zijn moeder, de strenge veldmaarschalk van het restaurant en uit zijn kinderjaren, leek een heel andere vrouw te zijn geworden. Niet voor het eerst vroeg hij zich af waarom ze hem niet in *santería* had grootgebracht. Leeftijd was blijkbaar geen beletsel, zoals bewezen werd door de vele kinderen hier. Opnieuw moest hij een zekere rancune onderdrukken.

Ze kwamen bij het heiligdom, een tent van gele en groene zijde. Die tent stond half om een lage, brede cilinder heen waarover satijnbrokaat lag in dezelfde kleuren: de *fundamentos*, heilige rituele symbolen van Ifa-Orunmila. Om de schrijn heen brandden tientallen kaarsen in glazen houders, en de vloer was bedekt met lagen yams en kokosnoten. Amelia mocht een yam neerleggen en daarna de taart bekijken, een bouwwerk van vele lagen, zo groot als een bruidstaart, met in glazuurletters het opschrift *Maferefun Orunmila*.

'Is dat een verjaardagstaart?'

'Ja, in zekere zin wel,' zei mevrouw Paz. 'Op deze dag vieren we feest en danken we Orunmila. Kijk, hier staat "Dank aan Orunmila" in het Lucumi.'

'Mogen we hem opeten?'

'Straks, schatje. Eerst moeten we naar onze *babalawo*. Dat is een erg heilige man, dus als we bij hem komen, buigen we en zeggen we "*iboru iboya ibochiche*".' Ze oefenden dat een paar keer en baanden zich toen een weg door een dichtere menigte naar de plaats waar Pedro Ortiz, de *babalawo*, op een eenvoudige rieten stoel zat. Mevrouw Paz en Amelia lieten zich op hun knieën zakken en zeiden 'moge Ifa het offer aanvaarden' in de aangepaste Yoruba-taal die door Cubanen Lucumi werd genoemd. Mevrouw Paz stelde Amelia aan de *santero* voor. Paz stond er dichtbij naar te kijken. Ortiz was een tengere man met de kleur van Corduaans leer. Hij had een grote bos zwart haar die net grijs werd en grote donkere ogen die een en al pupil leken. Hij omhelsde mevrouw Paz en Amelia en keek toen over de hoofden van zijn volgelingen naar Paz, die begreep dat de *babalawo* vrij goed wist wat hij dacht. Paz vond het wel interessant dat hij dit had verwacht en er helemaal geen moeite mee had. Ja, er gebeurden vreemde dingen; het zou altijd zo zijn dat er vreemde dingen gebeurden. Dat hoorde bij zijn leven en het zag ernaar uit dat het ook bij het leven van zijn dochter zou horen. Zijn moeder wenkte hem. Ortiz stond op en gaf hem een hand. Blijkbaar werd er geen buiging verwacht van de grote quasi-agnost. Mevrouw Paz zei: 'Hij is bereid Ifa te werpen voor Amelia. Het is erg belangrijk, maar omdat jij de vader bent, moet je toestemming geven.'

'Eh, ja. Wat gaat er gebeuren?'

'Geef nou maar toestemming, Iago!' zei ze op scherpe toon.

'Oké, *mamí*,' zei hij. 'Dit is jouw show. Ik vertrouw je.' Toen hij die woorden uitsprak, merkte hij dat hij haar echt vertrouwde.

Ortiz ging hen voor naar een kleine kamer aan de achterkant van het huis. Er stonden daar vazen met tropische bloemen en dienbladen met fruit, en er hingen afbeeldingen van de *orishas* aan de muren: Ifa in zijn vermomming van de heilige Franciscus, Shango als de heilige Barbara, Babaluaye als de heilige Lazarus, en de rest. In een hoek stond een levensgroot beeld van Sint-Caridad, de patroonheilige van Cuba, en langs een van de wanden stond een grote mahoniehouten kast, de *canistillero*, met de heilige voorwerpen. Het enige andere meubilair bestond uit een inklapbare bridgetafel met een rond houten kistje in het midden en vier rechte stoelen. Ortiz ging op een daarvan zitten en wachtte tot de anderen ook zaten. Ortiz keek in Paz' ogen en zei: 'Meestal vragen we Ifa niet de toekomst van kinderen te zeggen, weet u. Hun toekomst is nog niet zo gevormd dat het van weinig eerbied zou getuigen ernaar te vragen. In zekere zin zijn hun kleine geesten nog in de handen van hun voorouders, zoals uzelf en Yetunde hier.' Nu glimlachte Ortiz even naar mevrouw Paz, die knikte toen ze haar religieuze naam hoorde. 'En natuurlijk de moeder van het kind. Daarom zal ik Ifa vragen voor uzelf te werpen. Ik zal vragen of er iets is wat al dan niet voor het kind moet worden gedaan. Het is moeilijk zoiets te lezen, maar ik ben akkoord gegaan vanwege mijn liefde en respect voor Yetunde. Dus nu moet u me vijf dollar en vijfentwintig cent geven.'

'Oké,' zei Paz. 'Vijf en een kwartje. Alstublieft.' Hij gaf de man een bankbiljet en een munt. Ortiz sloeg het biljet met een ingewikkelde origami-achtige vouw om de munt heen. Hij maakte het kistje op de tafel open en haalde er een ketting uit van acht gebogen stukjes schildpad die door koperen schakels met elkaar verbonden waren, en ook een gewoon notitieboekje en een potlood. Ergens uit Paz' geheugen zweefde het woord *opele* naar boven. Paz had er wel eens een gezien, maar hij had nooit gezien dat hij werd gebruikt. Ortiz vouwde het bankbiljet en de munt om het midden van de *opele* en drukte die tegen Paz' voorhoofd, borst, handen en schouders. Daarna deed hij hetzelfde bij Amelia. Hij deed het geld in het kistje, en nadat hij enkele minuten zacht mompelend had gereciteerd, pakte hij de ketting op en liet hij hem met een licht tinkelend gekletter op de tafel vallen.

De *babalawo* keek naar de stukjes schildpad. Hij lette erop welke stukjes met de bolle en welke met de holle kant naar boven waren gevallen. Paz wist dat Ifa op die manier tegen mensen sprak. Ortiz zette tekens op een vel papier dat uit het notitieboekje was gescheurd, een verticale streep voor hol-naar-boven en een cirkel voor hol-naar-beneden, twee rijen van vier tekens. Hij bestudeerde ze, fronste zijn wenkbrauwen, keek Paz scherp aan, fronste nog wat meer en keek toen Amelia aandachtig aan. Ten slotte liet hij een zacht kreungeluid horen en vroeg hij aan Paz of hij een hond had.

'Een hond? Nee, die hebben we niet. We hebben een kat.'

Ortiz schudde zijn hoofd. 'Nee, het zou een grote hond zijn, of... zoiets. Zijn er buren met zo'n dier?'

'Er is een poedel in de straat. Waarom vraagt u dat?'

'Omdat... hm, dit is heel vreemd, heel vreemd. Ik doe dit al veertig jaar en ik kan me niet herinneren dat de *orisha* dit ooit heeft gestuurd. Weet u, dit alles is in Afrika ontstaan en er zijn dingen die wel in Afrika gebeuren maar niet hier. De sprinkhanen komen onze oogst niet opeten. We geven geen koeien in ruil voor vrouwen. Heel vreemd.' Hij keek naar de *opele* alsof hij hoopte dat die vanzelf zou veranderen.

'Maar het is iets met een hond?' vroeg Paz.

'Niet echt. Maar wat zou het anders kunnen zijn? We hebben hier geen leeuwen. Hier in Amerika gaan leeuwen er niet met onze kinderen vandoor. Maar hier is het: "Het oudste kind wordt meegenomen door de leeuw." Zo luidt de tekst.'

'U kunt het nog een keer doen,' stelde Paz even later voor. Hij voelde een merkwaardige kilte in zijn buik, en onwillekeurig pakte hij de hand van zijn dochter vast.

Maar Ortiz schudde zijn hoofd. 'Nee, we bespotten de *orisha* niet. Wat is gegeven, is gegeven. Maar een groot raadsel is het wel. Ik zal hierover moeten bidden en ook een offer brengen. O ja, en dat is ook nog iets. Er moet een offer worden gebracht.'

'U bedoelt een dier, nietwaar?'

'Nee, het orakel spreekt van een mensenoffer, maar dat is niet helemaal duidelijk. De tekst luidt: "Wie is zo moedig de dierbare te offeren?" Als zulke dingen verschijnen, gaan we er altijd van uit dat er een spiritueel offer wordt bedoeld, een loutering. Maar zoals ik al zei, is dit in veertig jaar nooit tegen me gezegd. Er zijn heel veel figuren, niet alleen de tweehonderdzesenvijfig van één worp, zoals u hier ziet, maar ook veranderingen die met de dagen en de seizoenen samenhangen. Niet alle *babalawo* weten dat. Komt u nog eens bij me terug, en moge Orunmila ons dan meer licht geven.'

Ze liepen met zijn drieën de kamer uit, en een oudere vrouw ging op haar beurt naar binnen. Er had zich een lange rij gevormd, zoals die voor de toiletten in een schouwburg. Al die mensen praatten zachtjes in het Spaans, wachtend tot hun de toekomst werd verteld. Paz merkte dat zijn angst plaatsmaakte voor een felle woede, samen met restjes geloof die hij zorgvuldig bij elkaar had gezocht. Nadat hij Amelia naar de plaats had gestuurd waar ze de taart opdienden, richtte hij die woede op zijn moeder.

'Wat was dat?'

'Je bent kwaad.'

'Natúúrlijk ben ik kwaad. Dieren die kinderen opeten? Mensenoffers? Heb je enig idee van wat er nu aan te pas moet komen om haar naar bed te brengen? Ze heeft al dromen over dieren die haar opeten.'

Zijn moeder zette grote ogen op. 'Wat? Heeft ze zulke dromen? Waarom heb je me dat niet verteld?'

'Waarom niet? Omdat het maar dromen zijn, moeder. Alle kinderen van haar leeftijd hebben nachtmerries, en dit soort krankzinnige... díngen helpen niet. Ik moet trouwens wel gek zijn geweest om haar hierheen te brengen. Dit alles...' Hij wees naar de kamer, de gelovigen

die in groepjes bijeen stonden. Hij kon voor dat alles alleen maar afschuw opbrengen.

'Je begrijpt het niet,' zei ze met een kalmte die hij niet van haar gewend was. 'Je zou naar de *santos* moeten gaan als een man. Maar je wilt
niet, en daarom kan Orunmila niet duidelijk tot je spreken.'

Ze praatte alsof ze het tegen een kind had, en dat maakte Paz nog
kwader. Zijn moeder zou niet zo kalm moeten zijn; hij wilde ruzie. Hij
zei: 'Ik neem vanavond vrij.' Die woorden waren normaal gesproken altijd goed voor oorlog.

Maar ze knikte alleen en zei: 'Zoals je wilt.'

'Dan zie ik je nog wel,' zei hij. Hij wendde zich af om Amelia op te halen.

Die niet te vinden was.

Paz liep door de kamer, langs menigten die steeds dichter leken te
worden, door de steeds weeïger lucht van kaarsen en wierook, door de
steeds warmere kamers. Het zweet liep in zijn ogen en doorweekte de
zijkanten van zijn overhemd. Hij riep haar naam, hij vroeg vreemden of
ze een klein meisje hadden gezien (roze shirt en spijkerbroek, roze
gymschoenen). Ze keken bezorgd terug maar konden hem niet helpen
en schudden hun hoofd. Al bijna in paniek rende hij naar buiten en
keek naar weerskanten de straat in. De lucht was weldadig koel op zijn
verhitte huid, maar hij stortte zich weer in de menigte en het lawaai.
Zijn maag zat bijna in zijn keel.

En hij vond Amelia. Ze zat vredig op de schoot van haar oma, met vegen gele en groene glazuur bij haar mond. Ze zei: 'Papa, ik kreeg een
stuk met de naam van Orunmila erop geschreven.'

'Dat is mooi,' zei Paz met een droge mond. 'Waar was je? Ik heb je
overal gezocht.'

'Ik was de hele tijd hier bij *abuela*.'

Paz kon zijn moeder niet aankijken. Hij had onder ede willen zweren
dat hij in de afgelopen tien minuten vier keer in deze kamer was geweest en dat hij daar noch Margarita Paz noch zijn kleine afstammeling
had aangetroffen.

Paz liet Amelia naast hem voor in de Volvo zitten, want hij was nu eenmaal een onverantwoordelijke, roekeloze vader. Zijn vrouw liet haar altijd op de achterbank zitten omdat dat extra veilig zou zijn, maar Paz
had als politieman veel meer verongelukte auto's gezien dan zij en vond
dat het wat veiligheid betrof niets uitmaakte. Bovendien had hij Amelia
graag bij zich. Hij had zelf, zo leek het wel, jaren doorgebracht op de

voorbank van een oude Ford pick-up met een felgekleurde, roestvrij-stalen cateringopbouw, zonder gordel in een interieur vol stalen randen die allemaal een jonge schedel konden doorboren. Hij had dat over-leefd, en die ritten met zijn moeder behoorden tot de dierbaarste herin-neringen aan zijn kindertijd.

Hij reed nu in een droomachtige staat min of meer naar huis, maar toen hij bij de afslag South Miami kwam, reed hij door en vervolgde hij zijn weg naar het zuiden over de Dixie Highway. Ik zou kunnen door-rijden, dacht hij, naar de Keys, naar Key West, het einde van de weg. Hij kon een boot met een duikuitrusting kopen en naar schelpdieren dui-ken, en Amelia kon in de boot blijven zitten en op het metertje letten. Hij kon een kraampje openen en schelpdierbeignets aan de toeristen verkopen, veel rum drinken en zich door Amelia laten verzorgen. Dat was een soort leven. Hij kende mannen die het hadden, en die maakten een tamelijk gelukkige indruk, totdat hun lever het liet afweten of ze met hun roestige oude auto de plomp in reden. Hij wilde een biertje drinken bij die stomme gedachten.

Hij stopte bij een truckstop ten noorden van Perrine, op het punt waar de voorsteden van Miami overgaan in een ruig, landelijk gebied. De truckstop bestond uit een groezelige rij benzinepompen en een kan-toortje/winkeltje van afbladderend wit beton dat er lelijker uitzag dan nodig was, alsof het iedereen wilde uitdagen.

'Mag ik een Dove-reep?' vroeg Amelia.

'Nee, je moeder gaat me toch al vermoorden. Ik zal wat sap voor je halen. Mooi blijven zitten en niet aan de auto komen.'

'Ik kan autorijden.'

'Natuurlijk, maar niet vandaag, oké?'

Paz stapte uit en ging de winkel in. De lucht werd daar wreed gekoeld en stonk naar taco's uit de magnetron. Hij kocht een sixpack grote blik-ken bier en een pakje sap. Hij ging in de auto zitten, trok een blik open en dronk het meeste van het smakeloze, koolzuurhoudende vocht in één lange teug op.

'Die mevrouw heeft clownshaar,' zei Amelia.

Paz keek. De vrouw, een Afrikaans-Amerikaanse, had inderdaad een grote bos knaloranje haar. Ze droog ook een minuscule korte broek van blauw satijn, sandalen met hoge hakken en een rood topje dat haar gro-te borsten als puddingen naar voren liet steken. Er hingen daar nog meer dames rond die ongeveer zo gekleed waren. Ze praatten met vrachtwagenchauffeurs en een auto vol mannen die eruitzagen als Mexicaanse landarbeiders. Terwijl ze keken, liep de vrouw met het clownshaar weg, vergezeld van een potige man met een honkbalpet en een lange truckersportefeuille die in zijn achterzak zat en met een ketting aan zijn riem was vastgemaakt.

'Is ze de vrouw van die man?' vroeg Amelia.

'Dat weet ik niet, schatje. Ik denk dat ze gewoon vrienden zijn.'

'Hij laat haar meerijden in zijn vrachtauto. Hij is een demon.'

'O, ja? Hoe kun je dat zien?'

'Dat zie ik gewoon. Ik kan demonen en heksen zien. Sommige heksen zijn goede heksen. Wist je dat?'

'Nee, dat wist ik niet. En monsters? Zijn er goede en slechte monsters?'

'Natuurlijk. De Credible Hunk is een goed monster. Godzilla is een goed monster. Shrek is een goed monster.'

'En vampiers?'

'Papa, vampiers zijn verzonnen,' legde Amelia geduldig uit. 'Net als barbies. Kijk, daar heb je die mevrouw die bij ons kwam eten.'

Paz keek. Beth Morgensen was net uit een Honda gestapt en praatte levendig met enkele straathoeren. Blijkbaar kenden ze elkaar goed.

Paz dronk zijn blik bier leeg en startte de auto. Hij wilde snel wegrijden, maar het geluid van de motor trok de aandacht en Beth liep grijnzend naar hen toe. Ze gaf Paz een vette kus door het raam, hield het lipcontact daarbij iets langer aan dan strikt noodzakelijk was, en keek toen naar de bierblikjes.

'Bier drinken voordat je naar het vrouwtje thuis gaat. Wat arbeiderachtig van je.'

'Altijd de sociologe.'

'Met de kleine lieveling bij je, zie ik. Hoe gaat het, schatje?'

'Goed,' zei Amelia, en ze zoog luidruchtig aan haar rietje. Wat er ook aan de hand was, het waren dingen van grote mensen, saai en een beetje verontrustend. Veel interessanter waren de grappige dames die nu met zijn allen naar de auto kwamen en zich op een vriendelijke manier druk om Amelia maakten. Beth stelde hen voor alsof ze op een tuinfeest waren. Het was allemaal erg beschaafd. Een van de hoeren bood aan op het kind te passen terwijl Paz deed wat hij moest doen (hilariteit). Een ander bood korting aan omdat hij zo'n leuk kind had. Niet dat ze er zelf ooit een zou willen hebben. Nog meer hilariteit, en Beth deed daaraan mee. Paz plakte een misselijke grijns op zijn gezicht en maakte grappen, tot ze weer aan het werk moesten en zich van de auto verwijderden.

'Doe je dit onderzoek als participerend waarnemer, zoals ze dat noemen?' vroeg Paz met een scherpe ondertoon. Beth Morgensen grinnikte en zei: 'O nee, Jimmy lief, je weet dat ik een liefdadige instelling ben. Ik geef het gewoon weg.' Ze haalde een kaartje uit haar tas, likte er loom aan en plakte het op de klep boven zijn hoofd. 'Bel wanneer je maar wilt. De sociologie slaapt nooit.'

Op de terugweg haalde Paz het kaartje van het vinyl. In plaats van het weg te gooien bewoog zijn hand zich alsof hij door een mystieke kracht werd geleid. Hij stak het kaartje in de zak van zijn overhemd.

8

Jennifer zat op de bodem van de visvijver, die net diep genoeg was om haar snorkel boven het oppervlak te laten komen. Met een koraalrots op haar schoot compenseerde ze haar drijfvermogen. Ze had nooit over verdrinking gedacht, maar na wat er was gebeurd, liet ze het idee een tijdje door haar hoofd gaan. Ze vroeg zich af of het veel pijn zou doen, of het snel zou gaan en besefte dat dit ook weer een van de vele dingen was die ze niet wist. Want ze was dom, hopeloos dom, volgens Luna in de tirade die ze had gehouden na de ontdekking dat Moie weer was verdwenen. Alsof ze hem elke minuut in de gaten kon houden! En toen had Luna het aan Rupert verteld en had ze hem min of meer bevolen haar weg te sturen, en in plaats van zijn gebruikelijke vredestichtende houding had hij haar aangekeken met een gezicht van een verwende baby die net een lekker hapje is ontzegd (en Jenny kende die uitdrukking heel goed), en toen had hij gezegd dat ze, nou, alles in overweging genomen, misschien maar beter naar andere huisvesting kon uitkijken. Maar het ergste kwam later, toen ze met Kevin alleen was en tranen met tuiten huilde. Toen had hij gezegd: 'O nou, dat is klote, schat. Bel me als je een nieuw adres hebt.' En toen ze zei: 'Ik dacht dat we samen waren en je van me hield,' had hij gezegd: 'O ja, zeker, we kunnen nog wel met elkaar omgaan.' Toen had ze haar slaapzak gepakt en was ze naar Moies oude schuurtje verhuisd, waar ze de afgelopen nacht had geslapen.

Ze stak haar hand uit en voerde broodkruimels aan een horde tetra's en cichliden; het leken net juwelen. Dat zou ze in elk geval missen; misschien zouden de vissen haar ook missen. Konden vissen iets missen? Weer een stukje kennis dat niet de weg naar haar hoofd had gevonden. Toen het brood op was, verspreidden de tetra's zich als verstrooide lovertjes en werd Jenny's aandacht getrokken door een grote pauwoog-cichlide die zich langzaam en op een grillige manier door het water bewoog, als een bord dat wankelend op zijn rand stond. De vis had zich bezeerd. Dat kwam veel voor in de vijver, want de vissen waren niet gewend aan de vlijmscherpe randen van de koraalrots waarvan de vijver was gemaakt; ze kwamen immers uit een omgeving waar bijna elk massief voorwerp bedekt was met modder of zachte algen. Dat had Scotty haar met enige ergernis verteld. Het was het enige probleem in de vijver dat hij niet kon oplossen. In hun rivaliteit om te paren bewogen de vissen zich soms te snel en dan kwamen ze tegen het koraal en scheurden hun schubben af. Scotty zei dat ze de vijver moesten laten leeglopen en er dan een zachte poreuze bekleding in moesten aanbrengen, maar daartoe was Rupert niet bereid, volgens Scotty omdat hij er te gierig voor was. De vis draaide zich stuntelig om en ze zag dat er een rode wond achter zijn kleine armvin zat. Ze dacht erover boven water te komen en Scotty te gaan zoeken. Hij had een ziekenboeg, een aquarium van meer dan honderd liter voor zulke gevallen. Maar voordat ze die gedachte in daden kon omzetten, viel een piranha de gewonde vis aan en scheurde hij een brok uit zijn buik. In een oogwenk waren er wel tien piranha's, kronkelend in een wolk van bloed en weefsel. Toen waren de piranha's weg, evenals de pauwoogcichlide, afgezien van wat kleine vlekjes, het middelpunt van een wolk van tandkarpers en tetra's die de schamele resten opruimden.

Binnen de kortste keren was Jenny het water uit. Ze stond aan de rand van de vijver en huiverde, al scheen de zon al en was het warm. Ze deed haar duikmasker af en sloeg een handdoek om zich heen. Nou, dat dus niet, niet verdrinken, niet in die vijver, belachelijk eigenlijk, want wat kon het jou schelen als je dood was, maar aan de andere kant zouden die piranha's misschien wéten dat je zelfmoord wilde plegen, door dat gespartel en zo, en als ze je nu eens opvraten terwijl je nog leefde? Ze huiverde weer in de warmte en liep bijna rennend naar het schuurtje met het groene dak.

Daar was professor Cooksey. Hij wreef over zijn kin en keek naar de grond. Jenny was niet blij hem te zien. Hij had haar niet gesteund toen ze werd veroordeeld. Hij had alleen op zijn gebruikelijke nietszeggende manier naar haar gekeken, alsof ze een van zijn insecten was. Toch volgde ze automatisch zijn blik en keek ze ook naar de grond.

'Wat zoekt u?' vroeg ze.

'Hm? O, niets. Maar zie je die voetafdruk? Vind je hem niet vreemd?'

Ze keek. De vloer van het schuurtje was van zachte aarde, ontstaan doordat er jarenlang potgrond en humus op was gevallen, en afdrukken waren er goed in te zien. Deze was menselijk, een afdruk van een tamelijk kleine blote voet; tenen en hiel waren goed te onderscheiden. Het was de enige afdruk van een blote voet in de schuur; verder waren er alleen schoenafdrukken, Scotty's Merrell-schoenen met noppen, haar eigen goedkope slippers en Cookseys leren sandalen.

'Het zal wel een afdruk van Moie zijn,' zei ze. 'Wat is er verkeerd aan?'

Hij keek haar even aan, knielde neer en wees. 'Zie je het dan niet? Hij is veel te diep. Hij is dieper dan die van Scotty hier en veel dieper dan die van jou of mij, al zou ik hebben gezegd dat Moie en jij ongeveer even groot waren. Hoeveel weeg je?'

'Weet ik niet. Ongeveer vijfenvijftig, zestig kilo.'

'Hm, en deze afdruk is van jou, neem ik aan, dicht bij die van hem. Laten we eens kijken wat we ervan kunnen maken.' Cooksey haalde een koperen liniaaltje uit zijn borstzak, mat de diepte van beide afdrukken, stond op, trok een in leer gebonden notitieboekje uit zijn zak en maakte wat berekeningen. Hij fronste zijn wenkbrauwen en mompelde: 'Nee, nee, idioot, dat kan niet goed zijn!' Hij ging verder met schrijven. Na enkele minuten slaakte hij een zucht en zei: 'Het is onmogelijk, maar het is de uitkomst. Volgens deze berekeningen weegt Moie meer dan tweehonderd kilo.'

'Misschien droeg hij iets zwaars,' zei Jenny. 'Zou de bodem dan niet dieper ingedrukt worden?'

Cooksey keek haar aan, en toen kwam er een uitdrukking op zijn gezicht waarmee ze nog nooit in haar leven iemand naar haar had zien kijken, een pure verrukking die helemaal niets met haar fysieke verschijning te maken had. 'Allemachtig. Natuurlijk! Wat ben ik toch een imbeciel! Dat komt er nou van als je alleen maar met dieren werkt, die bijna nooit bagage met zich mee zeulen. Nou, jongedame, je hebt zojuist een wetenschappelijke redenering geproduceerd. Goed zo!'

Jenny voelde dat ze een kleur kreeg van haar borst tot haar haarlijn. Ze glimlachte zo breed dat haar mond er grappig uitzag. Cooksey ging verder: 'Evengoed, als we aannemen dat hij ongeveer zo groot is als jij, en zelfs als we ook nog rekening houden met de extra kracht in het bovenlichaam van mannen, torste hij een flinke lading, iets van zo'n honderdvijftig kilo. En wat kan dat zijn geweest? Een kei? Een aambeeld? En kijk, je ziet dat het een normale lopende voetafdruk is, met de bal van de voet en de tenen steviger in de grond dan de hak. Hij staat daar niet als een gewichtheffer iets omhoog te houden. Ik vraag je: kun jij of kan ik honderdvijftig kilo oppakken en ermee weglopen alsof het een pakje uit de winkel is? Nee, en dat is het raadsel. Hoe dan ook, misschien wil je weten wat ik hier eigenlijk kom doen.'

'Ja.'

'Nou, ik, eh, ik weet van je moeilijkheden – ik bedoel, dat ze je hebben gevraagd weg te gaan – en ik voel me in zekere zin verantwoordelijk.' En nu vertelde hij welke problemen Moie met de massamedia had en wat er daarna was gebeurd. 'Maar als je hier echt wilt blijven, denk ik dat ik wel iets kan regelen. Ik heb een assistent nodig. Mijn specimina zijn een ravage, en ik heb nauwelijks ruimte om me te bewegen, zoals je misschien zult hebben opgemerkt. Eh, en er zit natuurlijk een bescheiden stipendium uit mijn subsidie aan vast.'

Jenny wist niet wat een bescheiden stipendium was, maar dat wilde ze niet toegeven. 'Ja, maar hoe zit het dan met Rupert en Luna?'

'Jennifer, ik wil niet opscheppen, maar ik heb veel meer invloed in deze organisatie dan onze Luna. Ik hoef maar even met Rupert te praten en het is voor elkaar. Wat zeg je ervan?'

'Maar… Ik wéét niets.'

'Ja, en daarom staat niets het leerproces in de weg. Ik heb mijn eigen methoden, en de meeste academici voelen er meestal weinig voor om ze over te nemen. Nou… Zijn we het eens?'

En die zijn ook niet zo decoratief en zozeer vervuld van mooie dierlijke geesten, dacht hij, maar dat zei hij niet. Ze sloeg haar armen om hem heen en drukte haar vochtige, prachtige lichaam tegen het zijne.

In de week daarop merkte Jennifer tot haar grote verbazing dat de vaardigheden die van een onderzoeksassistent werden verwacht min of meer overeenkwamen met wat ze in de reeks huizen en boerderijen in Iowa had geleerd waar ze als pleegkind was geweest. Daartoe behoorden: het verplaatsen van zware of grote voorwerpen zonder je te bezeren; dingen niet morsen, of als je dat per ongeluk toch deed, de rommel snel en efficiënt opruimen; muren, vloeren en ramen boenen; dingen in gelijke stapels zetten en ze opslaan op plaatsen waar je ze kon terugvinden; op een opgewekte manier alles doen wat je werd gezegd. Professor Cooksey was veel aardiger dan alle pleegmoeders en -vaders die ze had meegemaakt. Hij had altijd begrip voor haar fouten en behandelde haar nooit als het achterlijke kind dat ze was. Als ze klaar was met haar werk, stonden alle dozen met exemplaren netjes op planken (die Jennifer met hulp van Scotty had aangebracht), waren de verspreid liggende papieren in mappen opgeborgen, zaten de tijdschriften in groene kartonnen hoezen met getypte etiketten erop, en was een hele kamer, een vroegere wasruimte waar kartonnen dozen hadden gestaan, leeggehaald, schoongemaakt en geschilderd. Het rook er nu meer naar boenwas dan naar tabaksrook en formaline, en Jennifer was er absurd trots op.

Op een ochtend, toen Cooksey met Rupert op het terras zat te praten en zij de vloer aan het boenen was, kwam Kevin een kijkje nemen en merkte hij op dat ze eindelijk als schoonmaakster haar plaats in het leven had gevonden. Die opmerking maakte hij om haar terloops op haar nummer te zetten, maar tot haar eigen verbazing voelde Jenny zich niet gekwetst. 'Het is eerlijk werk,' zei ze. 'Jij zou het ook eens kunnen proberen. Misschien doet het je goed.'

Ze wendde zich van hem af en ging door met boenen. Ze verwachtte een stekelige reactie, maar die kwam niet. In plaats daarvan zei Kevin: 'Nou, wat doe je, schat? Wanneer kom je naar het huisje terug?'

'Dat weet ik niet, Kevin...' Nog steeds boenend. 'Wil je me terug hebben?'

'Nou, shit, ja! Wat denk je dan?'

Ze hield op met haar werk en keek hem aan. 'Wat denk je dat ik zou moeten denken? Toen ze me eruit schopten, vond je het helemaal niet erg dat ik wegging. Ben je nu van gedachten veranderd?'

'Hé, dat spijt me. Ik had het mis, oké? Daar hoef je niet zo moeilijk over te doen.'

Ze leunde op haar stokdweil en keek hem aan. Het leek wel of alle goede energie die ze de afgelopen paar dagen had gevoeld uit haar wegtrok. Voor het eerst zag ze iets wazigs in zijn gezicht, en ze besefte dat het te maken had met de tijd die ze met Cooksey had doorgebracht. Het gezicht van de professor was in zekere zin massief. Het weerspiegelde wat er in zijn hoofd omging, terwijl dat van Kevin zich altijd leek af te vragen met welke uitdrukking hij zijn zin kon krijgen. Zoals nu ook: hij keek haar met een smeltende, verlangende blik aan, een beetje gekwetst, en hoewel ze het niet wilde, werkte het toch. Ze hield echt van hem, al was hij een waardeloos stuk vreten, en ze wist dat hij echt van haar hield, of op een dag echt van haar zou houden als ze maar bij hem bleef en als ze een manier kon vinden om hem meer op Cooksey te laten lijken. Maar nu even niet; op dit moment wilde ze niets van zijn trucjes weten. Ze zei: 'Nou, als ik moeilijk doe, hoef je daar niet te blijven staan, hè?'

'Zo bedoelde ik het niet. Kom op, schat, wees nou lief.' Die innemende glimlach van hem, en nu zette hij een stap op de pas geboende vloer.

'Eruit!' zei ze. 'Ik heb het druk.'

En al vloekend ging hij ervandoor. Ze bleef geschokt achter, verbaasd over zichzelf. Deze woordenwisseling was op een erg laag volume gevoerd, want Rupert was op het terras en Rupert eiste tenminste de schijn van harmonie. Luna was de enige bewoner die luidkeels uiting aan haar gevoelens mocht geven. Die dag haalde Jennifer de rugzak met al haar bezittingen uit het huisje dat ze met Kevin had gedeeld en bracht alles naar de vroegere wasruimte, samen met haar slaapzak en luchtbed. Het kamertje had Mexicaanse tegels op de vloer en op de muren, net als de keuken, behalve op de plaatsen waar de oude wasbakken hadden gezeten; die waren opgelapt met ruw beton. Er was een klein raam en er was een eigen deur naar buiten. Toen ze om zich heen keek, stond ze versteld van haar eigen aanmatiging. Blijkbaar veranderde ze zoals ze dat nooit had verwacht.

Cooksey verscheen naast haar. 'Neem je hier je intrek?'

'Alleen als het goed is.'

'Maak je geen zorgen, jongedame. Jij hebt de ruimte gemaakt en mag er dus gebruik van maken. Al zou ik het op prijs stellen als je huiselijke aangelegenheden ons werk niet in de weg zitten, hm?'

'Nee. En bedankt.'

'Goed. En wat dat betreft, werk bedoel ik, denk ik dat we kunnen beginnen.'

'Ik dacht dat ik al werkte.'

'Nee, nee, ik bedoel werk. Wetenschappelijk werk. Je dacht toch niet dat ik alleen maar een daghitje nodig had?'

Jenny kende dat woord niet, maar ze begreep wat hij bedoelde en had dat inderdaad gedacht.

'Wat voor werk?' zei ze argwanend.

'Evolutionaire biologie. Dat doe ik namelijk. Naast mijn werk voor de Alliance moet ik mijn wetenschappelijke respectabiliteit op peil houden door onderzoek te doen en artikelen te publiceren, anders neemt niemand me nog serieus als ik mijn mening geef over de verwoesting van de regenwoudhabitat enzovoort. Nou, de raadselachtige soort van de vijgenwespen is een belangrijk onderzoeksobject in de evolutionaire biologie. De bomen kunnen zich namelijk niet voortplanten zonder de wespen, en de wespen kunnen zonder de bomen niet leven. Bovendien heeft elke soort boom één soort wesp die hem kan bestuiven. Het is dus een staaltje van co-evolutie. Tenminste, dat denken we. De kwestie van de één-op-één-specificiteit staat sterk ter discussie in kringen van agaonidenkenners, en daar werk ik aan. Kun je me volgen?'

'Nee. Professor, ik ben in de zevende klas van school gegaan.'

'Ja, maar dat is misschien niet helemaal een nadeel. De taxonomie is een van de weinige wetenschappelijke terreinen waarop nog steeds oorspronkelijke bijdragen kunnen worden geleverd door mensen zonder enige opleiding. Zeg trouwens maar Cooksey, behalve als we ergens op een universiteit zijn waar ik als hoogleraar optreed.'

Hij leidde haar naar zijn bureau, dat nu opgeruimd was, en liet haar in de leren stoel zitten die hij gebruikte als hij ging lezen. Zelf ging hij aan zijn bureau zitten.

'Nou, wat weet je van evolutie?' vroeg hij.

Ze dacht na; er ging een scène uit een film door haar hoofd. Ze zei: 'Apen die in mensen veranderden?'

'Ja, heel goed. Maar daarvoor was er ook al heel wat gebeurd. In den beginne schiep God de hemel en de aarde, en de aarde was woest en ledig; en het was duister in de diepte, en de geest Gods zweefde over de wateren. Dat hebben we goed in ons hoofd zitten, of tenminste de wetenschappelijke versie ervan, en nu, na miljarden jaren, zien we miljoenen verschillende soorten wezens, plantaardig en dierlijk en geen van beide, en nu is het de vraag hoe die er allemaal zijn gekomen. We denken dat ze in de loop van de tijd zijn veranderd. Ze begonnen eenvoudig en ontwikkelden zich; ze veranderden van vorm. Kijk nu eens naar ons tweeën. Wij eten bijvoorbeeld rundvlees, aardappelen en bonen, of tofu, aardappelen en bonen zolang we hier zijn, maar we blijven Nigel en Jennifer; we worden geen koeien of groenten of tofu. We nemen dingen in ons op, lucht, water en voedsel, en er komen dingen uit ons, maar we blijven identificeerbare lichamen. Hoe komt dat?'

Jennifer wist het niet en zei dat ook. De vraag had haar nog nooit beziggehouden.

'Dan zal ik het je vertellen,' zei hij. 'De cellen van ons lichaam bevatten een chemische code die ervoor zorgt dat ons lichaam ons, en niets anders, uit voedsel, water en lucht maakt. En we planten ons voort, nietwaar? Maar natuurlijk niet precies. Nigel en Jennifer krijgen bijvoorbeeld een baby, maar de baby is niet Nigel en ook niet Jennifer. Voortplanting is een worp van de dobbelsteen, en dan heb ik het nog niet over de kleine veranderingen die voortkomen uit allerlei foutjes in het voortplantingsproces. De meeste foutjes zijn slecht voor de baby, maar enkele zijn goed. De baby wordt misschien nog mooier dan Nigel en nog briljanter dan Jennifer.'

Dit bracht een blos op Jennifers wangen. Blijkbaar merkte hij het niet. Hij ging verder. 'Nu is het een natuurlijk feit dat er nooit genoeg is. Elk wezen heeft behoefte aan een plaats om te leven en aan de dingen die het nodig heeft om te leven, voedsel en zo, en die zijn altijd beperkt beschikbaar. Dus wat kunnen we voor elke populatie van wezens verwachten?'

Het was geen retorische vraag. Jennifer besefte dat hij op haar antwoord wachtte en dat ze er niet mee kwam als ze haar schouders ophaalde en 'Ik weet het niet' zei. Hij speelde een soort spelletje en geloofde echt dat de antwoorden vanzelf bij haar zouden opkomen als ze er maar over nadacht. Het was een beetje angstaanjagend, maar ook opwindend. Ze tastte in wat ze altijd als een lege zak had gezien en kwam tot haar eigen verrassing met: 'Dan gaan sommigen dood? Want ik ben een keer in een pleeggezin geweest, en die waren heel arm, en de moeder, mevrouw McGrath, hield het meest van een van de kinderen en gaf haar het meeste eten, en de anderen kregen bijna niets. Maar de overheid heeft haar tehuis gesloten.'

'Heel goed. Mevrouw McGrath deed aan kunstmatige selectie. Charles Darwin observeerde ook zoiets, en zo kwam hij op het hele idee. Maar in de natuur is er geen overheid die haar kan sluiten. En dus krijgen we een strijd om het bestaan en kleine variaties tussen wezens van dezelfde ouder, en wat gebeurt er dan?'

Ditmaal duurde de stilte niet zo lang. Jennifer dacht aan pleeggezinnen en gruwelijke goedkope tehuizen, en aan gemene vechtpartijen om stukjes voedsel. 'Sommigen redden zich goed en sommigen niet, dus na een tijdje zijn er meer van de beteren.'

'Omdat…?'

'Die krijgen meer baby's, en die baby's zijn net als zij. Zo veranderen ze.'

'Heel goed. Een bijna volmaakte uiteenzetting van de theorie van evolutie door natuurlijke selectie. Maar zoals ze dan zeggen: God zit in de details. Of de duivel. Het is allemaal heel mooi om grote gedachten te hebben over de oorsprong van alle dingen, maar laten we eens zien of we kunnen ontdekken hoe kleine stukjes daarvan zich ontwikkelen. Laten we de theorie als het ware eens uittesten. Daarvoor komen de vijgenwesp en de vijgenboom van pas. Weet je nog wat ik je over het leven van de agaoniden heb verteld? Dat was de dag waarop je Moie in de Gardens vond.'

'Nee,' zei ze.

'O, nee? Ik dacht dat ik volkomen helder was.'

Ze moest haar hoofd afwenden. 'Ik stond er niet voor open. Het spijt me.'

Na een korte stilte zei hij opgewekt: 'Nou, het geeft niet. Je pikt het vast wel op, stukje bij beetje. Voorlopig moeten we je aan het identificeren van soorten zetten. Dat betekent dat je het ene kleine insectje van het andere kunt onderscheiden, al zien ze er bijna hetzelfde uit. Misschien ís het op het oog zelfs hetzelfde, maar vertoont het belangrijke verschillen in zijn genen. Weet je, bij die kleine wespen hebben we de gelegenheid – het voorrecht, mag ik wel zeggen – om het ontstaan van een nieuwe soort te zien. Hun levenswijze is zozeer aan banden gelegd, de evolutionaire *niche*, zoals wij het noemen, is zo klein, dat de evolutie zelf er als het ware uit wordt geperst. We kunnen daar in de korte periode van één mensenleven getuige van zijn. Doe je mee?'

Jennifer knikte. 'Ja.' Hij glimlachte; ze zag zijn gele tanden. 'Fantastisch!' zei hij. 'Als je even hierheen wilt komen…' Hij kwam achter zijn bureau vandaan en liep naar een lange houten tafel aan de andere kant van de kamer, waar een binoculaire lesmicroscoop met twee stellen lenzen op stond. Er waren daar ook een heleboel rekken met ondiepe specimenladen. Hij pakte een geplastificeerde kaart, dof van ouderdom en gebruik, van een plank en legde hem voor haar neer. Ze zaten op laboratoriumkrukken. 'Vandaag gaan we delen benoemen. "Japonica glanst als koraal in al de naburige tuinen, en vandaag benoemen wij delen."'

'Pardon?'

'Een gedicht, maar dat doet er nu niet toe. Ik bedoelde dat je de delen van het insect moet kennen om de sleutels te kunnen gebruiken. Nu, dit lange ding is de antenne. De punt heet de radikel. Zeg het na!'

Ze deed het.

'Dan komt de pedikel. Zeg "pedikel". Goed. Dan de annelli.'

Enzovoort. Terwijl ze de onbekende woorden herhaalde, ging hij van de antenne naar de kop zelf, de vleugels met hun diagnostische aderpatronen, naar de thorax, de poten en de gaster en tot slot de lange ovipositor, alle schildjes, knopjes en stekeltjes die de taxonomen gebruiken om de insectenwereld in te delen. Dat nam een half uur in beslag. Toen wees Cooksey met de punt van zijn potlood naar het topje van de antenne op de tekening. 'Wat is dit?' vroeg hij.

Ze wist het niet. Het potlood ging naar het dunne aanhangsel. Niets. Weer niets.

'Ik kan het niet!' klaagde ze.

'Onzin! Natuurlijk kun je het wel. Je biedt weerstand omdat je leren met verdriet associeert. Je moet je ontspannen en de namen in je laten stromen. Wij zijn gemaakt om te onthouden, jongedame, en in je hoofd ligt een vruchtbare vlakte die alleen maar wat water en wat zaad nodig heeft.'

'Ik ben te dom.' Ze wilde in snikken uitbarsten en beet hard op haar lip om dat te voorkomen.

'Nee, dat ben je niet. Als je dom was, zou je dood zijn, of drugsverslaafde, of prostituee, of drie kinderen hebben. Denk daarover na!'

Dat deed Jennifer, en het was waar. Ze had gedacht dat het gewoon stom geluk was. Er plopte iets in haar hoofd, alsof ze een lange, lange lijn cocaïne snoof. De wereld zag er anders uit, en ze wist dat het, in tegenstelling tot de rush van een drug, een blijvend verschil was.

'In elk geval,' ging Cooksey verder, 'zijn sommigen van de domste mensen die ik ken slappe systematisten met een internationale reputatie. Nu, weer bij het begin. Dit is de radikel. Zeg...'

'Radikel,' zei ze. 'Radikel.'

Op de avond nadat Paz met Amelia naar de *ilé* ging, hadden Lola en hij hooglopende ruzie gehad, en Paz hoopte dat het de grote slag was en niet het bomtapijt dat werd uitgeworpen als inleiding tot nieuwe aanvallen. Hoewel het bij hen een principe was om zulke dingen af te handelen voordat ze gingen slapen, was Lola het slagveld ontvlucht en had ze zich opgesloten in de slaapkamer die ze als kantoor gebruikte, waar hij het geluid van huilen kon horen, en van vloeken, en van kleine projectielen die door de kamer werden gegooid. Een overdreven reactie, vond hij, en dat zei hij ook door de deur, maar daar kreeg hij geen verstaanbare reactie op. Dat was op zichzelf al ongewoon en zorgwekkend. Lola was niet iemand die discussies over gemoedstoestanden uit de weg ging. Integendeel, ze was gek op lange gesprekken over hun afzonderlijke en door het huwelijk verenigde psyches, tot Paz soms het gevoel had dat hij onder een microscoop lag. Maar hij verdroeg het, want het maakte deel uit van zijn geliefde. Als hij het onderging, gaf dat hem het gevoel dat hij een betere echtgenoot was.

Misschien was dat een deel van het probleem, dacht hij terwijl hij 's morgens vroeg met een kop Cubaanse koffie in de tuin zat: misschien was hij een beetje te meegaand geweest. Hij dacht aan het huis zelf, hun huis. Oorspronkelijk was het haar huis geweest, een typisch Florida-ranchhuis in Zuid-Miami, gemaakt van wit geverfde en gestuukte betonblokken met een grijs pannendak en hemelsblauw geverfde stalen orkaanschermen. De architectuur bezat geen charme, maar het huis was oud genoeg om omringd te zijn door weelderige plantengroei: een grote bougainville met purperen bloesems bedekte een zijmuur en een deel van het dak, en de achtertuin lag in de schaduw van een grote mango, waarachter zich een mooie verzameling fruitbomen bevond: limoen, sinaasappel, grapefruit, guave, avocado. Binnen had ze het ingericht met blank Scandinavisch hout en leer, fantasierijke of abstracte platen in lijsten van spiegelend staal, en Rya-kleedjes. Niet zijn smaak;

hij hield meer van oude dingen, excentrieke spullen, het *Laatste Avond-maal* op fluweel; nee, niet echt, maar dat suggereerde zijn vrouw soms. Zijn moeder vond dat het huis eruitzag als de spreekkamer van een dokter.

Ja, zijn moeder – die was ook uitgebreid ter sprake gekomen. Terwijl Paz wachtte tot de koffie hem energie gaf, probeerde hij zich te herinneren wat er over en weer was gezegd. Hij was dronken thuisgekomen, had het leven van hun dierbare kind in gevaar gebracht door onder invloed te gaan rijden. Hoe kon hij dat doen? Nou, ten eerste werd je van vier biertjes niet dronken. Toen volgde er een heel betoog van de arts over de effecten van alcohol. Oké, schuldig, ik zal het nooit meer doen, en op dat moment kwam het kind opeens aanzetten met raad eens waar we vandaag geweest zijn, en vertelde ze alles, de voodooceremonie, de yams, de stinkende rook, de aanbidding van de valse afgoden, plús het bezoek aan de dames die jongens kussen voor geld, en dat papa met die mevrouw had gepraat die was komen eten. Dat was natuurlijk gemakkelijk te verklaren, al kon dat niet van het kaartje van Morgensen worden gezegd. Paz had het achteloos op zijn ladekast gegooid, en toen zijn vrouw, een ervaren onderzoekster, het daar had zien liggen, bleken er op de achterkant een paar lippen te staan, afgedrukt met rode lipstick. Die Beth! Wat een plaaggeest! En dus moest het verhaal van Beth en Jimmy van lang geleden worden verteld, of eruit worden getrokken, waarbij elke volkomen eerlijke mededeling uit Paz' mond als de uitvlucht van een schuinsmarcheerder klonk. Paz verkeerde in de merkwaardige positie dat hij niets verkeerds met Beth Morgensen had gedaan maar ook heimelijk wist dat hij dat had willen doen, nog steeds wilde doen trouwens, maar het niet zou doen omdat hij een fatsoenlijke vent was, maar het misschien toch zou doen als deze onzin veel langer duurde, en wie zou hem dat kwalijk kunnen nemen?

Die gedachten leidden tot niets goeds en hij zette ze dan ook uit zijn hoofd toen Lola naar buiten kwam. Zoals gewoonlijk droeg ze een t-shirt, een korte broek en gymschoenen en had ze een canvas tas bij zich met haar werkkleding erin. Ze wierp hem een giftige blik toe en liep over de patio naar de schuur waar ze haar fiets had staan.

'Goeiemorgen!' riep Paz. Geen antwoord. Ze pakte de fiets en reed hem naar buiten, maar Paz stond op en onderschepte haar.

'Ga je nooit meer met me praten?' vroeg hij. Hij pakte het stuur vast.

'Ik ben nog te kwaad. Wil je die fiets loslaten?'

'Nee. Niet voordat we hebben gepraat.'

'Ik moet naar mijn werk,' zei ze, en ze probeerde de fiets los te trekken. 'Ik heb patiënten…'

'Laat ze doodgaan,' zei Paz. 'Dit is belangrijker.' Nu slaakte ze een overdreven zucht en sloeg haar armen over elkaar. 'Oké, jij je zin. Praat maar.'

'Oké, we hadden ruzie. Ik heb me verontschuldigd, en nu is het voorbij. Jij vergeeft mij en we gaan verder als altijd.'

'Zo simpel is het niet.'

'Wat is er dan zo ingewikkeld?'

'Ik voel me bedrogen. Ik weet niet of ik je nog kan vertrouwen.'

'Wat, alleen vanwege een paar biertjes?'

'Doe niet zo mal! Ik kan nog steeds niet geloven dat je met onze dochter naar een voodooceremonie bent geweest, met waarzeggerij en bloedoffers en… en yams. Zonder zelfs maar met mij te overleggen. Je stopt haar hoofd vol met angstaanjagende giftige onzin. Hoe haal je het in je hoofd?'

'Het is geen voodoo, Lola, dat weet je best. Ik wou dat je *santería* niet altijd voodoo noemde. Dat is beledigend.'

'Het is hetzelfde.'

'Ja, zoals het katholieke en het joodse geloof hetzelfde zijn omdat ze allebei uit Palestina komen. Dat heb ik je gisteravond al uitgelegd. Het was geen complot. Het was iets impulsiefs. Margarita was er, en Amy vroeg het me, en ik zag er geen kwaad in…'

'Het is belachelijke barbaarse onzin. Jij gelóóft er niet eens in!'

'Misschien niet, maar mijn moeder wel en dat moet ik respecteren. En Amy heeft maar één oma, en ze houden van elkaar, en ik ga niet tegen haar zeggen dat haar oma niet goed snik is omdat ze de *santos* volgt. Het maakt deel uit van haar cultuur, net als wetenschap, net als geneeskunde.'

'Alleen is geneeskunde echt. Dat is een subtiel verschil. Geneeskunde veroorzaakt geen nachtmerries bij kleine meisjes.'

Iets in haar stem, een trilling, een hogere toon, maakte dat Paz zijn vrouw opeens aandachtiger aankeek. Die scherpte was niets voor haar. Als ze over de eigenaardigheden van zijn cultuur spraken, lag een grap, een beetje spot, meer in haar lijn.

'Wat is er aan de hand, Lola? Dit kan niet over *santería* gaan. We zijn al zeven jaar getrouwd en je hebt je daar nooit zo druk over gemaakt als nu.'

Er was inderdaad iets mis. Ze keek hem niet aan, terwijl ze anders toch een groot liefhebber van oogcontact was. 'Misschien,' voegde hij er luchtig aan toe, 'had je toch met een Joodse arts moeten trouwen.'

'O, en nu ook nog een beetje gniepig antisemitisme? Hé, ik moet nu echt weg, anders ben ik te laat voor mijn ronde.'

Enigszins ontdaan door die laatste woordenwisseling liet Paz het stuur los. Ze sprong op de fiets en reed weg over het grindpad.

Die ochtend was Paz in het restaurant aan het werk, nadat hij zijn dochter zonder problemen en zonder dat ze over nare dromen sprak naar school had gebracht. Ze had hem (hij lag in zijn eentje wakker in het huwelijksbed) met een schelle kreet in de nacht naar zich toe geroepen, en toen hij bij haar kwam, lag ze in zekere zin nog te slapen, maar jengelde en beefde ze. Haar ogen waren open maar zagen niets, een angstaanjagend gezicht. Paz had dit maar niet aan de huispsychiater verteld: Lola had (gelukkig) door alles heen geslapen. En hij ging het haar niet alsnog vertellen.

Paz was yuca aan het klaarmaken, een saai werkje waar hij nu wel blij mee was. De yuca is een steunpilaar van de Cubaanse keuken, maar het is een onhandelbare knol, lastig als het leven zelf, zoals Paz nu dacht. Hij heeft een lelijke ruwe schors, die verwijderd moet worden, en dan moet de giftige groene onderhuid zorgvuldig worden weggehaald zonder te veel yuca te verliezen. Als dat gebeurt, sijpelt er een witte vloeistof uit. De kern moet ook worden verwijderd, want die is oneetbaar. Paz voelde zich ook leeggehaald en afgeschraapt, en hij wist dat er iets giftigs in zijn eigen kern zat. Hij lachte hardop. *De yuca-methode voor persoonlijke groei*, zou een boek van zijn hand kunnen zijn: *Een Cubaanse kok wijst de weg naar verlichting.*

Hij maakte een partij yuca klaar en haalde alles door een foodprocessor. De drab zou de basis vormen voor de beroemde conch- en krabbeignets van het Guantanamera en ook van een nieuw gerecht dat Paz aan het uitproberen was: ingevroren garnalen in yucabeslag met rum. Hij maakte daar een handvol van klaar, stelde de smaak bij, liet de rest van het keukenpersoneel ervan proeven, luisterde naar hun mening en speelde toen met kruiden en de temperatuur van de vrieskast. Om elf uur vond hij het goed genoeg om het met een rauwe jicamasalade als specialiteit te serveren, en dat zei hij tegen het bedienend personeel. Zijn moeder was er niet, en er was dus niemand die zei dat niemand in het Cuba van 1956 op het idee van zo'n garnalengerecht was gekomen en dat het dus ook niet in haar restaurant zou worden opgediend. Maar waar was ze? Ze had Amelia op de gebruikelijke tijd opgepikt. Hij maakte zich een beetje zorgen, maar algauw dacht hij er in de koortsachtige vergetelheid van de lunchdrukte niet meer aan.

Toen Paz om een uur of half drie weer bij zijn positieven kwam, keek hij omlaag en zag hij dat zijn kleine meisje zijn aandacht trok. Ze droeg een lange mouwloze jurk van gele zijde met een patroon van grote groene tropische bladeren, en kleine sandalen met een wit riempje en een bescheiden hak. Haar haar was als een glanzende kroon om haar hoofd gevlochten, met een witte gardenia achter haar oor. Om haar hals had ze een halssnoer van groene en gele glazen kralen.

'Dat is nogal een outfit. Ben je met *abuela* wezen winkelen?'

'Ja. We zijn naar een speciale winkel geweest.' Ze liet haar vingers over het halssnoer gaan. 'Deze kralen zijn gezegend. Het is niet zomaar een halssnoer, papa.'

'Vast niet. Hoe gaat het in het restaurant? Amuseert iedereen zich?'

'Ja. Er zijn een miljoen Japanse mensen met allemaal dezelfde kleren aan. Waarom doen ze dat?'

'Dat weet ik niet. Het zal wel een gewoonte zijn.'

'Nou, ik kwam hier omdat er een man is die je wil spreken. Hij wist dat je mijn papa was. Tafel drie.'

'Dank je. Hoe ziet hij eruit?'

Ze dacht even na. 'Als een footballspeler, maar ook kaal.'

'Goed. Zeg tegen hem dat ik kom zodra ik klaar ben met deze bestellingen.'

Commissaris Douglas Oliphant zag eruit als een footballspeler en was inderdaad linebacker van Michigan geweest. Hij had een donkerbruine huidskleur en een kalme uitstraling, en Paz had altijd gevonden dat hij voor een chef wel meeviel. Oliphant had onder meer de leiding van de afdeling moordzaken en huiselijk geweld van de politie van Miami. Hij keek van zijn lege bord op, knikte Paz toe en wees naar de stoel tegenover hem.

Paz ging zitten en zei: 'Je hebt de garnalen gehad.'

'Ja. Ik zou bijna willen zeggen dat je waardevoller voor de mensheid en de stad bent als je die dingen klaarmaakt dan wanneer je moordenaars vangt. Geweldig voedsel, Jimmy.'

'Dank je. Het antwoord is nog steeds nee.'

'Je weet de vraag nog niet.'

'Wedden van wel? Tito is hier laatst geweest. Jullie willen dat ik adviseer over die zakenman die door een onzichtbare voodootijger is opgegeten.'

Een strak glimlachje van Oliphant. 'Dat zou mooi zijn. Je zou iets voor de samenleving doen en al je vrienden in de Cubaanse gemeenschap zouden het op prijs stellen, zeker in het licht van recente gebeurtenissen.

'Zoals?'

'Vannacht is er vandalisme gepleegd bij het huis van een zekere Cayo D. Garza, een Cubaans-Amerikaanse bankier. Zijn voordeur is aan flarden gekrabd en er zijn uitwerpselen achtergelaten op zijn pad. Bij nader onderzoek bleken die uitwerpselen afkomstig te zijn van een jaguar. Volgens de dierentuin. Onze technische recherche heeft niet veel ervaring met jaguarpoep. Daar krijgen we niet vaak mee te maken. We hebben in zijn tuin rondgekeken en vonden klauwafdrukken van een grote kat, ongeveer dezelfde als die bij het huis van Fuentes.'

'De gedeeltelijk opgegeten Fuentes.'

'Ja, die. Dus nu zijn we erg geïnteresseerd, en wie denk je dat Tito ontdekte toen hij naar de connecties van Garza keek? Wijlen Antonio Fuentes. En toen we ons in de connecties van Fuentes en Garza samen verdiepten, vonden we Felipe Ibanez, een import/exportman, en wat denk je? Bij hem is twee nachten geleden hetzelfde vandalisme gepleegd, al maakte hij zich er niet zo druk om en deed hij geen aangifte. Hij liet net zijn deur vervangen toen de politie van Miami Beach bij hem kwam, en hij had de jaguarpoep al weggespoeld, maar daar vonden we ook klauwafdrukken. Ze wonen allebei op Fisher Island; het zijn daar grote villa's. Nu blijkt dat Fuentes, Garza en Ibanez compagnons van elkaar zijn. We haalden hun namen door de gegevens van de Kamer van Koophandel en kwamen bij een firma die ze vorig jaar hebben opgezet: Consuela Holdings. Vier gelijke compagnons. De vierde is Juan X. Calderón. Ken je hem?'

'Waarom denk je dat?'

'Omdat je opkeek toen ik zijn naam noemde.'

Paz haalde zijn schouders op. 'Hij is een zakenman in de Cubaanse gemeenschap. Yoiyo Calderón. Iedereen weet wie hij is.'

'Wat is hij voor iemand?'

'Vraag dat Tito maar. Dat is ook een Cubaan.'

'Ik vraag het jou.'

'Ik ben de verkeerde. Mensen als Yoiyo gaan niet om met mensen als ik.'

'Eet hij hier nooit?'

'Nooit.'

'Dat is een heel duidelijke uitspraak. Weet je dan hoe hij eruitziet?'

Paz wilde net iets kwaads zeggen, maar hield zich in en keek zijn vroegere baas grijnzend aan. 'Hé, dat is een goeie. Ondervraagd in mijn eigen restaurant. Heel stijlvol. Misschien zetten we het op het menu.'

Oliphant permitteerde zich een strakke grijns. 'We zijn alleen maar een paar oude makkers die zitten te ouwehoeren.' Hij stak een yucachip in zijn mond en beet hem stuk. 'Kom op, Jimmy. Help me nou. We hebben het over grote jongens, en de politiek oefent veel druk op me uit vanwege Fuentes. Als het een soort Cubaanse vendetta is, moet ik het weten. Vooral de exotische aspecten...'

'O. Hebben jullie plotseling een tekort aan Cubanen in het korps? Kun je niemand anders bedenken? Niemand die je het kunt vragen?'

'Ik heb het gevraagd. Ik krijg gemengde reacties, nerveuze blikken. Iedereen heeft wel een achterneef die voor die kerels werkt, en ik krijg het gevoel dat het Consuela-trio eerder over het onderzoek te horen krijgt dan ik. Daarom ben ik naar jou toe gekomen. En nu krijg ik weer van die nerveuze blikken.'

Paz stak zijn arm op en trok de mouw van zijn jasje omhoog. 'Kijk, man, zie je de kleur van mijn huid? Het soort Cubanen over wie we het hebben wil die kleur alleen in de keuken zien, of met een dienblad in handen. Ze gaan niet met mij of de mijnen om en vertellen me hun geheimen niet.'

'Maar je kent Calderón.'

'Van gezicht. Ik zou niet zeggen dat ik hem ken.'

'Maar hij eet hier niet. Ik dacht dat dit het beste Cubaanse restaurant van Miami was. Eet hij nooit buiten de deur? Houdt hij alleen van Chinees?'

'Mijn moeder en hij hebben jaren geleden zaken met elkaar gedaan. Ze kregen ruzie. Einde verhaal.'

'Wat voor zaken?'

'Ik weet de details niet. Je zou het haar kunnen vragen.'

'Hm. Nou, wat is Calderón voor iemand? Ik vraag dat omdat we met een moord zitten en met twee gevallen van wat je bedreigend vandalisme zou kunnen noemen. De slachtoffers zijn drie van vier compagnons in een onderneming; Calderón is nummer vier. We hebben iemand naar het huis van Calderón gestuurd. Hij zegt dat hij geen krassen heeft gehad, geen pootafdrukken, geen jaguarstront, al zit er een gloednieuwe voordeur in zijn huis. Ik moet ervan uitgaan dat er een verband is, dat het iets zakelijks is. Dus... Juan Calderón. Een goede man, een slechte man, misschien in staat tot geweld...?'

'Oké, omdat je zo aandringt: hij is een typisch *gusano* stuk verdriet. Zijn vader en hij kwamen met de eerste golf immigranten hierheen. Ze brachten een heleboel geld mee en kochten daarmee belangen in veel ondernemingen. Daarna verdienden ze smakken geld door leningen te verstrekken aan Cubaanse ondernemingen. Nog weer later werd hij projectontwikkelaar en verdiende voor de derde keer een fortuin. Daar is hij nu nog mee bezig. In staat tot geweld? Waarschijnlijk wel, zolang het maar niet tot hem te herleiden is, of misschien geeft hij iemand van zijn huispersoneel wel eens een schop als hij een slecht humeur heeft. Maar als je me vroeg of hij zijn partner zou vermoorden en een paar happen uit hem zou nemen, of daartoe het bevel zou geven, zou ik zeggen: nee. Dat is niet hun stijl.'

Oliphant deed zijn mond open om iets te zeggen, maar op dat moment kwam Amelia, een stapel menu's tegen haar borst gedrukt, met een groepje van vier bezoekers langs hen lopen en liet ze hen aan een tafel bij hen in de buurt plaatsnemen. Toen ze klaar was, bleef ze tegenover Oliphant staan.

'Is alles naar wens, meneer?' vroeg ze.

'Alles is helemaal naar wens, juffrouw,' zei Oliphant met een stralend gezicht dat Paz zich niet van hem kon herinneren.

'Alleen zou ik graag een klein meisje op mijn schoot willen hebben,' zei Paz.

'Papa, ik ben aan het werk,' zei ze streng. En tegen Oliphant: 'Mag ik de ober met een dessertmenu sturen?'

'Nee, dank u,' zei Oliphant. 'Weet u, vroeger had ik een klein meisje dat op mijn schoot zat. Dat was beter dan een dessert.'

'Wat is er met haar gebeurd?' vroeg Amelia.

'Ze werd groot en ging ergens anders wonen.'

Amelia nam dat zonder commentaar in zich op en zei: 'Ik zal u de rekening brengen.' En liep weg.

Oliphant lachte en schudde zijn hoofd. 'Schattig.'

'Ze valt wel mee. Ik was zelf ook ongeveer zo oud toen ik in dit vak begon. Het is natuurlijk verrekte illegaal, maar jij gaat het niet aan de politie vertellen. Hoor eens, commissaris…'

'Zeg maar Doug. Je werkt niet meer voor me.'

'Doug. Ik wou dat ik kon helpen, maar echt, ik ken die mensen niet.'

'Oké,' zei Oliphant. 'Maar als je iets te binnen schiet, wil je het me dan laten weten?' Met zijn toon en gezicht liet hij op een vriendelijke manier weten dat hij wist dat Paz iets achterhield.

De drie nog in leven zijnde compagnons van de firma Consuela lunchten die dag in de Bankers' Club, zoals ze bijna elke woensdag deden. Mensen verwachtten hen daar te zien. Mannen in fraaie pakken en een paar vrouwen bleven staan om glimlachend met hen te praten en hun een hand te geven, maar het was moeilijk te zien of ze hen wilden paaien, hen wilden laten weten dat ze erbij hoorden, of dat het de aarzelende porren van de jakhals tegen de buik van een stervend dier waren. Een beetje van alle twee, dacht Yoiyo Calderón terwijl hij glimlachend zijn hand uitstak. Hij vond dat Ibanez er niet goed uitzag: oud, moe en bang. Zelfs Garza, die altijd met de gladde, roofzuchtige tronie van een naar prooi zoekende haai de wereld in keek, zag er pafferig uit en bewoog zich traag, zonder zijn gebruikelijke vitaliteit. Hij moedigde hen aan een tweede rondje cocktails te bestellen. De drank fleurde hen een beetje op, als een laagje goedkope lak op een oude auto, net genoeg om aan de andere bezoekers te laten zien dat hun zaken nog goed gingen. Dat was onder de omstandigheden voldoende, dacht Calderón. In het zakenleven, en zeker in het zakenleven van de hechte Cubaanse gemeenschap, was de uiterlijke schijn negentig procent van het werk. De mannen bestelden ook hun gebruikelijke lunches, grote stukken dure proteïne, en deden alsof ze aten. Het bedienend personeel wist hoe weinig ze ervan namen, maar dat telde niet mee.

'Nou, wanneer begint het?' vroeg Garza.

'Vandaag,' zei Calderón. 'Als Hurtado iets gedaan wil hebben, komt hij snel in actie. Dat is een goed teken, vind ik.'

'Ja, geweldig,' zei Ibanez bitter. 'Hij is een sieraad voor het menselijk ras. Wat wil dat zeggen, de bescherming die hij ons te bieden heeft?'

'Je zult er niets van merken. Een paar auto's op straat; dat is alles. Ze gaan discreet te werk en verwijderen degene die dit doet.'

'Ik kan nog steeds niet geloven dat ik hierbij betrokken ben,' zei Ibanez, alsof hij het over een nachtmerrie had. 'Ze zijn naar mijn húís gekomen! Het dienstmeisje zag wat ze hadden gedaan toen ze 's morgens de honden ging uitlaten. Gekrab over de deur... Ze was hysterisch, en die stomme trut ging naar mijn vrouw. Twee hysterische vrouwen, jezus christus, wat moest ik zeggen?'

'Ja, Felipe, we hebben allemaal over je hysterie gehoord,' zei Calderón. 'Maar zullen we onszelf niet in vrouwen veranderen? Over een paar dagen is het voorbij. Ze doen vast nog wel opnieuw een stomme zet en dan...' Hij knipte met zijn vingers. 'Dan is het voorbij. De Puxto gaat door en wij zijn uit de problemen.'

'Hoe weet je dat het een kwestie van dagen is?' vroeg Garza. 'Waarom niet maanden?'

Calderón was al bang geweest voor die vraag. Hij schraapte zijn keel en zei: 'Hurtado denkt dat de druk afkomstig is uit Colombiaanse belangen. Hij wekt nu de schijn dat we het hele project vervroegen: meer mensen die aan de weg werken, versnelde aflevering van machines enzovoort. Daardoor zullen ze zich gestimuleerd voelen de druk te vergroten.'

'Je gebruikt ons als lokaas,' zei Ibanez verontwaardigd en een beetje harder dan in de Banker's Club gebruikelijk was. Een groepje aan de volgende tafel keek nieuwsgierig in hun richting. Calderón dempte zijn stem, al kostte hem dat moeite; hij voelde de aderen op zijn slaap kloppen.

'Felipe, gebruik je verstand. Ze hebben het al op ons voorzien. We zijn al getroffen. De tijd is nu van essentieel belang, net als geheimhouding. Er is een politieonderzoek in gang gezet. Wie die mensen ook zijn, het is van vitaal belang dat wij ze eerder te pakken krijgen dan de politie. Over de politie gesproken: hebben ze al iets ontdekt?'

Dat vroeg hij aan Garza, die een oomzegger bij de politie van Miami had, hun informatiebron in die hoek. Garza haalde zijn schouders op. 'Ze begaan de gebruikelijke stommiteiten. Ze zijn godbetert van plan de plaatselijke milieubewegingen na te trekken. Natuurlijk weten ze dat wij zakelijk met elkaar verbonden zijn, en ze vragen zich af waarom Calderón niet ook is getroffen. Je hebt de rommel te snel opgeruimd, Yoiyo. Op die manier word je hun hoofdverdachte.'

Calderón dwong zich daarom te lachen, en even later lachte Garza met hem mee. Ibanez zag kans zijn gezicht tot een grimas te vertrekken die voor joligheid zou kunnen doorgaan als je niet op de blik in zijn ogen lette. Calderón voelde zich nu wat beter. Lachen als je oog in oog met het gevaar stond: dat mocht je van een man verwachten. En het was ook goed dat anderen het hadden gezien. Een tafel met Cubaanse zakenlieden die zich op hun gemak voelden en lachten; wat zou normaler kunnen zijn? Ze dronken hun koffie op en spraken alleen nog over andere, minder controversiële zaken. De ober bracht de rekening in zijn leren map en legde hem voor Ibanez neer, maar Garza stak zijn hand uit. 'Mijn beurt,' zei hij.

Doordat Garza's mouw opschoof, zag Calderón tot zijn schrik dat de man boven zijn gouden Piaget-horloge een dunne armband van rode en witte kralen droeg. Zoals elke Cubaan wist Calderón wat dat betekende. Het betekende dat de kille, meedogenloze Cayo Garza de bescherming van Shango, de *orisha* van woede en oorlog, had ingeroepen, en ook dat de man veel banger was dan hij liet blijken. Calderón vroeg zich nu af of Garza iets over de bron van hun moeilijkheden wist wat hij zelf niet wist. Het was een vluchtige gedachte waardoor zijn respect voor de man nog meer afnam en hem er des te meer van overtuigde dat alleen hijzelf de situatie volledig beheerste.

Nu is het nacht en slapen al die mensen: Jennifer en professor Cooksey, Kevin en Rupert, Paz en zijn gezin, de Cubaans-Amerikaanse zakenlieden en hun gezinnen en vrienden. Wakker is alleen nog een man die Prudencio Rivera Martínez heet, samen met een aantal collega's van hem. Ze wachten in busjes die bij de huizen van de mannen van de firma Consuela geparkeerd staan. Ze komen uit Colombia en ze zijn goed in dit soort werk: geduldig en meedogenloos. In elk busje zitten drie mannen; een van hen is klaarwakker en de twee anderen slapen op matrassen achterin. Prudencio Rivera Martínez is hun leider, en hij rijdt in een bescheiden gehuurde Taurus van het ene naar het andere adres en door de desbetreffende buurten. Dat doet hij om daar de weg te weten als dat nodig is. Met onregelmatige tussenpozen belt hij zijn mannen met zijn mobiele telefoon, maar dit keer doen zich geen problemen voor.

Moie is ook wakker. Hij ligt in zijn hangmat hoog in de takken van de grote vijgenboom. Hij heeft een plastic fles water en een zakje Frito's van het kleine meisje gekregen. Hij heeft nooit eerder een Frito gegeten, maar ze smaken hem goed en hij eet het hele zakje leeg. Hij likt het zout en de kruiden van het maïs. Als hij een mens is, houdt hij ook van ander voedsel dan vlees. Er is veel vlees in de straten van Miami Amerika, heeft hij gezien, veel meer dan hij op een plaats met zo veel dode mensen had verwacht. Als Miami vol Runiya was geweest, hadden ze al dat vlees al lang geleden opgegeten. Hij denkt dat de *wai'ichuranan* zijn vergeten hoe ze moeten jagen. Dat zijn ze vergeten omdat ze machines hebben die voedsel maken zoals een vogel eieren maakt. Dat heeft hij met zijn eigen ogen gezien.

Hij haalt nu een aardewerken pot uit zijn tas en snuift poeder in zijn neusgaten. Als hij voelt dat de *yana* komt, zingt hij het lied dat de barrière tussen de werelden opent. De *yana* snijdt hem los van zijn lichaam, zoals een mes filet van een vis snijdt, en hij zweeft de droomwereld in. Maar voordat hij helemaal wegzweeft, herinnert hij zich, zoals hij zich op dat moment zo vaak herinnert, wat er is gebeurd toen hij de *yana* voor het eerst aan pater Tim gaf. De priester had gelachen en kon niet meer ophouden met lachen, en Moie kwam sterk in de verleiding met hem mee te lachen, hoewel het, voor zover iemand van de Runiya zich herinnerde, in alle generaties sinds Jaguar *yana* gaf aan Eerste Mens niet één keer was voorgekomen dat iemand lachte. Meestal waren ze de eerste keer doodsbang.

Toen ze weer uit de droomwereld waren teruggekeerd, had Moie aan de priester gevraagd wat er zo grappig was, en toen had pater Tim gezegd dat de *yana* je het oog van God geeft, en voor God moet alles grappig zijn, zoals wij het gestuntel en de driftbuien van kleine kinderen grappig vinden. Die kinderen denken dat ze het einde van de wereld beleven, maar we pakken ze gewoon op en geven ze eten en een knuffel, in de wetenschap dat hun tijdelijke verdriet snel voorbij is. En toen ontdekte Moie dat pater Tim zich van de god gescheiden kon houden wanneer hij in de *yana*-trance door de droomwereld reisde. Dat was een wonder voor Moie, en de twee mannen praatten daarna vaak over wat pater Tim 'ontologie' noemde. Lang, lang geleden, zei pater Tim, waren ieders gedachten als water, verbonden met alles en deel van alles. Er was geen verschil tussen de gedachten van mensen en de rest van de wereld en de vaders van de *wai'ichuranan* leefden precies zo als de Runiya. Toen had een van die voorouders een gedachte die niet van water maar van ijzer was. En algauw hadden veel *wai'ichuranan* zulke gedachten, en met die gedachten maakten ze zich los van de wereld en sneden ze hem in kleine deeltjes. Zo verwierven ze hun grote macht over de wereld, en zo begonnen ze ook dood te zijn.

Toen begreep Moie het verschil tussen zelfs zo'n *wai'ichura* als pater Tim en hemzelf. Als Moie de *yana* nam, was hij Jaguar en was Jaguar hem en maakte hij deel uit van het leven van alles wat bestond – dieren, planten, rotsen, hemel, sterren – maar pater Tim kon dat alleen maar op een flakkerende manier, zoals 's nachts wanneer de maan weg was en het vuur in de hut alleen nog maar uit gloeiende kooltjes bestond. 'Door duister glas', zo beschreef pater Tim het beeld dat hij van zijn Jan'ichupitaolik had gehad, en hij zei dat hij moest wachten tot hij in het land van de doden was voordat hij kon zijn zoals Moie was. Als je geen heiden was, Moie, zei hij vaak, zou je een heilige zijn.

En zo is het nu Jaguar-in-Moie die als een damp door de droomwereld van Miami reist. In de droomwereld zijn afstanden niet wat ze in de wereld onder de zon zijn, en hij kan dus gemakkelijk alle mensen vinden die hij moet bezoeken. Hij bezoekt zijn bondgenoten en geeft dromen van kracht en macht aan hen om hen voor te bereiden op de strijd. Aan zijn vijanden geeft hij dromen van dood. In dure wijken schallen kreten door de nacht; er gaan lichten aan; er worden grote aantallen pillen geslikt; er wordt veel drank ingenomen. Zo wordt strijd geleverd in Moies land.

Ten slotte bezoekt hij het meisje, en haar vader en moeder. Hier treft hij iets heel vreemds aan. Er is een *tichiri* om het kind heen, en dat niet alleen, het is er een die hij niet kent, een vreemde eenheid, maar wel heel krachtig. Moie had niet geweten dat de dode mensen *tichiri* konden oproepen, maar blijkbaar is dat wel zo. Hij vraagt zich af of dit hetzelfde is als zijn ontdekking dat er andere dieren in het land van de doden leven, of als zijn vergissing wat de sterren betrof. Hij zal Cooksey ernaar vragen. Intussen is het moeilijk om in de dromen van de vader te komen, en bijna onmogelijk om in die van het meisje te komen. De moeder is helemaal geen probleem, en dus brengt hij daar de meeste tijd door.

Hij weet echt niet waarom Jaguar wil dat hij dit doet, maar de wens is zo goed als een bevel. Jaguar doet veel dingen die Moie niet kan begrijpen, en dit is nog lang niet het vreemdste. Op een gegeven moment zal het hem worden verteld. Of niet.

9

Weer een verkeerde! Jenny wreef over haar ogen en tuurde door de lenzen van de binoculaire microscoop. Ze gebruikte de naald om het kleine insect te verschuiven, zodat het licht er vanuit een iets andere hoek op viel. Ze zou hebben gezegd dat het een *Pegoscapus gemellus* was, alleen leek het patroon van de radiale en costale aderen meer op dat van *P. insularis*. Maar het kon *insularis* niet zijn, want hij had niet de pootsegmentproporties en omgebogen ovipositor die kenmerkend waren voor die soort. De ovipositor was lang maar bijna recht, en op de sleutelkaart kwam niets voor wat deze combinatie van eigenschappen vertoonde. Met een zucht haalde ze de vreemde vijgenwesp onder de microscoop vandaan en ze deed hem in een buisje met een stuk of vijf andere die al even eigenaardig waren. De volgende was een goede *gemellus*, en ze liet hem in een geëtiketteerd buisje vallen en maakte een notitie van zijn exemplaarnummer in het boek.

Ze was niet blij als er een verkeerde opdook, want in de week of zo dat ze voor de professor aan het determineren was, was ze gaan verwachten dat die wespen zich netjes gedroegen en keurig in een van de twee categorieën zouden vallen die ze bestudeerden. Die valsspelers kwetsten haar gevoel voor orde, dat sterk was al was het nieuw, misschien wel sterk omdát het nieuw was. Hiervoor had Jennifer nog geen drie hersencellen ingezet voor gedachten over de diversiteit van de natuur die complexer waren dan de gedachte die in 'Old MacDonald Had a Farm' was vervat.

Naast haar kennis van de taxonomie van vijgenwespen had ze het geloof opgedaan dat elk levend wezen precies in de immense wilde oerwoudstructuur van het leven moest passen – stam, klasse, orde, onderorde, familie, geslacht, soort – allemaal met elkaar verbonden door de evolutie. Haar hoofd duizelde ervan; dat overkwam haar trouwens voor het eerst. Elk levend ding moest dus ergens thuishoren, en ze ergerde zich dan ook danig aan die afwijkende wespen. Ze wist dat haar voorlopige sortering bevestigd zou worden door mitochondriaal DNA-onderzoek in het lab (niet dat ze ook maar enigszins wist wat dat was), maar ze wilde het goed doen om Cooksey tevreden te stellen. Dat was ook iets nieuws. Hoewel ze altijd had geprobeerd mensen tevreden te stellen – met haar achtergrond kon dat ook moeilijk anders – was dat in het geval van Cooksey anders. Cooksey was blijkbaar niet tevreden omdat wat ze deed goed was voor Cooksey, maar omdat het goed voor haar was om iets goed te doen, en ook goed voor... Dat wist ze niet precies, want het viel buiten haar ideeënwereld, maar ze had het gevoel dat het voor Cooksey een soort religie was om dingen goed te doen. God zit in de details, jongedame; dat zei hij vaak. Het was haar eerste kennismaking met echt ouderschap, en het steeg als speed naar haar hoofd.

Aan de andere kant zag ze zo langzamerhand ook het verschil tussen wat zij deed en wat echte biologen deden, die het veld ingingen, waar ze omringd werden door miljoenen soorten en onderzochten wat waarheen ging en wat het patroon van hun relatie was, hoe de substantie van het leven zich in een eindeloze en steeds weer variërende stroom door de diepten van de tijd bewoog. Dat soort inzicht zou voor haar altijd onbereikbaar blijven, dat wist ze, maar alleen al het idee dat er zulke mensen waren (en Cooksey was daar een van) gaf haar een beter gevoel over zichzelf dan ze ooit eerder had gehad. Het was of ze de slechtste speler in een wereldkampioensteam was: toch helemaal niet slecht.

En ze had ontdekt dat ze net zo goed in de microscoop kon opgaan als in de vissenvijver. Zoals nu: daarom hoorde ze Geli Vargos niet binnenkomen, drong Geli's begroeting niet tot haar door, reageerde ze niet tot er een hand op haar schouder werd gelegd, en toen slaakte ze een gilletje, sprong overeind en gooide bijna de kruk om.

'Goh, je moet er wel helemaal in verdiept zijn,' zei Geli.

'Ja, dat was ik. Waar ben jij trouwens geweest? Ik heb je een hele tijd niet gezien.'

'O, je weet wel, familiedingen. Een nichtje dat ging trouwen. Mijn opa die gek wordt. De gebruikelijke *Cubano*-onzin, vierentwintig uur per dag, zeven dagen per week.' Ze zei dat op een toon alsof ze geen zin had om in details te treden, en dat vond Jenny een beetje vreemd, want Geli deed normaal gesproken niets liever dan uitweiden over het doen en laten van haar familie en ze had in Jenny, wier eigen leven een witte vlek vertoonde op dat gebied, een aandachtige toehoorder. Geli wees naar de microscoop. 'Wat doe je daarmee?'

'Ik determineer soorten van agaonidae voor Cooksey.'

'Wát?'

'Zoals ik zei. Het is voor zijn onderzoek naar de evolutie van symbiose en de precisie van adaptatie. Hij heeft me laten zien hoe het moet.'

'O. Nou, het gaat een stapje verder dan ontbijt klaarmaken. Hoe is dat zo gekomen?'

'Dat weet ik niet. Ze wilden me eruit gooien omdat ik Moie ben kwijtgeraakt, en Cooksey zei dat ik voor hem kon komen werken en dat doe ik nu. Ik ben onderzoeksassistente; wat zeg je me daarvan? En ik maak nog steeds het ontbijt klaar.'

'Ik ben onder de indruk,' zei Geli, al kon Jennifer horen dat ze niet blij was, zelfs een beetje geërgerd. Ze vroeg zich af waarom.

'Mag ik zien wat je doet?'

'Ja,' zei Jennifer, en ze zette haar vriendin voor de andere lens, waarna ze een minuscule wesp op het plaatje legde en hem determineerde, en toen nog een, allebei *P. insularis*. Ze legde de verschillen uit en gebruikte daarbij trots de technische termen, als iemand die echt iets wist.

'Controleert Cooksey je werk?' vroeg Geli na die demonstratie.

'In het begin wel, maar nu niet meer. Hij zegt dat ik het bijna net zo goed kan als hij.'

'Nou, mooi.' Een korte stilte, en toen: 'Dat zal wel betekenen dat je geen propagandawerk meer met mij doet.'

'Dat weet ik niet. Daar moet je het met Luna over hebben. Kevin en Scotty hebben het gedaan terwijl jij weg was en sinds ik hiermee ben begonnen.'

'Dat is me het team wel! Scotty die staat te mummelen en Kevin die de revolutie preekt. Wat vindt Kevin van dit alles?' Ze wees naar de microscoop en de dozen met specimina.

'Geen idee. Ik ben bij hem weggegaan toen hij er moeilijk over deed. Daarna hebben we niet veel met elkaar gepraat. Hij, eh, mókt tegen mij.' Ze draaide aan de focusknop en wiebelde op haar kruk. 'Maar eigenlijk hou ik nog wel van hem. We zijn een hele tijd samen geweest, bijna twee jaar. En ik ben 's nachts eenzaam, weet je?'

Geli wist dat niet, maar dat ging ze Jennifer niet vertellen. Ze gaf ook geen commentaar op de voorlopige breuk met Kevin, en dat vond Jenny een beetje vreemd, want over zulke dingen kon ze anders eindeloos doorpraten.

'Ik moet met Luna praten,' zei Geli. 'Zie ik je onder het middageten?'

'Als je me niet ziet, is er geen lunch,' antwoordde Jenny opgewekt, en ze boog zich weer over haar wespen.

De volgende twee uur werkte ze gestaag door. Ze was verrast, en ook opgetogen, toen ze aan het eind van de serie kwam. Dat was een monster van één vangst uit bomen van twee verschillende soorten *Ficus*. Ze deed de laatste buisjes in hun dozen terug en zette die weer op hun planken, behalve het buisje met wespen die ze niet aan de hand van de sleutel kon identificeren. Toen strekte ze haar stijve rugspieren en ging ze naar de keuken om Scotty te helpen tonijnsalade te maken voor de lunch. In La Casita werd tonijnsalade altijd met verse tonijn gemaakt. Voordat Jenny bij de Forest Planet Alliance kwam, had ze nooit beseft dat tonijn een echte vis was die je in viswinkels kon kopen en dan zelf kon klaarmaken. Ze dacht dat het een kant-en-klare substantie was die net als cornedbeef alleen in blikjes te krijgen was. Ze had ook nooit geweten dat je in een keuken mayonaise kon maken van eieren en olie, en dat het dus niet een elementaire stof als benzine was, die je ergens moest kopen. Ze maakte de mayonaise zoals haar geleerd was en liet een half dozijn eieren langdurig koken, terwijl Scotty de groente schoonmaakte, avocado's schilde en de tonijn schroeide. Ze werkten bijna zwijgend maar toch goed samen en liepen elkaar niet in de weg. Het had haar vroeger dwarsgezeten dat Scotty nooit tegen haar praatte, maar nu ze zelf iets aan haar hoofd had, vond ze dat niet zo erg en hoefde ze niet de hele tijd gebabbel om zich heen te hebben. Bovendien had ze Cooksey.

Praten met Cooksey was anders dan praten met de anderen daar, ja zelfs anders dan praten met ieder ander die ze ooit had ontmoet. Geli bijvoorbeeld wilde je altijd wel dingen over wetenschap en politiek vertellen, maar dan was het net of zij de leraar en jij de leerling was. Je moest altijd bewonderende geluiden maken: o, goh, dat wist ik niet, wat weet jij toch veel! Cooksey daarentegen kwam nooit op het idee dat iedereen niet alles wist wat hij wist, en dus praatte hij gewoon maar door in de veronderstelling dat ze het zou begrijpen, alsof ze ook in Engeland had gestudeerd. En als hij even zweeg en 'Hè?' zei om na te gaan of ze het had begrepen, zei ze soms ronduit van niet. Dan kwam er een bijzondere uitdrukking op zijn gezicht, alsof ze het eigenlijk wél had begrepen, bijvoorbeeld sekseallocatietheorie of wat dan ook, en voor de grap deed alsof ze het niet snapte. Daarna demonstreerde hij door middel van slimme vragen dat ze het in werkelijkheid wél begreep. In de hele wetenschap is er niets wat een tweederangs geest die met volharding te werk gaat niet kan bevatten, zei Cooksey, en daarmee citeerde hij Whitehead. Hij citeerde Whitehead vaak, en ook Yeats, en veel andere mensen van wie Jenny nooit had gehoord. 'Niet dat jíj een tweederangs geest hebt, jongedame,' zei hij bij die gelegenheid. 'Omdat jouw geest bijna helemaal leeg is, hebben we nog niet de gelegenheid gehad hem te beoordelen. En je bent volhardend; dat heb ik al vaak geconstateerd.'

Ze hadden een grote kleurrijke schaal in de vorm van een vis, en die werd daar in huis altijd gebruikt om vis te serveren. Rupert vond dat prettig. Scotty deed de roomgladde salade erin en voegde er fijngehakte sjalotjes, slabladjes, kappertjes, radijsjes en andere garneringen aan toe, en wel op een zodanige manier dat het geheel op een Japans schilderij van een echte vis leek. Jenny pakte het verwarmde brood en een gekoelde fles chardonnay en liep achter Scotty en de tonijnschaal aan naar het terras.

Jenny wist niet of de veranderingen die ze de laatste tijd in de groep had gezien het gevolg waren van haar nieuwe status of dat er iets anders aan de hand was. Zoals ze al vaak tegen Geli had gezegd, was ze er niet goed in om dingen uit te denken, maar ze was er wél goed in om aan te voelen wanneer er iets mis was, en dat was nu het geval. Ze herinnerde zich nog goed dat in de tijd voordat Moie was verdwenen Rupert meestal met Luna en Cooksey praatte, en Luna met Rupert en Scotty praatte, en Scotty met Luna en Kevin praatte, en Kevin alleen maar af en toe tegen haar praatte, meestal om haar vanuit zijn mondhoek een hatelijke opmerking toe te voegen. Als Geli kwam lunchen, zat ze altijd naast Jennifer en praatte ze met haar of met Luna. Nu leek het wel of alles was omgedraaid. Geli en Luna zaten aan weerskanten van Rupert. Kevin zat aan de goede kant van de tafel bij hen, en nu zaten de professor en Scotty aan weerskanten van Jennifer, aan wat Kevin altijd de boerenkant van de tafel noemde. Niemand zei iets over die veranderingen. Toen ze ging zitten, zei Jenny tegen Cooksey dat ze klaar was met de serie. 'O, ja? Dat is geweldig, jongedame. Dan moeten we iets anders vinden wat je kunt doen.' En toen begon hij een gesprek over orchideeënbestuivers met Scotty. Af en toe zweeg hij even om Jenny in het gesprek toe te laten, en na een tijdje deed Scotty dat ook. Meestal was hij zo stil als een kat, maar hij kon aan een stuk door praten over planten en vissen, al had hij dat nooit eerder met Jenny gedaan. Dat deed haar goed, vooral omdat Kevin haar behandelde alsof ze onzichtbaar was. En wat was dat toch met Kevin en Luna? Ze hadden de pest aan elkaar, maar nu zaten ze te praten alsof ze de beste vrienden waren. Het was erg vreemd. En wat nog vreemder was: het kon Jenny helemaal niet schelen.

Toen Jenny na de lunch terugkwam uit de keuken, waar ze had schoongemaakt, zat Cooksey op een kruk bij de microscoop en keek hij in het notitieboek.

'Heb je ze allemaal op deze pagina genoteerd?' vroeg hij. 'In deze rijen staan andere getallen.'

'Ja, maar er zaten er een paar bij die niet pasten. Ik moet een fout hebben gemaakt. Sorry. De wespen die ik niet kon thuisbrengen, zitten hierin.' Ze hield het buisje omhoog en Cooksey keek naar de vage zwarte massa. Hij vroeg: 'Bedoel je met "niet pasten" dat je ze niet als *gemellus* of *insularis* kon determineren?'

'Ja. En ik kon ze ook niet in de sleutel vinden.'

'Dat is vreemd. Nou, zullen we dan eens kijken?'

Hij ging voor de microscoop zitten en legde een wesp op het plaatje. Hij tuurde enige tijd, bekeek er nog een en een derde, mompelend in zichzelf. Hij stond op, pakte een map met artikelen en las enkele daarvan door. Hij keek in de sleutel, keek in de microscoop, keek naar nog een artikel, mompelde wat in zichzelf en zei toen: 'Nee maar!'

'Wat? Heb ik een fout gemaakt?'

Hij keek haar recht aan, en ze zag dat zijn ogen schitterden. Hij straalde als een kind van twee dat net een koekje heeft gekregen. 'O, beslist niet. Nee! Ik denk dat je een nieuw soort *Pegoscapus* hebt ontdekt.'

'Is dat goed?'

'Goed? Dat is fantastisch! Van historische betekenis! Ikzelf bestudeer die kleine zoemertjes al twintig jaar en ik heb maar één nieuwe soort ontdekt.'

Jenny, die nog maar net had geleerd wat soorten waren en dat die een naam hadden, zou nooit op het idee zijn gekomen dat er dieren waren die nog naamloos waren. Het gaf haar een vreemd gevoel en ze vroeg: 'Maar, eh, hoe noemen we hem? In het notitieboek, bedoel ik.'

'Wat we maar willen!' kraaide Cooksey.

'O, ja? Je bedoelt dat we gewoon iets kunnen verzinnen?'

'Ja zeker. Natuurlijk zijn er bepaalde tradities. Soorten worden meestal naar een aspect van hun organisme genoemd, bijvoorbeeld de vorm of een gewoonte, of het veld waar ze zijn gevonden, of ter ere van iemand in het vak. Alleen al bij *Pegoscapus* is, zoals je weet, die eer te beurt gevallen aan Hoffmeyer en Herre. Zelf heb ik mijn *Tetrapus* naar mijn overleden vrouw genoemd.'

Bij die woorden was het of er iets inzakte in Cooksey. Het licht dat in zijn ogen had geschitterd verzwakte en het leek wel of hij een beetje kleiner werd. Jenny zag dat en vond het afschuwelijk.

In de stilte die nu viel vroeg ze opeens: 'Hoe heette ze?'

'Portia,' zei Cooksey met doffe stem.

'Net als de sportwagen?' vroeg Jennifer. Ze schrok toen ze de uitdrukking zag die nu op zijn gezicht kwam, een verbijsterde uitdrukking als-of hij een klap tegen de onderkant van zijn schedel had gekregen. Ze was bang dat ze misschien iets beledigends had gezegd, want je wist het nooit met Engelsen, die hadden allemaal vreemde dingen in hun hoofd zitten, en nu leek het net of hij een hartaanval zou krijgen. Zijn gezicht liep roze aan en er kwamen vreemde geluiden diep uit zijn borst. Ze wilde net iets zeggen toen hij opeens hard lachte. Dat was des te verras-sender omdat ze nooit eerder zo'n geluid uit Cooksey had horen ko-men; een droog grinniklachje was meer zijn stijl. Ze wist dat hij haar niet echt uitlachte, dus wat dat betrof was er niets aan de hand, al was het wel een beetje vreemd.

Ze keek naar hem terwijl hij daar zat te schateren van het lachen, met tranen in zijn ogen en schuddende knieën. 'O god, o christus,' riep hij tussendoor uit, en na een tijdje lachte zij ook, gewoon om deel te heb-ben aan zijn blijdschap. Maar hoe kon haar eigen domme opmerking (want al had ze ooit een meisje gekend dat Chrysler heette, een heer van stand als Cooksey zou natuurlijk nooit trouwen met een meisje dat naar een auto was genoemd) zo veel hilariteit veroorzaken?

Cooksey zat nog te schudden van het lachen, onbedaarlijk (o god, o christus) en met zijn ogen stijf dicht. Hij gleed van de microscoopta-fel en zou op de vloer zijn gezakt als ze hem niet had opgevangen. Ze zakte met hem onder de tafel, haar armen om zijn bovenlichaam. Hij rook naar tabak en man. Jennifers lach vertraagde en hield toen op, en wat er uit Cooksey kwam was ook geen lach meer, tenminste niet hele-maal.

Na enige tijd en nadat hij een paar keer diep en gierend adem had ge-haald, deed hij zijn ogen open en keek haar aan. Zijn wangen glansden van de tranen. 'O, god,' zei hij. 'Wat een vertoning. Neem me alsjeblieft niet kwalijk.'

'Het is cool. Het was blijkbaar grappig voor jou. En niet zomaar grappig.'

'Nee. Het was een grapje van mezelf en het... Ik denk dat het gewoon bepaalde... dingen losmaakte. Het is moeilijk uit te leggen. Dan zou je erbij moeten zijn geweest.' Hij maakte geen aanstalten om op te staan en ging verder: 'We waren op een congres in Bellagio. Dat is een mooie stad in Italië, met een paleis dat ze als congrescentrum gebruiken. En een van de deelnemers was een jonge vrouw die Maserati heette. Ik ge-loof dat ze zelfs familie was van de beroemde autodynastie, maar hoe dan ook, ze was heel mooi op een Italiaanse manier en blijkbaar zag ze wel iets in mij, al kan ik me niet voorstellen waarom. Natuurlijk voelde ik me gevleid. Ik ben een dwaas in dat soort dingen. Er wordt heel wat geflirt op zulke congressen, en Portia en ik waren nog niet zo lang bij elkaar. Nou, Portia werd gek van jaloezie en zoals ze nu eenmaal was, maakte ze van haar hart geen moordkuil. We kregen ruzie en op een gegeven moment wist ik niets anders te zeggen dan: "Hoe kan iemand die een Portia heeft nu een Maserati willen?" Ze keek me stomverbaasd aan en toen ik zei "waarschijnlijk lekt ze nog olie ook", kwamen we niet meer bij van het lachen. Elke keer dat we die vrouw daarna zagen, lachten we ons slap en spoot de wijn onze neus uit en zo.'

Er volgden een diepe zucht en een korte stilte. 'Ik denk dat ik sinds haar dood ook halfdood ben geweest. En toen je dat zei, kreeg het me helemaal te pakken. Ik hoop dat ik je niet bang heb gemaakt met die vertoning.'

'Nee, dat geeft niet. Hoe is ze gestorven?'

Hij liet weer zijn gebruikelijke korte blaflachje horen. 'Vraag dat maar aan het Amerikaanse meisje. Jullie mogen graag met jullie verdriet te koop lopen, hè? En jullie verwachten dat ook van alle andere mensen. Misschien hebben jullie gelijk. Misschien heeft het me niet veel goed gedaan dat ik het heb opgekropt. Nou, nu je ernaar vraagt: ze is gebeten door een lanspunt.'

'Wat is dat?'

'Een slang. *Bothrops atrox*. Het dodelijkste reptiel in de Amerikaanse tropen. Het was in Colombia. We waren koortsachtig aan het verzamelen in een stuk bos dat gekapt zou worden, een prachtig dalletje met de gebruikelijke weelde aan soorten, en omdat de houtkap steeds dichterbij kwam, wemelde het daar natuurlijk van de dieren die op de vlucht waren geslagen, waaronder slangen. We werkten te hard en omdat we moe waren, gingen we slordig te werk. Dat moet je daar nooit doen, maar het onderzoek was zo belangrijk, er waren daar misschien wel tientallen, honderden soorten die nergens anders leefden en die rotzakken gingen ze uitroeien om meubelen te maken en een stel boeren een paar jaar een schamele oogst te laten binnenhalen, totdat de bodem was uitgeput. Op een avond, veel te laat, ging ze nog één keer bij haar vallen kijken. Ze kwam niet terug, en ik nam een zaklantaarn en ging naar haar op zoek. Ze lag op een pad, een paar honderd meter bij ons kamp vandaan. Het was volkomen duidelijk wat er was gebeurd. We hadden het allebei al eerder gezien. De mieren en kevers zaten al op haar. Ik ben daarna niet meer in het regenwoud geweest.'

'O, dat is afschuwelijk,' zei Jenny.

'Ja. Ze had ongeveer zulk haar als jij, die roodblonde kleur, al had ze het kort.' Hij wond een streng van haar haar om zijn vinger. Ze dacht dat hij haar ging kussen en vroeg zich af hoe het zou zijn om door een oude man gekust te worden, maar in plaats daarvan deed hij zijn ogen even dicht en trok er een huivering door zijn lange lichaam heen. Toen schraapte hij zijn keel. Hij krabbelde overeind en was weer professor Cooksey. Alsof er niets belangrijks was gebeurd, ging hij met de insecten aan de slag. Hij deed de kleine dingetjes zorgvuldig in hun buisje terug. 'We moeten het natuurlijk publiceren, en de internationale nomenclatuurmensen moeten het bevestigen, maar ik verwacht geen problemen. Nou, wat de naam betreft, stel ik *P. jenniferi* voor. Wat vind je daarvan?'

'Je bedoelt mij?'

'Natuurlijk! Het zijn jouw vijgenwespen. Je bent onsterfelijk geworden, jongedame. Je naam zal altijd voortleven, in elk geval tot aan de laatste stuiptrekkingen van onze wetenschappelijke beschaving. Wetenschappers die nu nog geboren moeten worden, zullen je naam op hun lippen hebben. Wat vind je daarvan?'

'Helemaal te gek,' zei Jennifer.

'Een groot moment dat om champagne vraagt,' zei Cooksey. 'Zullen we eens gaan kijken wat Rupert in zijn grote kelders heeft?'

Huizen in Florida hadden geen kelders, dat wist Jenny ook wel, maar ze vroeg zich af wat er op deze vreemde, geweldige dag nog meer zou gebeuren. Cooksey kwam even later terug met twee grote flessen en een kinderlijke grijns op zijn gezicht. Hij had ook twee van Ruperts fraaie kristallen glazen bij zich, die alleen voor belangrijke diners werden gebruikt. Jenny had champagne zien serveren in films, maar ze had het zelf nooit gedronken. Voordat ze in dit huis kwam, was haar ervaring met wijn beperkt gebleven tot het goedkope, met extra alcohol versterkte bocht dat daklozen gebruiken om de kou te bestrijden. Sindsdien was ze in de gelegenheid geweest om echte wijn te proeven, in het bijzonder de restjes van Ruperts feesten voor rijke mensen, uit de keuken gepikt door Kevin, maar die ervaring was vooral gekenmerkt door Kevins gewoonte om de spot met alles te drijven. Kevin praatte vooral over wijn door de draak te steken met de pretenties waarmee het drinken van goede wijn gepaard ging. Hij las haar de etiketten voor met zijn versie van een rijkeluisaccent. Jenny deed daaraan mee, maar ze genoot toch van de wijn. Die riep smaken in haar mond op die ze niet voor mogelijk had gehouden, gevoelens waarvoor ze geen woorden had. Het was een van de dingen die haar op het idee brachten dat gewone mensen een fysiek leven leidden dat zwervers als zij misten. Wat dat betrof, was het net zoiets als luisteren naar gesprekken van mensen die woorden gebruikten die ze niet kende.

Ze dacht dat de vissen die om haar heen zwommen ook dat gevoel moesten hebben. Die zouden haar ook als zoiets zien, als een volslagen vreemde die een leven in een ander medium leidde, een hoger soort leven. Die gedachten zweefden soms door haar hoofd en gaven haar een enigszins ontevreden gevoel, maar ze had geen concrete ideeën waarop ze zich konden vastzetten en die ze dan kon uitspreken. Kevin verdeelde de wereld in 'rijke klootzakken binnen de machtsstructuur' en 'het volk' en ze nam aan dat zij tot de laatste categorie behoorde, maar ze dacht ook dat het niet zo simpel kon zijn, als ze al over zulke dingen nadacht, wat ze bijna nooit deed. Toch bleef ze ontvankelijk voor fysieke genoegens – visvijver, bloemen, Château Margaux – en begreep ze op een elementair niveau dat ze in dat opzicht anders was dan Kevin en de afgestompte of verbitterde boerinnen in Iowa die haar namens de overheid hadden grootgebracht.

De champagne smaakte als gearomatiseerde lucht, bijna niet als drank, maar Cooksey goot het door zijn keel als water in de woestijn en hield haar glas ook gevuld. Hij deed een cd in de geluidsinstallatie in zijn slaapkamer en de muziek zweefde naar hen toe. Die muziek was niet slecht, dacht ze, niet wat hij meestal draaide, waar helemaal geen woorden in zaten, of anders een soort krijsend gezang in het Spaans of een andere taal die ze niet verstond. Dit was een vrouw die in het Engels zong, begeleid door alleen een piano, en je kon de woorden verstaan zoals je dat in countrynummers ook kon, en er zaten geen vloekwoorden in.

'Cleo Laine,' zei Cooksey, hoewel ze het niet had gevraagd, en toen schonk hij zijn glas nog eens vol en begon te praten. Heerlijke wijn, en vergelijkingen met andere merken; champagne bij andere gelegenheden; exploderende champagne op de bruiloft van zijn zus; zijn huis bij Cambridge, het landschap, de flora en fauna daar; de goedheid en geestigheid van zijn moeder; zijn vader die hem meenam om naar vogels en insecten te kijken toen hij in Norfolk opgroeide; het Engelse veen, de overeenkomst daarvan met de Everglades, de verschillen, zijn voorkeur voor laag, vlak, vochtig land; hoe vreemd het was dat hij zo'n groot deel van zijn leven in het regenwoud had doorgebracht; verhalen over avonturen in de jungle, gevaarlijke situaties, vreemde gewoonten van de inheemse bevolking en nog vreemdere gewoonten van medebiologen; de ontzagwekkende schoonheid van de grote bomen, behangen met lianen, bedekt met bloemen en met ritselend, vliegend, kruipend leven. Met Portia aan zijn zijde. Hij zei niet veel rechtstreeks over haar, maar ze kwam in elk jungleverhaal voor. Ze was de toetssteen van zijn ervaringen; iets was niet helemaal echt als hij het niet samen met haar had beleefd.

'Ben je ooit in het gebied geweest waar Moie vandaan komt?' vroeg ze.

Hij dacht even na voor hij antwoord gaf. 'In zekere zin. Ik ben daar in de buurt geweest, in de Puxto, en ik kende iemand die dat gebied heel goed kende. Hé, we zijn leeg. Giet ons vol!'

Er ging weer een fles open. Nu liet hij haar over haar ellendige leven vertellen, al was het niet zo ellendig meer nu ze deze wijn dronk en er hier over vertelde: de verdwenen vader, de tienermoeder die door een auto-ongeluk om het leven kwam; geen familie, dus overgeleverd aan de genade van de overheid; de epilepsie waaraan ze bleek te lijden, dus geen adoptiegezin voor haar, het mislukken op school, de vroegtijdige stomme seks, de abortus, de vlucht in het zwerven en de dakloosheid. Ze bleek gemakkelijk te kunnen praten over dingen die ze nooit eerder aan iemand had verteld, zelfs niet aan Kevin: de verkrachting, of verkrachtingen, als je jongens meetelde die ze al kende; de angstaanjagende mannen die haar dope voor hen lieten smokkelen; de arrestatie en de gevangenis.

Het ging over en weer; hij zei iets, zij zei iets, hij dacht na over wat zij zei en voegde er iets aan toe, een idee, een grap, een anekdote over iets soortgelijks dat hem zelf was overkomen. Ze merkte dat ze dingen wilde zeggen waarvoor ze de taal niet had, en ze lette meer op haar woordgebruik dan ze ooit had gedaan. Waarom zei ze steeds 'of zo', en 'weet je'? Cooksey deed dat niet. Hij sprak meer als een boek, en met die stem van hem was het net of hij op tv was, maar dan in het echte leven. Ze sprak dat uit en hij lachte. 'Ja, we hebben een beschaafd gesprek, geolied door champagne. Daarom maakt Madame de wijn.' Toen hij haar verbaasd zag kijken, pakte hij de fles op en liet haar het etiket zien.

'Veeve Clipot?'

Hij sprak het correct uit en voegde eraan toe: 'Dat betekent: de weduwe Clicquot. Interessant dat je de Q als P uitspreekt. Doe je dat altijd?'

In verlegenheid gebracht gaf ze toe: 'Ja, ik kan niet zo goed lezen.'

'En geen wonder. Je bent dyslectisch.' Hij legde uit wat dat was en voegde eraan toe: 'Je verkeert in goed gezelschap. Sir Richard Branson is het ook, en een heleboel andere miljardairs. Plus Cher, geloof ik. En mijn moeder, die een tamelijk bekende antropologe was. Het is een beetje lastig maar beslist niet het einde van de wereld. Heeft niemand je dat ooit eerder verteld?'

'Nee. Ze dachten gewoon dat ik achterlijk was of zo.'

'Achterlijk? Vreemd woord. Nou, misschien was je dat inderdaad. Maar nu ga je blijkbaar weer vooruit. Ik zal je helpen, als je dat wilt. Nog wat wijn?'

Ze hield hem zwijgend haar glas voor, denkend aan Cher.

Hij hief zijn glas en hield de goudkleurige inhoud in het licht van de ondergaande zon. 'Ik stel me altijd voor dat er hersencellen doven onder invloed van dit vocht, als luchtbelletjes. Een leuk idee. Nu, intelligentie is nogal wat complexer dan de mensen denken. Bij ons is intelligentie het vermogen om met abstracte symbolen te werken. Dat vinden we belangrijker dan al het andere, bijna met uitsluiting van al het andere, met als gevolg dat we aan het hoofd van onze beschaving vaak mensen stellen die helemaal geen concrete intelligentie hebben en zelfs volkomen afgesneden zijn van het echte leven: economen en zo. Daarentegen is het de grootste deugd van de echte wetenschap dat het de natuur voortdurend in je gezicht gooit, de rommelige, concrete, complexe natuur, die vaak korte metten maakt met al je zweverige abstracties. Natuurlijk zou echte opvoeding de specifieke intelligentie van elk individu naar voren moeten halen, maar dat gebeurt niet. We denken dat we mensen nodig hebben die met abstracte symbolen kunnen werken, en dus proberen we daar grote aantallen van te produceren. Dat lukt niet en dan gooien we de mislukte exemplaren in de afvalbak. Zoals jij. En natuurlijk zijn er vormen van intelligentie, in de ruime zin van het woord, waar onze cultuur helemaal niets van weet. Mijn moeder had het daar altijd over, het verbazingwekkend brede scala van wat verschillende mensen met hun hersenen doen. Ik vraag me af wat ze van Moie zou hebben gedacht.'

'O, Moie!' zei ze. 'God, ik vraag me af wat er met hem is gebeurd. Denk je dat het goed met hem gaat?'

'Heel goed, denk ik. Nietwaar, Moie?' Terwijl hij dat zei, keek hij achterom naar de schaduw in de hoek van de kamer bij de deur. Ze volgde zijn blik en zag de indiaan daar gehurkt zitten. Daar schrok ze zo van dat ze een beetje champagne morste.

'Jezus! Waar komt hij vandaan? Ik heb de deur niet eens horen opengaan.'

'Nee. Moie wordt alleen gezien als hij gezien wil worden. Misschien is dat een voorbeeld van zijn eigen vorm van intelligentie.' In het Quechua zei Cooksey: 'Fijn dat je er bent. Hoe bevalt het je in je boom?'

'Goed. Het is een goede boom, al heeft in lange tijd niemand tegen me gesproken. En gaat het goed met jou, en met haar?'

'Met ons beiden gaat het heel goed. Wil je wat champagne?' Hij hield de fles omhoog, en Moie stond op en kwam dichterbij. 'Wat is dit?' vroeg hij, en hij snoof eraan.

'Het is zoiets als pisco, maar met water erbij, en ook lucht.'

'Dan dank ik je, maar dat wil ik niet. Jaguar is vannacht weer in de lucht.'

'En kun je geen pisco drinken als het volle maan is?'

'Nee. Hij houdt daar niet van, en misschien heeft hij me vannacht nodig, of morgen of de dag daarna. Als dat voorbij is, zal ik graag je pisco met je drinken.'

'Wat gaat hij met je doen? Als hij komt.'

'Alles wat hij maar wil doen, natuurlijk. Je moet geen dwaze vragen stellen, want je bent niet geheel en al een dwaas.' Hij richtte zijn aandacht op Jenny. Die glimlachte naar hem en zei: 'Hé, Moie, hoe gaat het?'

Hij negeerde dat en zei tegen Cooksey: 'Het Vuurhaarmeisje ziet er gelukkiger uit dan tevoren. Ik zie dat ze veel van je pisco-met-lucht heeft gedronken, maar er is ook nog iets anders. Ze heeft iets gevonden wat ze was kwijtgeraakt, denk ik.'

'Ja, zo zou je het kunnen zeggen.'

'Ja, en ik zie de schaduw van haar dood, bijna alsof ze een levend persoon was. Ze wil *puwis* met je doen, Cooksey.'

'Absoluut niet!'

'Ja, want ik heb het in haar dromen gezien. En ook in jouw dromen. Neem je haar in je hangmat?'

'Dat is niet onze gewoonte, Moie.'

'Ik geloof je, want ik zie de vrouwen hun kinderen onder de boom vandaan halen, en ze hebben allemaal maar één kind, of soms twee. Toch hebben jullie zo veel voedsel. Iedereen zou tien kinderen kunnen hebben, en allemaal nog dikke ook. Ik denk dat de *wai'ichuranan* zijn vergeten hoe het moet.'

'Nee, het is het enige waaraan ze denken. Ik kan je verzekeren dat er veel *puwis* wordt gedaan onder de *wai'ichuranan*.'

'Nee, ik bedoelde dat ze vergeten zijn hoe ze de geesten van kinderen uit de zon en in het lichaam van hun vrouwen moeten krijgen. Hoe dan ook, je zult haar in je hangmat trekken, of misschien trekt zij jou in de hare, zoals ik heb gehoord dat bij jullie ook voorkomt. Ze heeft brede heupen en zware borsten en zal veel gezonde zoons baren voor de clan van Cooksey. Maar ik kwam je vragen of je iets hebt gehoord over de Puxto, of ze zijn opgehouden met het kappen en het aanleggen van de weg.'

'Ze zijn niet opgehouden, Moie. En ik ben bang dat ze dat ook niet zullen doen.'

Moie zweeg een tijdje en maakte toen een eigenaardig gebaar, iets tussen schouders ophalen en het inzakken van de schouders in. 'Dat is jammer,' zei hij in het Quechua en hij voegde er iets in zijn eigen taal aan toe wat Cooksey niet verstond. Zonder nog een woord te zeggen ging hij de deur uit. Cooksey en Jennifer gingen met hem mee de tuin in. Moie had zijn hoofd in de nek liggen en keek naar de volle maan, die verstrikt was in de bovenste takken van een van de hoge kasuarbomen die langs de rand van het terrein stonden.

'Wat ga je nu doen, Moie?' vroeg Cooksey.

'Ik ga terug naar mijn boom en wacht af,' zei de indiaan, en hij maakte aanstalten om weg te lopen. Toen bleef hij staan en sprak hij weer tegen Cooksey. 'Ik heb één ding ontdekt. Er zijn *wai'ichuranan* die *tichiri* kunnen roepen. Wist je dat?'

'Ik weet niet wat *tichiri* is, Moie.'

'Ik zal het uitleggen. Er is de wereld onder de maan en er is de wereld boven de maan. Onder de maan hebben wij mensen ons leven, en boven de maan zijn de doden en de geesten en demonen enzovoort. Wij *jampirinan* kunnen tussen deze werelden reizen, en ook de *aysiri*, de tovenaars, en als je slaapt, zijn de paden ook open, en daar komt het dromen uit voort. Dat weet iedereen. Maar slechts weinigen weten dat je een wachter kunt roepen en in een *t'naicu* kunt binden.' Hij raakte het bundeltje dat om zijn hals hing even aan. 'Als iemand dit draagt, kunnen anderen niet in zijn dromen komen, of tenminste niet gemakkelijk. Die wachter heet de *tichiri*.'

'En je hebt er een gevonden die een van ons bewaakt?'

'Ja. Een klein meisje. Je zou denken dat het tijdverspilling is om zo'n klein meisje zo goed te bewaken. Wie kan het wat schelen wat een meisje droomt? Maar dit is een ongewoon meisje, denk ik. Jaguar heeft haar om de een of andere reden in gedachten. Dus vertel me, kunnen jullie een *tichiri* roepen en op deze manier een *t'naicu* maken?'

'Ik niet,' zei Cooksey. 'Maar veel ouders bidden dat hun kinderen mooie dromen hebben. Misschien heb je dat ontdekt.'

'Bidden? Je bedoelt, tot Jan'ichupitaolik? Nee, dit was iets anders. Ik moet hier nog wat meer over nadenken.' Daarna liep hij zwijgend de schaduw in.

'Waar ging dat allemaal over?' vroeg Jenny.

'Ach, je weet wel, gewoon een praatje,' zei Cooksey luchtig.

'Daar leek het anders niet op,' zei Jennifer. De champagne had haar driest gemaakt. 'Het kwam serieus over. Waar woont hij sinds hij is weggelopen?'

'In een boom. Blijkbaar is hij erg tevreden. En ja, het was serieus. Ik denk dat hij vannacht iemand gaat doden.'

'O, god! Wie dan?'

'Waarschijnlijk een van de mannen die in zijn ogen verantwoordelijk zijn voor het kappen van zijn woud.'

'Kun je hem niet tegenhouden?'

'Nee. Hij denkt trouwens niet dat hij het zelf doet. Hij denkt dat de man in de maan het doet, of Jaguar, zoals hij zijn god noemt.' Cooksey keek naar de hemel. 'Hij lijkt inderdaad wel wat op een jaguar, als je die erin wilt zien. Sommige mensen zeggen dat het een oude vrouw is met een zak op haar rug. In sommige delen van Europa noemen ze het een wagen, beladen met de schat van Karel de Grote.'

'Maar dat is alleen maar fantasie, weet je. Ja toch?'

'Dat hangt ervan af wat je onder fantasie verstaat. Jij en ik hadden het net over intelligentie, en daar heb je een goed voorbeeld. Onze fantasie werkt met ons specifieke soort intelligentie om televisies en atoombommen te maken. Die van hem stelt hem in staat om bezoeken aan de dromen van andere mensen te brengen en massa en energie op heel ander manieren te manipuleren dan wij dat doen. Weet je nog, die voetafdruk van hem? Mijn moeder zwoer altijd dat ze een sjamaan op platte voeten tegen een staande boom op had zien lopen alsof hij over een straat liep, en ik kan je verzekeren dat ze zich niet gemakkelijk in de luren liet leggen. Moie fantaseert, bij wijze van spreken, dat hij zichzelf in een jaguar kan veranderen, en misschien is hij daar op een vreemde manier inderdaad toe in staat.'

Jennifer voelde dat er een luchtbel uit haar keel kwam. 'Dat is onzin,' zei ze, maar toen herinnerde ze zich wat er bij de jaguarkooi in de dierentuin was gebeurd en hield ze haar mond.

Hij dronk zijn glas leeg en zei: 'Ik denk dat er nog een beetje in de fles zit. Wil je nog wat?'

'Nee, dank je. Ik voel me al duizelig genoeg.'

Hij knikte. 'Nou, dan wens ik je goedenavond. Ik ben zelf ook niet helemaal helder en ik wil nog wat lezen voor ik onder zeil ga. Ik laat het licht in de werkkamer voor je aan.'

Toen hij weg was, liep Jennifer over het pad naar de vijver en ging ze op het stenen bankje bij het water zitten. De maan was over de boom gekomen, zag ze. Hij trilde op het donkere wateroppervlak en veranderde de kleine waterval in een stroom van zilver. Ze keek naar de rimpelingen van maanlicht en kreeg een vreemd gevoel, en dat kwam niet alleen door de wijn. Ze zocht naar een verklaring en merkte dat ze daar de woorden niet voor had, maar... Ze kon het gewoon niet loslaten, kon niet in gedachteloze diepten wegzakken zoals ze haar hele leven had gedaan. Er zaten nu díngen in haar hoofd: die wesp die naar haar was genoemd, en Cookseys hele verhaal en zijn vrouw en het idee van een levenswijze waarvan ze zich nooit een voorstelling had kunnen maken. Nee, dat klopte niet: ze wist dat er zo'n manier van leven bestond. Ze had het allemaal op tv gezien, maar nu was ze in het echte leven uitgenodigd om eraan deel te nemen, en ze merkte dat ze bevend in de deuropening stond. Voortaan zouden bloemen en vissen niet genoeg zijn. Ze hunkerde nu naar wat ze was geweest en verlangde tegelijk naar een ander en nog steeds angstaanjagend leven. Ik ben te dom, dacht ze, maar dat was vergeefs: haar schuilplaats was te klein geworden.

Ze huilde geluidloos, zoals ze lang geleden had geleerd in vreemde huizen waar ze niet van jengelende kinderen hielden. Haar gezicht was van verdriet vertrokken en ze had haar armen om zichzelf heen geslagen en schommelde heen en weer op de gladde stenen bank, terwijl uit haar keel een heel zacht mauwgeluid kwam, als van een verdwaald klein poesje. Het was vreemd voor haar om dit in de openlucht te doen, en niet in een bezemkast, waar ze was opgesloten omdat ze zichzelf had bevuild tijdens een aanval, of in een hokje op de meisjestoiletten op school, waar ze zich schuilhield voor plagende kinderen. Maar dat dacht ze pas toen het voorbij was. Het was een nieuw soort gedachte, een beschouwing van haar eigen leven. Cooksey had haar zojuist gedemonstreerd hoe je dat kon doen, hoe je van buitenaf naar een leven kon kijken alsof het een film was. Maar terwijl ze huilde, dacht ze helemaal niets.

Nu hoestte ze, omdat haar keel altijd pijn deed als ze had gehuild, en haar gezicht ook, omdat het zo strak was samengetrokken. Ze knielde bij de vijver neer en maakte haar gezicht nat, en daarna stond ze op en veegde ze haar gezicht af aan de onderkant van haar t-shirt. Ze hoorde een verandadeur die dichtviel, en stappen op het grind, en daar was Kevin.

Hij bleef staan en keek naar haar. 'Ga je mee zwemmen in het maanlicht?' zei hij met een trage stem; hij was stoned. Ze rook de marihuana aan hem. Zijn gezicht was slap van de drug, iets wat haar nooit eerder was opgevallen.

'Nee, ik zit hier alleen maar.'

Hij gaf haar zijn halsdoek. Na een heel korte aarzeling pakte ze hem aan en veegde haar gezicht ermee af.

'Zin in een eindje rijden?'

'Waarheen?'

'Misschien naar het strand. Het is een mooie avond.'

Als Kevin twee weken geleden zo aardig was geweest, zou dat haar hele dag goed hebben gemaakt, maar nu zag ze in dat hij daar precies op rekende. Ze kon achter het masker van zijn gezicht kijken, zag het wezen dat daarin zat, de lege, wanhopige droefheid van dat wezen. Ze zag ook hoe hun relatie in elkaar zat: zij wilde iemand die voor haar nadacht en voor haar zorgde, omdat ze dom en achterlijk was, en hij wilde iemand die hem bewonderde en zich aan hem ondergeschikt maakte, omdat hij een waardeloos stuk vreten was. Dit is net als mijn droom, dacht ze, en ze riep hem weer op. Ze besefte dat ze die droom niet alleen de afgelopen nacht had gehad, maar vele nachten. Ze was een kind dat in een kelder was opgesloten. Ze was stout geweest, en de pleegouder zou iets afschuwelijks met haar doen als hij thuiskwam en ze uit de kelder moest. Er zat nog een kind bij haar opgesloten, en op een vreemde droommanier wist ze dat het Kevin was. Ze waren allebei kinderen, maar ook zichzelf. De wanden van de kelder waren van aarde, en ze ging aan het graven. Het materiaal waarin ze groef was geen echte aarde, maar zacht en slijmerig als gelei en het kwam in grote brokken los. Ze probeerde Kevin over te halen ook te graven, maar hij wilde niet. In plaats daarvan nam hij de brokken gelei en zette ze netjes tegen de wand. Hij zei dat hij geen last wilde krijgen met de ouders. Ze verkeerde nu in tweestrijd. Aan de ene kant wilde ze erg graag ontsnappen, aan de andere kant werd ze gefascineerd door het bouwwerk dat Kevin met de trillende blokken maakte. Er was daar ook een gele kat, herinnerde ze zich, en die rende de schacht in die ze had gegraven, verdween daarin, en ze wist dat hij de weg naar buiten had gevonden en wilde hem heel graag volgen. Alsjeblieft, Kevin, alsjeblieft, riep ze naar de droomjongen...

'Alsjeblieft wat?' zei Kevin.

'Niets.' Ze besefte dat ze hardop had gesproken. Ze had nu medelijden met hem. Eigenlijk had hij niets, behalve zijn stomme revolutie, en seks, en zijn gedragsproblemen. Er ging een golf van medelijden door haar heen en tot op zekere hoogte begreep ze, zonder het te kunnen verklaren, dat professor Cooksey ook zulke gevoelens voor haar had. Ze had het van hem geleerd. En als ze bij Kevin bleef, kon ze bij hem misschien ook zo'n verandering tot stand brengen. Misschien was ze dat aan hem verplicht, want ze zou hier nooit terecht zijn gekomen als Kevin haar niet had meegesleept. Ze stond op, ging tegenover hem staan en produceerde een glimlach, die maar half nep was. 'Oké,' zei ze. 'Laten we dan maar gaan.'

10

'Dit is niet de weg naar het strand,' zei Jenny.

'Ja, dat weet ik, maar ik wil nog even langs dat huis in de Gables.'

Ze vroeg niet waarom, en ze was ook niet gekwetst of teleurgesteld, zoals ze een paar weken geleden zou zijn geweest. Kevin had altijd zijn eigen plannen gehad als hij bij haar was, en terwijl ze dit vroeger als een persoonlijke belediging zou hebben opgevat, zag ze er nu een taxonomische indicator van het geslacht *Kevin* in, zoals:

heeft altijd andere plannen als
hij bij vriendin is...................... *Kevin sp.*

heeft nooit andere plannen als
hij bij vriendin is...................... zie 14

Jennifer was nooit aan dat laatste deel van de taxonomische sleutel toegekomen, maar het leek haar leuk om er daar eens een van te vinden, een echte 14 of zoiets. Ze wist dat ze bestonden, want Cooksey was zo iemand. Uit gewoonte gaf ze ook de schuld aan zichzelf. Als ze meer geïnteresseerd was geweest, zouden anderen zich misschien ook meer voor haar hebben geïnteresseerd. Ze keek langs Kevin naar het huis waarin hij blijkbaar meer geïnteresseerd was dan in haar. Het kwam haar vaag bekend voor, een grote Gables-villa van twee verdiepingen, vaalroze oplichtend in het schijnsel van de maan, maar ze voelde zich niet geroepen om te vragen wat er zo bijzonder aan was. In plaats daarvan dacht ze aan Cooksey en Cookseys overleden vrouw. Uit wat hij haar had verteld, kon ze veel afleiden over het soort relatie dat ze hadden gehad. Ze vroeg zich af of het waar was dat mensen zo veel van elkaar konden houden, of dat het alleen maar een fantasie van Cooksey was, zoals de fantasieën over liefde op tv of in films. In elk geval had ze zo'n liefde nooit in het echt meegemaakt, en ze begreep nu dat wat ze dacht dat ze voor Kevin voelde zo vluchtig was als de beelden op een flikkerend scherm. Wat was het vreemd om zulke gedachten te hebben, dacht ze, in zekere zin beklemmend en verschrikkelijk maar ook heel erg cool, bijna alsof ze haar eigen leven in de hand had, alsof dat een stuur had.

Prudencio Rivera Martínez zit met twee van zijn mannen in een Dodge Voyager die achter in de straat geparkeerd staat. Hij slaapt half, maar wordt wakker als er een auto voorbijrijdt. Dat komt niet veel voor, want Cortillo Avenue in de Gables is kort en wordt weinig gebruikt, behalve door degenen die in de grote huizen in die straat wonen of degenen die een reden hebben om daarheen te gaan: gasten, personeelsleden, bouwvakkers. Geen van de andere huizen in de straat wordt zo bewaakt als dat van Calderón. In plaats daarvan hebben ze belachelijk kleine bordjes waarop ze waarschuwen dat als iemand iets slechts doet de politie zal worden gebeld. Martínez begrijpt dat het in Amerika anders toe gaat dan in Cali, waar hij vandaan komt. In Cali zouden zulke huizen als deze een muur van drie meter hoog om hun terrein heen hebben, met scheermesprikkeldraad of glasscherven op de bovenkant, en ze zouden elk ook een team van bewakers hebben. Als de familie naar buiten ging, gebeurde dat in gepantserde limousines, met bewakers in begeleidende auto's.

Hij is in het algemeen niet geneigd tot nadenken, maar vraagt zich nu toch af wat een stel Colombiaanse bendes met zo'n straat zou kunnen doen. Het zou zoiets zijn als het oppakken van een schaal bonen; zo gemakkelijk. Daarom gelooft hij niet dat hij veel moeilijkheden krijgt als dat probleempje van Hurtado wordt veroorzaakt door Amerikanen. Evengoed denkt hij net als zijn baas dat dit een Colombiaanse operatie is. Hij heeft de politiefoto's van Fuentes gezien, die Calderón van een bron binnen de politie van Miami heeft gekregen, en met een vreemd soort patriottische trots ziet hij daarin typisch iets wat een Colombiaan zou doen. Hij kent zelf mensen die graag op die manier bloed vergieten. Van dat opeten is hij niet zo zeker, al heeft hij uit het zuiden, waar al een halve eeuw een burgeroorlog aan de gang is, geruchten gehoord over kerels in de jungle die vijanden opeten. Hijzelf is een kieskeuriger moordenaar en specialiseert zich de laatste tijd in autobommen. Hij heeft mensen die hij kan inschakelen als er meer bloed moet vloeien en hij heeft voor alle zekerheid ook een aantal van die mensen meegebracht.

Nu wekt het geluid van een auto Martínez uit zijn ingedutte staat. Hij is meteen alert. Een felgekleurd busje rijdt langzaam langs zijn raam. De ruiten van zijn Dodge zijn zwaar getint, maar evengoed kan hij bladeren, papegaaien en apen in de beschildering herkennen, en ook wat Engelse woorden die hij niet goed kan thuisbrengen. Maar hij ziet het nummerbord als het busje voorbijrijdt en noteert het in een boekje. Dat doet hij altijd wanneer hij met een klus als deze bezig is: autonummers noteren. Natuurlijk zou iemand die iets wil uithalen, zeker als het een Colombiaan is, altijd een vals nummer gebruiken, maar toch is het een goede gewoonte. Het beschilderde busje gaat langzamer rijden en komt tot stilstand voor het huis van Calderón. Het blijft even staan en rijdt dan langzaam door. Martínez drukt een toets in op zijn mobiele telefoon. Er wordt meteen opgenomen en hij zegt: 'Zoek uit wie dat is.'

'Moet ik ze oppikken?' vraagt de stem in de telefoon.

'Nee, volg ze. Ik wil weten wie ze zijn en waar ze vandaan komen.' Hij verbreekt de verbinding. Aan de andere kant van de straat rijdt een ander Dodgebusje met getinte ramen weg en volgt het beschilderde Volkswagenbusje de hoek om.

Kevin en Jennifer reden over de Rickenbacker Causeway naar Virginia Beach, een relatief onontwikkeld stuk openbaar strand ten noorden van Bear Cut. Kevin pakte een badstof deken en een halve fles van Ruperts wijn uit de auto en ze liepen van het kleine parkeerterrein naast de weg naar de plaats waar de mangroven begonnen. Kevin spreidde de deken uit in een kleine zandige inham die bedekt was met naalden van de overhangende zwarte dennen. Het was daar donker omdat het sterke maanlicht werd tegengehouden door de takken van de bomen, en het was er ook koel. Het was een koele dag geweest, en de stekende insecten waren nauwelijks actief. Jennifer wist waarom Kevin voor een donkere plek had gekozen. Ze liep over knerpend hard zand naar het water.

'Waar ga je heen?' riep hij.

'Naar het water. Ik wil een maanbad.'

Een meisje dat ze ooit had gekend, Rosalind, had haar verteld dat de stralen van de maan gezond waren voor vrouwen, dat ze de subtiele energieën versterkten en menstruele krampen voorkwamen. Jenny herinnerde zich haar als een klein stroblond meisje met veel piercings op haar gezicht en donkere armbandtatoeages. Dat meisje had zich in kristallen en astrologie verdiept en een horoscoop voor Jenny gemaakt op een stukje papier: zon en maan in Kreeft, Schorpioen in opkomst. Rosalind had uitgelegd wat het allemaal betekende, namelijk dat Jenny zich waarschijnlijk aangetrokken voelde tot de zee. Haar huiselijke omgeving was erg belangrijk voor haar en ze had het graag gezellig. Soms was ze in emotioneel opzicht erg lichtgeraakt, en soms moest ze in haar schulp kruipen. Ze was een krachtige verdediger van familie en traditie, zei Rosalind. Hoewel haar temperament wisselvallig was, kwamen mensen gemakkelijk naar haar toe voor bescherming en koestering. Dat laatste zat er een beetje naast, net als die emotionele lichtgeraaktheid, maar misschien kwam daar nu iets van opzetten. Of misschien was het gelul, zoals Kevin zei.

Ze trapte haar sandalen uit en waadde het water in. Het was warmer dan de lucht en voelde aan als lichte olie. De roomwitte maan stond hoog aan de hemel en legde een laagje zilver op de golven. Ze stond tot haar knieën in de zee en liet de stralen in haar huid zinken, met de vurige wens dat het niet allemaal gelul was. Ze hoorde stappen in het zand. Kevin, die iets van haar befaamde en astraal correcte zorg en koestering kwam halen. 'Hé...' zei hij.

Zonder erbij na te denken ging Jenny het zand weer op, en in een ommezien bevrijdde ze zich van haar T-shirt en korte broek. Daarna dook ze de weerspiegelde maan in. Het water was hier niet diep, nog geen anderhalve meter. Ze dook naar het zand en bleef net boven de bodem zwemmen. Het water was volkomen zwart, en dat was teleurstellend, want ze wilde dat het maanlicht ook onder water kwam, magisch en vreemd, en ze vroeg zich even af waarom dat niet het geval was. Ze zou het Cooksey vragen. Doordat ze zo vaak in de visvijver had geoefend, kon ze haar adem heel lang inhouden, en dat deed ze nu, zwevend in volslagen duisternis.

Er was vaag een plons te horen, en het water kwam in beroering. Ze voelde de druk van iets wat bewoog. Kwamen haaien ook 's nachts? vroeg ze zich af, en tegelijk met de angst kwam ook een beetje zelfverachting bij haar op. Weer iets wat ze niet wist. Ze zette zich met haar voeten af tegen het zand en dook naar de oppervlakte. Het was Kevin maar, spartelend en sputterend op zo'n tien meter afstand.

'God, Jenny, ik dacht dat je iets was overkomen!'

'Niets aan de hand. Wilde je me redden?'

'Ja,' zei hij lachend. 'In die fase zit ik: de actieheld.' Hij zwom naar haar toe en omhelsde haar, drukte haar borsten tegen zijn borst, kuste haar hals. Dat was een beetje nieuw, vond ze, en hij deed het niet alleen omdat hij seks wilde. Hij wilde bijna altijd seks, en zijzelf op dit moment trouwens ook. Maar zelfs toen ze elkaar nog maar pas kenden, had het niet zo aangevoeld: alsof hij bang was dat ze weg zou gaan en hij daarom extra liefhebbend wilde zijn. Als dat zo was, als ze het zich niet alleen maar verbeeldde, waarom had hij zich dan zo rottig gedragen toen ze haar uit het huis wilden wegsturen? Hij had zijn hand nu in haar slipje en de middelvinger bewoog zich zoekend omlaag, als een tandkarper die een kruimel zocht. Ze duwde zich van hem weg en peddelde op haar rug bij hem vandaan.

Op het droge zand trok ze haar plakkerige slipje uit en deed ze haar korte broek en T-shirt aan. Ze vond haar sandalen terug, liep naar de deken en gebruikte hem om haar gezicht en haar af te drogen. Kevin kwam achter haar aan. Hij keek verward, maar probeerde dat achter zijn gebruikelijke scheve grijns te verbergen. Ze vouwde de deken op. 'Laten we in het busje gaan,' zei ze.

In het mangrovebos legde Santiago Iglesias zijn 8x10-nachtkijker neer en zei tegen zijn metgezel, Dario Rascon: 'Zo te zien is de show voorbij. Laten we naar het busje teruggaan.'

Rascon zei: 'Dat is een lekker ding. Ik zou die meid wel willen neuken. Ik zou die meid in haar witte reet willen neuken. Weet je wat? Ik heb nog nooit een roodharige poesje geneukt. Wat zeg je daarvan? Daar dacht ik net aan toen ik zag hoe ze haar kut aan ons liet zien. Niet echt, trouwens. Wil je weten wat ik denk? We kunnen die kleine *maricón* het bos in gooien en haar neuken tot we niet meer kunnen.' Hij maakte daar een zuigend geluid met zijn mond bij en betastte zijn geslachtsdelen om te kennen te geven dat hij grote seksuele belangstelling had.

'Hij zei tegen ons dat we moesten kijken waar ze heen gingen,' zei Iglesias. 'Als jij hem wilt uitleggen waarom jij een beetje neukwerk belangrijker vond dat doen wat hij zei, ga je je gang maar. Ik wens je veel succes.'

'*¡No me friegues, pendejo!* Geef me tien minuten met die meid en we weten niet alleen waar ze vandaan komt maar ook wat ze dinsdag voor haar ontbijt heeft gehad.'

'Dat is een goed plan. Ik zie dat jij de situatie veel beter begrijpt dan Prudencio.'

'Hij wil alleen maar de informatie, man. Als ik hem die informatie geef, vindt hij het prima.'

'Zo niet, mag ik dan je laarzen?' Automatisch keek Rascon naar zijn laarzen, die van rijk bewerkt krokodillenleer waren, met zilver op de punten. Toen snauwde hij '*¡Chingate!*' en hij liep met grote stappen weg, gevolgd door de zacht giechelende Iglesias.

Ze gingen in hun busje zitten. Rascon wilde de radio aanzetten en de ramen dichtdoen om de weinige muggen buiten te houden, maar Iglesias zei nee, voor een deel om de andere man te ergeren en te laten zien wie de leiding had, en voor een deel omdat hij wilde zien wat de Amerikanen gingen doen. Hij had daar wel een idee van, maar hij wilde het observeren. De twee Amerikanen gingen door de zijdeur hun busje in. Iglesias zag het busje tot rust komen op zijn veren. Enkele minuten later schudde het busje ritmisch heen en weer. De ramen stonden allemaal open en kort daarna voerde de lichte bries het geluid van zware ademhaling naar de twee Colombianen toe, gevolgd door een aantal korte kreten als van een klein vogeltje, oplopend in toonhoogte, en toen een mannelijk kreungeluid.

'Ze krijgt het nu, de kleine hoer,' mopperde Rascon. 'Ik krijg zere ballen als ik daarnaar moet luisteren.' Hij masseerde ze.

'Als je je gaat afrukken, doe je dat maar buiten,' zei Iglesias.

'¡Pela las nalgas!'

'Als we terug zijn, kun je Torres om zijn mooie witte reet vragen.'

'¡Cállate, cabrón!' snauwde Rascon. 'Je zult het zien. Voordat we hier klaar zijn, neuk ik dat meisje.'

'Dan wens ik je nogmaals veel succes, mijn vriend,' zei Iglesias. 'Intussen… ¡Ay, coño! Luister, ze zijn weer bezig!'

Prudencio Martínez denkt even na, steekt dan zijn hand naar achteren en port de man wakker die daar zit te slapen.

'Wat is er?' zegt de man op de achterbank. Hij heet Rafael Alonzo Torres. Hij is slank en jong, de jongste van de mannen die Martínez heeft meegebracht, een gretige en agressieve jongen uit de slachthuiswijk van Cali, gezegend met een mild kijkend engelengezicht. Hij doet Martínez denken aan hemzelf toen hij twintig jaar jonger was. Martínez zegt: 'Je hebt genoeg geslapen. Ga het huis in. Ga in de stoel zitten die ik je heb laten zien. En blijf wakker.'

De jonge man gaapt en rekt zich uit. Hij zegt: 'En Garcia en Ochoa?'

'Garcia is in de keuken en Ochoa houdt de achterkant in de gaten. Ik wil jou op de bovenverdieping.'

'Is er iets gebeurd?'

'Nee, het is stil, maar er reed een auto voorbij die me niet aanstond.'

'Een auto?'

Martínez kijkt hem aan. 'Hé, cabrón, ga nou maar! En, Raphael: zorg dat je telefoon aan staat.'

Torres gaat het busje uit en loopt naar de achterkant van het huis. Hij tikt op de deur en Benigno Garcia laat hem binnen. Ze wisselen enkele woorden. Garcia gaat terug om naar de televisie van het dienstmeisje in de keuken te kijken. Torres loopt door de gang naar de hal en neemt de trap naar de bovenverdieping. Er zijn daar vier slaapkamers, elk met een badkamer, en er is ook de kamer aan de achterkant van het huis die meneer Calderón als studeerkamer gebruikt. Torres gaat in een stoel tussen de deur van die kamer en die van de grote slaapkamer zitten. De stoel zit niet lekker en hij vloekt zacht, maar eigenlijk vindt hij het niet erg. Dit is een gemakkelijk baantje in vergelijking met andere dingen die hij heeft gedaan. En hij kan overal slapen.

In tegenstelling tot zijn cliënt. Yoiyo Calderón kan die nacht niet slapen, zoals al meer nachten dan hij zich kan herinneren. Al weken, misschien zelfs al maanden. Nee, denkt hij, het is begonnen toen Fuentes dood-ging, of misschien kort daarna, toen het Puxto-project in de problemen kwam. Hij schreef die slapeloosheid aan stress toe, al houdt hij zich stipt aan alle aanwijzingen voor stressbestrijding in de business- en fit-nessbladen die hij leest. Maar in die behulpzame bladen gaat het nooit over nachtmerries.

Succesvolle, doortastende Amerikaanse zakenlieden praten nooit over hun dromen, geven zelfs nooit toe dat ze dromen hebben, behalve in figuratieve zin als ze een plan voor toename van materiële rijkdom uiteenzetten.

Calderón is een ontwikkeld man, en hij kent de ideeën die aan de freudiaanse psychotherapie ten grondslag liggen. Dromen hebben een diepe betekenis, vooral wanneer ze terugkeren. Het zijn signalen die de onderdrukking van een onaanvaardbaar verlangen te kennen geven. Hij heeft zich daar uit eigen beweging in verdiept, want zijn dochter heeft veel van die boeken waarin staat beschreven hoe je een goed ge-voel over jezelf kunt krijgen. Hij heeft daar stiekem in gekeken, maar volgens hem is het allemaal onzin. Hij heeft er nooit ook maar enig pro-bleem mee gehad om een goed gevoel over zichzelf te hebben. Hij dacht dat de Yoiyo Calderón die tot ongeveer een maand geleden door het le-ven ging een prima man was die voor niemand in Miami onderdeed: aantrekkelijk, besluitvaardig, seksueel potent, rijk, op weg om nog rij-ker te worden, een fatsoenlijke echtgenoot en vader, royaal voor zijn maîtresses, een man van zijn woord als hij met gelijken te maken had, filantropisch op het overdrevene af, een vooraanstaand lid van de sa-menleving; niet iemand die bij de psychiater liep, daar kon geen sprake van zijn, al had hij zijn huisarts om Xanax tegen de stress gevraagd. Op het etiket werd aangeraden een halve milligram te nemen voor je naar bed ging, maar deze avond heeft hij drie milligram geslikt, in de hoop de droom tegen te houden.

Het is altijd dezelfde droom. Hij is ergens in de tropen en draagt de kleren van een ontdekkingsreiziger. Het is warm en donker en hij zit aan een tafel. Een rij inboorlingen, opzichtig uitgedost, strekt zich uit tot in de duisternis, en een voor een verkopen ze hem hun ornamenten, waarvoor hij betaalt met stukjes papier die hij uit een blocnote scheurt en waarop hij banale frasen schrijft, zoals de papiertjes in gelukskoekjes. *Nieuwe vrienden zullen je helpen. Je wordt door velen bewonderd.* Hij vindt het fijn dat hij op deze manier rijk wordt en heeft zichzelf er, met de logica van dromen, van overtuigd dat de inboorlingen met zijn stukjes papier beter af zijn dan met hun gouden sieraden en veren. Terwijl hij aan het werk is, wordt hij zich bewust van een geluid, eerst zacht maar steeds harder, als iets wat in- en uitademt, als het snorren van een kolossale kat, een kat zo groot als een heuvel. Er zijn geen inboorlingen meer en hij is alleen met het geluid. En nu komt de angst opzetten, en hij wil opeens dringend weg. Hij stopt zijn buit in een zak en verlaat de hut. Hij is op een modderig junglespoor in het donker. Overal om hem heen is het geluid.

Ararah. Ararararh.

Nu hoort hij het stampen van de monsterlijke klauwen, dicht achter hem in het donker en steeds dichterbij. Hij rent, de zak tegen zich aan gedrukt. Hij voelt de hete adem van het monster in zijn nek. Hij kan met geen mogelijkheid ontsnappen, zijn benen blijven in de kleverige modder steken, en nu schreeuwt hij. Hij kruipt in de trage verlamming van de nachtmerrie. Hij draait zich om, kijkt op en ziet de goudgele ogen, de kaken...

En hij is wakker, zwetend, vloekend; en als hij op de klok kijkt, is het altijd ongeveer drie uur 's nachts. Hij kan dan niet meer slapen en ook deze nacht is weer verloren. Maar vannacht droomt hij niet van jungles. Vannacht is hij in een diepe zwartheid gevallen en wordt hij wakker op de divan in zijn studeerkamer. Hij slaapt daar tegenwoordig om aan de schande van zijn nachtmerries te ontkomen, het schreeuwen en spartelen. De zonwering is dicht en het is erg donker in de kamer. Het enige licht komt van de digitale klok op zijn bureau, groene cijfers die hem vertellen dat het 3.06 uur is. Het is koel in de kamer, en eerst denkt hij dat iemand de airconditioning heeft aangezet, want er zit gerommel in zijn oren. Nee, geen mechanisch geluid.

Ararah. Ararararh.

Doodsbang krabbelt hij overeind. Hij schopt de deken van zich af en steekt zijn hand uit naar de lichtschakelaar. Het licht gaat aan, en daar is hij in de kamer, kolossaal en goudkleurig. Calderón denkt dat hij nog droomt, een nieuwe en nog gruwelijker nachtmerrie, tot aan enkele seconden voor zijn dood.

In de hal wordt Rafael Torres wakker van een geluid dat uit Calderóns studeerkamer komt, een hard geluid, alsof er een meubelstuk omvalt. Hij loopt door de gang naar de deur van die kamer en luistert. Hij hoort vreemde vloeibare geluiden en een diep gegrom. Het is een gênant soort geluid, en Torres aarzelt. De man is misschien wel ziek. Hij tikt zacht op de deur en vraagt in het Spaans: 'Meneer Calderón, is alles in orde?' Geen antwoord. Hij ziet dat er licht brandt in de kamer. Wat zou er mis kunnen zijn? Hij doet de deur open.

Hij doet er een seconde over om te begrijpen wat hij ziet, en nog een seconde om zijn pistool te trekken. Wat het ook is dat Calderón heeft gedood, het komt nu al op hem af, onmogelijk snel, maar hij is een geharde jonge man met de reflexen van de jeugd. Hij ziet kans één schot te lossen voordat hij neergaat.

Garcia, in de keuken, hoorde het schot. Met zijn pistool in zijn hand rende hij de trap op. Victoria Calderón was ook wakker geworden van het schot, maar dacht eerst dat het bij haar droom hoorde. Ze had gedroomd van een oorlog in een smoorheet land. Soldaten vielen een dorp aan, en ze probeerde de kinderen bij elkaar te krijgen en hen naar een schuilplaats tussen de bomen te brengen, maar afschuwelijk genoeg ontbraken er steeds een of twee en dan moest ze terug. Dat wilde ze niet en ze zocht naar excuses, terwijl de mensen haar met donkere, beschuldigende ogen aankeken. Toen hoorde ze zware stappen buiten haar deur, en zodra ze begreep dat het geen droom was, bonkte haar hart. Ze trok een ochtendjas over haar pyjama aan en rende de kamer uit. Daar stond een grote man met zijn rug naar haar toe, een van de mannen die haar vader 'een beetje beveiliging' noemde. Victoria had een enigszins beschermd leven geleid, maar ze was niet achterlijk en had direct gezien dat die mensen niet van een gewoon bewakingsbedrijf kwamen, dat het een soort gangsters waren en dat haar vader dus in verschrikkelijke moeilijkheden verkeerde. De grote man praatte met zijn dialect-Spaans in een mobiele telefoon. 'Wat is er gebeurd?'

De man draaide zich om en hield zijn hand omhoog als een verkeersagent. Ze bleef automatisch staan, en dat gaf haar de tijd om te zien wat er bij de voeten van de man lag. De vloer was hier van lichtgroene tegels, en het vuurrode bloed stond daarmee in fel contrast. Het sijpelde nog in kleine stroompjes door de voegen naar haar toe. Het duurde even voor ze iets kon uitbrengen. 'Waar is mijn vader?' wilde ze weten.

De man stopte zijn telefoon weg. Victoria wilde naar voren gaan, maar de man versperde haar de weg en schudde zijn hoofd. Ze hoorde de voordeur opengaan, en stappen op de trap. De gang stond plotseling vol met ruige, donkere mannen; sommigen hadden een wapen. Een van hen ging tegenover haar staan, zijn brede gezicht ernstig en woedend. Ze herkende hem als Martínez; haar vader had gezegd dat hij de chef van het beveiligingsteam was.

'Ik wil mijn vader zien,' zei ze.

'Dat is geen goed idee, mevrouw. U kunt nu beter naar uw kamer teruggaan. Wij regelen dit wel.'

'Is hij gewond?'

'Meneer Calderón is overleden, mevrouw,' zei Martínez. 'Ik betuig u mijn diepste leedwezen. Op de een of andere manier zijn de moordenaars tot hem...'

Victoria Calderón sloeg hem op zijn mond. 'Idioot! Imbeciel! Hoe kon je...' begon ze, maar tot haar immense verbazing sloeg Prudencio Martínez haar op haar wang, hard genoeg om haar tegen de muur te laten vallen. Het werd rood voor haar ogen en ze gleed omlaag tot ze op de vloer zat. Ze keek op en zag Prudencio Martínez zijn vinger heen en weer bewegen alsof hij een ondeugend kind de les las. Hij had automatisch en zonder kwade bedoelingen teruggeslagen. In zijn cultuur kon een vrouw, van welke maatschappelijke positie ook, niet ongestraft een man slaan waar zijn ondergeschikten bij waren. En trouwens, de man was dood en zij was niet meer van enig belang. Hij liet haar daar op de vloer achter en schreeuwde bevelen tegen zijn mannen.

Martínez was snel van de schok van de aanval hersteld. Niet dat hij of zijn baas zich druk maakte om het leven van Yoiyo Calderón. Als ze hadden gefaald, dan niet zozeer doordat ze de moord niet hadden voorkomen als wel doordat ze de moordenaars niet te pakken hadden gekregen. Daarom was het nu zaak de bewaking in de andere huizen te versterken, voor het geval er nog een aanval kwam. De Colombianen verlieten het huis. Ze droegen hun dode kameraad in een deken mee.

Toen ze weg waren, krabbelde Victoria overeind en leunde ze tegen de muur. Haar hoofd deed pijn, en de zijkant van haar hoofd voelde verhit en gezwollen aan. Er trok een lichte bries door de gang en die voerde een geur als uit een slagerszaak mee. Ze voelde dat haar maag in opstand kwam en dwong zichzelf om diep adem te halen. Ze mocht nu niet overgeven, want...

'Victoria? Victoria, wat is er aan de hand?'

Haar moeder, knipperend met haar ogen in de deuropening van haar slaapkamer, zag er zelfs midden in de nacht decoratief uit, zelfs nu ze verfomfaaid was van de slaap, de drie whisky's die ze altijd nam en de slaappillen. Victoria ging naar haar toe.

'Niets aan de hand, mam,' zei ze. 'Alles is in orde… Er was een inbreker, maar dat is opgelost. Ga maar weer naar bed.'

'Een inbreker? O, mijn god! Waar is je vader?'

'Het is in orde, mam, alles is in orde,' zei Victoria met de meest sussende stem die ze kon produceren, maar Olivia Calderón mocht dan dom zijn, ze was niet ongevoelig voor de toon van Victoria's stem, en dus liep ze de gang in en keek ze wild om zich heen, op zoek naar haar man. Ze zag het bloed op de tegelvloer, gilde en rende naar de studeerkamer, waar ze een geluid maakte dat Victoria nooit eerder uit een menselijke keel had horen komen. Olivia viel flauw en belandde met haar gezicht in een plas stollend bloed.

Ik word niet hysterisch en ik val niet flauw, zei Victoria Calderón tegen zichzelf. Daarom mag ik niet overgeven en mag ik geen gevoelens hebben. Mijn vader is dood, aan mijn moeder heb ik niets, en mijn broer is een idioot en trouwens ook ver weg. Ik heb hier nu de leiding en ik zal doen wat nodig is. Die waardeloze gangster gaf me een klap omdat hij dacht dat ik geen rol van betekenis speel. Dat betekent dat als ik in de komende dagen niet de juiste beslissingen neem we alles kwijtraken wat mijn familie heeft. Ze sprak die woorden zelfs mompelend uit, een gewoonte die ze als kind had opgedaan, toen duidelijk werd dat ze, hoe ze haar best ook deed, nooit een jongen of een mooi meisje zou worden en dat ze dus respectievelijk haar vader en haar moeder zou teleurstellen. Het was haar manier om haar verstand niet te verliezen; als niemand echt met haar wilde praten, kon ze tenminste met zichzelf praten en nog verstandige dingen zeggen ook.

Maar dat is iets voor morgen, ging ze verder. Nu moet ik de politie bellen. En dat deed ze. Ze nam de telefoon in haar slaapkamer en belde het alarmnummer. Ze zei dat het moord was, al had ze het lijk van haar vader nog niet gezien. Wat dat betrof, geloofde ze Martínez op zijn woord. Ze zei ook dat haar moeder flauwgevallen was en vroeg de centrale om een ambulance.

Ze hing op en liep terug naar haar moeder, die nog op de vloer lag. Ze zag dat er voetafdrukken in de plassen bloed zaten en dacht dat die misschien van belang waren voor de politie. Toch zag ze kans haar moeder op haar rug te draaien, zodat ze niet meer met haar mond in het bloed lag. Ze maakte in de badkamer een washandje nat en veegde zo veel mogelijk bloed van haar moeders gezicht weg, en uit haar haren. Toen stapte ze voorzichtig over de plassen heen en ging ze de studeerkamer van haar vader binnen.

Ze dwong zichzelf om naar het ding op de vloer te kijken. Vreemd dat ik zo weinig voel, dacht ze. Ik ben misselijk van wat ik zie en van de stank, maar dat zou ik ook bij een verkeersongeluk of een explosie zijn, als ik een overlevende was. Misschien komt dat doordat het niet herkenbaar is. Zoals zijn hoofd is verpletterd zou het iedereen kunnen zijn, al wéét ik dat hij het is. Ik heb altijd gedacht dat ik van mijn vader hield en ik zou nu diep getroffen moeten zijn, maar dat ben ik niet. Ik heb het gevoel dat door zijn dood mijn leven opnieuw begint. Blijkbaar ben ik, dacht ze, inderdaad het koude monster dat mijn familie altijd in me zag, de reden waarom ik volgens hen nooit van een man zou kunnen houden, omdat ik geen echte vrouw ben enzovoort. Oké, ik heb het gezien, hij is dood, en nu moet ik...

Een schreeuw op de gang. Victoria kwam de kamer uit, keek weer goed waar ze haar voeten zette en zag dat het Carmel, het dienstmeisje, was. Ze stond daar in een roze ochtendjas en op donzige slippers, haar handen theatraal bij haar mond. Haar sliertige haar leek recht overeind te staan, maar Victoria wist niet of dat van angst was, zoals je in films zag, of van de slaap. Hoe dan ook, ze ging naar de vrouw toe en schudde haar heen en weer, zowel om een eind aan de gemompelde gebeden te maken als om haar in beweging te krijgen.

'O lieve god, is de señora dood?'

'Nee, de señor is dood. Mijn moeder is flauwgevallen van de schrik. Je moet me helpen haar te verplaatsen.'

Dat zei ze op een toon die het dienstmeisje nooit van de kleine señora, zoals ze in de keuken bekendstond, had gehoord. Het was een bevelende toon die Carmel gewend was van haar vader. Carmel overwon haar natuurlijke weerzin en de twee vrouwen droegen mevrouw Calderón naar haar badkamer, waar ze het met bloed doorweekte nachthemd uittrokken, haar met een spons zo goed mogelijk schoonmaakten, waarna ze haar op het bed legden. Dat alles gebeurde zonder dat er zelfs maar een gemompeld woord uit de vrouw kwam. Het leek wel of ze haar man in de dood was gevolgd.

Beneden ging de bel. Victoria ging de trap af en liet een politieman uit Coral Gables binnen, een man die enkele jaren jonger was dan zij. Ze vertelde hem dat haar vader vermoord was. Hij wilde het lijk zien. Ze bracht hem naar de studeerkamer. Zodra hij zag wat er in de kamer lag, kwam er een onprofessionele vloek over zijn lippen en werd hij bijna even groen als de vloertegels. Moorden als deze, of eigenlijk moorden in het algemeen, kwamen weinig voor in de City Beautiful, zoals Coral Gables zichzelf graag mocht noemen, en de wachtcommandant van elke politieman die er een ontdekte moest het politiekorps van de county bellen, en dat deed deze man nu.

Toen kondigden sirenes de komst van de ambulance aan. De broeders stelden vast dat meneer Calderón niet meer te helpen was en brachten de bewusteloze mevrouw Calderón naar het Mercy-ziekenhuis. Toen ze weg waren, ging Victoria naar haar kamer terug om enkele telefoongesprekken te voeren. Eerst belde ze haar tante Eugenia.

'Laat dit niet het verkeerde nummer zijn,' zei de stem die na twintig keer overgaan opnam.

'Tante Genia, met mij. Zeg, we hebben hier een catastrofe gehad. Je moet naar het Mercy gaan en voor mama zorgen.'

'O jezus, wat is er gebeurd?'

'Dat weten we niet precies. Een ongeluk, een, een explosie. De politie is er en ik moet hier blijven om vragen te beantwoorden. Mama is niet erg gewond, maar ze is bewusteloos geraakt. Kun je daar alsjeblieft heen gaan? Ik wil niet dat ze alleen is als ze bijkomt. En kun je ook dokter Reynaldo bellen?'

'Waar is je vader, Victoria?'

De voor de hand liggende vraag. 'Hij is, eh… hij is vermoord. Hij is gestorven, in de, eh… in de ding… o, nee, alsjeblieft, tante Genia, als je nu gaat huilen, kan ik me niet meer beheersen en ik moet sterk zijn. Ik praat straks met je en vertel je dan alles, maar kun je nu gewoon… gaan?'

De geschokte geluiden aan de andere kant van de lijn werden zachter. 'Oké, goed. Christus in de hemel! Jezus, laat me nou even tot mezelf komen. Oké, ik ga. Heb je Jonni al gebeld?'

'De volgende op mijn lijst. Bedankt, tante G., ik zal dit niet vergeten. Ik bel je straks.'

Ze verbrak de verbinding en belde een nummer in New York. Nadat de telefoon vier keer was overgegaan, hoorde ze muziek en de luchtige, aangename stem van haar broer die met een hiphopnummer meezong dat ze niet kende. De muziek zakte af en toen zei dezelfde stem: 'U hebt Jonni Calderón bijna te pakken gekregen. Ik kan nu niet aan de telefoon komen, maar als u een boodschap inspreekt, bel ik u gauw terug.' Ze verbrak de verbinding en belde nog zes keer. Bij de laatste keer hoorde ze haar broer snauwen: 'Wat?'

'Met Victoria, Jonni.'

'Wat is er?' Zijn stem trilde een beetje van angst. Ze gaf hem een verkorte versie, maar liet het belangrijkste feit niet weg. Jonni zei dat hij het eerste het beste vliegtuig zou nemen, en na nog een paar woorden hingen ze op. Ze hadden geen hechte band met elkaar.

De rechercheurs kwamen enkele minuten later. Ze lieten haar hun legitimatiebewijzen zien en stelden zich voor als de rechercheurs Finnegan en Ramirez van de politie van Metro Dade. Ze zei: 'Dat begrijp ik niet. We zijn in Coral Gables.' En toen moesten zij, of beter gezegd Ramirez, haar uitleggen, zoals hij al zo vaak had gedaan, dat de overheid van Miami veel diensten aan de kleinere plaatsen in de county verleende, waaronder het onderzoek naar moordzaken. 'Als u in Miami was geweest, mevrouw, zouden ze hun eigen afdeling moordzaken hebben gehad, maar omdat u in de Gables woont, krijgt u ons.' Hij glimlachte meelevend; hij was een Cubaans-Amerikaan van een jaar of veertig, met een normaal postuur, een pilotenbril en een borstelige snor. Finnegan was veel kleiner en een beetje ouder, met uitgedund peper-en-zoutkleurig haar en het gereserveerde, respectvolle gezicht van de betere begrafenisondernemer. Ze droegen allebei goedkope, eenvoudige kleren, colbertjes en polyester broeken, en Ramirez droeg een overhemd met een weerzinwekkend groene kleur. Allebei hadden ze lelijke zwarte schoenen met dikke zolen aan. Victoria vond dat ze helemaal niet op de rechercheurs in de media leken, want die straalden, hoe ruig ze soms ook waren, altijd een zekere persoonlijkheid uit. Zoals de meeste mensen vond ze dat een teleurstelling: deze mensen waren kantoormannetjes zoals je ze achter een loket van een postkantoor zag zitten.

Finnegan vroeg: 'Kunt u ons laten zien waar het lichaam is, mevrouw Calderón?'

Ze gingen met zijn allen de trap op. Victoria zag dat de bloedplas inmiddels bij de randen was opgedroogd en hier en daar gestolde eilandjes vormde. De rechercheurs trokken rubberen handschoenen en witte overschoenen aan. Ze gingen de studeerkamer in. Kort daarna kregen ze gezelschap van technisch rechercheurs in witte Tyvek-overalls. Victoria wachtte in haar kamer. Ze lag op haar rug op het bed en dacht aan de dingen die ze de volgende dag moest doen. Midden in die gedachten – het maken van lijsten, het uitwerken van strategieën – schakelde haar brein zichzelf uit.

Ze werd wakker van een klop op de deur. Rechercheur Ramirez stond vanuit de deuropening naar haar te kijken. Ze stond op, al was ze versuft, en probeerde meteen voor honderd procent te functioneren, zonder de indruk te wekken dat het moest. Haar gezicht deed nog erg pijn van de klap die de gangster haar had gegeven, en ze wou dat ze de kans kreeg zich wat op te knappen voor een spiegel. Ik had er ijs op moeten doen, dacht ze, en ze schaamde zich meteen voor die gedachte.

'We willen nu graag met u praten,' zei de rechercheur.

Ze gingen aan de lange mahoniehouten tafel in de eetkamer beneden zitten. De grote klok in de hoek gaf aan dat het kwart voor vijf was, en dat betekende, hoe moeilijk ze het ook kon geloven, dat er nog geen twee uren waren verstreken sinds dat pistoolschot haar in deze ver-schrikking had laten terechtkomen.

De ondervraging was, in tegenstelling tot het uiterlijk van de twee re-chercheurs, wel ongeveer zoals je in films meemaakte. De vragen lagen voor de hand en ze vertelde het verhaal zonder eromheen te draaien, maar ook zonder op de achtergrond in te gaan.

'Dus die bewaker heeft u geslagen?' vroeg Finnegan nadat ze had ver-teld wat er na het schot was gebeurd.

'Ja. Ik was zo van streek dat ik gek werd. Ik sloeg hem. Ik was hyste-risch en hij zal wel hebben gedacht dat ik tot bedaren zou komen als hij me een klap gaf.'

'Aan uw gezicht te zien moet het nogal een klap zijn geweest. Wie wa-ren die mannen?'

'Ik heb geen idee. Degene die me sloeg, de man die de leiding had, heette Martínez. Hoe de anderen heetten weet ik niet. Mijn vader heeft ze ingehuurd. Ik weet niet waar. Is het belangrijk?'

'Ja zeker!' zei Finnegan. 'Volgens u hebben ze een slachtoffer van een misdrijf verwijderd, en voor zover ik weet hebben ze ook geen contact met de politie opgenomen. We willen heel graag met die mannen pra-ten. Ik neem aan dat uw vader gegevens heeft, betalingen, contracten met de bewakingsfirma enzovoort.'

'Zoals ik al zei: ik heb geen idee.'

'Goed. Wat gebeurde er toen?'

Victoria vertelde over de scène met haar moeder, het telefoontje naar het alarmnummer, de ambulance, en de telefoongesprekken met haar familieleden.

En nu sprak Ramirez de klassieke vraag uit: 'Mevrouw Calderón, kent u iemand die uw vader kwaad zou willen doen?'

'Bijna iedereen die hem heeft gekend, wilde dat op een gegeven mo-ment wel, ikzelf ook. Hij was geen gemakkelijke man. Hij had zakelijke rivaliteiten die hoog konden oplopen, maar zulke dingen worden door advocaten afgehandeld, of door geschreeuw in de telefoon, niet door...

niet door bij iemand in te breken en hem met een bijl in stukken te hak-ken.'

'Denkt u dat de moordenaar een bijl heeft gebruikt?' vroeg Finne-gan. 'Waarom?'

Ze haalde haar schouders op. 'Ik heb niet... ik bedoel, ik kon niet naar hem kijken, ik bedoel, het onderzoeken, maar het was zo erg ver-brijzeld en verscheurd, dat ik... Nou, het woord "bijlmoord" kwam bij me op. En die jongen die ze hebben weggehaald, die bewaker. Die heb ik vrij goed gezien. Zijn gezicht en zijn hals waren aan flarden gescheurd.'

'Goed,' zei Finnegan, 'maar als u de gelegenheid hebt om na te denken, kunt u misschien een lijst maken van, zoals u zegt, "rivalen", mensen met wie uw vader overhooplag. Hij moet iemand in gedachten hebben gehad, nietwaar? Want hij nam bewakers in dienst.'

'O, dat kwam door het vandalisme. Iemand heeft onze voordeur ka-pot gekrabd. Dat was – wat is het vandaag, de vierentwintigste – o, een week of drie geleden. En die persoon heeft ook, eh, fecale materie op ons pad achtergelaten.'

'Fecale materie,' zei Finnegan met een snelle blik naar zijn collega. 'Wat voor fecale materie?'

'Dat weet ik niet, rechercheur. Ik ben geen deskundige op het gebied van fecale materie. We hebben het opgeruimd en de deur vervangen.'

'En u hebt de politie daar niet over gebeld.'

'Nee, mijn vader houdt... hield van zijn privacy. Hij wilde het zelf re-gelen, en dus nam hij bewakers in dienst.'

Er kwamen nog meer vragen. De rechercheurs wilden reconstru-eren wat er gebeurd was op de laatste dag van het leven van het slacht-offer. Finnegan liet Ramirez de vragen stellen en luisterde zelf en keek naar de vrouw. Hij wist dat er iets diepers achter dit alles zat. Dat bleek al uit het absurde verhaal over die zogeheten bewakers en de dode man die ze hadden weggesleept. En de klap op het gezicht van de vrouw was ook niet in de haak. Zover Finnegans wist, sloegen particuliere bewa-kers hun cliënten niet. In gedachten zette hij een verhaal in elkaar dat hem veel plausibeler leek. Het slachtoffer was in zee gegaan met een of andere bende en dit was een huurmoord geweest waarbij een van de bendeleden ook was neergeschoten of gedood. Ze hadden de vrouw een klap gegeven om haar te waarschuwen. Dat alles kon worden nage-gaan, en dat zou hij ook doen, als hij daar tenminste toestemming voor kreeg. De politie van Metro Dade bezat in het algemeen meer integri-teit dan die van Miami, maar moorden waarbij belangrijke Cubanen betrokken waren, stonden onder strikt toezicht van de top van het korps, vooral wanneer er lijnen naar de politiek of de georganiseerde misdaad liepen. Dus hoe dit ook uitviel, het zou een lastige zaak worden, en...

Op dat moment werd zijn gedachtestroom onderbroken door een man die in de deuropening verscheen en heftige gebaren maakte. Finnegan liet Ramirez verdergaan met de ondervraging en ging met die man de gang op. Het was Wyman en hij had de leiding van het technische rechercheteam. Die teams waren de laatste tijd wat meer op de voorgrond geraakt doordat steeds meer fictieve collega's van hen op tv te zien waren. In vroeger tijden zou een technisch rechercheur nooit de ondervraging van een getuige hebben verstoord. Finnegan had zelfs geconstateerd dat sommigen van hen het werk van gewone rechercheurs deden. Ze praatten met mensen op plaatsen van misdrijven, net als op tv. Hij keurde dat af.

Hij deed dus een beetje bars tegen Wyman.

'Wat is er, Wyman? Ik zit midden in een ondervraging.'

'We hebben een kogel in de studeerkamer gevonden, een 9mm in de rugleuning van de bank. Hij verkeert in goede staat. Het verhaal over dat schot is dus tenminste waar.'

'Kwam je me daarvoor storen, voor zo'n stomme kogel?'

'Nee, Finnegan, niet voor die kogel. Het is iets achterin.' De technisch rechercheur draaide zich om en liep door de huiskamer en een half omsloten kamer met vloertegels, veel planten en kleine sinaasappelboompjes in potten. Door een openslaande tuindeur kwam hij op de patio. Daar was het gebruikelijke zwembad, nu afgedekt, en er waren veel sierlijke struiken aangeplant. Er zaten lichtjes en gastplanten in de drie grote eiken en de hele tuin werd omringd door een hibiscushaag van drie meter hoog, die nauwgezet was bijgeknipt om een verticale muur met een vlakke top te vormen.

'Kijk daar,' zei Wyman, en hij wees naar de achtermuur van het huis. 'We denken dat de dader daar naar binnen is gegaan.'

Finnegan zag wat hij bedoelde. Ze stonden recht onder het raam van de studeerkamer, een hoog uitslaand raam, en beide ruiten vormden een hoek van negentig graden met de muur.

'Dat stond open toen de dader naar binnen ging. Ik denk dat het slachtoffer zich tamelijk veilig voelde omdat er een bewaker in die serre zat waar we net doorheen kwamen. We hebben sigarenpeuken en koffiebekers gevonden.'

'Ja, dat zei het dienstmeisje.' Finnegan keek op naar het raam. De benedenrand bevond zich zo'n vijf meter boven de grond. Halverwege de muur zat een opgerolde luifel. Hij zei: 'Hij kan de tafel hebben verplaatst om op die luifel te komen.'

'Dat zou kunnen,' zei Wyman, 'maar in werkelijkheid sprong hij zo vanaf de grond naar dat raam en greep hij de muur en het raamkozijn met zijn klauwen vast.'

Finnegan keek de man aan om te zien of hij een grap maakte, maar Wymans gezicht was ernstig, met diepe rimpels in zijn brede voorhoofd. Wyman haalde een zaklantaarn uit zijn overall en scheen daarmee op de muur. 'Daar heb je ze, vier keer twee evenwijdige groeven in het stuukwerk en...' Hij verplaatste de krachtige straal. 'En ook in het hout van het raamkozijn.'

'Het kan een ladder zijn geweest, met haken...' merkte Finnegan op.

'Ja, dat dachten wij eerst ook. Tot we dit vonden.'

Hij scheen met de zaklantaarn op de kalksteenplaten van de patio en leidde de rechercheur een meter of acht bij het huis vandaan. Daar zaten vier rode sporen midden op het pad. Het waren onmiskenbaar de pootafdrukken van een grote katachtige.

'De vloer van de studeerkamer en de omgeving daarvan waren drijfnat van het bloed. Beide slachtoffers zijn bijna helemaal leeggelopen; dat is bijna tien liter bloed. Er zijn daar overal dezelfde pootafdrukken, en ook op het raamkozijn. Hij sprong het raam uit en landde hier, en toen nam hij een paar stappen, sprong over die hibiscushaag en landde in de tuin hiernaast. Daarna hebben ze de sleutel aan de binnenkant van een smeedijzeren hek omgedraaid en liepen ze door een steegje naar Montoya Avenue. En toen waren ze weg.'

'Bedoel je dat het een man en een dier waren?'

'Ik kan geen andere verklaring bedenken,' zei Wyman. 'En geloof me: ik heb het geprobeerd. Het verklaart in elk geval de grote schade aan het slachtoffer. De schedel van de man is ingedrukt alsof hij van aluminiumfolie was. Zijn buik is opengescheurd en zo te zien is de helft van zijn lever weg. En moet je hier eens kijken.'

Wyman liep naar een eiland van beplantingen onder een van de eiken. Hij trok het gebladerte van een gemberplant opzij en richtte de straal van zijn zaklantaarn op de losse aarde daaronder.

'Daar heeft hij zich afgezet om over de haag te springen. We maken natuurlijk gipsafdrukken, maar ik kan je nu al vertellen dat we met een groot dier te maken hebben. Als ik er een gooi naar zou moeten doen, op grond van de diepte van die pootafdruk, zou ik zeggen dat het een dier van zo'n tweehonderd kilo was.'

'Allemachtig! Een soort leeuw?'

'Eerder een tijger. Leeuwen kunnen niet zo goed springen. Of de grootste luipaard van de wereld. Of een jaguar uit de hel. Of buitenaardse wezens. Dit is een vreemd geval, mijn vriend.'

Finnegan keek op naar de hoge dichte, intact gebleven haag en toen weer naar de grond. Er waren nergens menselijke sporen. 'Hoe is die kerel over die haag gekomen?'

'Ik weet het niet, Finnegan,' zei Wyman. 'Zoek jij dat maar uit. Jij bent hier de rechercheur.'

Santiago Iglesias' mobiele telefoon wekte hem uit zijn lichte slaap. Hij keek uit het raam. Het beschilderde Volkswagenbusje stond daar nog geparkeerd en maakte nu geen beweging meer. Naast hem snurkte Dario Rascon onregelmatig.

Prudencio Martínez was aan de lijn. 'Ik heb je hier meteen nodig,' zei hij, en hij gaf hem een adres op Fisher Island.

'Wat is er, baas?'

'De *chingada* is vermoord, en de dader heeft Torres ook vermoord.'

'¡*Maldito!* Hoe kon dat gebeuren?'

'Hoe moet ik dat nou weten, *cabrón*? We moeten ervoor zorgen dat het niet nog een keer gebeurt. Schiet op!'

'En het Volkswagenbusje hier?'

'Vergeet dat maar. We hebben het nummer. We kunnen ze vinden, als we willen.'

Als hij Jaguar is geweest, moet Moie zich wassen, zich helemaal onderdompelen in stromend water. Thuis zou hij natuurlijk de rivier gebruiken, en hoewel hij weet dat er een rivier in Miami is, staat de geur daarvan hem niet aan en gebruikt hij het water van de baai. Hij staat tot aan zijn hals in het water bij Peacock Park, tussen de grote en kleine boten van de jachthaven, en het heldere gezicht van Jaguar kijkt op hem neer. Hij likt over zijn lippen en lacht. Hij is er nog steeds niet aan gewend dat er in het land van de doden eindeloze hoeveelheden zout zijn. Dat is nog het allervreemdste aan dit land. Waar hij vandaan komt, gebruiken ze stukken zout om een bruid te kopen.

Hij is klaar met het ritueel reciteren en komt het water uit. Hij veegt de druppels van zijn huid en trekt de priesterkleding aan. Hij voelt dat zijn buik vol vlees is, en hij weet, en weet tegelijk niet, wat voor vlees dat is. Hij heeft eens geprobeerd pater Tim die geestestoestand uit te leggen (al sprak hij in dat geval niet over de herkomst van het vlees), maar dat gesprek leidde tot niets. De zoveelste 'ontologische' verwarring, al scheen pater Tim zich daar niet aan te storen. Hij reageerde altijd blij op dingen die hij niet van de Runiya en hun gewoonten kon begrijpen. Het deed geen pijn aan zijn hoofd, zoals het pijn aan Moies hoofd deed als pater Tim hem over theologie en de gewoonten van de *wai'ichuranan* vertelde. En zo leerde Moie toen een nieuw woord: 'onuitsprekelijk'.

11

Paz hoorde het nieuws de volgende morgen. Hij werd haastig wakker, met het soort milde paniek dat we ondergaan als we ons ervan bewust worden dat iemand naar ons kijkt terwijl we slapen. In dit geval was het zijn vrouw, die meestal eerder opstond dan hij. Ze zat op het voeteneind van hun bed met de *Miami Herald* in haar hand en een zorgelijke uitdrukking op haar gezicht, al was het niet precies de zorgelijke uitdrukking waarvan Paz vond dat ze er al maanden mee rondliep. De tijd zelf was zich vreemd gaan gedragen bij hen thuis, leek het wel. Hij dacht dat het iets te maken had met het feit dat hij bijna elke nacht varianten van dezelfde droom had. Daardoor raakte je kalender uit het lood. Lola's gezicht vertoonde nu geen verdriet en terughoudendheid, zoals tot nu toe (met 'Nee, ik kan er niet over praten' als antwoord op 'Wat is er?'), maar een mildere, meer toegankelijke uitdrukking, waaruit hij afleidde dat het probleem iets buiten haarzelf was.

'Wat is er?' vroeg hij.

'Slecht nieuws. Of misschien vind jij het goed nieuws; dat weet ik niet.'

Ze gaf hem de krant. De *Herald* bracht het nieuws boven de vouw, aan de rechterkant van de pagina. PROJECTONTWIKKELAAR VERMOORD IN CORAL GABLES, luidde de kop, met als onderkop: TWEEDE MOORD OP PROMINENTE CUBAANS-AMERIKAANSE ZAKENMAN WEKT ANGST. Hij las het en er ging een vreemd gevoel door hem heen, alsof hij zonder het te weten iets levends tegen zijn vitale organen had gedrukt en het nu met een zucht was doodgegaan.

Hij voelde dat ze naar hem keek. 'Sorry,' zei ze. 'Het moet een schok voor je zijn.'

'Een beetje wel,' gaf hij toe.

'Heb je er gevoelens bij?'

Hij haalde zijn schouders op. 'Ja. Verrassende gevoelens van... niet van verlies, want ik heb nooit iets met die man te maken gehad, maar… iets. Weet je, er gaan jaren voorbij zonder dat ik aan die kerel denk, en een paar weken geleden komt commissaris Oliphant ineens langs en vraagt me of ik de man ken, en zoals gewoonlijk zeg ik nee, want dat is de waarheid. En nu dit. Hij is alleen maar mijn vader omdat mijn moeder met hem neukte om een kleine lening voor haar bedrijfje te krijgen, en we hebben in mijn hele leven precies één gesprek gehad, waarin hij tegen me zei dat hij me zou vermoorden als ik ooit nog bij hem in de buurt kwam. Mijn standpunt houdt in dat niemand buiten de familie er iets van hoeft te weten.'

Paz keek een tijdje naar de krant, totdat de zwarte letters in het verhaal over de moord geen enkele semantische betekenis meer hadden. Hij haalde diep adem en liet de lucht ontsnappen.

'Of ik de meelijwekkende hoop koesterde dat hij op een dag zou bijdraaien en… en wat, me naar een wedstrijd van de Dolphins meenam, me aan al zijn vrienden voorstelde? Jongens, dit is mijn bastaardzoon, de nikker Jimmy Paz. Ik denk het niet. Ik weet het niet, je leest die verhalen over vrouwen, vluchtelingen en zo, die met hun baby in hun armen lopen, kogels ontwijken, bijna verhongeren, bloeden, en dan komen ze in het vluchtelingenkamp en ziet de dokter meteen dat de baby al een week dood is. Hoe voelt zo'n vrouw zich? Ik bedoel, ze moet het hebben geweten, maar ze heeft het uit haar hoofd gezet. En nu treft het haar. Is dat te begrijpen?'

'Ja, op een vreemde manier wel. Wat ga je doen?'

'Dat weet ik niet, Lola. Vind je dat ik een krans moet sturen?'

Zodra ze die sarcastische woorden hoorde, sloot ze haar gezicht weer voor hem af en wilde ze van het bed opstaan, maar hij pakte haar hand vast en trok haar weer omlaag.

'Sorry. Het is een beetje moeilijk om dit 's morgens in alle vroegte voor de kiezen te krijgen.' Hij aaide over haar hand. 'Wat belangrijker is: wanneer ga je me vertellen wat er aan de hand is?'

'Er is niets aan de hand. Ik weet niet waar je het over hebt.'

'Dat weet je wel. Je bent nerveus en kribbig. Die ruzie die we hadden, dat was niet goed, dat was niet zomaar ruzie. Als je thuiskomt van je werk, heb je van die glazige ogen alsof je aan de dope bent.' Hij zweeg even en rekte zijn hals om haar aan te kijken. Dat wilde ze niet en ze liet haar hoofd zakken. 'Bén je aan de dope?' vroeg hij.

'Natuurlijk niet! Ik sta onder grote druk. Als neuropsychiater op de spoedgevallenafdeling heb je het niet makkelijk. Ik neem incidenteel wel eens een valium.'

Dat was een leugen. Lola stopte zich vol met buspirone, alprazolam, chlordiazepoxide, diazepam en halazepam in allerlei combinaties en doseringen. Dat doet ze al weken, sinds de dromen begonnen, elke nacht dezelfde droom. Ze is psychiater, god nog aan toe, en ze ziet de tekenen van een naderende instorting. Ze weet ook dat ze zich niet voor een psychische stoornis hoefde te schamen, maar toch schaamt ze zich ervoor en wil ze er niet met haar man over praten. Ze heeft het met haar trainingstherapeut over haar obsessieve dromen gehad. Ze hebben erover gepraat. Ze hebben besproken wat het betekent om telkens weer obsessief te dromen dat je man je kind aan een jaguar geeft die het meeneemt en opeet. Wat betekent het dat je, in je droom, wilt dat het gebeurt? Dat je man in dierenvellen loopt, met een pijl en boog in zijn ene hand en een klein model van een gevangenis in zijn andere hand? Denk je misschien dat hij een wilde is en zit daar een beetje onbewust racisme in? Of voel je je gevangen in het huwelijk? Het huwelijk als kleine gevangenis? Dat komt veel voor. En hoe zit het dan met de vrouw in het blauw en wit die achter je man staat: je moeder misschien? En de zeven pijlen die je man in de droom afschiet, raken die de dochter of het beest? Het is allemaal erg onduidelijk, een bron van angsten, nietwaar? Wat zou het betekenen als die pijlen het beest raken? Wat symboliseren die pijlen? Waarom zeven? Het zou iets seksueels kunnen zijn, de angst voor rivaliteit met de dochter, seksuele agressie van de man tegen de dochter, waar je bang voor bent en die je onderdrukt? Waar staat de jaguar symbool voor?

Niets, dokter, die dingen staan symbool voor niets. Dat zegt ze altijd. Nu ze het spel zo dicht bij huis speelt, voelt ze zich een verliezer. Soms is een jaguar alleen maar een jaguar. Wat ze de dokter niet heeft verteld, is dat haar man ook van grote, gevlekte, goudgele beesten droomt, en haar dochter ook. Ze dromen allemaal van hetzelfde, en dat is onmogelijk, dat gebeurt niet, dat kan geen toeval zijn. Als ze dat tegen hem zei, zouden ze haar meewarig aankijken en haar dan in een gesloten afdeling zetten. Het is het grote, onuitgesproken gegeven van haar beroep dat ze alleen met absoluut materialisme kan werken: spoken, boodschappen uit het hiernamaals, visioenen zijn alleen maar symbolen van iets anders, van repressie, van een trauma. Als je dat niet gelooft, ben je gek.

Ze wist dat haar man daar niet helemaal mee akkoord ging. Hij geloofde dat de onzichtbare wereld net zo echt zou kunnen zijn als brandkranen en mango's. In het openbaar ontkende hij het, maar het was wel de reden waarom hij met het kind naar dat ritueel ging. En haar schoonmoeder was een ware gelovige, en ze zouden haar kind tegen haar opzetten, en dan zou ze alleen zijn...

'Hoe incidenteel is dat, Lo?' vroeg Paz, en onwillekeurig kwam er weer iets van het oude politietoontje in zijn stem. Hij hoorde het, en zij hoorde het ook: zo praatte je tegen junks.

'Ik zei dat er niets aan de hand is!' snauwde Lola terug, en nu kwam ze vlug van het bed en liep de badkamer in. Daar keek ze in de spiegel voor een professionele beoordeling. De patiënt is een negenendertig-jarige blanke van het vrouwelijk geslacht, goed gevoed maar misschien een paar kilo te zwaar, ziet er belabberd uit, wallen onder de ogen, droge lippen, afgekloven nagels, zenuwtrekjes, doffe huid. Klaagt over slapeloosheid, stomme ruzies met haar man, nachtelijke verschrikkingen, verminderde seksuele energie, telkens terugkerende dromen. Voorgeschiedenis van hypochondrie, maar niet recent. Patiënt is, of was, tevreden over carrière en relaties, geen voorafgaande trauma's met uitzondering van één voodooceremonie, één levensreddend wonder door een god waarin ze niet gelooft, en enkele gevallen van moorddadig geweld...

Ze besloot een cat-scan te laten doen. Dan weten we tenminste dat het geen hersentumor is, nietwaar? Intussen dacht ze: ik moet verder met deze dag. Ze maakte het medicijnkastje open en pakte er een buisje met tabletten van vijf milligram valium uit.

Intussen stond Paz op en trok hij een sweatshirt en spijkerbroek aan. Hij zou het ontbijt voor Amelia klaarmaken en haar naar school brengen, en als hij weer thuis was, zou hij douchen, een sigaar roken en nog wat koffie drinken, alsof dit een doodgewone dag was. Sterker nog, wanneer hij dat alles had gedaan, zou het een doodgewone dag zijn gewórden: het zoveelste staaltje van zijn buitengewoon talent om ongewenste gedachten uit zijn hoofd te zetten. Als de geneesmiddelenfabrikanten het in een flesje hadden kunnen doen, zouden valium en dergelijke middelen van de markt verdreven zijn.

Het onderwerp stak die dag en de daaropvolgende week ook niet de kop op. Paz lette heimelijk op zijn vrouw om te zien of ze in geestelijke nood verkeerde. Hij zag daar genoeg signalen van, maar wist niet wat hij kon doen, want in de loop van de jaren had hij geleerd hoe moeilijk het was om een doeltreffende opmerking over de geestestoestand van je vrouw te maken als die vrouw psychiater was. Maar hij was een geduldig man; een geduld als dat van Job was een vereiste voor rechercheurs van moordzaken. En dus wachtte hij op wat er ging gebeuren en schonk hij intussen veel aandacht aan zijn dochter.

Een week en een dag na de moord op Yoiyo Calderón, na de uitgebreide begrafenis (waar Paz niet bij was), en nadat de moord op de voorpagina's van de kranten had plaatsgemaakt voor nieuwere zij het minder kleurrijke moorden, haalde Paz aan het eind van de lunchdrukte een metalen borstel over zijn grill en dacht hij erover dit jaar met vrouw en kind op vakantie te gaan. Ze konden de boot nemen en over de Inland Waterway naar de Keys varen en in een mooie jachthaven gaan liggen, en dan kon de zon al die ellende uit hen drieën wegbranden. Hij vroeg zich af wat de gunstigste tijd voor die vakantie zou zijn. Misschien moesten ze wachten tot de kerstvakantie, maar dan zou zijn moeder met de kerstdagen alleen zijn, nee, dat kon niet. Na Kerstmis dus. Zou Lola er iets voor voelen?

Er werd aan zijn schort getrokken, en hij schrok en draaide zich om met een vloek in zijn mond. Hij was nog niet zo gespannen als zijn vrouw, maar hij was veel van zijn kalmte kwijt.

'Wat?' zei hij, barser dan hij van plan was geweest, maar toen zag hij zijn dochter met haar ogen knipperen en terugdeinzen. Hij knielde neer en knuffelde haar. 'Sorry, schatje. Ik was in gedachten, en je maakte me aan het schrikken.'

'Waar dacht je aan?'

'Iets moois. Dat ik met jou en mama met de boot naar Islamorada zou kunnen gaan. Vakantie.'

'Kunnen we Felix en Louis meenemen?'

'Ik geloof niet dat katten het leuk vinden op een boot. Maar we kunnen ze naar een kattenhotel sturen.'

'Dat bestaat niet.'

'Toch wel. Ze kunnen bij de roomservice gefrituurde muis bestellen en er is een bar waar ze kattenkruid eten en uit hun dak gaan. Ze zullen het prachtig vinden.'

'Oké, maar er is een mevrouw in het restaurant die met je wil praten. Ze heeft alleen maar *café con leche* en een guavetaartje besteld.'

Paz dacht meteen aan Beth Morgensen. Als de vrouw nu eens agressief werd en op hem ging jagen? Dat ontbrak er nog maar aan.

'Hoe ziet ze eruit?'

'Ze heeft blond haar. Ik heb haar nooit eerder gezien, denk ik. Tafel tien.'

Paz waste zijn handen en gezicht en trok zijn vettige schort uit. Zoals altijd wanneer hij had gewerkt en de eetzaal binnenkwam, bleef hij even staan om de schok te verwerken die het was om van een sfeer van beheerste chaos en hitte naar een sfeer van kalmte, luxe en koelte over te gaan. Hij had die vrouw aan tafel tien ook nooit eerder gezien, maar op een vreemde manier, door iets aan haar ogen en de stand van haar kin, kwam ze hem bekend voor. Een oude vlam? Nee, die had hij allemaal onthouden. Iemand van de politie? Dat zou kunnen. Hij zag haar vanuit de dekking van het met filodendron begroeide vlechtscherm dat de bedieningsgang van de eetzaal scheidde. Ze was inderdaad blond, met fijn haar dat in een zakelijke stijl tot in de nek was geknipt, en ze droeg een geelbruin linnen pakje, ook van goede snit, en een licht lavendelblauwe blouse. Paz had oog voor kleding en kleur, en hij wist dat die specifieke nuances van geelbruin en lavendel niet te krijgen waren bij Target of in de koopjesrekken. Een rijke vrouw dus, eind twintig of begin dertig, gladde gebruinde huid, niet mooi. Haar trekken waren zwaar; haar neus stak naar voren; haar mond was te breed voor haar gezicht. Eigenlijk was het een nogal mannelijk gezicht, zoals vrouwen hebben die een beetje te veel op hun vader lijken. Haar grote bruine ogen, die een beetje katachtig scheef stonden, met dikke wimpers, waren daarentegen wel mooi.

En ze was Cubaans. Paz zou niet kunnen zeggen waaraan hij dat kon zien, maar hij was er zeker van. Een nerveuze Cubaanse vrouw: terwijl hij stond te kijken, verschoof ze een paar keer op haar stoel. Het leek wel of ze iemand zocht, of misschien was ze bang dat iemand haar zocht, al was het restaurant leeggelopen en was er niemand bij haar in de buurt. Haar lange bruine vingers tikten op de tafel, een onregelmatig ritme dat lichtflitsen van haar ring en armband in het rond wierp.

Paz liep vlug naar haar tafel toe.

'Ik ben Jimmy Paz. U wilde me spreken?'

Ze bekeek hem onderzoekend voordat ze sprak en beantwoordde zijn formele glimlach niet. 'Ja. Ga zitten. Weet je wie ik ben?'

Hij ging zitten en keek haar even recht aan. 'Nee, sorry,' zei hij ten slotte. 'Zou ik dat moeten weten?'

'Nee, eigenlijk niet. Ik ben je zus. Halfzus, bedoel ik. Ik ben Victoria Arias Calderón de Pinero.' Ze stak haar hand uit en Paz schudde hem verdoofd. Nu wist hij natuurlijk waarom haar gezicht hem zo bekend was voorgekomen. Hij zag elke ochtend bij het scheren zo'n gezicht in de spiegel.

'Oké,' zei hij toen hij over de verbazing heen was. 'Wat kan ik voor u doen, mevrouw Pinero?'

'Niet mevrouw Pinero, alsjeblieft! Victoria.'

'O, dat is aardig van je, zus. Ik had moeten zeggen dat ik je verlies betreur.'

'Het is ook jouw verlies.'

Zonder daarop in te gaan zei hij: 'Het verbaast me dat je zelfs weet dat ik besta. Hoe heb je van mij gehoord?'

'Mijn tante Eugenia. Ze komt hier vaak eten. Ze is min of meer het buitenbeentje van de familie, het zwarte schaap...'

'Neem me niet kwalijk. Ik geloof dat ik dat ben.'

Hij zag dat er een beetje kleur op haar wangen kwam. 'O, jezus.' Ze zuchtte. 'Alsjeblieft, maak dit niet erger dan het al is, al heb je daar alle recht toe, dat weet ik. Mijn vader heeft jou en je moeder schandalig behandeld. Ik verontschuldig me namens mijn familie.'

'Weet je, ik geloof dat ik je een keer heb gezien,' zei Paz zonder op die laatste woorden in te gaan. 'Ik was een jaar of veertien en ik had net gehoord waar ik vandaan kwam. Ik fietste naar jullie huis in de Gables, en jij en nog een kind waren in het zwembad. Je moet toen een jaar of zeven zijn geweest. Ik stond daar een hele tijd naar jullie te kijken, tot je moeder me zag. Toen kwam je vader naar me toe. Hij hoefde maar één blik op me te werpen om te weten wie ik was, en toen sleurde hij me achter de struiken, gaf me een pak slaag en zei dat hij nog ergere dingen zou doen als ik hem nog eens lastigviel, en verder zou hij dan ook nog de zaak van mijn moeder kapotmaken. En dus ben ik niet zo geïnteresseerd in die verrekte Calderóns en hun verontschuldigingen. Nou, als dat alles is, Victória...' Hij schoof zijn stoel achteruit en maakte aanstalten om op te staan, maar ze zei: 'Nou, of je het nu leuk vindt of niet, je bent zijn zoon. Je hebt dezelfde sarcastische felheid, dezelfde brutaliteit en trots. Geloof me, ik was het favoriete doelwit, dus ik kan het weten.'

Hij keek naar haar en zag dat haar ogen vol tranen stonden. Een daarvan liep nu over haar wang zonder dat ze het merkte. Zíjn ogen, en ook die van zijn dochter.

Hij liet zich in zijn stoel terugzakken en slaakte een zucht. 'Oké. Ik verklaar me schuldig. Het was nergens voor nodig dat ik mijn zielige verhaal op jou losliet. Het is aardig van je dat je me komt opzoeken. Nou, was dat alles, die verontschuldiging, of sta ik in het testament?'

Ze negeerde het sarcasme. 'Nee, en ik ook niet. Naast een fonds om voor mama te zorgen heeft hij alles nagelaten aan Juan, of Jonni, zoals wij hem noemen.'

'Heeft Jonni even geluk. Wordt hij stinkend rijk?'

'Dat staat nog te bezien. Mijn... onze vader was nogal een gokker. Hij heeft een project aan de Gulf Coast opgezet, veel groter dan alles wat we ooit eerder hebben gedaan, iets wat ons aan de top moet brengen. Hij was een bewonderaar van Donald Trump, als dat je iets zegt. Hoe dan ook, voor dat project heeft hij de hele onderneming op het spel gezet. Alles is tot aan de nok verhypothekeerd. Mijn broer is een aardige jongen, maar hij heeft geen verstand van zaken. Hij weet nog net hoe hij een cheque moet ondertekenen. Na de begrafenis heb ik hem kunnen overhalen mij de volledige zeggenschap te geven in ruil voor een aanzienlijke verhoging van zijn toelage.'

'Dus jij bent nu de grote baas.'

'Op papier. Zoals je je kunt voorstellen, heeft pa in zijn bedrijf geen mannen aangenomen die het leuk vinden om bevelen van een vrouw te krijgen.' Ze zweeg even en maakte, misschien onbewust, een beweging die Paz heel vaak had gezien toen hij nog bij de politie was, een snelle blik opzij waarbij het lichaam verstijfde, en dan een blik in de andere richting. Het betekende dat ze een gevaarlijk geheim ging vertellen.

'Er is nog iets,' zei ze. 'De reden waarom ik hier ben. Ik besef dat het belachelijk is, want waarom zou het jou na alles wat er is gebeurd iets kunnen schelen? Maar ik moest het proberen; eerlijk gezegd kan ik nergens anders heen.'

'Ik luister.'

'Goed,' zei ze, en ze vertelde hem het verhaal, dat hij voor een deel al uit andere bronnen kende: de firma Consuela, de dood van Fuentes, het vandalisme in de nacht, de bijzondere aard van de bewakers in haar huis en de details van wat er gebeurd was in de nacht dat Calderón stierf. Ze vertelde ook over die vreemde post op de balans van JXF Calderón Inc.

'Dat is een interessant verhaal,' zei Paz toen ze klaar was.

'Ja, maar hoe moet je dat alles interpreteren? De politie denkt dat pa zakendeed met gangsters. Ze denken dat hij geld van hen leende, misschien dat ze dat allemaal deden, alle Consuela-compagnons. Ze denken dat dit zo'n situatie is waarbij gangsters eerst geld uitlenen en dan het hele bedrijf overnemen. Als de eigenaren zich verzetten, vermoorden ze hen.'

'En denk jij dat ook? Denk jij dat er zoiets met Fuentes en je vader is gebeurd? Sorry, onze vader. Denk je dat die lieve ouwe pa door gangsters uit de weg is geruimd?'

'Misschien wel. Ik weet dat de mannen bij ons thuis geen Cubanen waren.'

'Hoe weet je dat?'

'Ze waren vuilgebekt. Ze vloekten de hele tijd en ze gebruikten dan het woord *joder*. En *tirar*.'

'Dat is Colombiaans.'

'Dat weet ik. Ik denk dat het allemaal Colombianen waren. Rechercheur Finnegan denkt dat de moord door een rivaliserende bende is gepleegd of dat de mannen bij ons thuis ons niet bewaakten tegen iemand anders maar ons gijzelden, en dat ze hebben besloten pa te vermoorden.'

'Is dat Matt Finnegan van de politie van Metro Dade?'

'Ja. Ken je hem?'

'Ja, een beetje. Een goede rechercheur. Hoe verklaarde hij die dode bewaker?'

'Niet erg goed. De andere bende heeft hem te pakken gekregen, of anders pa. Maar er is niet met pa's pistool geschoten. En dan is er nog de kwestie van die reuzenkat.'

Nu gingen de haartjes op Paz' armen en in zijn nek overeind staan. Hij moest een huivering bedwingen. 'De reuzenkat.'

'Ja. Er waren katafdrukken in de studeerkamer, waar pa is vermoord, en ook buiten op het pad. En klauwsporen op de muur onder het raam. Het is natuurlijk onzin.'

'Natuurlijk. Ik neem aan dat je wel wat in die gangstertheorie ziet.'

'Ik weet het niet. Ja, ik denk dat pa met schurken in zee was gegaan, maar... ik heb gezien wat ze met hem hebben gedaan. Wat had die... slachting voor zin? Het moet iets persoonlijkers zijn geweest, iets waar wij niet van weten.'

'Bijvoorbeeld...'

'Dat wéét ik niet!' Het klonk bijna als een gil. Victoria deed haar ogen dicht en er ging een huivering door haar bovenlichaam. 'Sorry. Het is allemaal... Ik kan het bijna niet aan. Maar weet je, als het een gangstermoord is, zal de politie er niets aan doen. Dan zit de dader alweer in Colombia. En zo niet, als het iets persoonlijks was of als er een gruwelijke maniak aan het werk was, zullen ze hem ook niet vinden, want ze zoeken niet in die richting. Natuurlijk zullen ze het proberen, want er zijn twee belangrijke Cubaanse zakenlieden omgekomen. Ze zullen alle registers opentrekken, maar, nou, ik zal al mijn tijd en energie nodig hebben om de onderneming overeind te houden. Het idee dat JXFC met gangsters in zee is gegaan zal al onze crediteuren kopschuw maken. We kunnen alleen op stabilisatie hopen als de moordenaars worden opgepakt en het allemaal achter de rug is. Daarom ben ik naar jou gekomen.'

Die woorden en hun implicatie troffen Paz als een oorvijg. Hij staarde haar aan. 'Wacht eens. Wil je dat ík die kerels ga zoeken?'

'Ja.'

'Omdat ik zijn zóón ben? Moet ik mijn vader wreken?'

'Ja. Het doet er niet toe wat hij met je heeft gedaan, hoe hij je heeft behandeld: *un padre es un padre para siempre.*'

'God nog aan toe!' riep Paz uit. Hij had al vaak iemand dat sentiment horen uitspreken, meestal over de moeder in plaats van de vader. 'Ten eerste ben ik niet meer bij de politie. Ten tweede: hoe kom je erbij dat ik het beter zou kunnen dan Matt Finnegan, die alle middelen van de politie tot zijn beschikking heeft?'

'Jij hebt er persoonlijk belang bij. En jij bent beter dan zij. Je hebt de Voodoomoordenaar gevangen. Toen ontdekte ik wie je was. Ik was nog jong en ik keek met mijn tante Eugenia naar het nieuws, het verhaal over de manier waarop je hem had gevangen. Elke Cubaan in de stad keek daarnaar, vanwege de dingen die hij dat meisje Vargas had aangedaan. Ik bedoel, we kénden hen, die hele familie. En toen kwam jij en zei je iets, en mijn tante zei: "Weet je wie dat is?" En toen vertelde ze het me. Ze zei dat ik mijn vader nooit mocht laten blijken dat ik het wist. Ik ging naar de bibliotheek om krantenberichten over je op te zoeken. En ik was er trots op dat je mijn broer was.'

Niet trots genoeg om me te komen opzoeken voordat je me ergens voor nodig had, dacht Paz, maar hij zei: 'Het antwoord is nee. Sorry, ik zou je graag helpen, maar… Ik ben helemaal niet op zoiets ingesteld. Ik ben godbetert restauranthouder…'

Hij merkte dat Victoria niet meer naar hem keek maar naar iets achter hem. Hij draaide zich om en zag zijn dochter daar staan. Ze keek vol belangstelling naar hen beiden.

'Hallo, hoe heet je?' zei Victoria.

Amelia kwam dichterbij en keek even naar haar zilveren naamplaatje, dat ze enigszins van zich af hield.

'Amelia? Dat is een mooie naam. Ik ben blij je eindelijk te ontmoeten. Ik ben je tante Victoria. Je halftante.'

'Waar is de rest?' vroeg Amelia na enig nadenken. Ze wist niet precies wat een tante was. Ze had een oom, de broer van haar moeder, wist ze, die in New York woonde en bij wie telkens een andere tante was. Maar ze had wel vriendinnen die tantes hadden en die over hen spraken in verband met verjaardags- en kerstcadeaus ('dit heb ik van mijn tante Julie gekregen'), iets waarop Amelia tot nu toe geen antwoord had gekregen. Een halve tante was beter dan helemaal geen tante, nam ze aan.

'Er is geen rest. Het is maar een uitdrukking,' zei Victoria.

'O, maar als u me een kerstcadeau gaf, zou dat een héél cadeau zijn, nietwaar?'

'Amelia, niet bedelen,' zei Paz. 'En ik denk dat je Brenda moet helpen met servetten vouwen.'

'Papa, dat doe ik, maar ik praat nu met mijn tánte. Zou het?'

'Ja,' zei Victoria. 'Waar dacht je aan?'

'Dat weet ik nog niet, want ik heb u nog maar net. Is dat een armband met namaakdiamanten of een echte echte?'

'Hij is echt echt. Wil je hem even om hebben?'

'Ja!' Een korte stilte. 'Ik bedoel ja, graag.'

Het kind hield haar arm vol trots omhoog om te zien hoe het licht op de armband viel en door de zaal schitterde. Paz keek daar met verwarde, pijnlijke emoties naar. Hij dacht aan bloed dat ging waar het niet gaan kon.

Met zichtbare tegenzin gaf Amelia de diamanten terug. Victoria vroeg: 'Hoe oud ben je nu?'

'Bijna zeven.'

'Nou, dan zul je over acht jaar je *quinceañero* hebben, en dan geef ik je deze armband als geschenk. Wat zou je daarvan vinden?'

Amelia's mond viel open. 'Echt waar?'

'Ja. Maar nu hebben je vader en ik grotemensendingen te bespreken, en jij moet werken. Ik vond het erg leuk je te ontmoeten. Ga nu maar.'

Tot Paz' verbazing deed Amelia dat.

'Ze is aanbiddelijk,' zei Victoria.

'Als je van het type houdt,' zei Paz. 'Ik hoop dat je het meende van die armband. Ze vergeet nooit iets.'

'Ik meende het. Ik had dit al jaren geleden moeten doen, jou opzoeken, maar ik was doodsbang voor pa. Het is gênant, maar waar. Nogmaals: het spijt me.'

'Hé, ik wist ook van jou, en ik heb nooit contact gezocht, en ik had niet eens jouw excuus.'

Ze keken elkaar even zwijgend aan, een stilte die ze verbrak met: 'Nou, Jimmy, wat doe je? Word je een verlate grote broer en help je me uit de nood?'

'Mag ik erover nadenken? Het is nogal een stap voor mij, en er zijn meer mensen bij betrokken.'

'Goed,' zei ze. 'Dat begrijp ik.' Ze haalde een kaartje uit haar tas en gaf het aan hem. Het was een kaartje van jxf Calderón Inc., en Victoria A. Calderón stond erop vermeld als president-directeur.

'President-directeur, hè? Jij bent snel, zus.'

'Dat is zo. Dat moet ik wel zijn. En niet dat ik je onder druk wil zetten, maar wat ik vroeg moet ook snel gebeuren, anders heeft het geen zin.' Ze stond op, en hij deed dat ook, en ze kuste hem op de wang en liep het restaurant uit.

Zijn moeder stond in de keuken op hem te wachten.

'Wat wilde ze?' vroeg ze meteen.

'*Mamí*, hoe weet je zelfs wie dat was?'

'Doe niet zo stom, Iago. Natuurlijk weet ik wie dat was. Ik vraag je opnieuw: wat wilde ze?'

'Ze wil dat ik uitzoek wie Yoiyo Calderón heeft vermoord. Als je het dan wilt weten.'

'En ga je dat doen?'

Paz hief theatraal zijn handen ten hemel. '*Mamí*, waar heb je het over? Ik run hier een restaurant, ik heb geen middelen, ik ben geen rechercheur meer… Het is belachelijk. Om er nog maar van te zwijgen dat ik de pest had aan die kerel.'

'Hij was je vader. Je hebt verplichtingen.'

'Verpli… En dat zeg jíj, na de manier waarop hij ons heeft behandeld?'

'Het doet er niet toe wat hij was of wat hij deed. Hij heeft jou het leven gegeven. Hij is een deel van jou. Je moet doen wat je kunt. En verder, mijn zoon, run ik dit restaurant, niet jij.'

'Dank je, *mamí*, dat was ik bijna vergeten. En jij vergat te zeggen: "Een vader is altijd een vader."'

Na die woorden keek zijn moeder hem aan met haar befaamde starende blik, een telepathische bazooka die normaal gesproken dertig jaar van zijn leeftijd had weggenomen, zodat hij hakkelend was weggeschuifeld. Deze keer niet. Paz was nu kwaad. Hij werd gemanipuleerd om iets te doen wat hij niet wilde, iets waarvan hij eigenlijk vond dat het niet gedaan kon worden, dat het slecht zou aflopen. Erger nog: hij zou weer recherchewerk moeten doen, het werd hem in de schoot geworpen, en hij wist niet of hij het nog kon, en dan ook nog zonder een insigne in zijn zak en een pistool aan zijn riem. Bovendien wist hij (nu het deksel van de pan schoof) dat hij er nog steeds naar verlangde, dat hij door de natuur was voorbestemd om dat soort werk te doen, dat hij er niet echt tevreden mee was om vlees te grillen in plaats van verdachten te ondervragen, dat hij zichzelf een leven had aangepraat dat in feite volslagen vals was. En dus keek hij terug, richtte hij zijn woede op zijn moeder, en het leek wel of ze elkaar minutenlang bleven aankijken.

En nu zag Paz tot zijn grote schrik een traan, traag en dik als glycerine, uit het oog van zijn moeder rollen en afdalen over haar bruine wang. En nog een; het werd een klein stroompje. Paz' mond viel open, want hij had zijn moeder nog nooit van zijn leven zien huilen. Het leek wel of ze een derde oog had gekregen. En haar gezicht zag er nu ook niet meer uit alsof het uit mahoniehout was gesneden; het was triest en kwetsbaar geworden. Paz voelde zich geschokt en gedesoriënteerd, alsof er een aardbeving was en de aarde golfde.

'Wat? Wat is er?' vroeg hij hulpeloos, en ze schudde langzaam haar hoofd en zei met een langzame, bedroefde stem, overslaand van spanning: 'Nee, ik kan het je niet vertellen. Ik kan je niet dwingen. Daar is het veel te laat voor. Dit moet je alleen doen, en je moet doen wat je moet doen.' Ze pakte een schone handdoek uit de stapel op de tafel en veegde haar ogen af, waarna ze die afscherming gebruikte om haar gezicht weer het gebruikelijke gezaghebbende masker te laten aannemen. 'Je laat het me wel weten. Ik moet vervanging voor je zoeken in de ochtenddienst.' Na die woorden draaide ze zich om en liep ze de keuken uit. Paz vroeg zich af of hij het zich allemaal had verbeeld.

Maar die handdoek lag daar op de tafel, waar ze hem had neergegooid. Hij pakte hem op en merkte dat hij nog vochtig was van haar tranen.

Nu verscheen Amelia, gekleed in T-shirt en korte broek. Ze hield haar gastvrouwjapon zorgvuldig aan zijn hanger vast. Hij inspecteerde haar aandachtig. 'Ik hoop dat jíj nog hetzelfde bent,' zei hij.

'Wat?'

'Niets, liefje. Ben je klaar om te gaan?'

'Ja, maar papa, kunnen we even naar de markt gaan om Frito's te kopen?'

'Weer Frito's? Ik heb je laatst al een zak met tien pakjes gegeven. Geef je de hele school te eten?'

Het kind beschreef een cirkel met de punt van haar gymschoen en staarde voor zich uit. 'Nee, maar het is leuk om snacks uit te delen. Dat zegt juf Milliken.'

'O, goed,' zei Paz, blij dat ze inderdaad niet was veranderd. 'Als juf Milliken het zegt, komt er geen eind aan de stroom Frito's.'

'Eet je alleen maar Frito's?' vraagt het meisje. Ze zitten hoog in de boom. Het is pauze op de Providence Day School. De stemmen van spelende kinderen zweven door de ritselende bladeren omhoog.

Moie likt over zijn vingers en spiest het zakje aan een tak. 'Nee, ik eet andere dingen.'

'Waar, in een restaurant?'

'Nee, ik krijg ze van Jaguar,' antwoordt Moie. Hij heeft gemerkt dat in deze korte gesprekken met het meisje zijn Spaans weer een beetje boven komt drijven, al durft hij het nog niet aan om in die taal iets ingewikkelds te zeggen. Het is verontrustend om niet vrijelijk met anderen te kunnen praten, veel erger dan hij had gedacht. Pater Perrin had gelijk: hij spreekt de taal van de *wai'ichuranan* niet echt, en Jaguar heeft dit kind gestuurd om hem te helpen. Het is niet beschamend om een taalfout te maken bij een meisje, zeker niet bij een meisje dat waarschijnlijk niet lang meer zal leven. Ook een reden waarom Jaguar haar heeft gestuurd.

Tenminste, dat denkt Moie; het is nog onduidelijk. Hij zoekt in zijn tas en haalt een aardewerken fles tevoorschijn. Het meisje zegt: 'Ga je nu in een monster veranderen?'

'Nu niet,' zegt Moie.

'Waarom niet?'

'Jij stelt te veel vragen.'

'Niet waar. Waarom woon je in een boom?'

Moie kijkt het kind fel aan, maar ze kijkt zonder met haar ogen te knipperen naar hem terug. Over haar linkerschouder ziet hij haar dood hangen, goed van haar gescheiden en schitterend als een kleine ster. Hij denkt aan het woord 'interessant', dat hij van pater Tim heeft geleerd, een woord dat de Runiya niet kennen. Het beschrijft een verlangen waarvan Moie niet wist dat het bestond maar dat, net als pisco bij sommige mannen, moeilijk op te geven is als je het eenmaal hebt geproefd. Dit meisje is interessant, en niet alleen omdat Jaguar haar naar hem toe heeft gestuurd.

'Waarom?' vraagt ze opnieuw.

'Dat zal ik je vertellen,' zegt Moie. 'Eerst, voor al het andere, waren er Hemel en Aarde. Die waren van elkaar gescheiden en kenden elkaars taal niet, helemaal niet, en dus waren ze erg verdrietig. Ze hadden niemand om mee te praten! Maar uit hun verdriet kwam Regen voort, die de taal van hen beiden kende. En een tijdlang waren ze gelukkig. Maar toen wilde Hemel dat Regen zijn vrouw werd, en ze stemde daarmee in. Dat maakte Aarde jaloers, want hij hield ook van Regen en wilde dat ze zijn vrouw werd. En dus voerden ze oorlog tegen elkaar. Hemel zond bliksem om Aarde te treffen, en Aarde zond vuur en rook van binnenuit om Hemel te verstikken. Toen zei Regen: "Stop, stop, ik trouw met jullie beiden. Eerst zal ik bij Hemel zijn, dan zal ik vallen en bij Aarde zijn, en dan zal ik weer opstijgen naar Hemel." En zo ging het maar door. Regen kreeg veel kinderen. Ze kreeg Zon en Maan. Ze kreeg Rivier. Ze was blij dat er meer dingen op de wereld waren, en dus ging ze naar haar echtgenoten toe en zei: "Het is goed om veel dingen te hebben. Jullie moeten ook dingen maken." En dat deden ze. Hemel maakte sterren en vogels. Aarde maakte planten en bomen, en wormen en insecten en de snelle dieren. Aarde was trots op die dingen en pochte erover tegen Rivier. Rivier zei: "Als je met me paart, maken we iets nog mooiers dan die dingen." Aarde zei: "Als we dat deden, zou je moeder Regen jaloers zijn." Maar Rivier zei dat haar dat niet kon schelen en glimlachte achterom naar Aarde. En dus paarde hij met haar. En na verloop van tijd kwam Kaaiman uit haar moederschoot.'

'Wat is dat?'

Moie maakt brillenglazen van zijn vingers, knarst met zijn tanden en kronkelt met zijn lichaam tot ze begrijpt dat hij het over een krokodil heeft, zoals die in *Peter Pan*.

'Rivier zei tegen Kaaiman dat hij alleen de wezens mocht eten die hun voeten in het water staken, maar hij was een ondeugend kind en wilde niet luisteren. In die tijd waren er geen vissen. Hij ging het water uit en joeg op de herten en tapirs en at ze op, en hij at bomen en alle planten, en de kevers en mieren.'

'Krokodillen kunnen geen bomen eten.'

'In die tijd was het anders. Wil je dit verhaal horen of niet?'

'Ja, maar ik wil vooral horen waarom jij in een boom woont.'

'Dat komt waar het komt in het verhaal…' begint Moie, maar hij wordt onderbroken door een stem van beneden. 'Amelia Paz, zit je weer in die boom?' Het is juf Milliken en ze klinkt boos. Amelia glijdt de hangmat uit en gaat op de brede, bijna horizontale tak staan. 'Ik moet nu gaan. Vertel je me de rest van het verhaal later?'

'Het zal gaan zoals het gaat,' zegt Moie. Ze glimlacht naar hem en verdwijnt tussen de bladeren beneden.

Prudencio Rivera Martínez stond – op wat hij terecht vreesde dat misschien zijn laatste dag op aarde zou zijn – te wachten bij het aankomsthek van de vroege directe Delta-vlucht uit Dallas-Forth Worth. Gabriel Hurtado nam nooit een internationale vlucht om in de Verenigde Staten te komen. In plaats daarvan vloog hij naar Mexico-Stad, waar zijn organisatie hem oppikte en naar de grens bij Ciudad Juarez reed. Daar stak hij met behulp van uitstekend vervalste Mexicaanse papieren de grens over als een zakenman uit dat land, onopvallend tussen de dertigduizend auto's die dagelijks over de grens naar El Paso reden. Hurtado keek met geamuseerde minachting tegen de Verenigde Staten van Amerika aan, ongeveer zoals een boer tegen een uitzonderlijk domme, zij het ook uiterst belangrijke, ezel aan kijkt. De Amerikanen probeerden hem al jaren te pakken te krijgen, en toch was het nooit een probleem voor hem om op deze manier het land in te komen of zo lang te blijven als hij wilde. Het enige bezwaar dat hij tegen de beveiliging van de Amerikaanse grenzen had was dat die beveiliging zo poreus was dat amateurs zich aangemoedigd voelen er massaal gebruik van te maken, en dat drukte de prijs van zijn product. In El Paso moesten ze de snelweg naar Dallas nemen, en vandaar hadden hij en zijn metgezel een ontspannende eersteklasvlucht naar Miami genomen.

Martínez zag de mannen door het hek komen, Hurtado en een man die Ramon Palacios heette, al werd zijn naam bijna nooit gebruikt. Zodra Martínez die andere man zag, voelde hij een zekere opluchting, want Palacios' aanwezigheid betekende dat Hurtado deze krankzinnige zaak serieus nam, dat hij ervan uitging dat ze met een machtige tegenstander te maken hadden en dat hij Martínez dus niet geheel en al de schuld gaf van het Calderón-fiasco. De twee mannen waren stevig gebouwd en hadden een gemiddelde lengte, of misschien iets minder dan gemiddeld. In elk geval waren ze kleiner dan Martínez. Ze droegen ongeveer hetzelfde lichtgekleurde colbertje, een pastelkleurig overhemd met open boord, een donkere broek en gepoetste instapschoenen met koperen gespen. Ze hadden allebei een brede donkere snor en donker haar dat naar achteren was gekamd, al vertoonde dat van Hurtado al inhammen. Ze zeiden dat Hurtado de man bij zich hield omdat ze op elkaar leken, zodat een moordenaar in verwarring zou komen. Martínez vond dat een belachelijk idee, want je zou natuurlijk hen beiden tegelijk moeten doden. Als je maar een van hen doodde, schoot je daar niets mee op, en Martínez dacht ook dat als hij maar één schot op het tweetal kon lossen hij op Palacios zou mikken, want hoewel Hurtado een gevaarlijke vijand was, zou je wel volslagen krankzinnig moeten zijn om een wraakzuchtige El Silencio achter je aan te willen hebben.

Hurtado begroette hem met een ernstige glimlach en een formele omhelzing. El Silencio beperkte zich tot een ongeïnteresseerd knikje en ging verder met zijn bestudering van de omgeving. Vanwege de beveiliging op het vliegveld was hij ongewapend en daardoor voelde hij zich niet op zijn gemak. Ze liepen zwijgend naar de bagageafdeling, en na het gebruikelijke wachten pakte de lijfwacht twee kleine leren tassen en een aluminium diplomatenkoffertje op, waarbij hij Martínez' aanbod om te helpen negeerde. Buiten stond een zwarte Lincoln Navigator met getinte ruiten te wachten die twee dagen eerder cash was gekocht. Hurtado reed in Colombia altijd in Navigators, en Martínez wilde dat hij zich op zijn gemak voelde. Ze stapten in de auto, de baas en zijn man achterin en Martínez op de voorbank. Hurtado begroette Santiago Iglesias, die reed. De man kende de naam en het gezicht van iedereen die voor hem werkte en wist ook veel over hun privéleven, bijvoorbeeld waar hun families te vinden waren. Dat was een van de redenen waarom hij het zo lang in deze business had uitgehouden, en vanwege El Silencio. Toen ze wegreden, hoorde Martínez het klikken van een slot en nog meer metalen geluiden achter zich. El Silencio bewapende zichzelf.

'Hoe is de stand van zaken, Martínez?' vroeg Hurtado zonder omhaal, nadat hij eerst wat grappen had gemaakt met Iglesias. Met Martínez maakte hij geen grappen; die was nog niet uit de gevarenzone.

'Ik heb twee mannen in elk van de twee huizen, en twee busjes op straat voor elk huis. Ik heb ook iemand in een auto bij de terminal van de veerboot. Het is een eiland, en dat is de enige manier om erop of eraf te komen.'

'Geen boot?'

'Hebben we een boot nodig?'

'*Pendejo*, natuurlijk hebben we een boot nodig. Bij beide huizen is vandalisme gepleegd, en degene die dat heeft gedaan is niet met de veerboot gekomen. Dus hebben ze een boot. En omdat wij vanaf een eiland opereren, hebben we een boot nodig. Neem er een – nee, twee – en mensen om ze te bemannen, en zorg dat het snelle boten zijn. Hoe gaat het met de cliënten?'

'Die doen het in hun broek sinds Calderón is vermoord. Dat is geen probleem. Het zijn net lammetjes.'

'Politie?'

'Doen geen reet. Ze zijn bij de huizen van Garza en Ibanez geweest. We krijgen steeds een tip en gaan weg als ze komen. Geen probleem.'

'Ja, dat zei je ook voordat Calderón werd vermoord. Weet je waarom ik niet nog kwader op je ben omdat je dit hebt verknoeid, Martínez?'

Martínez gaf toe dat hij dat niet wist.

'Omdat dit ons werk heeft bespaard. Calderón had toch moeten verdwijnen. Hij wist dingen die anderen niet wisten en werd lastig. Dus als hij een beetje eerder van het toneel verdwijnt, is dat voor mij geen probleem, en zoals je zegt, zijn de anderen in het gareel. De enige die we op dit moment absoluut nodig hebben is Ibanez, die het hout moet verkopen. Wat JXFC betreft, zal de zoon het wel overnemen.'

'Nee, de dochter, heb ik gehoord. De zoon is een soort *maricón*. Hij woont in New York. De dochter leidt de onderneming.'

'Goed. Ik voel me al veel beter. Zij zal geen probleem zijn als het zover is. Nu, hoe zit het met die twee *fregados* in dat beschilderde busje?'

'We weten nog niets. Het kenteken leverde niets op. Het bestaat niet eens.'

'Valse nummerborden? Dat is interessant. Dat wijst op een serieuze organisatie.'

Vanaf de voorbank zei Iglesias: 'Het waren vreemde nummerborden. De cijfers waren niet oranje, zoals op deze auto, en er stond geen palm bij.'

'Dus nummerborden van buiten Florida,' zei Hurtado half in zichzelf. Hij was niet erg kwaad. Hoe zou een bende Cali-*chuteros* moeten weten dat in de Verenigde Staten de nummerborden van staat tot staat verschillen? Hij legde dat aan de mannen uit.

'En er stond *yova* boven,' voegde Iglesias eraan toe.

'*Yova?*' zei Hurtado. 'Wat betekent dat, *yova*?'

'Geen idee, baas. Het stond er in grote letters en er stonden ook wolken en gebouwen op, en geen palmen. I-O-W-A, *yova*.'

'Aha, ik begrijp het,' zei Hurtado. 'Dat is de naam van een staat hier ver vandaan, en natuurlijk heeft het geen zin om daar het kenteken na te trekken, want dat levert ons geen adres in Miami op. Ik denk dat die mensen erg slim zijn, voor Amerikanen.'

'Bent u er zeker van dat het Amerikanen zijn, baas?' vroeg Martínez.

'Ze gebrúíken Amerikanen, en thuis hebben we niets kunnen vinden van iemand die in dit verband iets tegen ons onderneemt. Tenminste, dat heeft mijn vriend hier me verzekerd.'

Hij bedoelde El Silencio. Als El Silencio op de Colombiaanse onderwereld was losgelaten met de opdracht uit te zoeken of iemand in de Puxto-operatie geïnteresseerd was of spelletjes in Miami speelde, en niets had gevonden, was het vrij zeker dat er niets aan de hand was, dacht Martínez. Hij keek even in het binnenspiegeltje om een blik op de man te werpen. Als de helft van wat ze over hem zeiden waar was, zou hij hoorns, slagtanden en een staart moeten hebben, maar hij zag er onopvallend uit, een doodgewone Latijns-Amerikaanse man met uitzondering van een paar dikke littekens op zijn keel. Volgens de verhalen was er, toen hij tien was, iemand vermoord voor het armzalige winkeltje van zijn familie in Cali en hadden de moordenaars, zoals gewoonlijk, alle mogelijke getuigen uitgeschakeld, dus ook zijn hele familie: moeder, broer, drie zussen. Anderen zeiden dat de familie een bende vormde en te hebberig werd en geëlimineerd was om een voorbeeld te stellen. Maar het leed geen twijfel dat de familie vermoord was en dat iemand de keel van de jongen had doorgesneden. Hij was niet doodgegaan, maar zijn strottenhoofd was beschadigd, zodat hij alleen een krakend gefluister kon voortbrengen. Het leed ook geen twijfel dat hij op vijf-tienjarige leeftijd de man had gevonden die voor de moorden verant-woordelijk was. Hij had hem zes dagen in leven gehouden en hem toen teruggebracht naar de plaats waar hij vandaan kwam, nog in leven maar in een zodanige conditie dat zelfs de criminelen van Cali diep geschokt waren. Zo was hij onder de aandacht van Gabriel Hurtado gekomen.

'Wat vindt u van die kat?' vroeg Martínez om van onderwerp te ver-anderen.

'Dat is een tactiek om ons bang te maken,' zei Hurtado laatdunkend. 'Ze zullen wel denken dat we domme boeren zijn die bang zijn voor ge-fantaseerde dieren. Dit wijst op de Russen. Of Haïtianen. In elk geval zijn dit *chingadas* die dit niet met rust zullen laten. En dus zullen ze pro-beren die twee andere *pendejos* te pakken te krijgen, en dan krijgen wij hen te pakken. Nietwaar, Ramon?'

El Silencio knikte, maar natuurlijk zei hij helemaal niets.

12

'Allemachtig!' zei professor Cooksey. 'Verdorie! Lieve hemel!'

Jenny keek op van haar microscoop en knipperde met haar ogen. 'Sorry?'

Cooksey keek haar nors aan, zei weer 'Allemachtig!' en pakte een handvol van de gele notitiepapieren, artikelen en prints die in stapels op zijn bureau lagen en gooide ze in de lucht. Ze staarde hem aan.

'Ik voel me net Mol,' zei hij. 'Dat ellendige artikel en de atmosfeer hier in huis. Het is niet uit te houden.'

Jenny wist wat hij bedoelde. Na de tweede moord was Rupert paranoïde geworden, of nog meer paranoïde dan gewoonlijk, al zei hij vaak en luid dat ze niet zeker wisten dat Moie bij enige gewelddadigheid betrokken was en dat de Forest Planet Alliance zich altijd duidelijk tegen elke vorm van ecoterrorisme had uitgesproken. Als de politie erbij betrokken raakte, zouden de krachten die de aarde uitbuitten meteen klaarstaan om hun naam door het slijk te halen. Daarom, begreep Jenny, moesten de contacten die ze met Moie hadden gehad min of meer ongedaan gemaakt worden. Rupert had bevel gegeven het huis en het hele terrein van alle sporen te ontdoen die Moie had achtergelaten. Hij had ook bevel gegeven alle illegale substanties te verwijderen. Scotty's marihuanaplanten waren uit de grond getrokken, met muls vermengd en in het holst van de nacht van het terrein verwijderd. Alles wat je nodig had om het spul te roken was begraven, en de bibliotheek en computers waren gezuiverd van alles waaraan een troep mormoonse meisjespadvinders aanstoot zou kunnen nemen. Luna praatte met niemand meer, behalve met Scotty, en dan nog alleen om korte woedende salvo's op hem af te vuren. Scotty, toch al niet het zonnetje in huis, kwam nu gevaarlijk dicht bij een klinische depressie, en omdat hij voor een groot deel verantwoordelijk was voor het materiële onderhoud van het terrein, zag dat er de laatste tijd rommelig uit, als iemand die slecht geknipt was en met een baard van drie dagen liep. Niemand had geopperd de politie te bellen.

'Wie is Mol?' vroeg Jenny.

'Mol. Uit *De wind in de wilgen*?' Hij zag haar verbaasd kijken. 'Je gaat me toch niet vertellen dat je *De wind in de wilgen* niet hebt gelezen?'

'Ik heb helemaal niets gelezen, Cooksey,' antwoordde ze met een geërgerde zucht. 'Ik ben ongeletterd.'

'Onzin! Heeft niemand je ooit voorgelezen?'

'Ik geloof van niet. In de huizen waar ik als kind was, zetten ze je meestal voor de televisie.'

'Nou, dat is jammer. En dat moet ik meteen herstellen. Nu direct.'

Hij stond op, liep vlug naar een boekenplank en pakte er een dun, geel, in stof gebonden boek uit dat blijkbaar vaak gelezen was.

'Hier heb ik het, en we lezen het niet hier, o nee. Zeg eens, hou je van boten?'

'Dat weet ik niet. Ik ben er nooit in geweest.'

'Nooit... nooit in een boot geweest? Dat noem ik kindermishandeling. Meisje, er is, en ik citeer, niets – absoluut niets – half zo veel de moeite waard als spelen met boten. Dat staat hier ook in.' Hij zwaaide met het boekje. 'Weet je wat? We laten ons duffe onderzoekswerk achter, en ook deze deprimerende en toxisch serieuze omgeving, en gaan het water op. Doe je mee?'

Ze keek hem met een van haar oprechte, stralende glimlachjes en een licht schouderophalen aan. 'Zoals je wilt,' zei ze.

Ze namen de oude Mercedes en een piepschuimen koeltas vol bier, chips en sandwiches, die ze uit de stille keuken pikten als kinderen die laat op de avond op strooptocht gaan. Cooksey nam ook een grote rugzak vol met allerlei rammelende dingen mee. Dan konden ze het, zei hij, als een wetenschappelijke expeditie beschouwen, en dus niet als schandalig geluier.

Ze reden een uur over een smalle weg door de Everglades, tot ze in Flamingo kwamen. Cooksey kende iemand die Old Town-kano's van hout en zeildoek verhuurde, zodat ze, zei Cooksey, niet zo'n gruwelijk aluminium ding hoefden te gebruiken, alsof je in een ketelhuis aan het peddelen was. Ze huurden een boot van vijf meter en droegen hem naar het water. Jenny ging in de boeg zitten, met alles wat ze hadden meegenomen achter haar, en Cooksey zette een voet in het vaartuig en duwde het gracieus van de kant. Ze peddelden over Whitewater Bay, dat een immens vlak van golvende lichtgrijze zijde leek, bespikkeld met donkere mangrove-eilandjes die eruitzagen als de silhouetten die in musicals werden gebruikt om de sfeer van de tropen op te roepen. Het was gemakkelijk peddelen, met een straffe bries in de rug.

Aan de andere kant van de baai stuurde Cooksey hen naar een strandje van miljarden kleine schelpjes. Het maakte deel uit van een eiland dat door de overheid als kampplaats was aangewezen. Dit was Wedge Point, zei hij, en het was tijd voor de lunch. Er was een vrijgemaakt gedeelte, omringd door cocoloba- en poisonwoodbomen en één grote boom die groene vruchten had en waarvan Cooksey zei dat het een pokhoutboom was. Ze spreidden hun deken uit in de schaduw van een boom, aten hun sandwiches en dronken elk twee biertjes. Toen leunde Cooksey tegen de stam van de pokhoutboom en leunde zij naast hem tegen de stam en las hij haar voor uit *De wind in de wilgen*. Ze luisterde met open mond, als een kind. Diep in haar hart begreep ze waarom hij dit deed: hij wilde haar iets geven wat ze als klein meisje had moeten hebben, iets eenvoudigs, in de natuur zijn met een man die ze vertrouwde, een verhaal dat haar werd voorgelezen, een verhaal over de natuur en dieren. In zekere zin genas hij haar, en genas hij ook zichzelf, dat begreep ze ook. Hij was niet geheel en al onzelfzuchtig, al wist ze niet wat hem mankeerde.

Op een gegeven moment tijdens het voorlezen zei ze: 'Ik snap dit niet. Wie is die man met de hoorns die muziek speelt?'

'De fluitspeler bij de poort van de dageraad? Nou, ik denk dat daarmee Pan wordt bedoeld. Hij is niet dood voor de dieren, in elk geval niet in dit verhaal. Hij is hun heer.'

'Als een god?'

'Meer als de geest van de natuur zelf. In de Griekse kunst wordt hij afgebeeld als een faun met een rietfluit en harige poten en hoeven. Zijn kreet maakt ons gek. Daar komt het woord "paniek" vandaan. Blijkbaar speelt hij niet meer. Het was een beroemd verhaal; Plutarchus haalt het aan in zijn verhandeling over de redenen waarom de oude orakels het lieten afweten. Er voer een schip langs het eiland Paxos. De loods hoorde zijn naam roepen, gevolgd door een krachtige stem die "Grote Pan is dood" riep. En toen hoorde hij het geluid van huilen. Omdat dat ongeveer in de tijd van de geboorte van Christus gebeurde, zagen de vroege christenen er een symbool van het einde van de heidense wereld in. Jij hebt geen flauw idee van waar ik het over heb, hè?'

'Nee.'

Hij lachte niet onvriendelijk en zei: 'Laten we dan terugkeren naar

Rat en Mol.' En dat deden ze, maar hij liet haar het laatste hoofdstuk zelf voorlezen, en ze merkte dat ze dat kon, met een beetje hulp. Daarna liepen ze over de kleine kampplaats en zetten ze kleverige vallen uit. Cooksey rende met zijn vlindernet rond en haalde vliegende dingetjes uit de lucht. Terwijl hij dat deed, vertelde hij over de val van Rome. Jenny kende Rome alleen als filmgenre en had gedacht dat het allemaal verzonnen was, net als Conan en *Star Wars*. Ze vond het fascinerend dat een beschaving ten val kon komen zonder atoombommen en robots, zoals in *Terminator*, en wilde weten waarom.

'Er zijn veel theorieën,' antwoordde Cooksey, 'en er zijn veel dikke boeken over dat onderwerp geschreven. Sommigen zeggen dat het christendom de vechtlust aan het rijk onttrok. Anderen zeggen dat de rijkdom van de veroveringen funest was voor de kleine boeren die de kracht van de legioenen uitmaakten. Het imperium huurde troepen van buiten het rijk in voor zijn verdediging en die waren niet zo goed als de Romeinen waren geweest. Er is zelfs een theorie dat ze dom en gek werden door lood in hun waterleidingen.'

'Wat denk jíj?'

Hij lachte. 'Dat is van geen enkele waarde; ik ben geen historicus. Maar mijn oude vader was een vrij goede amateurhistoricus en we hebben vaak rondgekeken in Romeinse ruïnes. Híj dacht dat ze gewoon moe werden. Mensen worden moe van het leven en dat gebeurt ook met beschavingen. Ze geloofden niet meer in hun goden, en hun politieke stelsel was ontaard in bendegevechten tussen generaals. Intussen stroomden er duizenden buitenlanders over hun grenzen, en die hielden ze niet tegen, want ze hadden ze nodig, weet je, om zich tegen nog ergere buitenlanders te beschermen. En dus trokken ze de legioenen van de grenzen terug en smolt alles zo'n beetje weg. De scholen gingen dicht, de boeken werden gebruikt om de haard aan te maken, en mensen vergaten hoe ze moesten lezen. Enzovoort. De gebouwen en wegen vergingen omdat niemand meer wist hoe je ze moest repareren, en er was trouwens toch geen geld en geen handel.'

'Dat is triest,' zei ze.

'O, ja? Alles gaat voorbij, weet je. Eerst schieten de goden tekort en dan verliezen de mensen de moed en komt het duister opzetten. Net als in onze tijd. Je zult het er wel mee eens zijn dat de goden die wij aanbidden minstens zo machtig zijn als de grote Pan.'

'Bedoel je Jezus?'

'Was het maar zo dat we Jezus echt aanbaden… Hé, is dat een Palmira?' Cooksey bracht zijn vlindernet omhoog en besloop enkele minuten een wit vlindertje met gele en bruine vlekken. Ten slotte schepte hij het in het gaasnet en hield het voor zijn neus, waarop meteen een verrukte grijns verscheen. Jenny vond dat hij nu een jaar of twaalf leek. Hij bracht het insect, nog in het net, naar een pot met grote opening; toen er een eind aan het fladderen kwam, bekeek hij het door een loep.

'Heb je hem doodgemaakt?' vroeg Jenny.

'Eh, ja,' zei Cooksey, al turend. 'Allemachtig, het ís een Palmira. Dat is een Antilliaanse vlinder die hier bijna niet voorkomt. Hij voedt zich met kleefkruid. Nee maar, daar is er nog een!' Hij sprong overeind en ving die andere vlinder ook, die eveneens in de pot ging.

'Ik vraag me af of hij zich hier nu voortplant,' mompelde hij.

'Nu niet meer. Niet sinds jij hier bent, als dat de enige waren.'

Hij keek haar aandachtig aan. 'Je vindt dat ik ze niet had moeten doodmaken, hè? Dat snap ik, maar ik ben wetenschapper en dus soldaat in de legioenen van de dood. Wij doden om te begrijpen, en daarom denken we dat het gerechtvaardigd is. Pan zou het niet hebben goedgekeurd. Weet je, onze vriend Moie denkt dat wij allemaal dode mensen zijn, al gelooft hij dat jij een beetje leeft.'

Ze keek naar de lichtgekleurde, stille figuren in de pot. 'Ik weet het niet… Ik bedoel, met alle respect, Cooksey, maar ik denk niet dat ik dat, eh… voor de kost zou kunnen doen: dingen doodmaken. Het staat me tegen. Waarom is het belangrijk of ze zich hier voortplanten?'

'Nou, omdat het misschien het zoveelste kleine teken is dat de tropen zich door de opwarming van de aarde naar het noorden verplaatsen. Per slot van rekening is dit een Cubaanse vlinder. Maar we zullen de rest van de dag aan Pan wijden en geen insecten meer doden. We zullen alleen maar kijken naar het leven om ons heen. Ook dat is wetenschap, en ook nog een heel eerbiedwaardige vorm daarvan.'

En dat deden ze. Urenlang keken ze door loep en verrekijker naar het insecten-, water- en vogelleven op het kleine eiland, totdat de zon naar de toppen van de hoogste bomen zakte en Cooksey zei dat het tijd was om terug te gaan, want ze zouden tegen de wind in moeten peddelen. Maar toen ze de vaargeul achter zich lieten en weer op White-water Bay kwamen, was de wind helemaal gaan liggen en was de hele baai zo kalm als een molenkolk. Dat woord kwam bij Jenny op, al had ze nog nooit een molenkolk gezien. Weer een vreemd beeld, nu uit het verhaal in Cookseys oude boek, en het was niet het enige. Haar hoofd bleek veel meer kamers te bevatten van vroeger, allemaal ingericht met meubelen en platen die ze zich niet kon herinneren, en met elkaar verbonden door gangen die mysterieus naar haar wenkten. Zo waren gewone mensen, dacht ze, met al die dingen, want als je dingen wist, bijvoorbeeld van het Romeinse rijk, vijgenwespen, opwarming en de grote god Pan, nou, dan zochten die dingen verband met elkaar en dan kwamen daar nieuwe gedachten uit voort die nooit eerder bij je waren opgekomen, misschien wel gedachten die nooit eerder iemand had gehad. Het was verontrustend, zoals wanneer je in een nieuw pleeggezin werd gezet en niet wist wat er zou gebeuren; je wilde op het bed gaan zitten dat ze je lieten zien en niet bewegen tot iemand zei hoe het zat.

Ze wilde nu niet aan dat alles denken en merkte dat ze het nog vrij goed uit haar hoofd kon zetten en simpelweg kon 'zijn'. Ze ging op in het lichte peddelen en alles wat aan haar voorbijtrok, het zilverachtige water als een spiegel die enigszins dof was maar de perzikkleurige wolkenslierten en de oranje schijf van de ondergaande zon toch goed weergaf. Haar peddel kwam bij elke slag zijn spiegelbeeld tegen alvorens in de werveling van water te verdwijnen. En boven haar zweefden de vogels, witte reigers, meeuwen, één keer een zwerm bruine pelikanen met hun merkwaardige, prehistorisch aandoende logge vlucht, en ook die hadden hun tweeling in het water. En als ze achteromkeek, zag ze hun kielzog, twee lange lijnen die zich tot in het voorgoed voorbije verleden uitstrekten, en er knaagde iets aan haar wat ze aan Cooksey wilde vragen, maar wat was het?

'Wat aanbidden we, Cooksey?'

'Pardon?'

'Je zei iets over stervende goden en zo. En dat we Jezus niet aanbaden. Dat was kort voordat je die vlinder ontdekte.'

'O, ja. Nou, mijn moeder zei altijd dat toen mensen God niet meer aanbaden ze niet helemaal ophielden met aanbidden. Ze dacht dat de drang tot aanbidden bij de mens zat ingebakken, net als de drang om je voort te planten. En dus aanbaden de mensen kleinere goden, vooral zichzelf, want dat was gemakkelijk, maar ook dingen als geld, roem en seks. Of jeugd. En die goden schieten allemaal tekort, net als Pan, want ze zijn verbonden met bederfelijke, aardse dingen. Natuurlijk was ze een vrome katholiek. Ze was een Howard, weet je, een erg oude katholieke familie waaruit ik voortkom. Het is heel ongewoon voor antropologen om gelovig te zijn, daarvoor zijn ze te veel bezig de geloven van inheemse volkeren uit te pluizen, maar als mensen haar ernaar vroegen, lachte ze en zei ze ja, ja, het is volkomen absurd, maar ik geloof nu eenmaal dat het allemaal waar is. Ze had veel gevoel voor vreemde dingen, en ik pikte daar iets van op en daarom kan ik zo goed met onze Moie opschieten, denk ik. Hij gelooft niet dat Pan dood is. Het zou hem diep schokken als je dat tegen hem zei.'

'Hoe weet hij van Pan? Ik dacht dat Pan iets van de Romeinen van lang geleden was.'

'O, hij noemt hem geen Pan. Hij noemt hem Jaguar, maar het is dezelfde, zij het met wat scherpere tanden. Ja, ik vermoed dat Pan weer is losgelaten op het rijk van de dode mensen, en ik wed dat hij na zijn lange slaap niet goed bij zijn hoofd is. Ik denk dat ons interessante ervaringen te wachten staan.'

'Wat gaat er gebeuren?'

'Niets moois, denk ik. De aarde is zich een beetje aan ons dode mensen gaan ergeren. Wat Moie ook mag zijn, je kunt hem in elk geval een symptoom noemen, net als die vlinder uit het zuiden. Stel, je had een groot landhuis en je nodigde daar mensen uit omdat je een grootmoedige en vriendelijke dame bent. En stel, die gasten gedragen zich op een onbeschaafde, vandalistische manier...'

'Zoals de wezels in de paddenburcht.'

'Ja. Ze smeren viezigheid in de gordijnen, breken het serviesgoed, beledigen de bedienden... Nou, hoe grootmoedig je ook bent, waarschijnlijk zou je vinden dat het vergerging dan een grapje en stappen ondernemen om het huis wat minder gastvrij te maken. Je zou bijvoorbeeld de verwarming hoger draaien, want dan krijgen ze het heet. Je zou geen lekker eten meer opdienen. Je zou de honden loslaten in de slaapkamer om onheil aan te richten. En zo hebben wij nu te maken met opwarming van de aarde, stijging van de zeespiegel, nieuwe ziekten, woestijnen die zich uitbreiden, dalend grondwater en een wanhopige waanzin, misschien omdat de natuur ook het onzichtbare omvat, dus niet alleen dit alles.' Hij gebaarde met zijn peddel naar de wereld om hen heen.

'Mijn moeder geloofde dat in elk geval en ze was niet achterlijk. Zoals ik al zei, zou ze het geweldig hebben gevonden Moie te leren kennen.'

'Denk je dat hij, eh... nog meer mensen gaat doden?' vroeg Jenny. Het kostte haar nog steeds moeite om de zachtmoedige indiaan die ze kende in verband te brengen met mensen die verscheurd werden.

'Dat hangt ervan af. Hij wil dat de mensen die zijn regenwoud vernietigen daarmee ophouden, en hij zal doorgaan met het doden van de mensen die hij daarvoor verantwoordelijk houdt tot ze dat doen. In elk geval lijkt het erop dat hij voor de verandering de schuldigen doodmaakt. Hij kan het afslachten van de onschuldigen wel aan ons overlaten, vooropgesteld dat nog iemand van ons onschuldig is.' Na een korte stilte zette Cooksey een lied in, een ritmisch deuntje over doorroeien naar Maui. Blijkbaar werd het peddelen er gemakkelijker door. Ze zetten allebei meer kracht, tot het was of de kano uit eigen wil over het gladde, onverstoorde wateroppervlak vloog.

Bij het botenbedrijf in Flamingo voelde Jenny dat ze verbrand was. Als roodharige had ze een gevoelige huid en de zon had daar dwars door haar shirt heen op gebrand. En ze had hoofdpijn. Dat kwam door de zon maar misschien ook door het ongewoon diepe nadenken.

'Voel je je wel goed?' vroeg Cooksey toen hij naar de auto terugkwam.

'Een beetje uitgeteld,' antwoordde ze. 'Jij mag wel rijden, als je wilt.' Zijn gezicht betrok. 'Dat wil ik niet,' zei hij. 'Ik kan het echt niet.'

'Je hebt nooit leren rijden?'

'Ja. Maar ik kan het niet. Ik heb een ongeluk gehad. Mijn zenuwen staan het niet toe. Het spijt me.'

'Wat voor ongeluk?'

Hij keek haar aan en ze zag de ouderdom op zijn gezicht terugkomen. Hij was net iemand in een mummiefilm die na het verbreken van de betovering weer in een geraamte verandert.

'Een dodelijk ongeluk,' zei hij schor, en hij draaide zich om en stapte aan de passagierskant in.

Toen ze wegreden, keek Cooksey nadrukkelijk uit het raam en zond hij krachtige afwijzende signalen uit. Jenny had veel ervaring met mokkende mannen, mannen die ergens niet over wilden praten, mannen die hun problemen afreageerden op het dichtstbijzijnde vrouwspersoon, en dus trok ze zich in zichzelf terug en dacht ze aan de interessante, opwindende dingen die ze die dag had meegemaakt. Ze ontdekte een nieuw voordeel van het weten van dingen: je kon interessantere gesprekken in je eigen hoofd voeren en hoefde er niet de hele tijd aan te denken hoe gemeen andere mensen tegen je waren en hoe waardeloos je miezerige leven was.

Ze dacht en reed, wat ze altijd al graag mocht doen, vooral in deze krachtige, mooie auto. Onwillekeurig reed ze agressiever. Ze schakelde terug en haalde vrachtwagens in op een smalle tweebaansweg met een kanaal aan weerskanten. Cooksey had een handdoek opgerold en was blijkbaar in slaap gesukkeld, leunend tegen het raam aan zijn kant.

Op een gegeven moment ging ze opzij om een truck met oplegger in te halen, en toen ze die bijna voorbij was, zag ze dat hij dicht achter nog zo'n vrachtwagencombinatie reed; ze waren allebei beladen met brokken kalksteen. Tegelijk zag ze de lichten van een tegemoetkomende vrachtwagen. Ze gaf plankgas en drukte op de claxon. De oude auto schoot naar voren alsof hij op de Autobahn van zijn geboorteland terug was. De tijd leek bijna stil te staan; het was of ze nauwelijks vooruitkwamen langs de grijze flank van de voorste oplegger. De tegemoetkomende vrachtwagen toeterde, en met maar enkele meters speling kreeg ze de auto snel weer op de rechterbaan.

Cooksey was klaarwakker en keek haar geamuseerd aan.

'Pad van de paddenburcht,' zei ze, en ze drukte op de claxon.

Zijn gezicht werd milder, vormde een vage grijnslach. 'Je eerste literaire verwijzing, denk ik. Dat komt ervan als je boeken leest. En…' Hij haalde nu diep adem en liet de lucht ontsnappen. 'Het spijt me. Ik heb de neiging de wereld buiten te sluiten als ik onder druk sta. Dat is een beroepsdeformatie en ook een gebrek van ons Engelsen. Bovendien ben ik het niet gewend om over dingen te praten die pijnlijk zijn.'

'Je hebt me over je vrouw en de slang verteld. De langpuntslang.'

'Ja. Ik vraag me af waarom.'

'Mensen vertellen me dingen. Ik dacht dat ze dat deden omdat ik achterlijk was en het niet uitmaakte wat ze me vertelden, weet je. Alsof ze tegen een pop praatten. Ik ben het gewend.'

'Nou, als ik dan eens tegen jou als medemens praat?'

'Dat is cool,' zei ze, en hij vertelde haar dat hij met het stoffelijk overschot van zijn vrouw naar Engeland was teruggekeerd. Hij had haar begraven en in de tijd daarna was hij gaan drinken. Hij woonde in het zomerhuis van zijn ouders in Norfolk, en hij had een dochtertje van vier, Jemima, en op een dag was hij met haar naar een café gegaan om te lunchen, en daar had hij meer bier gedronken dan hij had moeten doen. Op de terugweg was er plotseling een tractor de weg op gereden. Hij was uitgeweken en tegen een boom op gevlogen. Hij had niet eens zo hard gereden, maar hard genoeg. Het meisje had zonder gordel op de achterbank gezeten. Het ene moment had ze nog gekwebbeld en liedjes gezongen, en het volgende moment vloog ze door de auto naar voren en smakte ze tegen de voorruit. Ze bleef nog twee dagen in leven en toen begroef hij haar naast haar moeder en vertrok hij uit Engeland.

'Wat ging je doen?'

'O, eigenlijk niets. Ik werd een rondreizende geleerde. Daar zijn er veel van. We vervangen mensen, doen tijdelijke projecten. En nog meer dingen.'

'God. Eerst je vrouw en toen je kind. Wat een slecht jaar!'

Er kwam een scherp blaflachje uit Cooksey. 'Ja. Een slecht jaar. Nu kennen we elkaars droevige verhalen. Wat een stel zijn we! We zullen vrienden moeten worden, als Rat en Mol.'

'Jij bent Rat,' zei ze zelfverzekerd, en ze glimlachte. Hij grijnsde naar haar terug en ze zag zijn lange gele tanden.

Toen ze bij het huis terugkwamen, was het uitgestorven. Cooksey herinnerde zich dat ze allemaal naar een milieubijeenkomst bij het Miami-Dade College in de binnenstad zouden gaan. Hijzelf werd daar ook verwacht. Toen ze zijn werkkamer binnengingen, zagen ze dat Moie daar naar de computer stond te staren.

'Je e-mail aan het checken?' zei Cooksey.

Moie ging daar niet op in. Hij wees naar het toetsenbord en zei: 'Elk zaad in dat bakje heeft een teken, en als ik op een ervan druk, komt hetzelfde teken op die glanzende kleine muur, behalve die stok, die een geestteken maakt, en als ik dat vele keren doe, lijkt het op de tekens op de pakken bladeren die pater Tim gebruikte als hij tegen zijn god sprak. Het zijn net de tekens die insecten onder de huid van een boom maken, maar dan kleiner. Pater Tim veranderde ze in zijn stem, en hij zei dat veel dode mensen dat kunnen. Praat jij op die manier met je god, Cooksey?'

'In zekere zin wel. Misschien met sommige van de kleinere goden, niet dezelfde tot wie pater Tim sprak met zijn pak bladeren. Hoe gaat het met je, Moie? We hebben je vele dagen niet gezien.'

'Ik heb goed gegeten,' zei Moie. 'Heb jij goed gegeten?'

'Ik heb goed gegeten.'

'En Vuurhaarvrouw, heeft zij goed gegeten?' Nu keek hij Jenny aan, die naar hem grijnsde en een beetje belachelijk vanaf haar middel naar hem wuifde.

'We hebben allebei goed gegeten. Zeg, Moie, dit kan niet zo doorgaan. Je kunt niet altijd maar mensen doden en ze opeten.'

'Ik heb niemand gedood. Het is Jaguar die doodt en eet.'

'Maar de *wai'ichuranan* geloven niet in Jaguar. Ze zullen denken dat jij alleen die mensen hebt gedood.'

Moie keek even geschrokken en lachte toen. Hij hield zijn lippen op elkaar en schudde zijn bovenlichaam heen en weer. Het was een vreemd sissend geluid. Daarna zei hij: 'Dat is een goede grap, Cooksey. Ik zal je ook een grap vertellen. De Runiya geloven niet in water!'

Cooksey wachtte tot Moie was uitgelachen om die grap, en zei: 'Dan moet je met Jaguar praten en hem vragen het niet te doen. In het land van de dode mensen is het erg *siwix* om zoiets te doen. Straks komt de politie erachter wat Jaguar en jij hebben gedaan, en dan word je gearresteerd. Begrijp je wat dat betekent?'

Moie dacht aan wat de man in Fernandino op het eiland Trinidad hem had verteld en zei: 'Ja, dat weet ik. Maar in mijn boom zien ze me niet, en als ik me onder hen meng, draag ik de priesterkleding.'

'Dat bedoel ik niet,' zei Cooksey. 'Die kleding is iets kleins en het doden van mensen is iets groots. Ze sluiten je de rest van je leven op in een huis met veel slechte mannen, of misschien maken ze je zelfs dood.'

Omdat Moie blijkbaar niet onder de indruk was van die waarschuwingen, voegde Cooksey eraan toe: 'Pater Tim zou kwaad zijn als hij wist dat je dat deed.'

'Ik doe het niet. Ik heb je dit verteld, maar je luistert niet. Ik zal het nog één keer zeggen. Eerst gingen we naar hen toe en Aapjongen zei dat ze niet in de Puxto mochten kappen, maar die dode persoon Fuentes liet mannen komen en ze gooiden ons uit dat huis, zoals vrouwen schillen en ingewanden in de rivier gooien. Ik verstond niet wat er werd gezegd, maar dat begreep ik wel. En zo wist ik dat de Consuela niet zou luisteren en zou doorgaan met het doden van de Puxto. Daarom heeft Jaguar hem gedood, en later die ander. Je zegt dat het slecht is om hen te doden, maar pater Tim heeft gezegd dat je soms een klein slecht ding moet doen om te voorkomen dat een groter slecht ding gebeurt. Dat is "morele filosofie", en dat is de gewoonte van de *jampiri* onder de dode mensen. Die mensen van Consuela Holdings willen de Puxto en mijn hele volk doodmaken, zoals ze pater Tim hebben doodgemaakt, en dus is het beter dat Jaguar hen eerst doodmaakt.'

'Ja maar, Moie, zoals ik je al heb verteld, is er een andere manier. Veel, veel van de *wai'ichuranan* willen niet dat de Puxto wordt gekapt. Ze hebben iets van de geest van *aryu't* in zich. Hoewel ze dood zijn, verlangen ze naar het leven en willen ze dus dat die mannen ophouden, net zoals jij dat wilt.'

'Dat zeg je, maar ik kan het moeilijk geloven. Zullen zij de Consuelamannen doden?'

'Nee. Dat is niet de gewoonte van de *wai'ichuranan* in zulke aangelegenheden. Ze zullen lawaai maken en veel tekens op bladeren zetten, en de *wai'ichuranan* zullen ze zien en weten wat de Consuela doet en dat het *siwix* is. En zoals ik je al eens heb verteld, zullen ze hun geesten naar de geestdozen in de huizen van de dode mensen sturen. En een soort heksen die we "journalisten" noemen zal naar de Consuela-mannen gaan en ruw tegen hen spreken en hen in de geestdoos trekken, en zo zullen de Consuela-mannen te schande worden gezet en geen slechte dingen met de Puxto doen. Dat is onze gewoonte. Maar als ze ontdekken dat jij die mannen hebt gedood, gaat het anders. Dan denken ze niet aan de Puxto, maar alleen aan het doodmaken van die mannen. Dan noemen ze je een "terrorist"; dat is ook een soort heks dat we hebben, een heks die ervan geniet om te doden en angst aan te jagen. Ze zullen je arresteren en een hele tijd in de geestdoos zetten, en je zult daar niets tegen kunnen doen. Dan wordt de Puxto verwoest, omdat wij geloven dat als een "terrorist" wil dat iets gebeurt of niet gebeurt het *ryuxit* is om het tegenovergestelde te doen.'

Moie dacht daar bijna een minuut in stilte over na en zei toen: 'Ik zal hierover nadenken in mijn buik en aan Jaguar vragen wat ik moet doen. Nu moet ik je één ding vragen en je één ding zeggen, want ik ben hier niet om met zaden in een bakje te spelen. Ik vraag dit. Jaguar wil dat een kind *hninxa* wordt. Jaguar zegt dat als dat kind wordt gegeven hij macht krijgt in het land van de dode mensen, niet alleen de macht van het vlees maar ook geestmacht. Dit is moeilijk uit te leggen, want het kan alleen in de heilige taal worden gezegd, die jij niet kunt spreken. Met zo'n macht kan hij de *wai'ichuranan* weer levend maken, of sommigen van hen, zodat ze de hele wereld niet meer in pisco en machetes en gelddingen willen veranderen. En dus vraag ik: is zoiets *ryuxit* onder de *wai'ichuranan*?'

'Nee!' zei Cooksey met klem. 'Het is het meest *siwix* wat we kunnen bedenken. Moie, dat mag je niet doen.'

'Maar het zou heel goed zijn als de *wai'ichuranan* weer levend werden en niet langer de hele wereld verwoestten, zoals ze nu doen. Bovendien zou Jaguar haar niet nemen als ze het niet zelf wil.'

'Dan is het nog steeds niet toegestaan.'

'Dat begrijp ik niet. Pater Tim zei dat Jan'ichupitaolik zelf een offer bracht opdat de dode mensen een leven konden hebben voorbij de maan, in de hemel, en dat was heel goed. En Jan'ichupitaolik was een man en de grootste *jampiri* van de dode mensen, en dus was hij veel meer waard dan een klein meisje. Dus dit is "morele filosofie" en helemaal niet *siwix*.'

'Nee, nee, je vergist je,' riep Cooksey uit. 'Luister goed, Moie, want dit is heel belangrijk. Jan'ichupitaolik heeft zichzélf geofferd om de wereld te redden. Hij heeft geen klein meisje geofferd. En pater Tim zal je vast wel hebben verteld dat niemand anders ooit nog een offer hoeft te brengen, omdat hij zichzelf heeft geofferd. En ik zeg ook tegen je dat Jan'ichupitaolik de baas van alle goden is, zelfs van Jaguar, en dat hij erg kwaad op jou en op Jaguar zal zijn als jullie dat doen.'

'Ik hoor je,' zei Moie beleefd maar vrijblijvend. 'Ik zal over dit alles nadenken in mijn buik. Maar nu vraag ik je dit: als Jan'ichupitaolik heer van alles is, zoals jij zegt, waarom zegt hij dan niet tegen de dode mensen dat ze de wereld niet mogen verwoesten?'

'Dat zegt hij ook, maar zijn stem is erg zwak. Andere goden hebben nu luidere stemmen.'

'Ja, dat zei pater Tim ook. Ik denk dat Jan'ichupitaolik het misschien tegen Jaguar heeft gezegd. Ga heen en maak dood, want de wereld die ik heb gemaakt mag niet worden vernietigd. Zou dat mogelijk zijn, Cooksey?'

Cooksey schudde langzaam zijn hoofd en zei met vermoeide stem: 'Ik weet het niet, Moie.'

'Of Jan'ichupitaolik is gestorven en nu is Jaguar de baas van alle goden. In elk geval zal ik doen wat híj wil. Nu moet ik je iets vertellen. Er zijn nieuwe mannen in de huizen van de Consuela. Dat heeft Jaguar me verteld. Het zijn zulke mannen als pater Tim hebben gedood. Het zijn de doden van de doden. Hun geest is in hen weggerot en in plaats daarvan zijn ze hol en vervuld van *chinitxi*. Ik vertel je dit omdat ik denk dat ze hierheen komen.'

'Hierheen? Waarom zouden ze hierheen komen?' vroeg Cooksey.

'Vanwege Aapjongen en de man Fuentes. Vanwege de *unancha*, het totemteken van dit huis.' Moie drukte nu met zijn hand op zijn borst. 'Ze hebben het op veel shirts geverfd. Ik heb de Vuurhaarvrouw ze aan veel mensen zien geven voor geld, en anderen hier doen hetzelfde, en het staat ook op de "auto".' Hij gebruikte nu het Engelse woord en keek even naar Jenny, die bemoedigend naar hem glimlachte. 'Die mannen, die *chinitxi*, zijn jagers, en een van hen is een erg goede jager, niet zo goed als ik, maar goed genoeg om de *unancha* naar dit huis te volgen. Ik vertel je dit, Cooksey, omdat je een vriend voor me bent geweest, en ook omdat Vuurhaarvrouw een levende *wai'ichura* is en de goden tot haar spreken, al hoort ze hen niet. De anderen kunnen me niet schelen, maar jij wel, alsof je van ons volk was. Want als ze hier komen, zullen ze ons allemaal doden, zoals ik heb gehoord dat ze in dorpen niet ver van mijn huis doen. Ik zal het jammer vinden als ze je doden, Cooksey, want het is "interessant" om met je te praten. Dat is een woord dat pater Tim me heeft geleerd. Het is zoiets als een dier ruiken dat je nooit eerder bent tegengekomen, zodat je wilt weten of het goed is om te eten of niet. Nu ga ik.'

'Moie, wacht…!' zei Cooksey, maar de indiaan liep erg snel door de kamer en door de deuropening. Cooksey rende naar de gang, maar daar was niemand, en er waren ook geen voetstappen op het grindpad te horen.

'Waar ging dat allemaal over?' vroeg Jenny toen Cooksey met een verslagen gezicht terugkwam. 'Slecht nieuws?'

'Dat kun je wel zeggen,' antwoordde hij met doffe stem. 'In elk geval onheilspellend. Jezus! Hoe heb ik hem in een boom bij een school kunnen zetten? Nu zullen we het Rupert moeten vertellen.'

'Die belt de politie, hè?'

'Dat betwijfel ik. Rupert is een beste kerel, maar als hij moet kiezen tussen de wereld redden en op zichzelf passen, kiest hij meestal voor het laatste. En trouwens, kun je je voorstellen dat hij met dit verhaal naar de politie gaat? Ja, agent, ik wil graag aangifte doen van een indiaan uit Zuid-Amerika die denkt dat hij zichzelf in een jaguar kan veranderen en die twee prominente Cubaanse zakenlieden heeft gedood. Ja, hij heeft in mijn huis gelogeerd toen hij de eerste had vermoord, maar ik heb toen geen aangifte gedaan omdat ik hem voor een milieuactie wilde gebruiken. Nee, agent, ik heb geen idee waar hij nu is. Hij is vaak min of meer onzichtbaar. O ja, en er is ook een stel demonen in de stad, vermomd als Colombiaanse gangsters, maar ik heb ook geen idee waar zij zijn. En ja, nog één ding. Die indiaan is van plan een klein meisje te vermoorden, of beter gezegd, die jaguar die niet bestaat gaat dat doen. Hij is een god, moet u weten. Ik bedoel, dat is toch meer dan absurd. En verder… Ik ben er ook niet helemaal zeker van dat de politie in dit geval iets kan ondernemen. Moie is misschien niet wat hij lijkt. Misschien zijn we betrokken bij iets heel vreemds. Ik zeg dit natuurlijk niet als wetenschapper, maar als zoon van mijn moeder.'

'Ik weet wat je bedoelt,' zei Jenny. En na een korte stilte vroeg ze: 'Dus je hebt een plan of zo?'

Hij barstte in lachen uit. 'Ja, mijn plan voor de korte termijn houdt in dat ik een groot glas whisky neem.' Hij glimlachte naar haar. 'Nou, zo te zien ben je niet verlamd van angst, al raad ik je sterk aan om voorlopig geen T-shirt van de Forest Planet Alliance aan te trekken.'

'Ik red me wel. Het is allemaal zo bizar dat ik me geen zorgen kan maken. En ik heb nog steeds een goed gevoel. En ik bedoel over vandaag.'

'Ja, dat krijg je als je met boten gaat spelen. Afgezien van het nieuws over de apocalyps dat we net hebben gekregen was het een prachtige dag.'

'Maar de wezels komen.'

'Ja, ze komen, en ik denk dat we nu een voorbeeld moeten nemen aan Rat en Mol. We blijven in ons knusse hol en wachten tot Das komt om ons te laten zien wat we moeten doen. Misschien kan hij dat kleine meisje redden.'

13

Restaurant Guantanamera stortte niet in toen Jimmy Paz bekendmaakte dat hij een tijdje niet in de keuken zou werken omdat hij op zoek ging naar de moordenaar van zijn vader. Toen hij dat constateerde, voelde hij zich minder schuldig maar tegelijk ook ellendiger: het ging gelijk op, dacht hij, of misschien zelfs nog een beetje beter dan dat, want al sinds hij nog maar amper volwassen was had hij van zijn moeder te horen gekregen dat de familie Paz tot de ondergang gedoemd was als hij niet dagelijks in het restaurant hielp. Mevrouw Paz had intussen enkele telefoontjes gepleegd en was bij Raul terechtgekomen, een kalme man van middelbare leeftijd die niet alleen vlees kon grillen maar zich ook tot op de laatste tomaat aan mevrouw Paz' instructies hield, en die er geen enkele behoefte aan had om buitenissige gerechten uit te denken die niet in een traditioneel Cubaans restaurant thuishoorden.

Lola moedigde hem enigszins aan. Het zou hem goed doen om onder mama's vleugels vandaan te komen, vond de dokter, en misschien zou hij eraan wennen. Nadat hij een tijdje voor rechercheur had gespeeld, zou hij misschien overwegen weer te gaan studeren. Het was niet te laat; dat zag je aan haar. Ja, dat zag je: ze ging naar haar werk, kwam thuis, at snel en ging uitgeput slapen. Ze had een glazige, angstige blik in haar ogen en schreef die toe aan stress op haar werk, al had ze er nooit zo uitgezien in het jaar van haar assistentschap, toen de stress veel erger was geweest; in die tijd hadden ze veel meer met elkaar gelachen en veel meer seks gehad. Hij wist zo langzamerhand wel ongeveer wat er aan de hand was. Hij hoorde haar midden in de nacht door het huis stampen en kon aan de pillenflesjes in haar medicijnkastje zien dat ze tamelijk zwaar spul nam. Hij vroeg zich af of ze al verslaafd was. Dat overkwam artsen vaak, wist hij, maar hij had altijd gedacht dat Lola daar niet het type voor was. Dat was dus ook iets op zijn lijst wat hij wilde regelen voor hij het huis verliet. Met het gevoel dat hij bedrieglijk en bespottelijk bezig was ging hij naar de slaapkamer, haalde een pluk blond haar uit Lola's borstel en haalde in de slaapkamer van zijn dochter een pluk donkerder haar uit haar borstel.

Nadat hij de plukken haar in aparte enveloppen had gedaan, ging hij over op iets waarin hij meer vertrouwen had. Hij ging met een verse kop koffie in een gemakkelijke stoel zitten en belde een zekere Doris Taylor bij de *Miami Herald*. Taylor was de misdaadjournaliste van de *Herald* sinds (zei ze) de uitvinding van het buskruit, en ze had goede sier kunnen maken met Jimmy Paz' zoektocht naar de beruchte Voodoomoordenaar. Ze was blij te horen dat hij bij wijze van spreken weer op straat opereerde en wilde hem best alles vertellen wat ze over de Miami Ripper wist, zoals ze hem of het nu noemde. In ruil daarvoor vroeg ze alleen of hij haar een tip wilde geven als hij iets nieuws ontdekte. Aldus voorbereid, belde Paz naar Tito Morales en liet hem een gesprek arrangeren met commissaris Oliphant. Ze zouden het over de moord op Calderón hebben en bespreken hoe Jimmy Paz hen met hun onderzoek kon helpen.

Die bijeenkomst zou diezelfde dag plaatsvinden. Paz droeg een van zijn oude rechercheurspakken en had een paar schoenen van vierhonderd dollar gepoetst, en toen hij het hoofdbureau van politie binnenliep, zag hij er dan ook ongeveer zo uit als toen hij zeven jaar geleden ontslag had genomen. Oliphant keek hem stralend aan, tot bleek dat Jimmy Paz niet alleen bij het onderzoek wilde helpen maar zelf op onderzoek wilde uitgaan.

De commissaris trok een nors gezicht en zei: 'Omdat hij je vader was?' Hij had dat interessante feit net van Paz vernomen.

'Min of meer,' zei Paz. 'Meer, eigenlijk. Mijn moeder en halfzus wilden dat ik het doe, dus hier ben ik.'

'Weet je, het zou heel mooi zijn geweest als je me over die familieconnectie had verteld toen we de vorige keer met elkaar praatten.'

Paz haalde zijn schouders op. 'Ik was er niet trots op. Ik praatte er eigenlijk nooit over. Tito wist het ook niet.' Morales bevestigde dat met een nors bromgeluid en een knikje.

'En nu,' zei Oliphant, 'wil je… wat? Als freelancer die zaak onderzoeken?'

'Nee. Ik werk met Tito samen. Of eigenlijk onder Tito. Hij heeft het insigne en het pistool. Dat is niet zo bijzonder. Het korps huurt vaak adviseurs in.'

'Niet om moordenaars te vangen. Dat houden we graag in de familie. Even uit nieuwsgierigheid: hoe stel jij je dat adviseurschap in de praktijk voor?'

'Nou, ik moet eerst het dossier van de zaak-Fuentes doornemen. Tito kan me vertellen wat hij sinds de dag van de moord heeft gedaan. En dan zul je de sheriff moeten bellen. Die moet me het dossier-Calderón voorleggen en er toestemming voor geven dat Matt Finnegan met me praat.'

'O, wat verheug ik me op dat gesprek.' Oliphant hield zijn hand bij zijn hoofd alsof hij aan het telefoneren was. 'Hé, Frank? Ik heb hier de zoon van Calderón en we zouden graag willen dat je hem hielp de moordenaar van zijn vader op te sporen. Nee, hij is geen politieman, hij is kok, maar hier bij de politie van Miami staan we altijd klaar om iemand te helpen die een persoonlijke vete wil uitvechten…'

Paz boog zijn hoofd en glimlachte. 'Ik weet dat je het subtieler zou aanpakken, Doug.'

'Het antwoord is nog steeds nee.'

'Dat is gek, want nog niet zo lang geleden smeekten jullie beiden me zowat om hulp. Nu wil ik er fulltime aan werken, en wat gebeurt er? Ik loop tegen een muur op. Terwijl, met alle respect, geen van beide onderzoeken resultaten heeft opgeleverd.'

'Wie heeft je dat verteld?' stoof Oliphant op.

'O, je weet wel. Ik hoor wel eens wat. Er zijn veel mensen in deze stad die er hun werk van maken om te weten wat de politie doet, en in de tijd dat ik een beroemde politieheld was, de redder van de samenleving, heb ik de meesten van hen leren kennen.'

'Je hebt met de pers gepraat,' zei Oliphant. Het klonk als een verwijt, alsof Paz een minderjarige had gemolesteerd.

'Ja. Zeg, het is nu eenmaal een feit dat ik dit ga doen, en ik werk liever met jullie samen dan tegen jullie in. Als jullie niet willen, zijn er andere mensen in de stad met wie ik kan samenwerken. Wat jullie niet willen, en wat de sheriff niet wil, is dat uitgebreid in de krant komt te staan dat ik die kerel heb opgespoord terwijl jullie allemaal maar wat voor jullie uit stonden te staren.'

Op die woorden volgde de gebruikelijke wedstrijd van ogen die elkaar strak aankeken, en Paz liet de commissaris winnen. Toen zei Oliphant: 'Weet je, ik heb altijd gedacht dat je bescheiden was, Jimmy. Tenzij je criminologische vaardigheden door je werk als kok enorm zijn toegenomen. Of tenzij je iets weet wat je ons niet vertelt. In dat laatste geval belemmer je een onderzoek en zoals je weet is dat in deze staat een misdrijf.'

Paz knikte en grijnsde. 'Oké, ik heb jou bedreigd en jij mij, en nu staan we quitte, dus kunnen we kappen met dit geouwehoer en ter zake komen? Of ik een beetje hoog van de toren blaas? Ja, dat geef ik toe. Maar laten we de zaak onder ogen zien. Jullie zitten met twee rijke blanke Cubaanse kerels die aan flarden zijn gescheurd, jullie hebben klauwsporen, jullie hebben jaguarsporen, jullie hebben geen spoor dat ook maar een knip voor de neus waard is, behalve wat poep, en jullie zitten met kannibalisme of iets wat daarop lijkt. Als je dat alles bij elkaar optelt, krijg je iets vreemds en griezeligs, en toevallig ben ik dé man als het op vreemde en griezelige zaken in Miami en omgeving aankomt. En ik weet echt niets van die zaken wat elke journalist in de stad nog niet weet. Niets ten nadele van Tito hier, of jouw jongens of Finnegan, maar jullie weten net zo goed als ik dat er zoiets bestaat als intuïtie en flair. Ik ontdek dingen die anderen ontgaan, niet omdat ik een groot genie ben, maar omdat er in deze stad niet veel ervaring met bizarre zaken is, en het meeste daarvan heb ik.'

Oliphant speelde met zijn koffiekopje en keek ernaar alsof hij gefascineerd werd door de informatie die erop stond: VIERDE JAARLIJKSE CONGRES OVER KINDERPORNO, PHILADELPHIA 2001. Het was een gebaar dat Paz bekend voorkwam. De man twijfelde nog, maar zou de juiste beslissing nemen.

'Het zou dus een adviseurschap zijn? Je zou als expert op het gebied van bizar crimineel gedrag optreden?'

'Precies,' zei Paz. 'Geen taak is mij te klein.'

Oliphant zei: 'Ik bedenk wel een meer bureaucratische frase als ik een maagtablet heb genomen.' Hij keek Morales aan. 'Rechercheur Morales, laat deze man de dossiers zien en stel hem op de hoogte. Ik bel sheriff McKay en doe een beroep op hem. Hij staat bij me in het krijt. Als hij toestemming heeft gegeven, geef ik je een seintje. Intussen verwacht ik dat je de hele tijd dat meneer Paz als onze adviseur optreedt dicht bij hem in de buurt blijft. Ik verwacht dat je zijn ballen in je hand houdt als hij aan het adviseren is. Ik verwacht dat je erbij bent als hij wakker wordt en hem 's avonds in bed stopt. Je bent met onmiddellijke ingang van alle andere zaken afgehaald. Is dit duidelijk?'

'Ja, commissaris,' zei Morales, en hij ging een beetje meer rechtop in zijn stoel zitten.

'En is het jou ook duidelijk, Jimmy? Eerlijk spel volgens onze regels, en je laat niks uitlekken naar je slijmerige vriendjes aan de baai.'

'Begrepen,' zei Paz. 'Maar wil je rechercheur Morales uitleggen dat die instructie over die ballen alleen maar figuurlijk bedoeld is?'

'Mijn kantoor uit, jullie twee,' zei Oliphant op een redelijk vriendelijke manier, gezien de omstandigheden.

De organisatie van Hurtado had een hele verdieping van een appartementengebouw op Fisher Island gehuurd, dicht bij de huizen van de twee Consuela-firmanten die nog in leven waren. Hurtado en El Silencio hadden een appartement voor zich alleen en de ongeveer tien gangsters die hij had meegebracht zaten in het andere. Ze hadden voldoende auto's en een paar snelle boten. Het enige wat ze niet hadden, was een doelwit. Ze observeerden; er gebeurde niets. Hurtado's geduld was niet onuitputtelijk. Zeker, deze operatie was belangrijk, maar niet zo belangrijk dat hij het risico wilde lopen langere tijd uit Cali weg te zijn. Daarom stuurde Hurtado na enkele dagen van ongeduldig wachten zijn sterke man met Prudencio Martínez en een paar jongens de straat op om meer te weten te komen.

Hurtado zat laat op de middag een glas te drinken bij het zwembad van het appartementengebouw, toen de schaduw van El Silencio over hem heen viel.

'Heb je iets?'

'Alles,' zei El Silencio. Hij trok een ligstoel bij en keek naar het meisje in de minuscule bikini dat zijn werkgever gezelschap hield. Het meisje ging weg zonder een woord te zeggen. Toen boog hij zich dicht genoeg naar Hurtado toe om zijn fluisterstem voor hem verstaanbaar te maken en vertelde: 'De jongen in het beschilderde busje is de jongen die in Fuentes' kantoor is geweest. Fuentes' secretaresse kon zich zijn haar herinneren. Hij droeg ook een shirt met hetzelfde logo dat op het busje stond. Martínez beschreef het en ze zei dat ze het zich herinnerde.'

Hurtado zei: 'Dat lijkt me een beetje te gemakkelijk. Weet je, Ramon, als jij met mensen praat, herinneren ze zich soms dingen die niet gebeurd zijn. Dat hoort bij je charme.'

El Silencio haalde zijn schouders op. 'Ik heb haar niet aangeraakt. Ze heeft hem zelf gesproken.'

'Goed. Wat levert dit ons op? Wie zijn die mensen en waar zijn ze te vinden?'

In antwoord daarop gaf El Silencio zijn baas een kleine folder.

'Wat is dit?'

'We zijn lid geworden van de Florida Audubon Society. Honderd dollar contributie en die vrouw praatte aan een stuk door. Op de achterkant staat een lijst van natuurclubs hier in de buurt. Met de logo's erbij. Ik heb een streepje gezet bij het logo dat de jongens op dat Volkswagenbusje hebben gezien.'

Hurtado keerde de folder om. 'De Forest Planet Alliance? Wat zijn dat, milieufanaten?'

'Daar lijkt het op, maar wie weet wat ze in werkelijkheid zijn? Er is nog iets anders. Kijk hier eens.' Hij gaf Hurtado een kleurenfoto van een jonge vrouw met blonde vleugen in haar haar die de villa van Felipe Ibanez uitkwam. Hij zei: 'We maken foto's van iedereen die beide huizen in- en uitloopt. Dit is de kleindochter van Ibanez, een zekere Evangelista Vargos. Zie je haar shirt?'

'Dat is interessant. Weer een connectie. Dat meisje is ook lid van die club. En…?'

'Ibanez wil zijn compagnons elimineren. Hij kent die organisatie via zijn kleindochter, misschien heeft hij hem zelf opgericht. Die meid is een soort spion. Hij denkt dat als wij ons in die moorden verdiepen we zullen denken dat iemand anders misschien ook van de Puxto-deal wil profiteren, iemand uit Colombia. En op deze manier kan hij het afschuiven op de Amerikanen. Die milieutypes zijn plotseling mensen aan het vermoorden op wie ze zich kwaad maken.'

Hurtado schudde zijn hoofd. 'Maar dat verklaart die indiaan niet. En ik kan me niet voorstellen dat die Amerikaanse jongeren dat soort dingen met Fuentes en Calderón doen, om er nog maar van te zwijgen dat ze langs onze jongens kwamen en Rafael uitschakelden. En Ibanez, of wie dan ook, zou weten dat we dit nooit voor een operatie van een clubje natuurliefhebbers zouden aanzien. Nee, ik denk dat Ibanez ergens een stel keiharde *Indios* vandaan heeft gehaald om ze als lijfwacht te gebruiken en dat hij ze bij die Amerikaanse *pendejos* heeft geparkeerd. Amerikanen zijn gek op die verrekte *Indios*, en waarom zouden ze verband leggen? Hij krijgt dus tegelijk dekking en een team van moordenaars. Dat moet het zijn.'

'Hij moet wel denken dat we debiel zijn,' zei de ander. 'Nou… schakelen we ze uit? Ik bedoel Ibanez en het meisje.'

'Nee, daar is nog tijd genoeg voor. En we hebben Ibanez nodig. Hij moet het transport en de verkoop van het hout regelen. Voorlopig. We moeten die *Indios* vinden. Neem wat mensen mee en ga kijken bij die…' Hij keek op de folder. 'Bij die Forest Planet Alliance. Ga na wat ze hebben, wie er lid van zijn enzovoort. Discreet, Ramon. Ik wil nog geen bloed op het plafond, begrepen? Nu we het daar toch over hebben: heb je die garage gevonden waar we het over hadden?'

'Ja. Geen probleem. Het is ten zuiden van hier, een eindje bij de snelweg vandaan. Het is daar heel stil.'

'Goed zo. En de machinerie is daar ook? Als we die nodig hebben.'

El Silencio knikte, stond op en maakte aanstalten om weg te gaan. 'En, Ramon?' voegde Hurtado eraan toe. 'Stuur het meisje terug.'

'Hier heb je het dossier,' zei Morales, en hij liet twee dikke kartonnen mappen met een plof op zijn bureau op de afdeling moordzaken vallen. 'Veel plezier ermee.'

'Je bent kwaad op me, hè?' zei Paz. De toon van de andere man was hem niet ontgaan.

'Ja, omdat je de primadonna uithing. Ik kwam als vriend bij je, ik vroeg je om hulp, en nu kom je aanzetten met deze... toestand. De baas van mijn baas zit in mijn nek te hijgen en ik heb geen flauw idee waar je met de zaak heen wilt. En het zou ook mooi zijn geweest als ik van tevoren had geweten dat Calderón je vader was.. Nu zat ik er voor lul bij. Ik bedoel, ik was verdomme je partner...'

'Ja, en het spijt me. Ik bied je mijn verontschuldigingen aan. En ik ben van gedachten veranderd omdat het een familiezaak werd toen Calderón werd vermoord. Dacht je dat ik niet geschokt was? Je bent een Cubaan. Je weet hoe dat gaat.'

'Ja, en als mijn vader werd vermoord, zou ik wel de laatste zijn die ze op die zaak moeten zetten. Maar voor Jimmy Paz worden uitzonderingen gemaakt.'

'Zo is het, Tito. Dat klopt. Intussen werk ik als een boventallige coryfee aan deze zaak, en als hij wordt opgelost, gaat alle eer naar jou en jou alleen.'

'Als hij wordt opgelost,' zei Morales, die een grijns probeerde te onderdrukken. 'Boventallige coryfee, hè? Je bent een rotzak, Paz.'

'Ik hou ook van jou,' zei Paz. 'Wil je me nu dit dossier laten lezen? Zo te zien ben ik er niet lang mee bezig.'

Dat klopte. Paz wist al veel over de moord op Fuentes, maar het was nuttig om de rapporten van de technische recherche door te nemen en de foto's te bekijken die op de plaats delict waren gemaakt. En er waren bijzonderheden die Morales hem niet had verteld toen ze de vorige maand in Paz' restaurant over de zaak hadden gepraat. Ze hadden klauwsporen aangetroffen op de houten reling van het balkon waar Fuentes vanaf was gegooid. Ze hadden het gewicht berekend van wat het ook was geweest dat de klauwsporen in Fuentes' tuin had gemaakt: tweehonderdvijf kilo, en dat was een raadsel. Een dr. Morita van de dierentuin Metrozoo verklaarde in een rapport dat het klauwspoor, waarvan ze hem een gipsafdruk hadden laten zien, weliswaar zonder enige twijfel afkomstig was van *Panthera onca*, maar dat hij bijna vijftig procent te groot was. Voor zover hij wist was er door de wetenschap nog nooit zo'n grote jaguar waargenomen: de grootste mannetjes kwamen maar zelden boven de honderdveertig kilo uit. Dr. M. zei het dier bijzonder graag te willen bestuderen als ze het hadden gevonden. Reken maar, dacht Paz terwijl hij dat las. Hij keek nu naar de gesprekken met het personeel op het kantoor van de Consuela Company: Fuentes' secretaresse Elvira Tuero en de drie bewakers. De politie had compositietekeningen van beide mannen laten maken. Een van hen was een jonge vent, knap op een slierterige manier, met een voddig baardje en een nest blonde dreadlocks. De ander was de befaamde indiaan.

Paz bestudeerde dat portret aandachtig. Compositietekeningen lijken allemaal op elkaar en moeten vooral voorkomen dat iemand van het verkeerde geslacht of ras werd opgepikt, maar deze tekening joeg een lichte rilling door Paz' buik. Zoals veel rechercheurs was Paz buitengewoon goed in gezichten. Hij kon een vrij goed beeld oproepen van bijna iedereen die hij ooit had ontmoet, en op de politieacademie had hij veel geoefend met het maken van compositietekeningen op grond van korte blikken die hij op foto's van docenten had geworpen. Hij had ook filmsterren kunnen doen, tot verbazing van zowel docenten als studenten. De procedure had een man opgeleverd van onbepaalde leeftijd, maar niet jong meer, met de brede mond, de hoge jukbeenderen, de donkere ogen en het bloempotkapsel van een Midden- of Zuid-Amerikaanse indiaan.

Die rilling was veroorzaakt door de zekerheid dat hij die specifieke Midden- of Zuid-Amerikaanse indiaan eerder had gezien. Het ergerde hem mateloos dat hij niet meteen wist waar dat was geweest, maar dat zou wel komen doordat hij al zo lang bij de politie weg was. Er ontbrak wel iets wat hij had verwacht. Hoewel de getuigen allemaal hadden gezegd dat de jonge blanke man een T-shirt met een logo had gedragen, had niemand geprobeerd dat te reconstrueren of uit te zoeken wat het vertegenwoordigde.

Morales kwam met twee kartonnen bekers Cubaanse koffie terug en zei: 'Commissaris Oliphant zei dat we met Finnegan mogen praten.'

'Geweldig. En dat logo op het shirt van die jongen?'

'Wat is daarmee? Jongeren hebben allerlei dingen op hun T-shirt: rockbands, concerttournees, sportteams…'

'Zeker, maar volgens de secretaresse was die invasie in dat kantoor een politieke actie die met het milieu te maken had. Die jongen zit in een organisatie en dan ligt het toch voor de hand dat hij het logo van die organisatie draagt? Die vrouw Tuero, de secretaresse, zei dat hij schreeuwde over…' Paz keek in een rapport. 'Over de Puxto, wat dat ook mag zijn.'

'Het is een natuurreservaat in Colombia. Die jongen dacht dat Consuela het ging kappen.'

'Is dat zo?'

'Volgens Felipe Ibanez en Cayo Garza niet. En volgens je vader ook niet. Ze hebben daar geen activiteiten. Zeiden ze.'

'Dat staat niet in het dossier. Of is me iets ontgaan?'

'Het is een spoor dat op niets uitliep.' Morales zag Paz duister kijken en zei: 'Ik had het in het dossier moeten zetten, ik weet het, ik weet het, maar het wilde er gewoon niet bij me in dat een of andere milieufreak iemand in stukken zou hakken omdat die iets uitspookte in een natuurreservaat. Dat kon ik me niet voorstellen.'

'Je dacht dat het toeval was dat Fuentes een hoog oplopende ruzie in zijn kantoor had op de dag voordat hij werd vermoord?'

'Sinds Calderón ook is vermoord, denk ik dat inderdaad,' zei Morales een beetje agressiever. Paz besefte dat de man het niet leuk vond om door een burger die aan zijn eigen bureau zat aan een kruisverhoor te worden onderworpen, al was die burger een rechercheur geweest die hem ooit bij de recherche had gehaald. Jammer genoeg was daar niets aan te doen; als Morales het had verprutst, en dat had hij gedaan, moest hij dat maar aanhoren.

Paz nam een slok koffie. 'Heb je het nu over de theorie van de Colombiaanse gangsters?'

'Waar heb je daarover gehoord?'

'Van mijn zus. Finnegan vertelde het haar, en blijkbaar heeft iemand van de county het laten uitlekken, want Doris Taylor wist er ook van. Wat is de grondslag?'

'Nou, dat is wel duidelijk. Twee identieke moorden op mensen die zakendeden in Colombia. Toen we alleen de moord op Fuentes hadden, kon het van alles zijn, een sekte, een maniak die een willekeurig slachtoffer uitkoos. Een bizarre zaak. Nu we twee moorden hebben, is er een connectie, en daar komt dan nog bij dat er vernielingen aan de huizen van alle vier de Consuela-vennoten zijn aangericht en dat daar ook jaguarpoep is achtergelaten. Iemand zegt: jullie hebben ons belazerd en nu gaan jullie eraan. En de Colombianen mogen graag bijzondere dingen doen; dat is algemeen bekend.'

'Ja, dat heb ik gehoord. Weet je, Tito, ik krijg de indruk dat dit volgens jou veel simpeler is dan Oliphant denkt. Jij denkt dat al die bizarre dingen alleen maar camouflage zijn voor een staaltje van *colombianismo*.'

'Daar ziet het naar uit. En dat zullen ze bij de county ook denken.'

'Ik neem aan dat die twee andere kerels, Garza en Ibanez, in het oog worden gehouden?'

'Ja. Omdat ze in de Beach wonen, gaat de county daarover.'

'Oké, ik ben hier klaar. Laten we gaan kijken wat ze bij Metro Dade te zeggen hebben.'

Ze namen Morales' burgerauto, een Chevrolet, en Paz zat op de passagiersplaats.

'Net als vroeger,' merkte Paz op.

'Niet echt,' zei Morales, en daarna reden ze in stilte.

Zoals was voorspeld, was Finnegan niet blij hen te zien, en Ramirez, zijn collega, was dat ook niet. De vier mannen zaten in een raamloze verhoorkamer in het hoofdbureau van de sheriff in Doral ten noordwesten van Miami, een groot modern gebouw dat eruitzag als de terminal van een vliegveld, maar dan minder gezellig. Finnegan sloeg de inleidende beleefdheden over en zei meteen: 'Ik wil een paar dingen duidelijk maken. Ik heb opdracht gekregen mee te werken en ik werk mee.' Hij wees naar een stapel mappen en een grote kartonnen doos op de tafel. 'Dat is het dossier van de moord op Calderón. Ik heb gehoord dat hij je vader was?'

'Dat klopt.'

'Nou, het is in strijd met het beleid van de county dat een onderzoeker aan een zaak werkt waarin een van zijn naaste familieleden het slachtoffer is. Ik begrijp niet hoe de sheriff met die onzin akkoord heeft kunnen gaan.'

'Hij wilde zich indekken, denk ik,' zei Paz beleefd. 'Ik weet dat jullie het druk hebben en we zullen ons best doen niet veel van jullie tijd in beslag te nemen.'

'Mijn oprechte deelneming met je verlies,' zei Ramirez. Het klonk niet oprecht.

Paz keek hem aan zoals je een dronken kerel aankijkt die scheten laat en wendde zich toen weer tot Finnegan. 'Ik heb een paar uur nodig om dit materiaal door te nemen. Daarna wil ik jullie beiden graag spreken.'

'Als we tijd hebben,' zei Finnegan. De twee rechercheurs van de county stonden op en gingen de kamer uit. Ramirez zong bij zijn vertrek 'That Old Black Magic'.

'Heb jij dit al gelezen, Tito?'

'Nee, maar Finnegan heeft me verteld wat ze hebben ontdekt.'

'Ja, de county vindt het niet prettig om met ons te maken te hebben, omdat zij zo professioneel en wij zo corrupt zijn.'

'Omdat ík zo corrupt ben,' verbeterde Morales hem.

'Sorry. Zeg, je kunt van deze bijzondere situatie gebruikmaken om dit zelf ook te lezen. Er staat vast van alles in waarover hij je niets heeft verteld.'

Daarna lazen de twee mannen in stilte. Paz maakte aantekeningen in een zakboekje. Morales las alleen maar. Paz constateerde dat Morales sneller kon lezen, of misschien ging hij alleen maar minder grondig te werk.

'Wat denk je?' vroeg Paz toen ze allebei klaar waren.

'Het is consistent met de theorie dat dit iets van Colombiaanse bendes is.'

'Alles is consistent met elke theorie als je de juiste feiten er maar uitpikt. Maar laten we er even van uitgaan dat je gelijk hebt. Waarom dat gedoe met die jaguar?'

Morales haalde zijn schouders op en maakte een laatdunkend gebaar. 'Hé, we weten niks van die mensen af. Misschien is het hun handelsmerk. Sommige bendes snijden je keel door en trekken je tong door het gat; andere bendes snijden je pik af en stoppen hem in je mond. Deze bende hakt je in stukken en haalt lichaamsdelen weg, zodat het lijkt of je door een jaguar bent gedood. Ik bedoel maar, het zijn gekke Colombianen. Wie weet wat ze doen?'

'O, dus je denkt dat er niet echt een jaguar is geweest?'

'Niet echt, nee. Ze kunnen die sporen met een stok en een afdruk van een jaguarklauw hebben gemaakt.'

'En ook de klauwsporen op de deuren.'

'Ja.'

'En de verwondingen aan de slachtoffers hebben ze met een of ander mes toegebracht.'

'Dat kan, maar…'

'En dat geldt ook voor de sprong van vijf meter hoog naar Calderóns raam, en de sprong over een heg van drie meter hoog na afloop.'

'Misschien is het een professional. Misschien is het een getrainde alpinist.'

'Dat is een goeie, Tito. Een Colombiaanse huurmoordenaar en getrainde alpinist die zich als jaguar vermomt. En die, gewapend met alleen maar een of ander mes, een kale muur van vijf meter hoog beklimt, een raam openmaakt terwijl hij aan die kale muur hangt, Calderón vermoordt, die gewapend is en moeilijkheden verwacht, een Colombiaanse *chutero* vermoordt, die een wapen in de aanslag heeft en minstens één schot kan lossen, en aan nog meer gewapende *chuteros* ontsnapt; en niemand die hem ziet, want er is die nacht niet meer geschoten, al zijn het types die maar weinig aanleiding nodig hebben om hun pistool leeg te knallen. Als je het mij vraagt, heeft die Colombiaanse huurmoordenaar, getrainde alpinist en pseudo-jaguar ook nog eens ninja-training gehad. Aan de andere kant weten we twee belangrijke dingen van hem.'

'Wat dan?'

'Nou, ten eerste laat hij vingerafdrukken achter. De county heeft een mooi stel aangetroffen op het ijzeren hek bij het huis van de buren, waarlangs hij is ontsnapt. Ze passen niet bij iemand die ze konden vinden, maar dat doet er niet toe. De kerel pleegt de moord van het jaar maar vergeet handschoenen aan te trekken. Die getrainde alpinist van jou is dus ook nog slordig.'

'Oké, en wat is jóúw theorie?'

'Wil je niet weten wat het tweede is?'

Morales haalde diep adem. 'Weet je, Jimmy, tot aan dit moment heb ik nooit goed begrepen waarom alle rechercheurs bij de politie van Miami de pest aan jou hebben.'

'En nu kun je je bij hen aansluiten,' zei Paz koel. Maar hij herinnerde zich dat hij meer dan twee uur in een afdelingsruimte had doorgebracht tussen mannen met wie hij meer dan tien jaar had samengewerkt en dat niet één van hen hem met een woord of zelfs maar een knikje had begroet. En dus zei hij: 'Sorry, Tito. Ik ben irritant. Dat geef ik toe. Maar die twee klootzakken hebben me afgezeken en nu reageer ik dat af op jou.'

'Ik vergeef het je,' zei Morales. 'En nu speel ik voor aangever: wat was het tweede?'

'Het forensisch lab van de county deed dezelfde analyse van hun klauwafdruk als jullie van die bij het huis van Fuentes. Ze wilden het gewicht berekenen van wat het ook maar was dat die afdruk had gemaakt. En ze kwamen op een cijfer dat nog geen kilo van het eerste verschilde: tweehonderdvijf komma zeven kilo. Dat pleit tegen jouw theorie van een pootafdruk op een stok.'

'Hoezo? Misschien gingen er twee kerels op een plank staan of zoiets.'

'O, nu zijn het twee kerels, twee kolossale kerels die door niemand zijn gezien? Ik weet het: ze góóiden die slordige huurmoordenaar annex getrainde alpinist door het raam en over de heg en gingen toen gewoon in de lucht op.'

'Je bedoelt dus dat het een afgerichte kat was?'

'Nee. Ik begrijp er ook niets van.'

Morales hief zijn blik ten hemel en sloeg een kruisje. 'O, dank je, Jezus, ik ben geen volslagen idioot.'

'Verdomme!' zei Paz. 'Wat heb ik hier de pest aan!'

'Wat bedoel je?'

'Er zijn nog andere dingen, Tito, en daar ga ik je over vertellen, maar ik wil dat het onder ons blijft. Akkoord?'

'Ja. Wat is er dan?'

'Nou, sinds ongeveer een maand hebben Amelia en ik bijna elke nacht dromen over een grote gevlekte kat. Dat begon ongeveer in de tijd dat Fuentes werd vermoord, maar voordat jij met me kwam praten. Ik denk dat Lola ook zulke dromen heeft, al wil ze er niet over praten. Maar ze is een wrak. Ze slaapt niet en slikt allerlei pillen. Ik ben ook naar de *santero* van mijn moeder geweest en die wierp Ifa voor Amelia. Weet je wat dat is?'

'Ja. Waarzeggerij van *santería*.'

'Ja, en hij raakte helemaal van streek en zei dat Amelia bedreigd werd door een of ander beest, een roofdier als een leeuw. En toen gaf ik haar mijn *enkangue* en hielden haar dromen op, maar die van mij niet en die van Lola waarschijnlijk…' En toen zweeg Paz opeens. Hij staarde een hele tijd voor zich uit en sloeg toen hard met zijn hand op de tafel.

'Verrek!' riep hij uit. Hij pakte een map en bladerde erin tot hij de compositietekening van de raadselachtige indiaan had gevonden. 'Ik heb die kerel gezien. Ik ging met Amelia naar Matheson Hammock en hij stond in een piepschuimen bootje en praatte met haar. Hij kan niet meer dan drie meter bij me vandaan zijn geweest, en toen hij me zag, ging hij er vlug vandoor.'

Morales keek hem met een ongelovige, scheve grijns aan. 'Jimmy, eh, wat hebben je dochter en jullie dromen te maken met twee moorden en een stel Colombianen?'

'Dat weet ik niet. Tito, laat me nu even. Jij was nog niet bij de politie toen we met die Voodoomoordenaar te maken hadden, maar geloof me, het was niet wat je denkt. We hebben toen een heleboel dingen onder het tapijt geveegd en ik heb een plausibel verhaal over drugs en sekten verzonnen, maar zo was het niet. Het was heel bizar. Zinsbegoochelend. En dit is weer zo'n geval.'

'Ja. En dat gaan we nu aan Finnegan vertellen?'

'Nee, vergeet Finnegan maar. Die belazert ons trouwens. Dit dossier is niet compleet.'

'Nee?'

'Nee. Ze houden Garza en Ibanez toch in het oog? Maar je vindt hier niets van die surveillance terug: geen foto's, geen afgetapte telefoongesprekken. Dat betekent dat ze iets belangrijks hebben ontdekt en het niet aan ons willen doorgeven. Ik denk dat het in beide huizen krioelt van de verdacht uitziende Latijns-Amerikaanse heren.'

'Maar je zei dat het geen Colombianen waren…'

'Nee, ik zei dat die moorden niet het werk van gangsters waren. De Consuela-mensen zijn in zee gegaan met een Colombiaanse bende. Dat heeft Victoria Calderón me verteld. Maar die kerels willen de Cubanen beschérmen. Ze willen ze niet vermoorden. En het idee dat die moorden het werk zijn van een rivaliserende bende, is gewoon belachelijk: dan komen we terug op die slordige ninja-alpinist, en die kan niet bestaan. Nee, het heeft met die indiaan te maken. En ons enige spoor naar die indiaan leidt via meneer Dreadlocks hier, en ons enige spoor naar hem leidt via zijn T-shirt. We moeten weer met die secretaresse gaan praten.'

Ze verlieten het politiebureau van de county na eerst Finnegan en Ramirez wat op de mouw te hebben gespeld, en toen ze in de auto zaten, belde Paz naar Victoria Calderón en hoorde dat het kantoor van Consuela Holdings tijdelijk gesloten was. Mevrouw Tuero, de secretaresse, was met verlof naar huis gestuurd totdat de nog in leven zijnde firmanten hadden besloten hoe ze verdergingen met deze onderneming.

'Hoe gaat het tot nu toe met je onderzoek?' vroeg Victoria nadat ze die informatie en ook het adres en telefoonnummer van de vrouw had verstrekt.

'Vrij goed. We nemen de politiedossiers door. Zoals je al zei, denken ze dat het Colombianen zijn.'

'En wat denk jij, Jimmy?'

'Geen Colombianen. Of niet alleen. Hoe bevalt het je om de grote baas te zijn?'

'Het zou me beter bevallen als ik wist wat er werkelijk aan de hand was. Pa had veel dingen in zijn hoofd zitten, en wat niet in zijn hoofd zat, zat in dat van Clemente.'

'Wie is dat?'

'O, oom Oscar, een erfstuk van de familie. Ik moet me van hem ontdoen of hem eruit werken, en dat zal nog een hele toestand worden, maar hij behandelt me nog steeds alsof ik zes ben en hij me snoep toestopt. Aan de boekhouding is geen touw vast te knopen. Er komt geld binnen en er gaat geld uit zonder dat er papieren bij zijn, er zijn facturen voor dingen waarvan ik nooit heb gehoord, en dan heb ik het over grote uitgaven: drie Daewoo-grijpers van tweeëntwintigduizend dollar per stuk, een Hydro Ax-feller-buncher van dertigduizend, allerlei andere machines voor de houtindustrie…'

'Jullie zitten in de houtbusiness.'

'Blijkbaar, maar daar heb ik nooit iets van geweten. We kopen natuurlijk veel bouwmaterieel, maar al die andere dingen zitten tussen de legitieme aankopen in. Ik bedoel, wat is een boormachine?'

'Zo'n ding om gaatjes in de muur te maken?'

Ze lachte een beetje harder dan de opmerking verdiende. 'O, jezus, Jimmy, wat ben ik blij dat ik je heb gevonden. Besef je wel dat ik niemand heb met wie ik over dit alles kan praten?'

'Hé, waar heb je anders familie voor?'

'Je lacht, maar ik meen het. Waarom hebben we een machine van vijftigduizend dollar gekocht om een heleboel gaten in hout te maken? Dat is iets voor een meubelfabriek. Zitten we opeens ook in de meubelbusiness? Verder maak ik me niet alleen zorgen over die rare uitgaven, maar ook over de inkomsten. Er zijn enorme betalingen, posten van zeven cijfers voor de komma, zonder dat er een factuur is waaruit blijkt waarvoor we betaald krijgen.'

'Ook iets om niet door de telefoon te bespreken,' zei Paz.

Elvira Tuero woonde in een bescheiden appartement in een laag gebouw in Souesera, in een straat die Paz goed kende. Het was dicht bij de ilé van zijn moeder, en hij beschouwde dat als een gunstig voorteken. Ze hadden eerst gebeld, en ze was bereid geweest hen te ontvangen, al deed ze dat blijkbaar met tegenzin. Haar stem had een beetje angstig geklonken.

En ze keek ook bang. Mevrouw Tuero was erg representatief, of was dat tenminste geweest: modieuze blonde krullen tot op haar schouders, met dank aan chemicaliën, een aantrekkelijk ovaal gezicht, fraai geplukte wenkbrauwen boven grote donkere ogen. Ze droeg een wijd wit shirt, een strakke toreadorbroek (roze) en goudkleurige slippers met open teen. Paz zag dat de nagellak van zowel vingers als tenen moest worden bijgewerkt en dat ze wallen onder haar ogen had. Ze ging met hen naar de huiskamer en liet hen plaatsnemen op een donkerblauwe fluwelen bank. Zelf ging ze in een met hetzelfde materiaal beklede fauteuil zitten, met tussen hen in een koffietafel waarop bierviltjes uit vele landen onder glas lagen.

'Ik weet niet wat ik u nog kan vertellen,' zei ze. 'Kort na de dood van meneer Fuentes heb ik de politie al alles verteld wat ik me kon herinneren.'

'Ja, maar het geheugen is een vreemde zaak,' zei Paz. 'Soms herinneren we ons na een tijdje weer dingen die we kort na een gebeurtenis vergeten zijn. Daarom komt de politie soms later terug.'

'Ja, dat zeiden die mannen ook.'

'Welke mannen?'

'Een paar mannen, eergisteren. Ze zeiden dat ze van de beveiligings-firma waren die voor meneer Garza werkte. Ze vroegen naar die mensen die op kantoor waren geweest op de dag voor de, eh...'

'De moord, ja,' zei Paz. 'En wat hebt u hun verteld?'

'Nou, een van hen was vooral geïnteresseerd in het shirt dat die blanke jongen droeg. Het logo daarop.'

'En wist u nog wat voor logo dat was?'

'Niet precies, maar toen hij vroeg, was het dit, was het dat, kwam het zo'n beetje weer bij me op. Om u de waarheid te zeggen wilde ik hem vooral graag weg hebben.'

'O, ja? Waarom dan?'

'Hij was een engerd, weet u. Alsof hij me iets zou doen als ik niet goed antwoord gaf. Alsof hij iets gemeens wilde doen. Hij zat te dichtbij en hij staarde me aan alsof ik loog. Dat was nog maar een van hen. Die andere kerel stelde de vragen.'

'Waren het gewone Amerikaanse mensen?'

'Nee. We spraken Spaans, maar het waren geen Cubanen. Een of ander Zuid-Amerikaans accent, maar niet Argentijns. Ik had vroeger een vriendje uit Buenos Aires. Ook niet Mexicaans. Venezuela, Colombia of zo.'

'Ja. En kon u zich het logo herinneren?'

'Nee, zoals ik al zei, kende die man het logo. Hij beschreef het me en wilde alleen maar weten of ik het die dag in het kantoor had gezien. Het was een zwart T-shirt met een grote globe erop, de aarde zoals ze je die vanuit de ruimte laten zien, de blauwe knikker. En langs de rand zaten een soort tanden, als op een radertje in een horloge, maar dan groen. En er stonden drie letters in het wit op de globe en er stond ook iets onder geschreven. Maar hij wist niet wat die letters waren en dat wist ik ook niet. Ik hoop dat dit de laatste keer is dat ik hierover moet praten.'

'Vast wel,' zei Paz. 'Dank u voor uw tijd.'

'Want dan ben ik niet meer in de stad. Ik ga bij mijn zus in Vero Beach logeren. Ik wil niets meer met deze dingen te maken hebben. Sinds die kerels hier zijn geweest, heb ik nachtmerries.'

'Wat vind je ervan, señor?' vroeg Paz toen ze weer in de auto zaten.

'Onze Colombianen doen hetzelfde als wij.'

'Dat niet alleen. Ze hadden een andere bron voor dat logo, misschien iets wat rechtstreeks met de moorden te maken had. Ze willen dat degene die de jaguartruc uithaalt daarmee ophoudt, en ze denken dat de organisatie die de twee mannen naar Fuentes' kantoor heeft gestuurd ook iets met de moord op hem en Calderón te maken heeft. Heel grondig werk, en het betekent dat ze informatie hebben die wij niet hebben. Bovendien, en dit blijft onder ons, heb ik net van mijn halfzus gehoord dat pa blijkbaar geld witwaste via zijn bouwbedrijf.'

'Het wordt steeds duidelijker,' zei Morales. 'Die kerels hielden geld achter en de Colombianen hebben ze vermoord.'

Paz schudde heftig zijn hoofd. 'Nee, nee, probeer me nu te volgen, Tito, want het is belangrijk. De Colombianen zijn bij de zaak betrokken, maar ze hebben die twee moorden niet gepleegd. Die zijn het werk van de indiaan. De Colombianen willen de indiaan te pakken krijgen.'

'Hoe weet je dat nou?'

'Dat wéét ik niet, Tito. Het is de theorie waar ik mee werk. Dat hoort bij mijn flair en het is een van de redenen waarom jullie me hierbij hebben gehaald. De indiaan is een bizar element, en de Colombianen zijn dat niet. Die begrijpen er waarschijnlijk net zo weinig van als Finnegan.'

'Wat? Jimmy, help me nou even! Je hebt mijn ninja-moordenaar eruit gegooid en nu beweer je dat een klein kereltje met een kapsel als de Three Stooges daar naar binnen is gegaan en al die ravage heeft aangericht? Hoe stel je je dat voor?'

'Als ik je dat vertel, zeg je dat ik gek ben.'

'Vertel het toch maar.'

'Het kleine kereltje kan zichzelf in een jaguar van tweehonderd kilo veranderen, en weer terug.'

Morales staarde Paz aan, barstte in lachen uit en staarde opnieuw toen Paz niet meelachte. Hij zag iets in Paz' ogen wat hij niet eerder had gezien, iets diep verontrustends, en zei: 'Je bent gek.'

'Zie je wel? Ik wist wel dat je dat zou zeggen,' zei Paz met een lach. 'Rustig maar, ik plaag je alleen maar. Maar ik had je even tuk, hè?'

'Rot op, Paz,' zei Morales nors. 'Nou, waarom zitten die schurken achter de indiaan aan? En hoe heeft hij die moorden gepleegd? Of was dat ook een grap?'

'Ik weet nog niet hoe hij dat heeft gedaan, maar zo moet het zijn gebeurd. Tito, ik heb met mijn eigen ogen gezien dat iemand met een bepaald soort training aan een heel SWAT-team ontkwam en uit een afgesloten politiewagen met twee ervaren politieagenten, van wie ik er een was, ontsnapte. Die indiaan zou zo iemand kunnen zijn. Begrijp je wat ik bedoel?'

'Heel bizar,' zei Morales.

'Zeker, en na verloop van tijd zal de waarheid wel aan het licht komen. Intussen moeten we nu meteen twee dingen doen. Jij moet naar de Florida Defenders of the Environment gaan en je zoekt uit welke groep hier in de buurt zo'n logo gebruikt. Vraag om alle informatie die ze over die groep hebben, over de mensen, de activiteiten, de locatie. En je moet me bij mijn moeder afzetten. Ik moet met haar praten.'

'We moeten bij elkaar blijven, Jimmy.'

'Ja, maar ik ben bij mijn moeder,' zei Paz. 'Hoe kan ik daar nou in moeilijkheden komen? Kom op, Tito, we moeten een achterstand inlopen. Die *chuteros* kunnen die hele organisatie uitschakelen en dan vinden we de indiaan nooit.'

Mopperend zette Morales de auto in beweging en reed hij naar Eighth Street en het restaurant. 'Ze kunnen die indiaan ook uitschakelen,' zei hij. 'En dan kunnen we allemaal naar huis.'

'Dat denk ik niet, Tito. Ik denk niet dat die indiaan zo makkelijk uit is te schakelen, niet voor hen en niet voor ons. Daar moet ik met mijn moeder over praten.'

14

Op zondagavond vertelde Nigel Cooksey aan Rupert Zenger dat er Colombiaanse gangsters in de stad waren die zich voor de Forest Planet Alliance interesseerden. Op maandagmiddag was Rupert weg. Hij was naar een belangrijke conferentie in Boetan over de bergwouden van die natie vertrokken, en hij had Luna Ehrenhaft meegenomen. Hij gaf Scotty de leiding van het huis en het terrein, en hij gaf Cooksey de naam van zijn advocaat.

'Goh, dat was snel. Net zoals je zei,' zei Jenny bij het hek van La Casita, toen de limousine van het vliegveld wegreed. 'Waarom nam hij Luna mee?'

'O, Rupert heeft behoefte aan een beetje entourage. En ondanks al haar bravoure heeft Luna een even sterke drang tot zelfbehoud als Rupert.'

'Je meent het! Die arme Scotty! Geen wonder dat hij zo chagrijnig is.'

'Ja, maar dat chagrijn is altijd al een eigenschap van Scotty geweest. Ik denk dat Luna er genoeg van kreeg. Ze heeft wel iets van het instinct van een alfamannetje.' Hij trok het hek dicht en vergrendelde het. 'Hij heeft mij ook gevraagd om mee te gaan, weet je.'

'O, ja? Waarom heb je dat niet gedaan?'

'Ik ben liever hier. Boetan is vast wel fascinerend, maar ik vind dat ik bij mijn verzamelingen en… dingen moet blijven. En ik ben ook niet zo bang voor gangsters.'

'Denk je echt dat ze komen?'

'O, ze zijn er al.'

Onwillekeurig keek Jenny snel om zich heen. 'Wat bedoel je, "ze zijn er al"?'

'Nou, zoals je zult weten, kun je alleen vanuit Ruperts toren over al ons groen naar de weg kijken, en toen ik daar gisteravond was om het een en ander met hem te bespreken, zag ik toevallig een groot zwart

busje voorbijrijden, langzamer dan je op zo'n verlaten weg zou verwachten, en toen kwam het terug en stopte even. We mogen blij zijn dat
de berm niet breed genoeg is om zo'n wagen tegenover dit huis te parkeren, maar hoe dan ook, het busje kwam ongeveer een uur geleden
terug en staat nu even voorbij de bocht in de weg.'

'Ga je de politie bellen?'

'Ik denk van niet. Want wat zouden we kunnen zeggen? Dat een illegale indiaan uit het oerwoud, die we van twee moorden verdenken, ons
heeft verteld dat hij via mystieke krachten gevaar heeft voorvoeld van
een groep mannen die in alle onschuld langs een openbare weg geparkeerd staan? Nee, ik denk dat we voorlopig op onszelf zijn aangewezen.
Trouwens, als ze iets tegen ons willen ondernemen, zullen ze wel wachten tot het donker is, en we hebben middelen om ons te verdedigen.'

Ze liepen naar Cookseys kamers terug. Jenny vond het allemaal wel
veel tegelijk en vroeg zich in stilte af waarom Cooksey zo opgewekt was.
Toen bedacht ze iets. 'O god, we moeten Geli Vargos bellen. Misschien
gaan ze ook achter haar aan.'

'Mevrouw Vargos weet er vast wel meer van dan wij.'

'Wat bedoel je?'

'Ik bedoel dat je vriendin de kleindochter van Felipe Ibanez is, een
van de firmanten van Consuela Holdings. Dat heeft Rupert me gisteravond verteld.'

'Dat begrijp ik niet. Bespionéérde ze ons?'

'Helemaal niet. Rupert denkt dat het iets met schuldgevoelens te maken heeft, en ik denk dat hij deskundig op dat gebied is. Rijke mensen
die rijk zijn geworden door allerlei vormen van uitbuiting voelen zich
vaak geroepen om met weldadigheid hun zelfrespect te herwinnen. Rupert, die zoals je misschien wel weet in de public relations van een grote oliemaatschappij heeft gezeten, is zo iemand, en Geli Vargos schijnt
ook zo iemand te zijn, al was het in haar geval het familiefortuin waar
de vloek op rustte.'

'Dus ze staat nog aan onze kant?'

'Bij wijze van spreken. Ze wenst ons vast wel het allerbeste, maar nu
er echt gevaar op komst is, denk ik niet dat ze veel zal doen om ons te
helpen, niet als het ten koste van haar familie kan gaan. Tenminste, dat
gelooft Rupert.'

'Wist hij het dan al die tijd?'

'O, ja. Hij was diep geschokt toen onze vriendin ons over de plannen
van Consuela met de Puxto vertelde. Geli heeft veel geld aan de organisatie gegeven, weet je.'

'Maar het ging er ons juist om het regenwoud te rédden,' riep Jenny uit. 'Hoe kon hij geld aannemen dat was verdiend met het kappen van dat woud?'

'Dat moet je Rupert vragen, en hij heeft daar vast wel een goed antwoord op bedacht. Hoe dan ook, we hebben weinig tijd en we moeten voorbereidingen treffen om indringers buiten de deur te houden.'

'Hoe? Door met grapefruits te gooien?'

'Dat niet precies. Scotty heeft een jachtgeweer en een doos patronen. Ik denk dat we iemand die in het donker rondsluipt wel wat verrassingen kunnen bezorgen. Als je je bij ons wilt aansluiten, zijn we in Scotty's werkkamer.'

'Ja, maar ik moet dit eerst aan Kevin vertellen,' zei Jenny, en ze liep vlug weg.

Kevin lag in bed met zijn koptelefoon op. De stank in de kamer maakte duidelijk dat hij zich niets van Ruperts tijdelijke verbod op dope had aangetrokken. Ze trok zijn aandacht door een ruk aan zijn kabel te geven, en nadat hij zoals gewoonlijk tegen haar had gesnauwd, vertelde ze haar verhaal. Hij vond het erg grappig en liet weten dat hij dat Cubaanse kreng nooit had vertrouwd. Ze ging daar niet op in. Toen ze hem over Cookseys plannen en Scotty's geweer vertelde, zei hij: 'Nou en? Ik heb ook een vuurwapen.'

'Nee, dat heb je niet.'

Hij greep vlug onder de matras, haalde een groot pistool van blauwig metaal tevoorschijn en zwaaide daarmee voor haar neus. 'Wat denk je dan dat dit is? Een pamflet?'

'Hoe kom je daaraan? En zwaai er niet zo mee.'

'Het doet er niet toe hoe ik eraan kom. En deze rotclub kan ook doodvallen. Ik ben met iets groters bezig.' Hij sprong uit bed en nam actiehoudingen met het pistool aan: ineengedoken, bliksemsnel ronddraaiend, richtend met het wapen in beide handen. Ze keek naar zijn gedoe en besefte onwillekeurig dat hij blijkbaar nooit eerder een pistool in zijn handen had gehad. Jenny was zelf grootgebracht bij mensen die geen gebrek aan allerlei wapens hadden.

'Wat bedoel je, iets groters?'

'Je zult er in de kranten over lezen. O, dat was ik vergeten. Jij kunt geen kranten lezen.'

Ze ging daar ook niet op in. Hoewel ze geen kranten las, was ze de laatste tijd veel beter gaan lezen. 'Kevin, je praat onzin. Heb je ooit met een pistool geschoten?'

'Ja, allicht! En weet je, het mooiste van wat ik ga doen is dat ik hier na vanavond weg ben, schat, en dan hoef ik niet meer naar die neerbuigende praatjes van jou te luisteren.'

'Wat ga je doen, Kevin?'

Hij grijnsde en stak het pistool achter de band van zijn spijkerbroek met afgeknipte pijpen. 'Een gedisciplineerde revolutionair praat nooit met buitenstaanders over operaties.'

'En rookt waarschijnlijk ook niet de hele tijd dope. Wat is het voor een operatie? Dit is zeker iets van die schooier van een Kearney, hè?'

'Hij is geen schooier,' zei Kevin, 'en Kearney is niet zijn echte naam.'

'Kevin, het kan me niet schelen hoe hij heet. Hij is gek. En trouwens, je kunt er nu niet uit. Cooksey zegt dat het huis in de gaten wordt gehouden door een stel gangsters.'

'Cooksey kan m'n rug op, en jij ook. Hij is een oud wijf. Ik ga.'

Jenny had een hele tirade klaar, maar ze besefte plotseling dat ze niet Kevins moeder was en dat zich ongetwijfeld zulke scènes hadden afgespeeld toen hij thuis was, zonder gunstig resultaat. En dus liep ze zonder nog een woord te zeggen het huisje uit en ging ze op weg naar de schuur met metalen dak waar Scotty zijn werkplaats had. Halverwege bleef ze staan. Ze maakte rechtsomkeert en liep naar de kleine parkeerplaats terug, waar ze de motorkap van het Volkswagenbusje omhoogtrok en de rotor van de stroomverdeler eruit pakte en in haar zak stopte. Toen ze langs de vijver liep, zag ze dat er allemaal bladeren op lagen. Scotty had ze de laatste tijd niet weggehaald. En Rupert had zijn piranha's ook niet meer met slachtafval gevoerd. Ze bleef staan om een schep vissenvoer uit een groot blik te scheppen en zag hoe het water aan de kook raakte doordat de vissen zich op de brokjes stortten. De piranha's zouden moeten wachten. Ze merkte dat ze niet veel om die beesten gaf. Laat die gemene schoften maar doodgaan, dacht ze onecologisch.

In de werkschuur zag ze dat Scotty met zijn pijpsnijder bezig was. Hij liet korte stukjes van een vijf centimeter dikke irrigatiebuis vallen. Cooksey was iets in een wastobbe aan het vermengen, een roze geleiachtige substantie met een zoete stank.

Ze trok haar neus op en vroeg: 'Wat is dat voor spul?'

'Een soort napalm. Zeepvlokken, benzine en een beetje diesel. Wil je helpen?'

Ze knikte. Onder zijn leiding haalde ze hagelpatronen uit elkaar. Ze deed de korrels en het kruit in verschillende bakjes en verwijderde de slaghoedjes met een kniptang. Cooksey goot het mengsel in flessen, die hij dichtstopte met lappen. Toen maakte hij kleine dingen van de gasveren van een grasmaaier, stroken plaatmetaal, epoxylijm en spijkertjes. Toen ze klaar was met de patronen, keek ze naar wat hij deed. Aan de manier waarop zijn lange bruine vingers met de materialen omgingen was duidelijk te zien dat hij dit soort werk vaker had gedaan.

'Wat maak je?' vroeg ze.

'Boobytraps. Scotty, heb je al een van je buizen klaar?'

Scotty gaf hem zwijgend een stuk buis met een dop erop; er was een klein gaatje door het midden van de dop geboord. Cooksey schroefde de dop eraf, lijmde met snel drogende epoxylijm een slaghoedje van een hagelgranaat in de opening en gebruikte die lijm toen ook om een van de geveerde dingen die hij had gemaakt op de zijkant van de buis vast te zetten. Hij deed de dop er weer op en zette de buis in een bankschroef. Hij bevestigde een lang stuk bloemendraad aan het hele geval en gaf Jenny het andere eind. 'Ga daar eens staan en trek eraan,' beval hij.

Ze trok, en de sluiting sprong open en een spijker sloeg met een bevredigend klapgeluid tegen het slaghoedje.

'Schitterend,' riep de professor. 'Het is net als fietsen.'

'Waar heb je dat soort dingen geleerd?' vroeg ze.

'Ach, toen ik nog jong was, liep ik van huis weg om bij de mariniers te gaan, tegen de grote bezwaren van mijn moeder in. Uiteindelijk kwam ik bij de Special Boat Service terecht.'

'Spelen met boten?'

'Ja, op een heel hoog niveau. Ze leren je ook met dit soort dingen spelen. Zoals ik jou nu zal leren.'

Margarita Paz woonde in een laag appartementengebouw bij Marti Park, een gebouw dat oud was voor Miami-begrippen en bewoond werd door respectabele, oudere Cubanen. Ze had ooit een huis in de buurt van haar restaurant gehad, maar een paar jaar geleden had ze dat verkocht en was ze hierheen gegaan. Dat had op een vage manier te maken met Paz' traagheid op het front van de voortplanting. Wie had een huis nodig als duidelijk was dat het nooit vol kleinkinderen zou zijn? Haar flat bevond zich op de bovenste verdieping, met een fraai uitzicht op het park, en ze had er contant voor betaald, want geen enkele bank in Miami zou zo'n flat voor een zwarte vrouw hebben gefinancierd. Letterlijk contant: ze had de advertentie gezien, had telefonisch (in het Spaans) vastgesteld dat de flat nog beschikbaar was en was binnen een uur het makelaarskantoor binnengelopen met een koffertje waaruit ze keurige stapeltjes van elk honderd biljetten van honderd dollar haalde, eenendertig in totaal. De blanke Cubaanse receptioniste was een beetje wit om de neus geworden toen dat geld tevoorschijn kwam. Als het een stripverhaal was geweest en er een ballonnetje boven haar hoofd was verschenen, zou daar het woord *narcolista* in hebben gestaan. De papieren werden meteen getekend.

Paz wees Morales de weg naar het kleine parkeerterrein, zag dat de lichtblauwe '95 Coupe de Ville van zijn moeder op zijn plek stond en nam afscheid van zijn supervisor/metgezel. Hij drukte op de bel van de buitendeur. Geen reactie. Hij gebruikte zijn sleutel. Bij de deur van haar appartement belde hij opnieuw aan, met hetzelfde resultaat, en nadat hij even had gewacht, ging hij de kleine hal in. Hij riep: '*Mamí*, ik ben het.' Niets. Nu maakte hij zich een beetje zorgen.

In de hal stond op een houten stander een half levensgroot aangekleed beeld van een zwarte vrouw met een lichter gekleurd kind. De vrouw droeg een sierlijk bewerkte zilveren kroon en er staken verzilverde metalen stralen uit de achterkant van haar gewaad van blauw brokaat, dat bedekt was met zilverig borduurwerk: schelpen, vissen en ander zeeleven. Onder haar voeten woelden gipsen zeegolven, waaruit een stalen ankertje verrees. Toen Paz een kleine jongen was, hadden ze in plaats van dit beeld een goedkope ingelijste poster gehad. Die was later vervangen door een gipsen beeld, en toen door een mooier exemplaar, en ten slotte door dit beeld, waarschijnlijk wel de meest luxe verkrijgbare afbeelding van La Virgen de Regla, alias Yemaya, de *orisha* van het moederschap en de zee, aan wie zijn moeder zich in *santería* had gewijd. Als kleine jongen had hij zich verbeeld dat het een afbeelding van zijn moeder en hemzelf was.

De huiskamer, waar hij nu kwam, was ingericht met mahoniehout en lichtroze fluweel. Er stonden zware, dure stukken: een hoge vitrinekast, een lange bank, fauteuils, een salontafel ingelegd met een zeetafereel in lichtere houtsoorten. De lampen op de bijzettafels waren gipsen sculpturen waarvan de lichte zijden kappen werden beschermd door doorzichtig plastic. Mevrouw Paz, in een gebloemde blauwe ochtendjas, lag als een lijk op de bank, een arm en een voet op de vloer, een exemplaar van *People en Español* uit haar slappe hand gevallen, haar leesbril bungelend aan één oor. Ze haalde snuivend en sissend adem.

Paz had zijn moeder niet vaak in slaap gezien, al had hij achttien jaar in haar huis gewoond. Hij had altijd het gevoel dat ze druk in de weer was, en vaak joeg ze Paz ook op. Ze was vervuld van een woedende energie die erop gericht was om nooit, nooit terug te vallen in het niets waaruit ze ten slotte omhoog was gekomen. En dit was het gevolg: totale uitputting. Er kwam een teder medelijden bij Paz op, en hij vroeg zich al af of hij niet op zijn tenen moest weglopen om die arme vrouw met

rust te laten, maar toen werd ze plotseling wakker. Er gleed een bliksem-
schicht van angst over haar gezicht bij het besef dat ze niet alleen was,
maar toen ze zag wie haar bezoek was, trok ze vlug weer haar normale
strenge masker. Ze liet haar bril verdwijnen, ging rechtop zitten en zei:
'Wat?'

'Wat bedoel je: "wat"? Ik ben je zoon. Ik breng je een bezoek op je
vrije dag.'

'Heb je Amelia meegebracht?'

'Nee, die is nog op school. Zeg, *mamí*, ik ben eigenlijk hier omdat ik
je hulp nodig heb.'

'Geld?'

'Nee, geld is geen probleem. Dit is iets spiritueels.'

De wenkbrauwen gingen op haar donkere gezicht omhoog. 'Ik ga
koffiezetten,' zei ze, en ze liep naar de keuken.

Ze gingen aan de oude tafel met beschadigd blad van email zitten dat
hij zich uit hun arme tijd herinnerde en dronken de sterke koffie. Hij
vertelde haar over de dromen, die van hem en van Amelia, de dromen
over het gevlekte beest. Hij vertelde haar ook wat hij dacht dat er met
zijn vrouw aan de hand was, en dat hij het kind het amulet had gegeven,
de *enkangue* die hij jaren geleden van haar had gekregen.

'Dat was niet verstandig,' zei ze. '*Enkangue* worden voor één persoon
gemaakt.'

'Dat weet ik, maar ze was bang. Trouwens, blijkbaar werkte het. Sinds
ik hem aan haar heb gegeven, heeft ze geen nachtmerries meer.'

'Je had naar mij toe moeten komen.'

'Ik kom naar je toe, *mamí*. Ik heb *enkangue* voor de hele familie nodig. Ik dacht, die dromen, en na die voorspelling die Amelia kreeg… en
nu denk ik aan mijn… je weet wel, Calderóns dood. Daar is ook een
grote kat bij betrokken.'

'Je vader,' verbeterde ze hem.

'Zo kan ik hem echt niet zien. Hij heeft ons zijn hele leven als oud
vuil behandeld.'

'Jou wel. Maar mij niet. Nooit.'

'Wat bedoel je? Ik dacht dat hij, je weet wel… Toen je geld nodig had
voor onze eerste cateringwagen, maakte hij misbruik van je.'

Ze keek hem fel aan. 'Denk je dat, mijn zoon? Dat je moeder de hoer
speelde om een cateringwagen te kunnen kopen?'

Paz voelde dat het bloed naar zijn wangen steeg, maar hij bleef haar
aankijken. 'Je had geen keus,' zei hij.

'Daar weet jij niets van.'

'Vertél het me dan, verdomme!'

Ze nam een slokje koffie. 'Aha, nu vraagt hij het eindelijk, na bijna dertig jaar. Goed, als je het dan wilt weten: Juan Calderón hield van mij en ik hield van hem. Hij was een slechte man en hij hield van me zoals zulke mannen doen, heel anders dan jij van iemand houdt, maar evengoed was het liefde. Hij wilde me voortdurend, en ik wilde hem. Natuurlijk kon het onmogelijk verdergaan, maar zeven maanden hadden we dat met elkaar. Je moet weten dat zoiets in Cuba veel voorkwam: een rijke blanke man neemt een zwarte maîtresse om over hartstocht te leren voordat hij met het koude blanke meisje trouwt dat zijn ouders voor hem hebben uitgezocht. Zo werd ik zwanger, en je moet nooit denken, mijn zoon, dat je niet in liefde bent verwekt, al was het de liefde van een slechte man. Toen ik het hem vertelde, wilde hij dat ik naar Puerto Rico vloog om jou te laten doodmaken, maar ik zei nee, en toen zei hij: ik zet je in een appartementje en dan ben je beschikbaar. Zo gaat dat, of zo ging het waar we allebei vandaan kwamen: een paar jaar van comfort, hij koopt mooie dingen voor je, en dan krijgt hij een ander meisje, een jonger meisje. Je gaat dan ergens als dienstmeisje werken en zorgt voor je kleine *cabrón*. Maar ik zei nee, ik zei dat ik een lening van hem wilde om een bedrijfje op te zetten, en we kregen ruzie, want hij wilde het altijd voor het zeggen hebben. Maar uiteindelijk was ik sterker en gaf hij mij het geld. Hij zei dat hij me nooit meer wilde zien. Als ik ooit nog een beroep op hem deed, of als jij dat deed, zou hij ervoor zorgen dat ons beiden iets ergs overkwam. En dus vertelde ik je niet over hem. Ik verzon een verhaal om te voorkomen dat je naar hem toe zou gaan. Maar je ging toch. De *santos* maakten het een deel van je leven. En dat is ook de reden waarom ik je niet in *santería* heb grootgebracht; moge dat mij worden vergeven. Ik wilde dat je een Amerikaanse jongen werd. Ik dacht dat ik je met mijn gebeden tot de *santos* kon beschermen, en dan zou je een ander leven leiden. Je zou ontsnappen uit al dit... die duistere dingen. Maar Ifa heeft de lijn van je levenslot anders getekend dan mijn bedoeling was. En jij weet dat ook. Daarom heb je Ifa laten werpen voor mijn kleinkind en daarom ben je nu naar me toe gekomen, al heb je je hele leven gedacht dat het allemaal onzin was.'

'Ik weet nog niet of ik dit alles accepteer...' begon hij, maar ze maakte een afwijzend gebaar en onderbrak hem. 'Ja, ja, je gelooft het in je hart, want de *orishas* hebben je dingen laten zien, dingen die ik nooit heb gezien.'

Ze dronk haar koffiekopje leeg tot aan het bezinksel en liet dat in haar kopje rondwalsen, zoals ze altijd deed. Soms kon ze er dan dingen in zien, maar dit keer niet. Ze stond van tafel op. 'Ik ga me aankleden en dan gaan we Julia opzoeken in de *botánica*.'

Paz bleef zwijgend zitten, alsof hij een klap op zijn hoofd had gehad. Bij de deur bleef ze staan en zei ze: 'Het spijt me, Iago. Het was fout van me. Ik probeerde de dingen te beheersen in plaats van alles over te laten aan de *santos*. Maar zo ben ik nu eenmaal, net een ezel.'

Paz probeerde zich te herinneren of zijn moeder zich ooit over iets bij hem had verontschuldigd en kon niets bedenken. Het was bijna even verontrustend als de onthulling over zijn vader.

De winkel had geen naam. Hij zat ingeklemd tussen een apotheek en een schoenenwinkel aan West Flagler Street, dicht bij de gehoorzaal van de county, en hij had een gevel van drieënhalve meter, met één stoffige etalageruit waarop in afbladderende vergulde letters BOTÁNICA stond. Achter het raam stond een rij donkere gipsen *santos*, als mensen die op een bus naar de hemel wachten: de heilige Lazarus, die Babaluaye was, genezer van ziekten; de Maagd van Caridad, die Oshun was, de Venus van Cubaans Afrika; de heilige Petrus, die Ogun was, heer van ijzer en woede; de heilige Anthonius van Padua, die Eleggua was, de bedrieger en de beschermer van de wegen; en Yemaya, lopend over haar gipsen zeeën. Boven die beelden hing een slap ijzerdraad waaraan cellofaanzakjes met kruiden en poeders waren vastgemaakt.

Binnen was het schemerig en stoffig en er hing een weeïge zoete geur. Om bij de toonbank achterin te komen, moest je door een smalle doorgang, zo vol stond de winkel met beelden en kisten. Op lukraak aangebrachte planken stonden de materiële parafernalia van de religie: snoeren van kauri's, speelgoedwapens van goedkoop metaal, vliegenmeppers, ingelijste afbeeldingen van de heiligen; en spuitbussen met zuiverende spray, glazen potten met gedroogde bladeren, crucifixen, rollen dikke stof om kostuums voor de ceremonies te maken, droomboeken; en *soperas*, de houders die gebruikt werden voor de heilige voorwerpen die bij de verschillende geesten hoorden. Er lag ook een berg betonnen stenen, met in elk daarvan drie kaurischelpen die een primitief gezicht vormden, het teken van Eleggua.

De vrouw achter de toonbank was in de zeventig, schatte Paz, en haar gezicht was zo donker, glad en versleten als het zitvlak van een oud zadel. Om haar hoofd had ze een doek van katoen met een roze Afrikaanse opdruk. Toen ze zag wie het waren, glimlachte ze, zodat haar vier overgebleven tanden te zien waren. Ze legde haar krant weg en kwam om de toonbank heen om hen te begroeten. Een warme omhelzing voor mevrouw Paz en een meer geritualiseerde omhelzing voor haar zoon. De vrouw rook naar een muskusachtig kruid.

Stoelen werden vrijgemaakt en opgesteld en het praten begon. Het ging vooral over de wederwaardigheden van de verschillende *santería*-gemeenten in Miami, en de meeste mensen over wie werd gesproken, waren vreemden voor Paz, behalve degenen die tot de geestenwereld behoorden. Die kende Paz tenminste. Hij luisterde zwijgend en voelde zich een idioot, of een kind van twaalf dat de conversatie van volwassenen aanhoort. Hij was blij dat er van hem blijkbaar geen bijdrage werd verwacht, want de uitgangspunten waarop hij zijn hele leven had gebaseerd, waren onderuitgehaald en hij was niet in de stemming voor conversatie.

Na iets meer dan een half uur was dit deel van het bezoek voorbij. Een korte stilte, en toen porde mevrouw Paz hem aan en zei ze: 'Geef Julia de dingen van Lola en Amelia.' Paz had zijn moeder niets over die voorwerpen verteld, maar natuurlijk wist ze dat hij wist dat *enkangue* niet zonder die dingen gemaakt kon worden. Hij gaf de enveloppen aan Julia, die een gebaar naar zijn moeder maakte, en toen liepen beide vrouwen naar de achterkamer van de winkel.

Vandaar drong gemompel tot hem door, niet voortdurend in het Spaans. Paz gaf zijn pogingen hen af te luisteren maar op en amuseerde zich met droomboeken. Ze stonden netjes per onderwerp en op alfabet. Als je over een rechter droomde, wilde dat zeggen dat je je vijand kon overwinnen en ook dat je 28, 50, 70 had in de *bolita*, de Cubaanse loterij. Hij zocht 'jaguar' op, maar daar stond in geen van de droomboeken iets over vermeld. Hij kreeg er genoeg van en ging in de winkel op verkenning uit. Hij kende de betekenis van veel dingen, maar er waren ook substanties en voorwerpen die hij niet kon thuisbrengen. Hij zag een mand met speelgoedgereedschap van gietijzer, een stel bogen met pijlen en gipsen diertjes waar pijlen in gestoken waren. Hij pakte een boog op en spande hem. Tot zijn verbazing was het een echte boog van donker, olieachtig hout. Zielig, was zijn gedachte, stumpers van arme mensen met een wanhopige behoefte aan verbetering in hun leven. Eigenlijk was het belachelijk. Wat deed hij hier tussen die onzin? Hij gooide de boog in de mand terug.

Geërgerd keek hij op zijn horloge. Vijf over half drie en hij moest om drie uur bij de school zijn om Amelia af te halen. Hij mocht een beetje te laat komen, maar dan kreeg hij een preek van juf Milliken over het toonbeeld van stiptheid dat hij voor de kinderen zou moeten zijn. Sorry, juf Milliken, stelde hij zich voor dat hij zou zeggen, er rust een vloek op mijn gezin en ik moest naar de *botánica* om medicijn tegen heksen te halen. Ze zou binnen enkele minuten de kinderbescherming bellen. Of Amelia's moeder, en bij die gedachte herinnerde Paz zich dat Lola op maandag vroeg vrij was. Hij zou haar bellen en iets verzinnen over de moordzaak, dat hij iemand op het spoor was. Hij had er de pest aan om te liegen, maar het was niet anders. Dit was misschien geen noodsituatie, maar wel een onvermijdbaar oponthoud. Evengoed zou hij dit alles nog duizend keer liever aan juf Milliken uitleggen dan aan Lola.

Hij haalde zijn mobieltje tevoorschijn en drukte op een sneltoets, maar de vrouw op de afdelingspost van spoedgevallen zei dat dokter Wise ziek naar huis was gegaan. Wat was het? Dat wist ze niet, en nu hoorde hij een korte aarzeling; blijkbaar was er iets niet goed. Was het ernstig? Ik ben haar man. Sorry, meneer Wise, daar had ze geen informatie over. Hij verbrak de verbinding en belde naar huis. Na vijf keer overgaan hoorde hij Amelia's stemmetje zeggen dat ze nu niet aan de telefoon konden komen, wilt u een boodschap inspre...

Hij belde opnieuw, met hetzelfde resultaat, en belde toen Lola's mobiele nummer, waarvan hij wist dat het net als haar borsten was: altijd binnen bereik en altijd warm. Hij kreeg haar voicemail. Al een beetje in paniek liep hij om de toonbank heen naar de achterkamer. De twee vrouwen zaten aan een tafel en keken geschrokken op toen hij binnenkwam. Hij legde uit wat er aan de hand was. De twee wisselden een ondoorgrondelijke blik.

'We zijn bijna klaar,' zei zijn moeder. 'Ga maar wachten. We rijden zo naar de school.'

Zonder een woord te zeggen liep Paz naar buiten. Hij belde Tito Morales en kreeg ook bij hem de voicemail. Deze dag wilde niemand met hem praten. Hij stond al op het punt een taxi te bellen toen mevrouw Paz en Julia naar buiten kwamen, de eerste met een kleine bruine papieren zak.

'We kunnen nu gaan,' zei ze. 'Alles komt goed.'

'Ik rij wel,' zei hij. En dat deed hij met roekeloze snelheid.

Amelia zit in de boom, ondanks het strikte verbod om niet hoger te klimmen dan waar juf Milliken bij kan. Meestal is ze een gehoorzaam kind, maar dit ding in de boom valt buiten de normale grenzen, als iets in een droom. Zodra ze bij de hangmat aankomt, vervolgt Moie zijn verhaal op het punt waar hij was gebleven, alsof ze niet langer dan een minuut weg was geweest.

'Dus toen Regen zag dat Kaaiman de hele wereld wilde opeten, ging ze naar Hemel en paarde met hem, en toen kwam Jaguar uit haar voort. Ze zei tegen hem, Jaguar, jij bent nu hoofd van alle dieren. Je moet Kaaiman tegenhouden voordat hij de hele wereld opeet die onze familie heeft gemaakt. Jaguar viel Kaaiman aan en ze vochten vele handen van jaren. Maar Kaaiman was te sterk. Met zijn krachtige staart gooide hij Jaguar hoog de lucht in, tot aan de maan, en daar stortte hij op neer. Daarom kun je nog steeds zijn snuit in de maan zien. Toen Jaguar op de aarde terugviel, landde hij op een veld van kale rotsen, zonder voedsel. Hij was de hongerdood nabij. Toen kwam de Hninxa, en ze zei tegen hem: Jaguar, eet mijn vlees. Ik zal je zo sterk maken dat je Kaaiman kunt verslaan, dan kan hij de hele wereld niet opeten. Jaguar at de Hninxa…'

'Wat is een Hninxa?' vraagt Amelia.

'Dat weet niemand,' zei Moie. 'Zulke dieren bestaan niet meer. Maar zo noemen wij de kleine meisjes die we aan Jaguar geven om te voorkomen dat Kaaiman terugkomt en de wereld opeet. Jaguar werd zo sterk van het vlees van de Hninxa dat hij Kaaiman versloeg. Hij brak de lange poten van Kaaiman af, opdat die niet ver bij Rivier vandaan kon kruipen, en hij brak de helft van zijn staart af, en daarvan maakte hij alle vissen. Hij zei: Kaaiman, je zult niet meer over land rennen, maar kruipen en alleen de vissen eten die ik van je staart heb gemaakt. En Kaaiman ging naar het water. Maar zijn geest vloog de wereld in en werd vele handen van demonen. Deze demonen leven nog steeds en willen nog steeds de wereld opeten. En Jaguar dacht: ik maak de Eerste Mens, en hij en zijn volk zullen me helpen over de dieren te heersen, en als Kaaiman me weer aanvalt, heb ik sterke bondgenoten. En dat deed hij. Het is nu vele handen van jaren daarna, zoveel handen als de bladeren in het woud, en de demonen van Kaaimans geest zijn in de *wai'ichuranan*, en nu willen zij de wereld opeten. En dus riep Jaguar mij en zei hij: Moie, breng me naar Miami Amerika, dan kan ik tegen Kaaiman vechten, zoals ik lang geleden heb gedaan. En dus ging ik. En Jaguar zei ook: ik zal je een *hninxa* van de *wai'ichuranan* sturen en jij zult haar aan mij geven om op te eten, en dan zal ik de kracht hebben om de *wai'ichuranan*-demonen te verslaan. Daarom zit ik in deze boom.'

'Heeft Jaguar je al… een van die kleine meisjes gestuurd?'

'Ja.'

'Wie is het?'

'Jij bent het,' zegt Moie, en hij giechelt en laat zijn scherp geslepen tanden zien.

Amelia kijkt hem met grote ogen aan en giechelt dan ook. 'Dat was een goed verhaal,' zegt ze. 'Wil jij ook een verhaal horen?'

'Ja, dat wil ik wel.'

Maar ze is nog maar amper op de helft van *De kleine zeemeermin* als ze beneden hoort roepen: de stemmen van juf Milliken en haar vader.

'Ik moet gaan,' zegt ze.

'Wacht,' zegt Moie, en hij steekt zijn vinger in een aardewerken potje en drukt een beetje zalf op haar nek. Ze krijgt op die plek even een warm gevoel. Ze klautert van tak naar tak en laat zich als een warme mango in de armen van haar vader vallen.

Daarna moet ze een strenge preek van de juf ondergaan, die door haar vader wordt gesteund. Het is gevaarlijk om in de boom te klimmen. Wil ze soms dat juf Milliken haar binnenhoudt terwijl de andere kinderen buiten spelen? Dat wil ze niet. Nou dan.

Als ouder en kind weglopen, vraagt Paz: 'Wat deed je daarboven, schatje?'

'Niets. Frito's eten en naar de kevertjes kijken. Had jij fantasievriendjes toen je een kind was?'

'Waarschijnlijk wel, maar dat weet ik niet meer.'

'Ik vind het erg babyachtig. Ik heb een vriend die Moie heet. Hij is half fantasie en half niet fantasie.'

'O, ja? Zoals Mary Poppins?'

Ze lopen over het gazon naar het parkeerterrein, maar nu blijft ze abrupt staan en kijkt hem ernstig aan. Die blik heeft hij ook al vaak in de ogen van haar moeder gezien. Maar die blik verdwijnt en maakt plaats voor verwarring. 'Ik ben vergeten wat ik wou zeggen.'

'Dat overkomt mij zo vaak. Ging het over je fantasievriendje?'

Ze haalt haar schouders op. Dan kijkt ze weer levendig en vraagt: 'Als God zei dat je me met een groot mes moest doodmaken, zou je dat dan doen?'

'Waarom vraag je dat?'

'We hebben Bijbelles gehad. Vroeger maakten ze kleine jongens en meisjes dood. Dat heet een offer. Ik vind het gemeen van Abraham dat hij zijn zoontje offerde alleen omdat God het zei.'

'Maar hij heeft hem niet geofferd.'

'Nee, maar hij ging het doen. Ik vind het ook gemeen van God.'

'Het is maar een verhaal, schat. Abraham had het geloof dat God hem niet echt zou dwingen iets ergs met zijn zoon te doen.'

Opnieuw komt die dromerige uitdrukking op haar gezicht, om direct weer te verdwijnen.

'Isaac. Er zit een Isaac in mijn klas. Hij heeft zijn Gameboy mee naar school genomen en juf Milliken pakte hem af en gaf hem later terug.'

Na een korte stilte vraagt ze: 'Nou, zou je het doen?'

'Nee,' antwoordt Paz zonder na te denken.

'Zelfs als God kwaad op je zou zijn?'

'Hij doet zijn best maar. Ik zou het evengoed niet doen.'

'Mensen die zich laten offeren zijn martelaren, wist je dat? En ze worden engelen en vliegen rond in de hemel. O, kijk, daar is *abuela*!'

'*Abuela*!' roep ze, en ze rent naar de auto toe en klimt door het raam om bij haar oma op schoot te zitten. De hele rit naar South Miami praten die twee vrolijk in het Spaans met elkaar, terwijl Paz verschillende keren zijn vrouw op haar mobieltje belt. Hij maakt zich steeds meer zorgen.

Toen ze bij het huis waren aangekomen en mevrouw Paz met haar Cadillac was weggereden, gingen Paz en zijn dochter naar de achterdeur. Paz zag dat Lola's fiets er niet stond. Blijkbaar had ze een taxi naar huis genomen, en dat beloofde weinig goeds. Hij bleef even bij de deur staan en zei: 'Hé, meisje, je mama is een beetje ziek. Wil je heel stil zijn?'

'Oké. Wat heeft ze?'

'Dat weet ik niet. Het zal wel een beetje griep zijn of zoiets. Ga maar even tekenfilms kijken, dan kun je me straks helpen ons eten klaar te maken.'

'Ik kan het zelf ook maken.'

'Ja, vast wel,' zei hij, en hij maakte de deur open.

'Wat zit er in die zak, papa?' vroeg het kind.

'Niets. Wat dingen die ik van *abuela* heb gekregen.'

'*Torticas*?' Hoopvol.

'Nee, gewoon… een soort medicijn voor mama. Ik ga nu naar binnen om te kijken hoe het met haar gaat. Ga jij je schoolkleren maar uittrekken.'

Het kind huppelde naar haar kamer en Paz ging zijn eigen slaapkamer in. Zijn vrouw was een bult op het bed onder een dunne sprei. Hij ging voorzichtig op het bed zitten en schoof tegelijk de *enkangue* die met haar haar was gemaakt onder de matras. Ze bewoog en kreunde.

Hij trok de deken van haar gezicht weg en legde zijn hand op haar voorhoofd. Dat was klam maar niet koortsig. Ze knipperde met haar rode, gezwollen ogen naar hem.

'Hoe gaat het, schat? Heb je het niet meer zo heet?'

'Ze hebben me naar huis gestuurd,' kreunde ze.

'Eh, ja. Je bent ziek. Het is een ziekenhuis.'

'Ik ben niet ziek. Ik had een… een zenuwinstorting.'

'Een wat?'

'Ik… Ze riepen me op. We hadden een tiener, een overdosis, comateus. Er was een verkeersongeluk, zes gewonde bejaarden en de spoedgevallenafdeling zat vol. En ik wist niet wat ik moest doen. Ik was de enige arts die nog beschikbaar was en ze keken me aan en ik werd helemaal leeg vanbinnen. Ik kon niet… Ik zei dat ze… Ik nam de verkeerde beslissing, en ze keken me allemaal aan, de zusters, want ze wisten dat het verkeerd was en ik schreeuwde tegen hen en… Ik weet het niet meer precies. Ik was… hysterisch, en ze haalden Kemmelman erbij en die greep me vast en gooide me in de artsenkleedkamer. En later ging ik naar huis. Ik glipte weg en nam een taxi en nu moet ik slapen, Jimmy, ik moet slapen en ik kan het niet. Ik heb pillen geslikt, ik weet niet meer wat voor pillen en ik ben arts. Ik ben arts, maar ik kan niet slapen. Waarom kan ik niet slapen, Jimmy? Ik ben zo moe en ik kan niet slapen.'

'Je hebt nachtmerries.'

'Zestig milligram flurazepam en ik kan niet slapen,' zei ze. Haar stem was hoog en zacht geworden, als die van een klein meisje.

'Je moet van die pillen af, schat. Geen pillen meer.'

Ze verstijfde en wilde overeind komen. 'Gaat het goed met Amy? Waar is Amy?'

'Met Amy gaat het prima,' zei hij. 'Ze is in haar kamer. Zeg, je gaat nu slapen. Ik blijf hier bij je en wrijf over je rug, en je gaat slapen en als je weer wakker wordt, voel je je goed.'

'Nee… ik moet Amy zien.' Ze herhaalde de naam van haar dochter verschillende keren, en nu huilde ze ook, maar hij hield haar dicht tegen zich aan en streek over haar rug. Na een tijdje namen de snikken af en maakten ze plaats voor de zuchtende ademhaling van diepe slaap.

Paz schrok wakker uit zo'n droom die zozeer met de realiteit verweven was dat hij er seconden over deed om het verschil weer te zien. Hij dacht dat hij ergens op de uitkijk had gestaan en in slaap was gevallen. De verdachte was hem ontglipt en hij schaamde zich en was wanhopig. Maar goddank was het een gewóne nare droom geweest. Lola sliep nog. Ze lag onbeweeglijk naast hem en snurkte zacht. Hij kwam het bed uit en ging naar de kamer van zijn dochter. Daar legde hij haar nieuwe *enkangue* op de bedstijl en pakte hij zijn eigen terug, die hij weer om zijn hals hing.

Zijn mobiele telefoon speelde zijn deuntje. Hij haalde hem tevoorschijn, zag wie er belde en bracht na een korte aarzeling de verbinding tot stand.

'Wat is er, Tito?'

'Niemand zegt nog hallo,' zei Morales, 'niet meer sinds je kunt zien wie er belt. Ik vind dat een belangrijke culturele verandering.'

'Het einde van de beschaving zoals wij die kennen. Wat heb je ontdekt?'

'O, ik heb de naam en het adres. Het gaat om de Forest Planet Alliance aan Ingraham Highway. Waar ben je nu?'

'Thuis.'

'Ik kan langskomen. Ik vind dat we die mensen een bezoek moeten brengen.'

'Dat kan nu niet, man. Ik heb persoonlijke problemen.' Stilte op de lijn, en Paz voegde eraan toe: 'Lola is ziek.'

'O? Niets ernstigs, hoop ik.'

'Nee, een soort griep. Hé, ik bel je morgenvroeg.'

'Goed. Zeg, heb jij ooit van een zekere Gabriel Hurtado gehoord?'

'Nee. Wie is dat?'

'Een Colombiaan. Een drugsbaron. Zijn naam dook op. Blijkbaar heeft jouw… ik bedoel Calderón, kort geleden contact met hem gehad. Dat bleek uit zijn telefoongegevens. De FBI toont belangstelling. Ze zitten al jaren achter hem aan. Er is een beloning van twee miljoen uitgeloofd voor informatie die tot zijn arrestatie leidt.'

'Hoe meer zielen, hoe meer vreugd,' zei Paz, en hij snoof. Iemand was uien aan het bakken. Hij hoorde het vertrouwde geratel van keukengerei in een pan. 'Hé, Tito, ik moet ophangen. Ik bel je.'

'Colombiaanse narco's. Die werken meestal niet met mystieke panters.'

'Jaguars,' zei Paz, en hij verbrak de verbinding. Toen ging hij naar zijn keuken en trof daar zijn dochter aan. Ze stond op het houten krukje dat ze als kleuter had gebruikt en was rustig bezig stukjes kip te bakken. Op het gasstel dampten een pan rijst en een pan zwarte bonen. 'Ik maak *arroz con pollo*,' zei ze. 'Ik had honger en omdat mama ziek is en jij sliep, en daarom ben ik voor ons allemaal gaan koken. Ik heb geen rommel gemaakt.'

Paz keek naar de keuken. Nou ja, niet veel rommel. Hij ging op een stoel zitten en keek naar zijn dochter die aan het koken was, sprakeloos van de glorie van dat alles.

15

Kort voordat het donker was, hadden ze de boobytraps geplaatst, met slaphangende struikeldraden. Het waren buisbommen met kruit en napalm. Cooksey zei dat ze ze zouden afstellen voordat ze naar bed gingen. Het waren er maar tien, en het zou geen probleem zijn om ze snel af te stellen in het geval iemand overdag met kwade bedoelingen naar hen toe kwam.

'We hebben Kevin nu nodig, meisje,' zei hij tegen Jenny, terwijl hij camouflage op de laatste boobytrap aanbracht. 'Hij moet met ons over het terrein lopen, dan weet hij waar die dingetjes te vinden zijn.'

Ze riep Kevins naam en keek in de badkamer en vond hem niet, maar toen ze buiten kwam, hoorde ze het geluid van een vergeefs ratelende startmotor van de Volkswagen.

Kevin zat aan het stuur van het busje. Hij draaide met het sleuteltje en vloekte.

'Hij start niet,' zei ze.

'O, nu ben jij zeker de expert,' snauwde hij en hij probeerde het opnieuw.

'Nee, maar ik kan wel een rotor van de stroomverdeler weghalen.' Ze haalde hem uit haar zak en hield hem voor Kevin omhoog. 'Kevin, er staat verderop een auto vol gangsters. Ze zijn op zoek naar jou en mij. Kun je niet één keer je verstand gebruiken?'

Hij gooide het portier van het busje open. 'Geef hier!'

'Nee. Wat is zo belangrijk dat je nu meteen weg moet?'

'Dat zal ik je vertellen, kreng! Kearney en ik gaan vanavond het s-9-pompstation opblazen. Geef me die verrekte rotor!'

'Dat is idioot, Kevin…' begon ze, maar ze zweeg toen ze het pistool zag dat hij met zijn bevende rechterhand op haar richtte.

'Ga je op me schíeten?' vroeg ze na een afschuwelijke stilte.

'Niet als je me die rotor geeft.'

Terwijl hij dat zei, zag ze onwillekeurig dat Kevin de veiligheidspal van het pistool er nog op had zonder dat hij het wist. Zelfs in het zwakke licht kon ze zien dat de rode stip er niet was. En ze zag ook de nerveuze angst op zijn gezicht, achter het masker van schofterige arrogantie. Voor het eerst besefte ze dat zij echt was en Kevin een vervalsing, en niet andersom. Zij was gehard, iemand die moeilijkheden te boven kwam en zich door het leven wist te slaan, en zij had met vuurwapens geschoten en in een cel gezeten. Kevin was een bankierszoontje met gedragsproblemen. Ze vroeg zich af waarom ze dat nooit eerder had beseft. Eigenlijk was het nog niet vertrouwd om Kevin in zijn eentje de straat te laten oversteken. Maar, dacht ze, hij kon veranderen als ze hem een beetje hielp. Niet dat ze wist wat een echte man was, maar misschien kon ze hem een duwtje in de juiste richting geven. Hoe dan ook, ze kon hem niet zomaar aan de kant zetten, de lul!

'Goed,' zei ze, 'maar ik ga met je mee.'

'Mooi niet.'

'Haal dan de trekker maar over.' Ze haalde de rotor uit haar zak. 'En doe het vlug, want ik ga dit ding in de vijver gooien.' Ze bleven enkele ogenblikken tegenover elkaar staan. Toen vloekte Kevin en stak hij het pistool achter zijn broeksband. 'Oké, oké, laten we dan gaan. Stop dat ding weer in de motor!'

'Geef me eerst de sleutels,' zei ze. 'Ik rijd.'

In het donkere busje voelde Prudencio Rivera Martínez zijn mobieltje trillen. Hij zag aan het nummer dat het Garcia was, die achter een hoge hibiscusheg zat, recht tegenover het huis dat ze in de gaten hielden.

'Dat beschilderde busje rijdt weg,' meldde hij. 'Het meisje rijdt, en die kleine blonde *maricón* zit naast haar.'

'Welke richting gaan ze uit?'

'Wacht even.' Stilte. 'Naar het noorden.'

'Ik laat je door Montoya oppikken,' zei Martínez. Hij had twee auto's in blokkeerposities staan, een aan elk uiteinde van de korte weg die Ingraham Highway heette. Zijn eigen busje stond op een garagepad, ongeveer halverwege die weg. Hij maakte nu een plan en mobiliseerde zijn auto's. Binnen een paar minuten reed het Volkswagenbusje voorbij en ging Martínez' chauffeur Cristobal Riba er meteen achteraan. Er was niet veel verkeer.

'Waar halen we ze eruit?' vroeg Riba.

'Verderop. De weg gaat daar onder hoge bomen door. Het is net een tunnel; pikkedonker. Daar doen we het.'

'Veel verkeer voor een overval,' zei Riba twijfelend.

'De automobilisten zullen denken dat het een klein ongeluk is. Iglesias trapt op zijn rem en jij rijdt tegen zijn achterkant op. Wij stappen uit, zij stappen uit, we laten ze onze pistolen zien, ze stappen bij Iglesias en Rascon in, en ik ga bij hen zitten en we rijden naar de garage. Een, twee, drie.'

Jenny slaakte een gilletje en trapte op de rem toen het zwarte busje vanaf een onzichtbaar pad de weg op kwam. Door de schok werd ze tegen haar gordel gegooid.

'O, shit!' riep Kevin, en nog een keer toen het busje dat achter hen reed hun achterbumper ramde. Uit elk busje kwamen donkere mannen die naar het Volkswagenbusje liepen.

'Rij weg, rij weg!' schreeuwde Kevin. Hij maakte zijn gordel los en verschoof op zijn plaats. Hij keek koortsachtig naar beide kanten van hun busje en zag de mannen naar hen toe komen.

'Dat kan niet. We zitten vast,' schreeuwde ze naar hem terug, en toen zag ze de man bij haar raam, een dikke man met een rond hard gezicht, zware wenkbrauwen, pokdalige wangen, gemillimeterd zwart haar. Hij droeg een geelbruine broek en een wit overhemd met korte mouwen dat over zijn broeksband hing.

'U raakt mijn auto,' zei hij in duidelijk Engels, maar met een zwaar accent. 'U stapt nu uit en wij kijken verzekering, goed?'

Ze wilde haar portier openmaken, maar Kevin schreeuwde iets wat ze niet verstond en boog zich over haar heen. Tot haar afschuw had hij zijn pistool getrokken en richtte hij dat op de man. 'Haal je klotekar weg, minkukel, of ik knal je kop van je romp.'

Jenny zag verbazing op het gezicht van de man. Kevins pistool trilde vlak voor haar ogen en ze zag dat hij de veiligheidspal er nog op had. Ze wilde dat net tegen Kevin zeggen toen de pokdalige man onder zijn shirt greep, een semiautomatisch pistool met een merkwaardig lange loop tevoorschijn haalde en Kevin twee keer in zijn gezicht schoot. Het maakte minder geluid dan het ploffen van twee verjaardagsballonnen. Kevin zakte in elkaar. Zijn hoofd viel op haar dij en het bloed gutste eruit. Ze keek erop neer, keek naar die grote afschuwelijke massa bloederig haar, botsplinters en touwen van grijze hersenen, en haalde diep adem voor de gil van haar leven.

Ze wist niet of ze nog geluid had gemaakt of niet, want tussen dat moment en de volgende ging er de vertrouwde koude schacht door haar middenrif. De geluiden van het onverschillige verkeer zakten weg en het gezicht van de moordenaar en al het andere trokken zich samen tot een felle stip. Ze verdween in het land van de epileptische aanval.

Op dinsdagmorgen was Lola Wise nog in diepe slaap verzonken. Haar man maakte haar niet wakker, maar belde naar het ziekenhuis en had een kort gesprek met dokter Kemmelman, haar chef. Hij zei dat zijn vrouw aan uitputting leed en de komende paar dagen uitgeteld zou zijn. De dokter zei dat hij het begreep, dat zulke dingen vaak gebeurden met artsen die op de spoedgevallenafdeling werkten, en dat Paz zich geen zorgen hoefde te maken. Hij vroeg of Paz wat medicijnen wilde ophalen; dat wilde Paz niet. Vervolgens zorgde Paz ervoor dat zijn dochter naar school kon. Hij ontweek vragen over wat er met mama aan de hand was en bracht haar naar de Providence. Op de terugweg werd hij gebeld door Tito Morales.

'Heb je het al gehoord?'

'Wat gehoord?'

'We hadden er gisteravond heen moeten gaan, man. Ik had een slecht voorgevoel. Ik had zelf moeten gaan.'

'Waar heb je het over, Tito?'

'Om ongeveer half tien gisteravond is een busje dat eigendom was van de Forest Planet Alliance – weet je nog wel? – door twee andere busjes klemgereden op Ingraham Highway. Getuigen dachten dat het een lichte aanrijding was. Een zekere Kevin Voss kreeg twee kogels uit een 9mm-pistool met geluiddemper in zijn hoofd, en zijn metgezel, een vrouw die Jennifer Simpson heet, negentien jaar oud, is door onbekende personen ontvoerd. Wat zeg je daarvan?'

'Niet veel. Ik neem aan dat jullie met zijn allen op het kantoor van Forest Planet zijn.'

'Zeg dat wel. Dat staat op een groot perceel aan Ingraham Highway, ten zuiden van Prospect. De eigenaar is een zekere Rupert Zenger, die toevallig de stad uit is. Gisteren pas vertrokken. De enige bewoners zijn James Scott Burns, een soort onderhoudsman, en een zekere Nigel Cooksey, hoogleraar aan de universiteit en de wetenschappelijke man van de organisatie. Een Engelsman. Ze komen geen van drieën in onze archieven voor, maar die Simpson heeft een strafblad. Ze heeft zes maanden in Cedar Rapids gezeten. Drie maal raden waarvoor.'

'Bedrieglijke imitatie van een grote gevlekte kat?'

Stilte op de lijn. 'Je moet dit wat serieuzer nemen, *amigo*. Ze smokkelde dope, nog vrij veel ook, maar ze kreeg een lichtere straf omdat het de eerste keer was. En ze had ook goed meegewerkt als getuige. We vonden in het busje waarin Voss en Simpson hadden gezeten ook een 9mm-pistool. Er was niet mee geschoten en Voss' vingerafdrukken zaten erop. We hebben ontdekt dat het in maart in een wapenwinkel in Orlando is gestolen.'

'Wat denken jullie over dit alles?'

'O, denken is het woord niet, man. Finnegan en de county zijn laaiend omdat wij hun niet meteen over die FPA-organisatie hebben verteld. Ze gaan een stel Colombianen oppakken die bij de overgebleven Consuela-jongens op Fisher Island rondhangen. Commissaris Oliphant spat zowat uit elkaar van woede. Waarom waren we gisteren niet naar ze toe gegaan? En zoals ik gisteravond al zei, is de FBI ook geïnteresseerd vanwege die Hurtado. Ik heb gehoord dat ze een rechterlijk bevel hebben aangevraagd om een inval in het bedrijf van je zus te mogen doen.'

'O. Nou, ik denk dat ze wel meewerkt. Hebben jullie trouwens die indiaan gevonden?'

'Nee, maar op dit moment staan magische onzichtbare klote-indianen niet hoog op de prioriteitenlijst. Iedereen is gebrand op die Colombiaanse bendeoorlog. Die kunnen we hier in Magic City zo vlak voor het toeristenseizoen niet gebruiken.'

'Niets van dit alles verklaart die twee vreemde moorden.'

'Nee, maar de bazen hebben zich er nu in vastgebeten. Ze willen een stel Colombiaanse *pistoleros* in de cel hebben en dan zoeken we later wel uit hoe ze het hebben gedaan.'

'Dus ik ben ontslagen als adviseur voor exotische moorden?'

'Daar heb ik niets over gehoord. Kom maar naar het huis aan Ingraham Highway, dan kunnen we overleggen. Ze hebben hier een vijver met piranha's. Het is allemaal heel interessant.'

'Twintig minuten,' zei Paz. Inmiddels was hij in zijn eigen straat. Hij ging zijn huis binnen en keek bij zijn vrouw. Ze had niet bewogen sinds hij was weggegaan, en hij keek een tijdje naar haar, gerustgesteld door haar langzame, regelmatige ademhaling. Toen liet hij een briefje achter: '*Mi amor se nutre de tu amor, amada.* Bel me als je opstaat.' Daarna ging hij weg.

Toen hij in noordelijke richting over Coral Way reed, kwam Paz op een idee en hij voerde het meteen uit. Hij nam zijn mobieltje en belde het mobiele nummer van zijn halfzus.

'Met Jimmy,' zei hij toen ze opnam. 'De FBI gaat een inval bij jullie doen.'

Tot zijn opluchting was ze niet diep geschokt door het nieuws. 'Waar is het ze om te doen?'

'Pa, als ik hem zo mag noemen, schijnt nogal veel gebeld te hebben met Cali in Colombia. Dan praatte hij met een zekere Gabriel Hurtado. Dat is een drugsbaron.'

'*¡Coño!*' zei ze, en Paz grinnikte. 'Ja, dat verklaart waarom jullie boekhouding niet klopt.'

'Daar was ik zelf ook al achter. Wat raad je me aan, *mi hermano*?'

'Ik raad volledige openheid aan. Ontsla die ouwe lul van een boekhouder en laat hem en pa voor alles opdraaien. Bezit jij kennis van strafbare feiten?'

Ze lachte. 'Meen je dat nou? Ik kan wel vijf getuigen laten opdraven die allemaal zullen zeggen dat hij me de wind van voren gaf als ik zelfs maar vragen stelde over die gekke post op de balans.'

'Dan hoef jij niets te vrezen te hebben. Het kan wel de ondergang van het bedrijf worden.'

'Ik bedenk wel iets. Als we eraan gaan, kan ik misschien wel als serveerster in het familierestaurant gaan werken.'

'Afgesproken, zus.'

'En bedankt voor de tip. Ik ken je niet eens en ik hou nu al van je.'

Na dat telefoongesprek voelde Paz zich beter en ook prettiger Cubaans dan in lange tijd.

Er stonden politiewagens en een busje van de technische recherche bij het huis van Zenger. Paz moest op Morales wachten voordat hij door het hek mocht.

'Iets interessants gevonden?' vroeg Paz terwijl hij om zich heen keek.

'Niet echt, maar we zijn nog aan het zoeken. Wijlen Voss had een verzameling anarchistische literatuur en een voorraad hoogwaardige marihuana. En iemand had op verschillende plaatsen zakjes liggen met vermoedelijk wit brood. Ze gaan er in het lab mee aan het werk.'

'Veel slechter voor je gezondheid dan wiet, als je het mij vraagt. Hebben jullie iets uit de professor gekregen?'

'Niet veel. Het ontvoerde meisje was volgens hem een verschoppeling. En nog epileptisch ook. Blijkbaar maakt hij zich drukker om haar dan om de dood van Voss.'

'Wat heeft hij over jaguars te zeggen?'

'Dat weet ik niet. Dat bewaarde ik voor jou. Wil je met hem praten?'

'Breng me maar naar hem toe,' zei Paz.

Ze troffen Cooksey aan de tafel op de patio aan. Hij zat er triest bij.

Toen de twee mannen naar hem toe liepen, vroeg Cooksey: 'Hebt u haar al gevonden?'

'Nee, meneer, jammer genoeg nog niet,' zei Morales, en hij stelde Paz voor als adviseur met betrekking tot de moorden op de twee Cubaanse zakenlieden.

'Dat begrijp ik niet,' zei Cooksey. 'Wat hebben zij te maken met wat hier is gebeurd?'

Paz glimlachte en wees naar de tuin. 'Dat weten we niet, meneer. Dat willen we nagaan. Zullen u en ik een wandelingetje over het terrein maken? Dan kunt u me rondleiden en kunnen we erover praten.'

Ze wandelden. Paz stelde vragen over de vijver en de planten, over het werk van de Alliance en Cookseys eigen werk. Cooksey stelde zich formeel en terughoudend op. Hij gaf antwoord op de vragen, maar praatte niet op een normale manier door, en Paz vond dat een beetje vreemd. Hij had veel te maken gehad met experts op allerlei terreinen (vooral vrouwen). Als experts eenmaal over hun vak kwamen te praten, was het moeilijk om ze tot zwijgen te brengen. Verder vond hij dat Cooksey op een vreemde manier liep. Hij maakte erg weinig geluid bij het lopen en keek bij elke stap een beetje heen en weer. Misschien leerden veldbiologen op die manier te lopen, maar Paz had voor het laatst iemand zo zien lopen toen hij nog bij de mariniers was. Zo liepen kerels die gevechtssituaties hadden meegemaakt.

Ze liepen over een beschaduwd pad met zonnespikkels onder grote mangobomen toen Paz iets tegen een lage boomstronk zag liggen; het glinsterde in een straal zonlicht. Hij knielde neer om het te bekijken, stond toen op en vroeg: 'Wat is dat?'

'Een haak van een struikeldraad van een boobytrap,' zei Cooksey.

'O, ja?'

'Ja. 's Nachts komen er wasberen om fruit te stelen en onze vissen te vangen. Je kunt ze vaak storen door draden over de paden te spannen die met lichtgranaten in verbinding staan.'

'Struikelen wasberen over draden?'

'Nee, niet echt. Maar ze zijn nieuwsgierig naar allerlei soorten draden, zoals u zou weten als u er ooit een als huisdier had gehad. Ze trekken eraan, en het ding gaat af en ze rennen weg.'

'Heel interessant. Dat wist ik niet. Ik heb gehoord dat u een expert bent op het gebied van tropische dieren.'

'Vooral wespen, vrees ik. Maar toen ik jonger was, heb ik me met algemene zoölogie beziggehouden.'

'Weet u iets van jaguars?' Paz keek naar het gezicht van de man terwijl hij dat zei, en tot zijn verbazing zag hij een vaag glimlachje.

'Dit gaat over die twee Cubaanse zakenlieden, nietwaar?'

'Ja, inderdaad. Maar ik zou graag willen weten hoe u tot die conclusie komt.'

Cooksey keek hem aan. 'Ik lees kranten.'

'In de kranten is niets over jaguars gezegd.'

Nu kwam er een echte glimlach. 'Nee, dat is zo. Nu hebt u me. Over wilde dieren en de pers gesproken: ik moet onze piranha's voeren. Wilt u kijken?'

Paz maakte een inschikkelijk gebaar en Cooksey ging hem voor naar de keuken van het grote huis, waar hij een grote plastic zak met een hele runderlever uit de koelkast pakte. Ze gingen naar de paden terug en kwamen langs dicht opeen staande catesbaea en wilde koffie op een licht oplopende helling, met voor hen het geluid van snelstromend water. Toen ze weer in het zonlicht kwamen, stonden ze op een heuvel van koraalrots, zo'n vijf meter boven de vijver, met de waterval beneden hen.

'We voeren ze altijd vanaf deze plaats. De kracht van het water stuurt het vlees naar de plaats waar ze meestal samenkomen. Op die manier behoed je de andere vissen voor onfortuinlijke ongelukken.'

De rode massa viel in het schuimende water en verdween. Binnen enkele seconden kolkte het water beneden en werd het roze. Paz kon nog net een wervelende massa grijze figuren bij de bodem van de vijver onderscheiden.

'Kunnen ze echt in drie minuten al het vlees van een koe halen?' vroeg Paz.

'Een school van duizend zou dat kunnen. Wij hebben er maar tweeënveertig. Toch zou ik daar niet graag met een bloedende wond gaan zwemmen. Ik zeg niet dat je meteen een skelet bent, maar het zou erg onprettig zijn.' Cooksey spoelde de vleeszak schoon en stopte hem in de zak van zijn korte broek.

'Over die jaguar, professor...?'

'U bent geen politieman, hè?'

'Nee, vroeger wel, maar nu adviseer ik alleen.'

'Over...?'

'Misdrijven waarbij zich geheimzinnige verschijnselen voordoen.'

Cooksey lachte. 'O, nou, dan bent u hier aan het juiste adres. Omdat u geen politieman bent, kunt u iets met me drinken. Ik heb wel trek in een whisky.'

Ze gingen naar Cookseys kamers. Terwijl Cooksey de drankjes inschonk, keek Paz belangstellend om zich heen. Hij deed dat met de nonchalante veronachtzaming van goede manieren die de politieman eigen was. Hij zag de vroegere wasruimte met de slaapgelegenheid daarin, de keurige stapeltjes vrouwenkleding en de versleten rugzak, een ingelijste foto van een insect aan de muur. Op wat blijkbaar Cookseys bureau was stonden ook drie ingelijste foto's, een van een mooie vrouw die een kind van een jaar of twee omhoogield, glimlachend in de zon, een van een ouder echtpaar in safarikleding en een van drie mannen in militair tenue, met slappe hoeden en battledress. Ze hadden automatische geweren in hun handen. De gezichten waren donker gemaakt voor het gevecht, maar Paz herkende in een van hen een jongere Cooksey.

Cooksey zei er niets van dat Paz rondkeek. Hij gaf Paz een glas amberkleurige vloeistof zonder ijs.

'Cheers,' zei hij, en hij nam een slok. Paz deed dat ook.

'Goed spul.'

'Talisker. Smaakt naar zeewier. Je moet leren het lekker te vinden, maar ik was een goede leerling. Ik zie dat u naar mijn kleine fotogalerij kijkt.'

'Ja. Die foto... Bent u soldaat geweest?'

'Marinier, om precies te zijn. Dat was in de tijd dat Margaret Thatcher ons naar de Falklands stuurde. We hebben daar een vermaarde overwinning behaald, al hebben die twee mannen het niet overleefd.'

'En die anderen zijn uw gezin?'

'Ook dood. Al die mensen zijn dood, behalve ik.'

'Dat is erg.'

'Ja zeker. En nu is die arme Jenny ook weg.'

'U had een relatie met haar. Ze sliep hier.'

'Maar in haar eentje, vrees ik. We waren vrienden en ze hielp me met mijn werk. Ik zou haar erg graag veilig terug willen hebben.'

'Dan moet u niet terughoudend zijn met informatie.'

Cooksey ging in de draaistoel zitten en nam een grote slok. 'Dat zal ik niet zijn, meneer Paz, al denk ik niet dat u er verder mee komt. Die ontvoering en die moord zullen nauwelijks in direct verband staan met uw jaguarmoorden, als we ze zo mogen noemen. Ze hebben alleen domheid en onoplettendheid met elkaar gemeen.'

Paz nam een slokje uit zijn glas en wachtte.

'Er is een indiaan,' begon Cooksey, en toen vertelde hij het verhaal. Hij hield zich vrij goed aan de waarheid, al zei hij er niet bij waar de indiaan te vinden was. Terwijl hij het verhaal vertelde, schonk hij nog twee keer in. Ten slotte keek hij Paz scherp aan. 'Is dat geheimzinnig ge-noeg voor u?' vroeg hij.

'Ja. Hebt u dit verhaal ook aan rechercheur Morales verteld?'

'Een gekuiste versie. Hij weet dat de indiaan hier is geweest. Hij leek me niet iemand die veel van de, laten we zeggen, geheimzinnige aspec-ten moest hebben.'

'Ja, dat hebt u goed gezien. Daarvoor hebben ze mij ingeschakeld. Nou, hebt u ooit met eigen ogen gezien dat die indiaan, eh... zichzelf in een reusachtige jaguar veranderde?'

'Nee. Ik beschik alleen over aanwijzingen. Het gewicht op grond van de pootafdrukken, zoals ik al zei. En zijn eigen mededelingen. En ik zou niet zeggen dat hij "zichzelf verandert". Hij zegt dat de jaguar een soort god is die hem overneemt en de transformatie tot stand brengt.'

'Maar hebt u daar als man van de wetenschap geen moeite mee?'

'Als ik eerlijk moet zijn? Ja zeker. Zulke dingen gebeuren niet. Al zegt Jenny, die goed kan waarnemen, dat ze hem heeft zien veranderen toen ze bij de jaguarkooi in de dierentuin waren. Ze kreeg er een epileptische aanval van. Natuurlijk is er een volkomen logische verklaring voor de hele zaak, al zou ik u niet kunnen zeggen wat die verklaring is.'

Paz stond op. 'Denkt u dat hij hier terugkomt?'

'Dat betwijfel ik ten zeerste. Maar tenzij iemand die hij vertrouwt hem verzekert dat het gebied waar hij woont geen gevaar meer loopt, zal hij de overgebleven leiders van de firma Consuela en iedereen die hem in de weg loopt blijven vermoorden.'

'Door tovenarij.'

'We waren het erover eens dat zulke dingen niet kunnen gebeuren.'

'Stel dat hij het kan, die mensen vermoorden, bedoel ik. Vindt u dat dan erg?'

'Die mensen zijn verantwoordelijk voor veel moorden, meneer Paz. Indirect, op die goeie ouwe quasi-legale en industriële manier. Neemt u me niet kwalijk dat ik mijn tranen kan binnenhouden.'

'U weet waar hij zich schuilhoudt, nietwaar?'

'Als ik dat wist, zou ik het waarschijnlijk niet vertellen, alleen al om het leven te redden van nog veel meer onschuldigen: politiemensen en dergelijken.'

Paz wilde Cooksey nog meer vragen over de indiaan stellen, en ook uitleggen dat de wet van Florida hem verplichtte met de politie samen te werken, toen de deur openvloog en Morales met een triomfantelijk gezicht in de opening verscheen. 'Jimmy, we hebben iets gevonden. Je moet dit zien.'

Paz liep met hem mee, gevolgd door Cooksey.

Er stonden rechercheurs om de patiotafel heen, en daar lagen allerlei voorwerpen op; een zware smeedstalen handcultivator waarvan de vier punten scherp geslepen waren, een gipsafdruk van een dierenpoot en een doorzichtige plastic zak met twee bruine brokken erin.

'Dit alles zat in een plastic draagtas. Die vonden we onder een rots bij het huisje waar Voss en het meisje woonden,' zei Morales. 'Daar heb je je mysterieuze jaguar.'

Paz keek naar de dingen. 'Je neemt aan dat het poep van een jaguar is.'

'Dat ga ik zeker uitzoeken,' zei Morales uitbundig.

'Mag ik?' zei Cooksey. Hij boog zich naar voren, pakte de plastic zak op, keek aandachtig, stak toen zijn hand erin en brak een klein stukje van een van de zwarte brokken af. Hij hield het bij zijn neus en verkruimelde het. Enkele rechercheurs sloegen discreet hun ogen ten hemel. 'Een katachtige, en eentje van fors formaat, gezien de grootte hiervan. En dat is absoluut een afdruk van de rechtervoorpoot van een jaguar. Ik geloof zelfs dat hij uit mijn eigen verzameling komt. Ik wist niet dat hij ontbrak.'

'En nu weten we het,' zei Morales. Hij keek Paz aan. Hij kon zijn blijdschap niet onderdrukken.

'Denk je?'

'Nou en of!' zei Morales. 'Het waren Voss en de indiaan. Ze maakten ruzie in het kantoor van Fuentes, ze werden eruit gegooid, en toen hebben ze Fuentes koud gemaakt. Ze gebruikten de gipsafdruk om die diepe pootafdrukken te maken. Een van hen ging erop staan en de ander sprong op zijn rug. Vandaar dat raadselachtige grote gewicht. Als we de indiaan vinden, zul je het zien. Dan kloppen de gewichten.' Hij pakte de handcultivator op. 'Ze hebben de moorden gepleegd, en met dit ding hebben ze die klauwsporen op de deuren gemaakt. En bij Calderón ook.'

Paz knikte inschikkelijk en zei: 'Dit is dat speciale type handcultivator waarmee je bliksemsnel kunt rennen en tegen muren op kunt springen.'

'Hé, het is een indiaan. Wie weet wat hij kan? Hij heeft natuurlijk zijn hele leven in bomen geklommen. En misschien had hij nog meer wapens, weten wij veel.'

'Nee, we weten niet veel,' zei Paz. 'Ik denk dat ik hier klaar ben. Goed werk, Tito. Je hebt de grote zaak van de jaguarmoorden opgelost. Bijna. Het ontbreekt je nog aan één indiaantje.'

'We krijgen hem wel,' zei Morales. Hij keek Cooksey met zijn typische politieblik aan. 'De professor hier kan ons vast wel een bruikbaar signalement geven.'

'Ongetwijfeld,' zei Paz. 'Nou, professor, denkt u dat hij gemakkelijk te vangen is?'

'Naar mijn mening is dat bijna onmogelijk,' zei Cooksey.

'En waarom dan wel?' vroeg Morales.

'Omdat hij zich erg goed kan verstoppen. Hij kan op dit moment achter die heg zitten, of in de toppen van een van onze grote bomen.' Cooksey wees en ze keken allemaal, en nogal nerveus ook. 'Wel, als u klaar met mij bent, kan ik verdergaan met mijn werk.'

Hij wilde weglopen, maar Paz stak zijn hand op. 'Nog één ding, professor. Heeft die man een naam?'

'Ja. Hij heet Moie,' zei Cooksey.

Twee minuten later zaten Paz en een protesterende Morales in de burgerauto van de laatste en reden ze met roekeloze snelheid over Ingraham Highway naar het noorden. Paz vloekte in het Spaans, vooral op de afwezige Cooksey, want kort nadat hij de naam had gehoord, had hij een spervuur van felle vragen op de professor losgelaten en had hij algauw te horen gekregen dat de wetenschapper zijn indiaan in de grote banyanboom had verstopt die schaduw gaf aan de school van zijn dochter. Hij schold ook op zichzelf, omdat hij niet had begrepen dat Amelia geen fantasievriendje in die boom had zitten maar een echt vriendje.

Het was niet ver rijden. Toen ze in de berm naast de school stopten, waar de hoge takken van het monster over de weg hingen, gooide Paz zijn portier open. Hij wilde uitstappen, maar Morales greep zijn arm vast.

'Dit is mijn zaak, Jimmy,' zei hij.

Paz verzette zich. 'Nee, ik ga naar boven, man,' zei hij.

'Ik kan je met handboeien aan het stuur vastmaken, als je wilt,' zei de andere man. 'Ik meen het, Jimmy. Eén: die kerel is een seriemoordenaar en jij bent ongewapend. Twee: jij bent een burger. Ik zou om assistentie kunnen vragen, maar ik heb geen zin om mezelf voor het hele SWAT-team te kakken te zetten als dit de zoveelste stomme Paz-streek is.'

'Als je denkt dat hij daar niet is, waarom laat je me dan niet een kijkje nemen?'

'Doe niet zo lullig, Paz. Wacht hier nou. Ik ben zo terug.'

'Breek je nek niet.'

Beide mannen stapten uit en liepen naar de boom toe. Morales keek omhoog in de bladermassa en liet een lage fluittoon ontsnappen. Hij besefte nu pas hoe groot die boom was.

'Weet je het wel zeker?' vroeg Paz. 'Ik zit veel dichter bij de Afrikaanse apen waar we uit voortkomen dan jij.'

'Jimmy, als jouw dochter in dat ding kan klimmen, kan ik het ook.'

'Als je over drie dagen niet beneden bent, of als ik brokken gemangeld vlees in een goedkoop pak zie hangen, bel ik om hulp. Oké?'

Morales keurde dat geen antwoord waardig, maar klom in de schaduwrijke onderkant van de vijgenboom. Paz leunde tegen de politiewagen en stak een korte, dikke, zwarte sigaar op. Af en toe kwamen er krakende geluiden uit de boom, en vaak ook vloeken. De sigaar was bijna op toen hij glijdende geluiden hoorde. Een versleten, vuile koffer van stof plofte op de grond, met medeneming van takjes, bladeren en vruchten. Kort daarna verscheen Morales met nog meer stukjes van de boom. Hij had een rood gezicht en hij was bezweet, geschramd en verfomfaaid. De slippen van zijn overhemd hingen uit zijn broek en hij had harsvlekken op zijn kleding.

'Wat zit er in die koffer?' vroeg Paz. 'Gedroogd zakenmannenvlees?'

'Nee, een zwart pak, een paar schoenen, een hoed en een hangmat. En ik vond dit.' Hij haalde een grote envelop voor bewijsmateriaal uit zijn achterzak. Er zaten drie lege Fritozakjes in.

'Daar kunnen vingerafdrukken op zitten.'

'Vast wel,' zei Paz. 'Waaronder die van mij en mijn dochter. Maar je hebt geen indiaan gevonden.'

'Nee, maar misschien komt hij terug. Dit is zijn basis. Ik vind dat we de boom in de gaten moeten houden.'

'Nou, jij bent de politieman,' zei Paz. 'En, Tito? Ik ben erg blij dat hij er deze keer niet was. Je moet het niet in je eentje tegen die kerel opnemen.'

'Het is maar een indiaan, Jimmy.'

'Dat was Geronimo ook. Maar hij is niet zomaar een indiaan. En onze professor is niet zomaar een professor.'

'Wat bedoel je?'

'Hij is een beetje te onverstoorbaar. Hij is een soort commando geweest. Hij is ook veel in Colombia geweest. Als ik jou was, zou ik uitzoeken met wie hij de laatste tijd heeft gebeld.'

Morales keek hem aan om te zien of hij een grapje maakte. Toen hij zag dat Paz het echt meende, haalde hij zijn schouders op en liep hij naar zijn auto om het laatste nieuws aan zijn superieuren door te geven.

Eerst was er de smaak in haar mond, centen en kots, en toen was er de pijn, alsof een dikke, korrelige staak net achter haar ogen dwars door haar schedel was gedreven. Een hete staak. Ze wilde haar mond opendoen om te spugen, maar merkte dat ze dat niet kon. Hij was dichtgeplakt, en toen ze de tape wilde weghalen, merkte ze dat haar handen en benen op dezelfde manier aan elkaar waren vastgemaakt. Het duurde even voordat tot haar doordrong wat haar ogen zagen, want het was donker en de vormen die ze zag waren vreemd: buizen, langwerpige dingen, draden, slangen, een vaag dakraampje boven die wirwar. Er was ook een geur, vertrouwd maar moeilijk thuis te brengen: chemisch, sterk, een koud soort geur, en plotseling wist ze precies waar ze was; ze was in de werkplaats van een garage en keek op naar het plafond. Ze was met tape aan een hijstoestel vastgemaakt. Haar armen en benen zaten vast aan de x-vormige stalen balken van het platform dat omhoog kon, en ze lag ongeveer op tafelhoogte boven de vloer. En ze was naakt.

Zware voetstappen en mannenstemmen. Er verscheen een silhouet tussen haar gespreide benen en ze hoorde een lach en een wrede, insinuerende stem die Spaans sprak. Er werd ruw een vinger in haar gestoken en ze spartelde uit alle macht. Iemand anders sprak op woedende toon en de man snauwde iets wat als een weerwoord klonk, maar hij ging weg. Toen verscheen er een rond, pokdalig bruin gezicht boven haar, een gezicht dat ze vol afschuw herkende. De man die Kevin had doodgeschoten, trok de tape voorzichtig van haar mond af.

'Heb je dorst?' vroeg de moordenaar.

'Ja.'

De man haalde een plastic knijpfles tevoorschijn en stak het slangetje tussen haar lippen. Sinaasappelsap, koud en zoet. Ze zoog er een hele tijd aan.

'Dank je,' zei ze, diep ademhalend.

De moordenaar zei: 'Oké, moet je horen. Je verkeert in grote moeilijkheden. Je moet ze alles vertellen, *comprende*? Alles over die Indios die aan het moorden zijn. Ik probeer die kerels bij je vandaan te houden, en misschien lukt dat me niet, weet je? Dus vertel het me voordat de baas komt, want hij gaat met je aan de gang, en dan vertel je het hem maar raak je misschien een paar lichaamsdelen kwijt.'

Hij stak zijn hand naar een tafel met gereedschap uit en hield een korte draadschaar omhoog. 'De baas gaat hiermee in je knippen. Hij begint met je tenen en dan zet hij er een snijbrander op om het bloeden te stoppen. Ik heb hem dat eerder zien doen. Je wilt niet met hem te maken krijgen, hè? Als je het mij nu vertelt, overkomt je niets. Goed?'

'Ik weet niets. Ik weet niet waar je het over hebt.'

Hij schudde bedroefd zijn hoofd. 'Nee, *chica*, zo gaat het niet goed. Wil je hierover nadenken? Waar die Indios zijn, door wie ze zijn gestuurd, wie hun baas is, dat moet je hem vertellen als je niet in stukjes geknipt wilt worden.'

Jenny huilde, en Prudencio Rivera Martínez ging bij haar vandaan en liep naar het kantoor van de garage terug, waar Santiago Iglesias met een tv-toestel vol sneeuw en ruis zat te klungelen, onder het toeziend oog van Dario Rascon.

'Ik krijg dat rotding niet aan de praat,' zei Iglesias.

'Laat maar,' zei Martínez. 'Zo lang blijven we hier niet. En, Rascon, ik zei dat je van dat meisje moest afblijven.'

Rascon haalde zijn schouders op en grijnsde. 'Ik was haar alleen maar aan het opwarmen.'

'De man zei: raak haar niet aan tot hij er is. Als jij aan El Silencio wilt uitleggen dat je met haar hebt gespeeld terwijl hij zei dat het niet mocht, moet je dat zelf weten.'

'Ga jij me soms verlinken?'

'Nee, maar als jij eenmaal met een meisje bezig bent, houd je niet op voor ze een ravage is.'

Iglesias keek op van de tv. 'Ja, als El Silencio klaar met haar is, mag jij haar hebben. Je kunt haar in de onderdelenbak bewaren, in die kleine laatjes.'

'Hou je bek, *pendejo!*' zei Rascon. 'Ik garandeer je dat ze het geen twee sneden uithoudt. Dan vertelt ze haar hele levensverhaal.'

'Als ze het weet,' zei Iglesias. 'Maar als ze het niet weet, moet de man haar helemaal uit elkaar halen om er zeker van te zijn dat ze het echt niet weet.'

'Ze weet het,' zei Rascon zelfverzekerd. 'Ze was bij die kleine *merdita* die door Prudencio is doodgeschoten, en hij was bij de Indio. Ze gooit het er allemaal uit. En dan…' Rascon leunde in zijn stoel achterover en wreef over zijn geslachtsdelen. 'Jij mag haar poepgat hebben als ik klaar ben, Iglesias. Daar hou je toch het meeste van.'

Martínez hoorde zijn mobieltje rinkelen en zette de televisie uit. Het was een kort gesprek dat van zijn kant vooral uit bevestigingen bestond. Toen het voorbij was, zei hij: 'Dat was *el jefe*. We hebben een probleempje. De politie heeft invallen gedaan in de huizen op Fisher Island en al onze mensen opgepakt, onder wie El Silencio. Ze kunnen hen niets maken, zegt hij, ze doen maar wat. Hij denkt dat ze hen een dag of twee vasthouden en dan laten gaan. Intussen moeten wij hier rustig blijven

zitten en op het meisje passen. We mogen onder geen beding naar buiten.'

Rascon vloekte hartgrondig en Iglesias zette het tv-toestel weer aan.
'Dan moet ik dit rotding maar eens aan de praat zien te krijgen,' zei hij.

16

Morales ging weg, maar Paz bleef in de schaduw van de boom staan wachten. Na een tijdje kwam er een wagen van Florida Power and Light aanrijden die aan de overkant van de straat bleef staan. Er kwamen twee mannen met helmen en tuigen uit die ondanks hun uitrusting niets ondernamen om het elektriciteitsnet te verbeteren. Paz wuifde naar hen en werd genegeerd. Misschien konden ze een primitieve inboorling uit de Orinoco misleiden, maar dat betwijfelde hij.

Hij rookte nog een sigaar, slenterde naar het fonteintje bij de school en dronk eruit. Hij hoopte dat niemand de politie belde; mensen deden dat vaak als ze een volwassen man bij een lagere school zagen rondhangen. Dit bracht zijn gedachten op het algemene verschijnsel dat sommige mensen zich monsterlijk gedroegen, en vandaar op het ontvoerde meisje Jenny. Waarom hadden ze haar ontvoerd? Blijkbaar om informatie los te krijgen, maar hij kon zich niet voorstellen dat een meisje dat door Cooksey niet al te snugger was genoemd iets zou weten waarvoor Colombiaanse *drogeros* haar in Miami van de straat zouden plukken, en dan hadden ze daarbij nog een moord begaan ook. Tenzij ze niet zo dom was; tenzij Cooksey daarover loog en ook over andere dingen; tenzij er connecties tussen al die misdrijven waren waaraan niemand had gedacht. In elk geval was het meisje weg. Ze zouden uit haar martelen wat ze wist, als ze iets wist, en haar kapotte lijk in de Everglades of in de baai dumpen. In Miami was het nooit een probleem om een dode kwijt te raken. Hij vond het jammer van het meisje, maar alleen uit principe. Hij kende haar niet en maakte zich al lang niet meer druk om zulke meelijwekkende slachtoffers. Hij slenterde naar de boom terug en zag dat er nu schoolbussen op het plein stonden. Er waren ook auto's van ouders die hun kroost kwamen ophalen, en voor de verandering was Paz blij dat hij die mensen om zich heen had.

Er kwam steeds meer lawaai uit het schoolgebouw en toen stormde een felgekleurde menigte kinderen naar buiten. Sommigen werden door het onderwijspersoneel naar de klaarstaande bussen gebracht, anderen renden naar de auto van hun ouders, zwaaiend met opzichtige kinderkunst ('Kijk eens wat ik op school heb gemaakt!') die aanleiding gaf tot bewonderende geluiden, waarna het gerommel van dure automotoren te horen was. De rest, met de opgewekte juf Milliken als herderin, liep over het grasveld naar een bank onder de boom. Amelia zag hem, en hij keek met gemengde gevoelens naar de uitdrukkingen die over haar lieve gezichtje gleden: eerst verraste blijdschap, toen gespeelde onverschilligheid. Zijn lieveling had blijkbaar de nonchalance ontdekt en gaf nu op een primitieve manier blijk van de universele weerzin van jongeren om, als ze onder leeftijdgenoten waren, de aanwezigheid van een ouder te erkennen. Met een schok besefte Paz dat hij vanaf dit moment zou afglijden van god tot sukkel.

Juf Milliken liet de kinderen in rijen zitten, ging zelf op de bank zitten en sloeg *Charlie en de chocoladefabriek* open. Paz, nog steeds rechercheur, zag dat zijn dochter helemaal aan het eind van de boog van kinderen had plaatsgenomen en dat ze kort na de eerste onthullingen in de chocoladefabriek naar de schaduw van de hangende takken glipte. Hij volgde haar naar het hart van de boom.

'Hij is hier niet meer, schatje,' zei hij.

'Hoe weet je dat?'

'Dat weet ik gewoon. Tito is een tijdje geleden naar boven geklommen. Je vriendje is weg en ik denk niet dat hij terugkomt.'

'Waarom deed hij dat? Tito, bedoel ik.'

'Omdat… Moie… Omdat de politie denkt dat Moie misschien… ik bedoel dat hij misschien iets over bepaalde misdrijven weet. De politie wil heel graag met hem praten. Weet jij waar hij zou kunnen zijn?'

'Nee. Wat voor misdrijven?'

'Ernstige misdrijven. Hé, we moeten hier even over praten. Zullen we naar El Piave gaan en ijsjes eten?'

Dat was een laaghartige manoeuvre. Het arme kind was gek op ijs, haar moeder verstrekte het haar als was het methadon, en dus kon papa altijd een wit voetje bij haar halen door de joviale dealer uit te hangen. Ze klaarde meteen op en ze liepen bij de boom vandaan. Ze wandelden door de smalle, van bloemengeuren vervulde straten van de Grove tot ze op Commodore Plaza kwamen. El Piave, dat in zelfgemaakt Italiaans ijs gespecialiseerd was, zat vol met kinderen die net uit school waren gekomen, maar het was voor Paz als horecacollega geen probleem om plaatsen voor zijn dochter en hem te krijgen. Paz nam een vanille/koffieijsje en het meisje ging zich te buiten aan twee bollen kersenvanille met toffee. De verkoper zag wie het was en voegde er gratis een torentje slagroom aan toe, en ook wat maraschinokersen en een papieren parasolletje. Amelia – de gourmetprinses van Miami – accepteerde alles alsof het haar toekwam.

Paz wachtte tot de suiker haar in een aangename verdoving had gebracht en zei toen: 'Hé, ik weet dat Moie je vriendje is, maar je moet er rekening mee houden dat hij dat niet echt is.'

'Dat is hij wel. Hij is aardig.'

'Hij mag dan aardig lijken, Amelia, maar laten we het onder ogen zien: je weet niet veel van hem af. Je zegt bijvoorbeeld dat hij kan toveren. Oké, ik geloof je, hij kan toveren. Maar wat voor tovenarij is het? Je weet dat er ook slechte tovenarij is.'

Daar kwam geen antwoord op. Ze wendde haar ogen van hem af en concentreerde zich op de berg ijs. De slagroom en kersen bewaarde ze zorgvuldig voor het laatst. Hij gooide het over een andere boeg. 'Je weet wat *santería* is, hè?'

'Ja. Wat *abuela* doet.'

'Dat klopt. Er is een wereld die we niet kunnen zien, en in die wereld leven geesten. Soms helpen ze ons en soms doen ze ons kwaad, maar je moet altijd onthouden dat ze anders zijn dan wij en dat ze gevaarlijk zijn. Daarom proberen *abuela* en haar vrienden uit te zoeken wat ze willen, want dan raken we niet verstrikt in hun… streken en worden we daar misschien niet het slachtoffer van.'

'Van slechte geesten?'

'Nee, schatje, het is niet een kwestie van goed en slecht. Het gaat om macht. Weet je, het is net als een stel jongens die op het gras aan het voetballen zijn, en dan komt er opeens een poesje het veld op lopen. Het poesje komt onder iemands voet terecht en wordt geplet. Het was niet de bedoeling van die jongens, maar evengoed is het poesje geplet. Weet je nog wel dat je die nare dromen over een jaguar had? Ik had hetzelfde soort dromen en ik denk dat je moeder ze ook had. Daarom is ze de laatste tijd zo van streek, en…'

'Je hebt ze laten ophouden met dat *santería*-ding.'

'Ja, de *enkangue*, en ik hoop dat er bij mama ook een eind aan is gekomen. Maar weet je, ik denk dat Moie die dromen stuurt, niet echt hijzelf maar een soort geest waar hij voor werkt, een jaguargeest, en ik denk dat die geest jou kwaad wil doen, niet omdat hij slecht is of omdat Moie slecht is maar omdat hij iets doet wat wij niet begrijpen, iets waar ook bij hoort dat hij jou kwaad doet.'

Amelia keek op van haar bord. Ze keek hem recht aan en leek plotseling ouder. 'Dit is net *In de ban van de ring*, hè?'

'Ja, zoiets.'

'En wij zijn dan de hobbits.'

'Ja. Alleen denk ik dat *abuela* meer op Gandalf lijkt.'

Amelia knikte; dat was duidelijk. 'En op wie lijk jij, papa?'

'Dat weet ik niet, schatje. Dit is allemaal nieuw voor me.'

'Ik wil dat jij de koning bent. Aragorn.'

Paz lachte. 'Ja, dat wil je wel, hè? Nou, ik denk dat ik ook een hobbit ben, en dan niet eens Frodo. Maar als je Moie weer ziet, moet je het aan mij vertellen. Goed? Dat is geen fantasie. Amelia, kijk me aan. Beloof het me nu.'

Amelia keek in de ogen van haar vader. Ze moest hem vertellen over... over een woord dat ze zich niet kon herinneren, een klein meisje en een kaaiman en een jaguar, maar het was allemaal verward geraakt in haar hoofd. Dus in plaats daarvan zei ze: 'Goed. Dan word ik Galadriel, en ik zou een zilveren kroon kunnen maken, hè?'

Toen ze weer op straat waren, belde Paz het restaurant en vroeg hij Yolanda naar de Grove te komen en hun een lift naar huis te geven. De lunchdrukte zou nu wel voorbij zijn. Hij oefende bijna nooit zijn feodale macht op deze manier uit, maar hij vond dat dit bijzondere omstandigheden waren. Zijn dochter werd achtervolgd door een... door wat dan ook, en trouwens, Yolanda stond altijd klaar om álles voor Jimmy te doen. Weer een staaltje van schaamteloze manipulatie dat Paz op zijn lijst kon zetten.

Yolanda kwam hen halen in haar gehavende witte Toyota-pick-up. Ze persten zich met zijn drieën op de voorbank, en Paz was blij dat hij Amelia als isolatie had tussen zijn dij en de weelderige bruine dij van Yolanda, die onbedekt was omdat ze een roze korte broek droeg. Yolanda was een tot inkeer gekomen stout meisje. Ze was een melange van rassen en ze werd fel begeerd door alle jongere obers en andere personeelsleden, al had ze alleen oog voor de onbereikbare Jimmy. Dat gebeurde vaak in de restaurantbranche, en ook in veel andere branches; Paz vatte het niet persoonlijk op. Hij flirtte, maar deed (ondanks de verhalen die hij zijn vrouw vertelde) niet aan handtastelijkheden. Onderweg naar huis praatten ze over het restaurant, waarbij Amelia opvallend stil was. Toen ze bij het huis in South Miami aankwamen, sprong het meisje zonder afscheid te nemen de wagen uit en het huis in.

'Is er iets mis?' vroeg Yolanda.

Paz haalde zijn schouders op. 'Alleen maar groeistuipen. Ik zie je deze week in het restaurant wel, denk ik.'

'Hebben ze die kerel al te pakken? Ik bedoel degene die…'

'Ze denken van wel,' zei Paz. Hij zwaaide en liep het pad naar zijn huis op.

Toen hij zijn slaapkamer binnenkwam, zag hij tot zijn opluchting levenstekenen bij zijn vrouw. Ze knipperde met haar ogen, wreef over haar gezicht, rekte zich uit en zei: 'O, god, wat ben ik slaperig. Hoe laat is het?'

'Even over vier.'

Ze ging moeizaam tegen de hoofdplank zitten. 'Ik zou het ziekenhuis moeten bellen. Vragen of ik nog een baan heb.'

'Wees gerust. Ik heb met Kemmelman gepraat. Het schijnt wel vaker te gebeuren. Ik bedoel dat mensen op de spoedgevallenafdeling een inzinking krijgen. Het is niet zo erg.'

Ze kneep haar ogen halfdicht. 'Heb jij met Kemmelman over míj gepraat? Wanneer dan?'

'Dat weet ik niet… Gistermorgen, denk ik.'

'Gistermorgen? Jimmy, waar heb je het over?'

'Lola, het is even over vier op wóénsdag. Je bent achtenveertig uur buiten westen geweest.'

De argwaan op haar gezicht sloeg om in verbijstering. 'Dat kan niet.'

'Het is waar. Heb je gedroomd?'

Ze wendde vlug haar ogen af. Hij bewoog zijn hoofd om haar weer te kunnen aankijken. 'Nee,' zei ze. 'Niet dat ik me kan herinneren.'

'Goed. Maar hiervoor had je dromen, nietwaar?'

'Volgens mij wel. Wat heeft dat te maken met…'

'Nee, niet "volgens mij wel", Lola. Je had steeds weer nachtmerries, net als ik en net als Amy. Je kon helemaal niet slapen, en daar werd je gek van. En nu zal ik mijn magische krachten gebruiken en je vertellen waar je dromen over gingen. Ik weet de details niet, maar ze gingen allemaal over Amelia. Een grote jaguar ging haar opeten, en al wilde je hem tegenhouden, het was op zichzelf wel begrijpelijk dat ze zou worden opgegeten. Je dacht dat het goed was. Dat maakte het zo afschuwelijk. Elke nacht dezelfde droom, nacht na nacht.'

Hij keek aandachtig naar haar. Ze keek schichtig en bewoog haar mond. 'Heb ik gelijk?' vroeg hij.

Ze knikte. 'Ik dacht dat ik gek werd.'

'Niet gek, nee,' zei hij, en hij ging op het bed zitten en nam haar in zijn armen. 'Zeg, ik weet dat je die dingen niet gelooft, maar het is nu eenmaal zo. De waarneembare feiten zijn als volgt. Eén: drie leden van dit gezin hadden nachtmerries over hetzelfde onderwerp. Twee: twee rijke Cubanen, onder wie mijn vader, zijn vermoord, en de moordenaar is blijkbaar een erg grote kat...'

'Wat? Weet je dat? De politie denkt...'

'Ik weet het. De politie wil dat het een gewone moord uit wraak is. Laat me dit afmaken. Drie: er is een Zuid-Amerikaanse indiaan in de stad die beweert dat hij zich in een jaguar kan veranderen. Die indiaan heeft Amelia gestalkt. Fysiek, bedoel ik. Ik heb dat zelf een keer gezien, op het strand, en hij zat ook in de grote boom bij haar school. Ze heeft met hem gepraat en hem Frito's gegeven. Vier: in de *ilé* van mijn moeder voorspelde haar *santero* dat Amy bedreigd werd door een groot dier.'

'Jimmy, dit is krankzinnig...'

'Stil! Dat weet ik. Ten slotte: de jaguardromen van ons drieën zijn opgehouden, omdat ik beschermende amuletten van mijn moeder heb losgekregen. Die noem je *enkangues*. Er ligt er een onder Amy's bed, er hangt er een om mijn hals, en de derde ligt hieronder.' Hij gaf een klopje op het bed.

Ze trok zich van hem weg en keek hem aan. Ze keek alsof ze op het punt stond in huilen uit te barsten. 'Dat kan ik niet geloven. Er moet een andere verklaring zijn.'

'Dat zeg je altijd. Nou, in het belang van de wetenschap zullen we de *enkangue* weghalen en dan kijken of je de droom weer krijgt. Maar ik moet je er wel voor waarschuwen dat Eleggua het niet prettig vindt als je zijn geschenk afwijst. Hij is de wachter van de wegen tussen deze wereld en de droomwereld. Dus misschien werkt de *enkangue* daarna niet opnieuw. Wil je het proberen?'

Ze slaakte een zucht alsof de rationaliteit een gas was dat uit een prikgaatje ergens diep in haar ontsnapte. Ze zakte bij hem vandaan in de kussens en trok de dunne deken tot over haar hoofd. 'Ik wil alleen maar dat dit niet gebeurt,' zei ze.

Hij trok de rand van de deken omlaag om in haar ogen te kunnen kijken. 'Dat kan niet, schat. Maar als we dit goed spelen, komen we er wel uit.'

'Maar waaróm?' klaagde ze. 'Waarom zit die indiaan achter Amy aan? Ze heeft hem niets gedaan, ze is een kind, god nog aan toe.'

'Ja, Amelia en ik hadden het daar laatst ook over. Isaak was ook onschuldig, dus waarom wilde God dat hij werd gedood? Elke dag gaan er onschuldigen dood zonder dat er enige ceremonie aan te pas komt. Zo zit de wereld nu eenmaal in elkaar; sommige aspecten van ons lot kunnen we niet begrijpen. Daarom hebben we *santería* en dat soort dingen. En natuurlijk ook de wetenschap. Maar de wetenschappelijke beschaving kan het afslachten van onschuldigen bijna net zomin tegenhouden als voodoo. Als je erover nadenkt, doet de wetenschap het waarschijnlijk nog slechter. Er zijn krachten. Je kunt ze negeren, doen alsof ze niet bestaan, proberen ze te beheersen, of ze tevredenstellen en hopen dat hun oog niet op je valt. Wij zijn allemaal hobbits, zegt Amelia. Maar intussen wil een magische jaguar van tweehonderd kilo ons kind opeten.'

'O, hou op! Je maakt me bang.' Ze huiverde onwillekeurig, ondanks de warmte in de kamer.

'O, denk je dat jíj bang bent? Ik ben doodsbang.'

'Wat moeten we doen?' Haar stem was hoog geworden als die van een kind, en ze had een uitdrukking op haar gezicht die hij daar niet eerder had gezien. Ze zag eruit zoals we eruitzien wanneer het patina van het materialisme barsten vertoont en we de oeroude verschrikking zien; hij had dat zelf ook meegemaakt. Hij pakte haar hand vast en antwoordde: 'Ik heb daarover nagedacht. Blijkbaar speelt mijn moeder de sleutelrol. We zullen haar *santería*-mensen om raad vragen. Tot het zover is, wil ik dicht bij Amelia blijven, en dus zal ze een tijdje niet naar school kunnen. Verder wil ik met Bob Zwick praten. Ik ga hem vragen of hij morgen een boottochtje wil maken, en Amelia kan dan ook meegaan. We gaan vissen.'

'Waarom Zwick?'

'Omdat hij intelligent is en omdat ik nog één keer wil proberen mezelf ervan te overtuigen dat dit allemaal onzin is.'

Cooksey wachtte tot het donker was en liep toen met een kleine kaki tas aan zijn schouder door Ingraham Highway naar de Providence School. De maan was nog niet opgekomen en in de schaduw van de kolossale vijgenboom heerste diepe zwartheid. Hij liep op de tast, struikelde over wortels en stak zijn hand in de grijze zuil van de hoofdstam. Daarna maakte hij een kom van zijn handen om zijn mond en imiteerde de klanken van de hoatzin. Kort daarna hoorde hij de kreet boven hem, gevolgd door een licht ritselend geluid. Toen stond Moie voor hem, al was hij bijna onzichtbaar in het volslagen duister.

'Dat was een heel goede hoatzin, Cooksey,' zei Moie. 'Ik dacht even dat ik droomde, of dat ik naar huis terug was gevlogen.'

'Dank je. Ik dacht dat ik het misschien een beetje verleerd was. Ik ben blij dat de politie je nog niet te pakken heeft gekregen.'

'Nee. Er is vandaag een man in deze boom geklommen. Hij vond mijn hangmat en de tas van pater Tim en nam ze mee. Ik was erg dicht bij die man, maar ik zorgde ervoor dat hij niet naar me keek. De *wai'ichuranan* zijn zulke slechte jagers dat het maar goed voor hen is dat hun eten uit machines komt. Twee van hen komen op dit moment naar de boom toe. Ik denk dat ze je te pakken zullen krijgen.'

'Dat denk ik ook, maar het doet er niet toe. Ik denk niet dat ze jóú te pakken krijgen. Luister, Moie, de *chinitxi* hebben Aapjongen gedood en Vuurhaarvrouw gestolen. Kun je ze vinden en haar bij me terugbrengen?'

'Ja, ik kan ze vinden. Ze zijn ten zuiden van hier en niet ver weg. Misschien kan ik haar ook bevrijden. Maar ik kan niet zeggen waar ze daarna heen gaat. Ze is op haar eigen pad.'

'Dat is waar. Nou, ga nu en doe je best. En ik dank je.'

Er streek een luchtvlaag over Cookseys gezicht en hij wist dat hij weer alleen in het donker was. Hij haalde een zaklantaarn en ander gereedschap uit zijn tas en ging aan het werk. Binnen enkele minuten schenen er krachtige lichtstralen door het wortelwoud. Cooksey werd vastgegrepen, tegen de boomstam gedrukt en door twee sterke politieagenten gefouilleerd.

'Waar is de indiaan?' vroeg een van hen.

'Ik heb geen indiaan gezien,' zei Cooksey in alle eerlijkheid.

'Wat doet u hier dan?' vroeg de agent.

'Ik verzamel nachtinsecten. Dit is een vijgenboom, en ik doe onderzoek naar vijgenwespen.' Cooksey wist dat hij niet goed kon liegen en probeerde dus altijd niets dan de waarheid te zeggen, zij het vaak niet de hele waarheid.

Moie heeft een kaart in zijn gedachten waarop te zien is waar hij heen moet gaan, maar het is geen gewone kaart, geen afbeelding van het aardoppervlak zoals dat van boven te zien is, op schaal getekend. Deze kaart heeft hij 's nachts gemaakt, toen hij door de dromen van de dode mensen vloog. De herkenningspunten waren angst en verlangen, lust en haat, liefde en harmonie, en hoe moeilijk het ook is, hij kan in zijn eigen wezen een zekere harmonie scheppen tussen die wereld en de straten en huizen waarin de *wai'ichuranan* verblijven. Hij loopt in een rustig tempo naar het zuiden over de geweldig gladde rotspaden die ze in dit land hebben. Hij is naakt, afgezien van zijn lendendoek, droomzak en gevlochten tas. Mensen zien hem over de U.S. 1 lopen, maar als ze in hun verbazing nog eens kijken, is hij altijd weg. Ik dacht dat ik een indiaan over de weg zag rennen, zeggen ze dan tegen elkaar, als ze iemand bij zich hebben, maar die ander heeft het nooit gezien; en als iemand in zijn eentje Moie te zien krijgt, is hij het gauw weer vergeten. Elke politieagent in Miami kijkt uit naar een indiaan, maar niet een van de agenten die hij op weg naar het zuiden tegenkomt gaat achter hem aan of geeft de signalering aan de centrale door.

Het kost hem weinig moeite het gebouw te vinden. Twee van de *chinitxi* zijn binnen en één staat aan de voorkant in de schaduw van een portiek een sigaar te roken en rond te kijken. Moie voelt ook dat het meisje in het gebouw is. Hij glipt naar de achterkant om te kijken of hij daar naar binnen kan gaan.

Aan de achterkant van het gebouw is een deur die niet open wil. Moie heeft dat opgemerkt bij de deuren in dit land. Soms willen ze open en soms niet, en hij vraagt zich af hoe dat komt. Misschien, denkt hij, zijn de *wai'ichuranan* even slecht in deuren maken als in jagen. Naast de deur liggen bergen nuttige dingen die de *wai'ichuranan* neerleggen voor wie ze maar mee wil nemen: metaal, glas, papier en hoge stapels autobanden. Moie heeft opgemerkt dat ze dat graag doen: elke morgen rijden er grote vrachtwagens door de straten en de mannen daarop nemen zakken en manden vol voedsel en andere goede dingen mee, misschien om ze aan mensen te geven die niet genoeg hebben, of misschien komt het voedsel op die manier in hun machines. Hij denkt niet lang over die raadsels na, maar klimt in plaats daarvan behendig via de stapel autobanden naar het dak. Daar loopt hij naar een huisje van glas toe. Hij spuwt op zijn hand, veegt het stof van een ruit weg en ziet beneden hem datgene wat hij zoekt.

In het kantoor van de garage werd Dario Rascon door glasgerinkel uit een onrustige droom gewekt. Hij kwam soepel van de gebarsten leren bank waarop hij had geslapen, trok zijn pistool en liep zonder de snurkende Iglesias wakker te maken het kantoortje uit, de eigenlijke garage in. Nadat hij enkele ogenblikken met gespitste oren in het donker had staan wachten, deed hij het licht aan. Van de acht tl-buizen in de twee plafondarmaturen gingen er maar drie aan, maar er was genoeg licht om de indiaan te zien, een kleine bruine man, bijna naakt en met tatoeages op zijn gezicht en een bloempotkapsel. Hij stond onder het donkere dakraam, omringd door glinsterende glasscherven.

Rascon richtte zijn pistool en beval de man met zijn handen omhoog naar hem toe te komen, maar de indiaan verdween zo snel achter een werkbank dat Rascon er niet op kon reageren. Het was donker aan die kant van de garage, maar Rascon was niet bang voor indianen. Hij had in zijn eigen land veel indianen doodgeschoten. Hij kwam zelfverzekerd naar voren. De indiaan bevond zich niet achter de werkbank. Rascon ging nog verder de duisternis in en richtte zijn pistool naar links en rechts, als een slang die in de aanval gaat.

Ararah. Arararah.

Hij schrok van het geluid en draaide zich bliksemsnel om. Een motor die was gestart, dacht hij; blijkbaar had die kleine *pendejo* per ongeluk een schakelaar overgehaald. Toen lag hij ineens met zijn gezicht op het beton en vloog het pistool over de vloer bij hem vandaan. Het laatste wat hij op aarde voelde, was hete adem in zijn nek.

Jenny bevond zich op de juiste plaats om het allemaal te kunnen zien. Ze zag dat Moie donker en vaag werd, en dat zijn silhouet dichter en groter werd, en toen stond het ding daar met zijn staart te zwaaien. Ze zag wat het met de man deed. Toen verscheen er een andere man in de garage. Hij schreeuwde iets, en ze zag een gevlekt waas door de lucht vliegen en hoorde een dreun, en toen een gesmoorde menselijke kreet en even later sappige knaaggeluiden. Die hielden op. Toen was er het lichtere geluid van klauwen die op beton tikten en was de kop van het beest nog maar enkele centimeters van haar verwijderd. Ze keek in de goudgele genadeloze ogen. Klappertandend kon ze uitbrengen: 'Moie, maak me niet dood.' Jaguar deed zijn bek open. Ze zag de rode bloedspatten op zijn snuit, de lange gele hoektanden. De adem die uit zijn bek kwam rook naar vers vlees, koperachtig en ranzig, en naar iets anders, een zoetere geur, een allesoverheersend parfum. Ze haalde diep adem om die lucht in haar lichaam op te nemen. Toen voelde ze de aura, de vertrouwde koelte midden in haar en vergleed ze, ditmaal dankbaar, in een epileptische aanval.

Toen ze wakker werd, was de tape doorgesneden. Ze vond een waterkraan, dronk iets en waste haar gezicht en handen. Er was urine opgedroogd op haar benen, en die waste ze ook weg. Het was helemaal stil in de garage, afgezien van het gebruikelijke geroezemoes van een grote stad. Ze keek niet naar wat er op de vloer lag. Er was een genadig geheugenverlies neergedaald over haar geest, die nu op een immens stoffig pakhuis leek waarin maar enkele stofspikkeltjes van gedachten zweefden, met als voornaamste GA HIER WEG. Ze gehoorzaamde daaraan en liep spiernaakt de werkruimte uit. Ze bleef alleen even staan om het licht uit te doen, want het was er in haar hele jeugd bij haar ingestampt dat je altijd het licht moest uitdoen als je een kamer verliet.

Zelfs in Miami, een stad zonder kledingvoorschriften, is het voor een naakte vrouw moeilijk om over een doorgaande weg te lopen zonder te worden opgemerkt. Binnen een paar honderd meter had Jenny het geluk twee maatschappelijk werksters tegen te komen die terugkwamen van de bioscoop. De twee vrouwen hadden veel ervaring met drugsverslaving onder tieners. Ze grepen haar vast, sloegen een deken om haar heen en brachten haar naar de dichtstbijzijnde spoedgevallenafdeling, die van het South Miami Hospital.

Prudencio Rivera Martínez was, toen zijn sigaar op was, naar een tacorestaurant in het volgende blok gelopen en had daar gebruikgemaakt van het toilet. Toen hij naar het kantoor van de garage terugliep, zag hij tot zijn verbazing dat zijn twee metgezellen weg waren. Hij ging de reparatieruimte in en schreeuwde hun naam een paar keer. Toen hij geen antwoord kreeg, zette hij een paar stappen en gleed over iets uit. Hij kwam pijnlijk op een knie en een hand terecht. Toen hij was opgestaan, keek hij naar zijn hand en zag dat die bedekt was met bloed. Hij deed het licht aan en zag dat hij was uitgegleden over een stuk van Santiago Iglesias' lever. De donor van dat orgaan lag op een paar meter afstand. In de verte kon hij nog net een klein hoopje midden in een grote donkere plas zien liggen, en hij nam aan dat het Rascon was. Het meisje was weg. Hij haalde zijn mobieltje tevoorschijn en wilde net op de knoppen drukken toen hem iets te binnen schoot. Hij legde de mobiele telefoon op een gereedschapskast en dacht na over de situatie waarin hij verkeerde: hij had enkele duizenden dollars in contanten, een nieuw busje, een pistool en een persoonlijk voorraadje erg zuivere cocaïne. Dat was meer dan genoeg om een nieuwe start te maken in New York. Hurtado zou misschien op zoek naar hem gaan, of El Silencio, maar ze zouden eerst moeten afrekenen met hetgeen wat geluidloos twee uiterst ervaren en keiharde Colombiaanse gangsters had uitgeschakeld, of drie, als je Rafael in het huis van Calderón meerekende, en hij dacht dat ze daar hun handen vol aan zouden hebben. In elk geval had hij geen zin meer om mee te doen aan deze *fregada*. Hij stapte in het busje en immigreerde, zoals zo veel van zijn landgenoten, naar Amerika.

Paz' bootje was een in Florida gemaakt vaartuig van gelaagd hout, zo lelijk als de nacht en met afbladderende roze verf. Het heette *Marta*, maar een van de opgeplakte metaalachtige letters was in zee gevallen en dus was het nu *Mata*. Paz had dat wel een geschikte naam gevonden voor een rechercheur van moordzaken en het dus maar zo gelaten. Het was een vochtig, oncomfortabel ding en het scheerde met zijn twee Mercury Optimax 200-motoren over het water. Op dit moment lag het voor anker in de Florida Bay, boven een diepte waar Paz al jaren ging vissen. Ze waren sinds kort na zonsopgang op het water en hadden twee dikke snoeken (Paz) en een kleine horsmakreel (Zwick) gevangen, en nu was het elf uur en beten de vissen niet meer. De enige die nog aan het vissen was, was Amelia, die systematisch levende garnalen aan de krabben op de waterbodem voerde.

De twee mannen zaten op een bekleed kastje en waren met hun tweede sixpack bezig. Zwick had over zijn werk verteld, een onderwerp waarover hij nooit uitgepraat raakte, al had Paz hem deze keer ook aangemoedigd. Zo was Paz veel te weten gekomen over de theorie van Penrose dat het bewustzijn in zekere zin een kwantumverschijnsel was dat in de uiterst verfijnde microbuisjes van neuronen genesteld zat, en over de theorie van Edelman dat de hersenen een stelsel van landkaarten waren, kaarten van neuronen die systematisch in verband stonden met kaarten van receptorcellen die met het hele sensorium verbonden waren. Volgens die theorie brengen de zintuiglijke gewaarwordingen het bewustzijn tot stand. Zwick zag veel in een combinatie van de twee theorieën. Edelmans idee van telkens veranderende landkaarten verklaarde waarom de hersenen een beeld van de wereld en van de eigen persoonlijkheid opbouwden. Penrose verklaarde, voor zover Paz de vaktermen kon begrijpen, waarom geesten niet als machines waren, waarom menselijke geesten nieuwe dingen konden bedenken, iets wat geen enkele computer ooit had gedaan. Paz luisterde, stelde vragen, kreeg gedetailleerde antwoorden, waarvan hij sommige zelfs kon begrijpen, en wachtte geduldig tot Zwick dronken genoeg was om op zijn minder orthodoxe vragen te kunnen ingaan. Hij vond dat het veel moeilijker was om informatie van Zwick in zich op te nemen dan van een naakte vrouw in bed, wat vele jaren Paz' bijna enige onderwijslocatie was geweest. Maakte seks de neurale landkaarten ontvankelijker? Of had het testosteron dat Zwick verspreidde wanneer hij zijn argumenten naar voren bracht een tegenovergestelde uitwerking? Een goed onderwerp voor een dissertatie, dacht Paz, al zou die waarschijnlijk nooit worden geschreven.

'En hoe zit het dan met hallucinaties?' vroeg Paz nu. 'Die kun je niet in kaart brengen, want ze bestaan per definitie niet en kunnen dus ook niet door de zintuigen worden opgepikt. Toch lijken ze echt.'

Zwick maakte een laatdunkend gebaar. 'Dat zijn slechte verbindingen, onevenwichtigheden van neurotransmitters in de middenhersenen. Elke hallucinatie die we maar willen, kunnen we opwekken met elektrische stimulatie, magnetische velden, chemische stoffen… Het is niet zo'n interessant onderzoeksterrein.'

'Tenzij je ze hebt. Hoe zit het als een hallucinatie fysieke sporen achterlaat?'

'Dan is het per definitie geen hallucinatie.'

'Tenzij de sporen ook hallucinatie zijn. Waar trek je de streep?'

'Door je pik. Waar heb je het over, Paz? Nog meer van die griezelige shit?'

'Ja, griezelig is het zeker. Ben je dronken genoeg om me een wetenschappelijke opinie te geven?'

'Amper. Waarom zijn er geen daiquiri's aan boord? Is dat geen voorschrift van de kustwacht?'

'Alleen in internationale wateren. Hoe denk je over gedaanteverandering? In je hoedanigheid van vermaard natuurkundige en dronken kerel?'

'Wat bedoel je, "gedaanteverandering"?'

'Ik bedoel dat het onder sjamanistische volkeren algemeen wordt geaccepteerd dat sommige uiterst goed getrainde mensen zichzelf in een dier kunnen veranderen.'

'O, dat. Ik dacht dat ze alleen dáchten dat de geest van de grote leeuw, of wat dan ook, bezit van hen nam en dat ze dan gromden en zich verbeeldden dat ze op zebra's joegen.'

'Ja, dat bestaat ook, maar ik bedoelde nu in het echt, vooropgesteld dat er zoiets als "het echt" bestaat. Weet je, kort geleden heeft de politie van Miami me gevraagd advies te geven over een zaak. Er zijn twee mensen gedood, en alle sporen wijzen erop dat het door een groot dier, een katachtige, is gedaan. We hebben pootafdrukken, we hebben klauwsporen, en de wonden zijn consistent met tanden en klauwen. Ze hebben zelfs uitgerekend hoeveel hij weegt, iets meer dan tweehonderd kilo. Uiteraard heeft niemand melding gemaakt van zo'n dier in de stad. Er loopt ook een kleine indiaan door de stad. Hij komt uit de oerwouden van Zuid-Amerika en hij koesterde een wrok tegen de slachtoffers. Hij beweert min of meer dat hij zichzelf in een jaguar kan veranderen. We hebben ook verhalen gehoord waaruit blijkt dat die man in staat is om, laten we zeggen, zijn uiterlijk te veranderen. Wat vind je van dat alles?'

'Wat ik ervan vind? Dat het gelul is,' zei Zwick. 'Eigenlijk mogen wij wetenschapsbeoefenaren niet zeggen dat iets onmogelijk is, alleen dat sommige dingen zo onwaarschijnlijk zijn dat het niet de moeite waard is om erover na te denken, en dit valt in die categorie. Organische vormen veranderen natuurlijk wel van gedaante, maar dan in de vorm van groei, in de loop van de tijd, en door middel van evolutie in enorm lange tijd. Ze veranderen niet van uiterlijk zoals in sprookjes. Niet in het echte leven.'

'Oké, maar bekijk het eens op een andere manier. Als je God was, en je wilde een wereld maken waarin zoiets zou kúnnen gebeuren, hoe zou je dat dan doen?'

'O, nou, dat zou net wat voor mij zijn: voor God spelen.' Zwick lachte. Hij dronk zijn bier op en gooide het blikje over zijn schouder in de baai. 'Onder alle verbeteringen die ik zou aanbrengen zou dat waarschijnlijk niet hoog op de lijst staan. Eens kijken…' Zwick leunde tegen de reling en trok het volgende blikje open. Met wazige ogen hief hij zijn hoofd naar de hemel, alsof hij de huidige godheid om raad vroeg. Paz observeerde hem geïnteresseerd als natuurverschijnsel. Als je Robert Zwick zag denken, was dat minder boeiend dan wanneer je Nolan Ryan zag werpen of Michael Jordan zag scoren, maar toch was het net zoiets, iets wat gewone mensen nooit zouden kunnen.

'Ja,' zei Zwick na enkele minuten. 'We hebben in onszelf een neurale kaart van ons lichaam. Niemand weet hoe gedetailleerd die kaart is, maar laten we er even van uitgaan dat het een kaart tot op moleculair niveau is. Die gedaanteveranderaar van jou moet daar dus ergens een beeld van het uitgekozen dier hebben zitten. We weten niet hoe de nieuwe gedaante concreet tot stand komt, maar dat gebeurt niet via een strikt biologisch proces. Aan de andere kant ontdekken we voortdurend biologische processen waarvan we nooit een vermoeden hebben gehad, dus daar hoeven we niet mee te zitten. In de natuur zien we dat de rups in vrij korte tijd in een vlinder verandert, een heel ander wezen. Laten we zeggen dat dit hetzelfde is, maar dan sneller. Oké, daar is energie voor nodig. Nou, er zijn enorme voorraden energie in het universum, de zogeheten duistere energie bijvoorbeeld, en normaal gesproken kunnen we daar niet bij. Maar stel nu eens dat Penrose gelijk heeft en dat het bewustzijn voor een deel een kwantumverschijnsel is, en stel dat ons kleine mannetje het dualismeprobleem heeft opgelost, vraag me niet hoe…'

'Sorry, welk probleem?'

'Daar hebben we het toch al eerder over gehad? Substantiedualisme, de idee dat het bewustzijn op zichzelf staat en onafhankelijk van de materiële hersenen is, zoals Descartes geloofde. Het lost alle problemen omtrent het bewustzijn op door ze weg te redeneren, de geest in de machine, zoals ze het noemen, of beter gezegd, alle problemen behalve één, en daar gaat het nou juist om: hoe stel je je de verbindingen, de raderen, tussen het materiële en het immateriële voor? Hoe brengt een immateriële geest een materiële gebeurtenis tot stand, bijvoorbeeld het activeren van neuronen in de motorcortex om je armen te laten bewegen? Daarom is het gelul, en daarom bestaat God niet.'

'Behalve jij.'

'Natuurlijk. Maar laten we dat even vergeten. Substantiedualisme houdt in dat er bewuste immateriële wezens zijn die materie kunnen beïnvloeden. Daarmee zijn dus veel van je energieproblemen opgelost. Die hypothetische wezens hebben een alternatieve landkaart van het lichaam in hun hoofd en brengen aan de hand daarvan de moleculen naar de juiste plaats. Dierlijk vlees is niets dan lucht, water en een paar mineralen, die gemakkelijk uit gewone aarde te verkrijgen zijn, tenminste wel als je over goddelijke krachten beschikt. Dat is dus één oplossing. We kunnen ook veronderstellen dat er andere universa zijn die nauw met dat van ons verweven zijn: de onzichtbare wereld van het bijgeloof. We denken dat onze vier dimensies tot stand komen door trillingen van de snaren in de Calabi-Yau-geometrie, maar die rekensommen komen alleen uit als er daar nog ergens zeven andere dimensies zijn, waar we niets van weten en waarschijnlijk ook nooit iets van zullen weten. Nogmaals, de vraag waar het om draait is: wat is bewustzijn? Misschien kan het daar binnenkomen en doortocht verschaffen aan mystieke wezens. Misschien is dat een eenvoudiger oplossing dan dat die jaguar van jou op bestelling uit moleculen wordt samengesteld. Het ding stapt gewoon binnen, en de kleine indiaan gaat de andere kant op, als bij een draaideur. Daar zou gigantisch veel energie voor nodig zijn, maar wat dan nog?'

Paz knikte. Hij had enige ervaring met wezens die uit het niets verschenen en ook met griezelige wiskunde. 'Die theorie staat me wel aan. Dus je acht het mogelijk?'

'Dat is niet de juiste vraag. Zoals ik al zei, is alles mogelijk, maar is bijna alles, behalve de dingen die we waarnemen, belachelijk onwaarschijnlijk. Aan de andere kant weten we geen snars van de details van het bewustzijn, en ook niets van de waarschijnlijkheden die verband houden met andere dimensies dan die we kennen.' Hij keek naar zijn bierblikje, zag dat het leeg was en gooide het weg. 'Zo, daarmee is het fysieke probleem opgelost, maar het sociopolitieke probleem staat nog overeind, en dat lijkt me het belangrijkste.'

'Welk probleem dan?'

'Als die kleine mannetjes, die sjamanen, de energieën zo subtiel met hun geest in beweging kunnen krijgen, waarom heersen ze dan niet over de wereld? Hoe komt het dat de wetenschappelijke technologie alle concurrerende wereldopvattingen totaal vernietigt? Ik bedoel, fysiek vernietigt? De indianen zitten allemaal in reservaten, voor het geval het je is opgevallen, en alle inheemse volkeren zijn naar de steden getrokken, waar ze ernaar hunkeren om ondergoed te naaien en een tv te kopen.'

'Mozart,' zei Paz.

'Hè?'

'Een vrouw die ik eens heb gekend, een antropologe, zei dat magie te vergelijken was met scheppende kunst. Er waren genieën die dingen konden die niemand anders kon, zoals Mozart, maar ze konden datgene wat ze konden niet in een zodanige vorm gieten dat de rest van de cultuur het ook kon. Maar elke boerenlul kan gebruikmaken van wetenschap die in de vorm van technologie is gegoten, en dus worden primitieve mensen overal afgeslacht, zoals jij al zei.'

'Hm. Dat lijkt me iets wat een antropoloog zou verzinnen. Nou, wil je de echte verklaring horen?'

'Als je zo goed zou willen zijn.'

'Het zijn heel gewone moorden, gepleegd door menselijke moordenaars die ook charlatans zijn. Die zogenaamde sporen zijn opzettelijk gemaakt en vervalst. Degenen die ze zien worden erdoor afgeleid, of ze worden doodsbang, of ze geloven erin en hypnotiseren zichzelf.'

'Ja, dat is op dit moment de theorie van de politie. Maar hoe komt het dat mijn vrouw, mijn kind en ikzelf dezelfde droom over een jaguar hebben terwijl dit aan de gang is?'

'O, dromen! Dát is nog eens concreet bewijs! Kijk, de wetenschap is er min of meer mee opgehouden om bij het onderzoek naar de menselijke geest op mededelingen van mensen zelf af te gaan, want mensen zullen, als maar de juiste suggestie wordt gewekt, zo ongeveer alles zeggen wat je maar wilt. Ik bedoel, het gaat er in de wetenschap juist om dat je elimineert wat...'

'Papa! Mijn haak zit vast!'

Beide mannen keken naar Amelia. Haar hengel was bijna helemaal dubbel gebogen. Paz besefte schuldbewust dat hij bijna was vergeten dat zij ook aan boord was. Haar spoel liet klikgeluiden horen. Paz sprong naar haar toe en nam de hengel van haar over. Hij trok eraan en voelde dat er een klein gewicht aan de lijn zat. Hij gaf hem terug en zei: 'Hij zit niet vast, schatje. Je hebt een vis aan de lijn. Haal hem binnen!'

En dat deed ze. Zwick boog zich over de reling en keek naar de lijn.

'Ik denk dat het een oude band is. Hij beweegt niet veel.'

'Stil, Zwick! Je hoeft een Cubaan niet te vertellen wat een vis is. Heb ik gelijk, Amelia?'

'Het is een vis,' riep ze. 'Ik voel dat hij beweegt.'

Ze had gelijk. Na vijf minuten van gestaag inhalen zagen ze een grote grijze schim naar het oppervlak komen. Paz stak een schepnet overboord en haalde het ding over de reling, maar het was nog steeds levendig en sprong met een heftige draaibeweging bij het net vandaan om over het dek te zwiepen.

'Wat is het, papa?' riep het meisje.

'Het is een soort meerval. God, hij moet wel een kilo wegen. Wacht even. Ik doe hem weer in het net...'

Maar de vis glibberde naar Zwick toe. Die trok zijn voet op. Paz zag wat hij ging doen en wilde zeggen dat hij het niet moest doen. Te laat. Zwick stampte uit alle macht op de rug van de meerval, en de scherpe, dikke, met gif bedekte ruggengraat die in zee levende meervallen in hun rugvinnen hebben ging dwars door de zool van zijn gymschoen en boorde zich tot op het bot in zijn voet.

'Doet het nog pijn?' riep Paz twintig minuten later toen de *Mata* op volle snelheid over de baai op Flamingo af ging.

'Valt wel mee. Ik heb gewoon mijn voet geamputeerd met je aasmes.'

'Serieus.'

'Serieus? Het doet helse pijn! Waarom heb je me niets verteld over die giftige stekels in zijn rug?'

'Omdat ik dacht dat je alles wist,' zei Paz. 'Wie had nou gedacht dat de slimste man van de wereld op een meerval ging trappen? We zijn bijna bij het kanaal. Zal ik je naar Jackson brengen?'

'Nee!' zei Zwick. 'Dan word ik misschien door een van mijn studenten behandeld. Nee, laten we naar South Miami gaan. Dat is nog dichterbij ook.'

17

'Ik snap niet waarom iedereen zich zo'n beetje omdraait en giechelt als ik vertel wat me is overkomen,' zei Zwick tegen Lola Wise. Hij zei dat op gekwetste toon, al kostte het hem ook moeite om zijn gegiechel in te houden.

'Je hoeft je nergens voor te schamen,' zei Lola. 'Ik heb gehoord dat sir Francis Crick een keer zijn tong in een lampfitting heeft gestoken.'

'Jij giechelt ook! Waarschijnlijk lach je je een ongeluk als ik permanent hersenletsel overhoud aan die operatie.'

'Het is plaatselijk, Zwick. Ze moeten de wond schoonmaken. Je krijgt geen permanent hersenletsel van een plaatselijk verdovend middel. Jij als arts zou dat moeten weten. Ik kan niet geloven dat je zo'n watje bent.'

Lola voelde dat er aan haar werd getrokken en boog zich met haar oor naar haar dochter toe. 'Amy zegt dat er Dove-repen in de kantine zijn. Ze zegt dat ze er altijd een krijgt als ze een prik moet en vraagt of jij door zo'n reep ook ophoudt met jengelen.'

'Dank je, Amy,' zei Zwick. 'Jij bent al deze tijd de enige geweest die me niet het gevoel gaf dat ik een volslagen sukkel was. Vertel eens, Amy, leren jullie dat hier op de kleuterschool? De kleuren, het alfabet, en dat meervallen giftige rugstekels hebben, zit dat in het lespakket?'

Voordat Amy over die vraag kon nadenken, kwam er een giechelende zuster binnen die Zwick wegreed op een brancard.

'Waar is papa?' vroeg Lola.

'Hier ergens. Mama, is het mijn schuld dat Bob gestoken is? Het was mijn vis.'

'Nee, natuurlijk niet, liefje. Het was een ongeluk. Hij wist niet dat het gevaarlijk was om op zo'n vis te trappen.'

'Maar téchnisch gezien. Als ik die vis niet had gevangen, zou hij niet gestoken zijn.'

Lola bukte zich om het meisje te omhelzen en kietelen. 'O, hou op! Téchnisch gezien zou jij er niet zijn geweest als ik je vader niet had ontmoet en niet met hem was getrouwd en jou niet had gekregen, en dan zou jij die vis niet hebben gevangen. Zover kun je niet gaan met causaliteiten. Je zou er gek van worden.'

'Wat zijn causaliteiten?'

'Dingen die ervoor zorgen dat andere dingen gebeuren. Causaliteiten zijn neutraal in moreel opzicht. Iemand is pas verantwoordelijk als hij ook de bedoeling had iets te doen. Het was toch niet jouw bedoeling Bobs voet pijn te doen? Nee? Dan ben je niet schuldig.'

'Net zomin als de meerval,' zei Paz, die de laatste woorden had opgevangen toen hij binnenkwam. Hij aaide zijn dochter en vrouw tegelijk. 'We hebben hier een steengoede *pescadora*,' zei hij, en hij drukte het meisje tegen zich aan. 'Ze heeft dat monster helemaal in haar eentje binnengehaald. Een grote vis van een kilo.'

'Ja, zei zijn vrouw. 'We hadden het net over het wespennest van de causaliteit. Ze was er wel voor verantwoordelijk dat die vis daar was, maar niet dat Bob werd gestoken.'

'Dat is waar, maar aan de andere kant werd het misschien ook tijd dat Zwick een beetje werd doorgeprikt. Veel mensen denken dat de dingen die gebeuren zijn voorbestemd.'

'Dat is ook een standpunt,' zei Lola, op een toon die te kennen gaf dat zij het er niet mee eens was. 'Hoe dan ook, ik moet bij een patiënte gaan kijken.'

'Drukke dag? Het verbaasde me je te zien werken.'

'Zoals je weet, ben ik niet voorbestemd om te luieren. Ik werd er gek van om thuis te zitten en heb een rustige dienst genomen. Het is trouwens een vreemd geval, die patiënte. Een paar barmhartige Samaritanen vonden haar toen ze naakt langs de Dixie Highway liep. Ze dachten dat ze gedrogeerd en gemolesteerd was.'

'En was dat zo?'

'Moeilijk te zeggen. Geen sporen van drugs in het bloed. Seksueel actief, maar ze was niet verkracht, tenminste niet kort geleden. Aan de andere kant wás ze vastgebonden met tape, haar handen en voeten. Ik krijg niets uit haar. Ze is versuft en wil niets zeggen. En ze is epileptisch. Ze kreeg een aanval toen ze hier nog maar net was.'

'O. En ze is ongeveer negentien, heeft rood haar en is aantrekkelijk en tamelijk lang?'

Lola keek hem met stomheid geslagen aan. 'Ja. Hoe wist jij dat?'

'Ze heet Jennifer Simpson en de politie is op zoek naar haar. Een paar

avonden geleden is ze door een Colombiaanse bende van de straat geplukt. Ik moet Tito hierover bellen.'

'God! Weet je zeker dat dit hetzelfde meisje is?'

'Tenzij er nog een roodharig epileptisch tienermeisje door Miami
rondloopt dat kort geleden aan handen en voeten is vastgebonden. En
verder... Nou, die gangsters zullen naar haar op zoek gaan.'

'Maar niemand behalve wij weet dat ze hier is.'

'Niet op dit moment, maar ze zullen meteen aan ziekenhuizen denken en met geld zwaaien. In ziekenhuizen wemelt het van de laagbetaal-
de latino's. Het duurt niet lang. Laat me nu even bij Jennifer kijken.
Misschien wil ze wel praten als blijkt dat wij weten wie ze is.'

Ze liepen door de gang naar een van de kleine kamers waar de patiënten van de spoedgevallenafdeling lagen. Amelia liep achter hen aan;
ze hadden haar tijdelijk uit het oog verloren.

Het meisje lag in bed, de dekens hoog opgetrokken en haar rossig
goudblonde haar over het kussen gespreid. Ze leek net een dood meisje
op een victoriaans schilderij. Lola ging bij haar staan en zei: 'Jennifer?
Heet je zo? Jennifer Simpson?'

Jenny deed haar ogen open. Ze zag een lichtblonde vrouw in een witte laboratoriumjas over een groen artsenpak, en een donkere man. Ze
keken zorgelijk naar haar en noemden een naam. Die kwam haar eerst
onbekend voor, niets dan zinledige lettergrepen, maar toen haalden de
geluiden de kleine schakelaars in haar lege geest over en wist ze dat het
haar eigen naam was. Herinneringen kwamen terug, eerst druppelsge-
wijs, toen in een stroom. Ze nam weer bezit van zichzelf, van alle herin-
neringen, ook de recente uit de garage. Er verscheen nog iemand, lager
in haar gezichtsveld, een klein meisje met donker haar en een huid die
wat donkerheid betrof tussen die van de twee volwassenen in zat. Deze
mensen waren bedekt met heldere lichtjes, als lovertjes. Golven van
kleur sprongen van hun hoofd af en vielen met langzame gratie naar de
vloer, en die koele golven rolden ook vanaf haar hartstreek naar haar
kruis, een heerlijk gevoel deze keer, en toen was ze weg.

Toen ze weer kon zien, bevond ze zich niet in de ziekenhuiskamer
maar op een grijze plaats zonder horizon, in een koel licht dat helemaal
nergens vandaan leek te komen. De enige echte kleur kwam van de
bonte veren op de cape en hoofdtooi van haar metgezel, die Moie was.
Vreemd genoeg verbaasde ze zich over niets van dit alles.

'Hé, Moie,' zei ze. 'Wat is er?'

Hij antwoordde in een taal die ze niet kende, maar de betekenis van
zijn woorden was haar volkomen duidelijk. 'Jaguar heeft je naar de an-

dere kant van de maan gebracht,' zei hij, 'waar de doden zijn. Ik bedoel de echte doden, niet de *wai'ichuranan*. Dat is geweldig, want ik geloof niet dat hij ooit een van jullie hier heeft toegelaten. Ik denk dat het mogelijk is omdat jij de *unquayuvmaikat* hebt, de vallende gave. Zo komt de god met je in contact, al heb je helemaal geen opleiding.'

Jenny accepteerde dit als redelijk en vroeg zich even af waarom ze er nooit eerder aan had gedacht.

'Hij ademde in mijn gezicht.'

'Ja. Dat is ook iets wat hij nooit bij een van jullie heeft gedaan. Ik weet niet wat het betekent.'

'Ik ook niet. Misschien kan ik ook in een jaguar veranderen.'

'Misschien wel, maar weet je, het is niet veranderen. Het is moeilijk uit te leggen. Weet je hoe dieren hun territorium afbakenen?'

'Zoals honden die tegen bomen pissen?'

'Ja, en op andere manieren. Zo zijn degenen die Jaguar dienen zijn bakens in deze wereld. Hij kan ze ruiken als hij door de *ajampik*, de geestenwereld, komt, en dan maakt hij een deur en verwisselt hij van plaats met de *jampiri*, dus met mij. Dan ben ik hier tot hij me terugroept.'

'Gaat hij dat nu ook met mij doen?'

'Alles is mogelijk, maar meestal is er veel opleiding en oefening voor nodig om door de werelden te lopen, en het zou erg vreemd zijn als jij het ook kon. Als we vele handen van seizoenen hadden, kon ik het je misschien leren, maar die hebben we niet. Mijn tijd in het land van de doden is bijna voorbij.'

'Ga je naar huis?'

'Dat denk ik niet. Het verblijf onder zo veel dode mensen is moeilijker dan ik had gedacht. Pater Tim had gelijk: jullie zijn met zo velen als de bladeren aan de bomen. Als er een sterft, neemt een ander zijn plaats in. En ik voel dat mijn *aryu'te* wegloopt, als water uit een kalebas met een barst erin. Het is moeilijk om een mens te blijven zonder echte mensen om me heen.'

'Je zou naar huis kunnen gaan. Cooksey kan je vast wel terugbrengen. Je zou ook niet in je kano hoeven te peddelen.'

'Dat weet ik. En het zou me gelukkig maken om in de vliegende kano van de *wai'ichuranan* naar huis te gaan, zoals Cooksey me heeft verteld. Maar nu ben ik een deel van… en is Jaguar een deel van… een deel van een… díng. Ik zou het woord kunnen zeggen, maar zelfs als je wist wat het betekende, zou je het niet weten, want er is in de geest van dode mensen geen plaats voor dat woord. Het is zoiets als een plaats waar veel, veel paden samenkomen, en de keuze die je daar maakt bepaalt welke wegen we bereizen en alles wat wel of niet met ons zal gebeuren nadat we die weg hebben ingeslagen. Bovendien wil Jaguar om de een of andere reden dat meisje nemen, dat is een deel van het... díng. Alleen dat ene meisje. Toen ik jou voor het eerst zag, dacht ik dat jij degene was die noodzakelijk was, maar dat is niet zo. Toen dacht ik: misschien dat meisje omdat ze het kleinkind is van de man die Jaguar nam: Calderón, maar dat is ook niet zo. Ik heb Jaguar mijn hele leven gediend, of bijna mijn hele leven, en ik kan hem nog steeds niet doorgronden. Hoe zou dat ook kunnen? Hij is een god en ik ben dat niet. Dat vind ik niet erg; het is het leven waarvoor ik heb gekozen. Toch zou ik graag willen weten wat hij met jou wil.'

'Ik ook,' zei Jenny, die niet zo erg nieuwsgierig was. Misschien had Jaguar haar daarom uitgekozen. Het was haar vaak opgevallen dat de meeste mensen die ze tegenkwam een soort motor in zich hadden, of een kompas: ze wisten waar ze heen gingen. Zijzelf daarentegen dacht dat ze nooit zoiets in zich had gehad, of in elk geval was het niet erg sterk, wat het ook was. Al sinds haar vroegste kinderjaren was ze inert geweest, bereid om mee te gaan met wat er maar gebeurde. Ze had geleerd nooit iemand te zijn met wie anderen rekening moesten houden. Ze was meegegaan met de uiteenlopende eigenaardigheden of botheden van haar pleegouders, was volgzaam geweest op school, was opgewekt akkoord gegaan met alles wat de andere kinderen wilden, had aan seks deelgenomen toen het daar tijd voor was, had radicale milieustandpunten van Kevin en wetenschap van Cooksey overgenomen, al vond ze dat laatste een beetje anders, omdat het veel dichter bij iets echts kwam, bij een echt talent of verlangen in haar leegte. Nu zat er weer iets in haar, iets wat op dit moment geen eisen stelde maar wel aanwezig was. En het had iets te maken met haar ziekte, als dat al een ziekte was. Moie geloofde in elk geval van niet.

Ze zag dat hij belangstellend naar haar keek, alsof ze een pas ontdekte plant was. Hij glimlachte bijna nooit maar deed dat nu wel, alsof ze een flauwe grap had verteld. Ze zag voor het eerst dat zijn hoektanden waren bijgevijld en scherpe punten hadden. Ze vroeg zich af wat er zo grappig was en wilde hem daar net naar vragen toen er een helder licht over de schemerige omgeving viel. Ze was weer in de ziekenhuiskamer.

De arts, de blonde, vulde haar gezichtsveld op en hield een vinger bij Jenny's oog, alsof ze op het punt had gestaan een ooglid open te trekken. Jenny wendde zich van die ergerlijke vinger af.

'Je bent bij ons terug,' zei de arts. 'Weet je waar je bent?'

'Een ziekenhuis.'

'Ja. Het South Miami Hospital. Weet je hoe je heet?'

'Ja. Jenny Simpson. Ik heb een aanval gehad, hè?'

'Meer dan een,' zei Lola Wise, en ze stelde vragen over haar conditie, waarna Jenny vroeg: 'Mag ik nu naar huis?'

'Dat is geen goed idee, Jenny. Je zou weer een aanval kunnen krijgen. We willen je graag een tijdje onder observatie houden. We willen kijken welke geneesmiddelen het best bij je werken en...'

'Ik wil geen geneesmiddelen. Dilantin maakt me misselijk.'

'Er zijn andere middelen dan...'

'Nee. Ik wil naar huis.' Ze ging rechtop in bed zitten, stuntelig door de nawerking van de aanval en de droom, als het een droom was geweest. De dingen zagen er nog vreemd uit. Die kleine gespikkelde dingen flikkerden nog en het gezicht van de dokter leek doorzichtig; nee, niet echt doorzichtig, dacht Jenny, maar alsof ze door het masker heen kon kijken dat ze droeg zoals iedereen een masker droeg, en haar ware gevoelens kon zien. De arts was bang, zag ze, heel erg bang achter dat vernislaagje van kalmte. De man en het kleine meisje waren er niet.

Jenny keek om zich heen in de kleine kamer. 'Mag ik mijn kleren?'

'Je hebt geen kleren. Je bent hier helemaal naakt binnengebracht. Het schijnt dat je op die manier langs de Dixie Highway liep.'

'O, ja. Nou, kunt u me aan wat kleren helpen?' Ze gaf vlug haar maten op. 'En slippers? Ik kan u terugbetalen, of iemand...'

'Je zou in strijd met het medisch advies handelen als je wegging. Je zou een formulier moeten tekenen.'

'Dat wil ik wel.'

'En de politie wil met je praten,' zei Lola. Ze beleefde een zekere voldoening toen ze de uitdrukking op het gezicht van dat domme meisje zag, en ze voelde zich meteen verschrikkelijk schuldig. Voor mensen met een hulpverlenend beroep is het niet prettig als hun hulp wordt versmaad, en vaker dan je zou verwachten, proberen ze dat iemand betaald te zetten.

'Ik ga kleren voor je halen,' zei Lola de Goedzak, en ze liep vlug de kamer uit.

Op de gang trof ze Tito Morales aan, die met haar man stond te praten. 'Jullie kunnen met haar praten,' zei Lola, en ze ging naar de afdelingspost om ervoor te tekenen dat ze een uur vrij nam.

'Wil je hieraan meedoen?' vroeg Morales.

'Zou dat helpen?'

'Dat denk ik wel. Ik weet het niet, *mano*. Die verrekte zaak... Heb ik je al verteld dat ze al die Colombianen vrij moesten laten?'

'Nee. Hoe kan dat nou?'

'Het kwam door Garza en Ibanez. Die zwoeren bij hoog en bij laag dat die schoften allemaal bonafide Mexicaanse zakenlieden waren. Ze lieten goede Mexicaanse papieren zien en glimlachten veel. Verder zijn de federale rechter en de officier van justitie allebei Cubaan en zijn Garza en Ibanez royale donateurs van de partij waar alle Cubanen gek op zijn, en de rest is geschiedenis. We hebben geen enkele grond voor een arrestatiebevel, en dus is het *hasta la vista, mis amigos,* stuur maar een kaartje als je in Cali terug bent.'

'En als het nu eens echte zakenlieden waren?'

Morales sloeg zijn ogen ten hemel. 'Ja hoor! Hé, jij hebt ze niet gezien. Soms wéét je gewoon dat iemand fout is. Nou, die *cabrones* waren zo fout als het maar kan. Die lui van de FBI zaten uit hun neus te vreten.'

'En Hurtado? Weten ze hoe híj eruitziet?'

'Natuurlijk, maar dat is een heel ander verhaal. Iedereen weet dat Hurtado een drugsbaron is, maar niemand heeft hem ooit iets kunnen maken. Er is een beloning uitgeloofd voor informatie die tot zijn arrestatie en veroordeling leidt, maar zulke informatie is er niet. Hij is spierwit gewassen. Hij is de zoveelste respectabele zakenman en onze Cubanen staan ook voor hem in. Intussen hoop ik dat dit meisje ons helpt met de zaak van de moord en de ontvoering.'

Het meisje hielp hen inderdaad, tot op zekere hoogte. Ze herkende de foto's van de mannen die op Fisher Island waren gearresteerd niet, en haar signalementen van de drie mannen die Kevin Voss hadden vermoord en haar hadden ontvoerd pasten niet bij iemand die onder de aandacht van de politie was gekomen. Daarentegen herinnerde ze zich wel waar ze was vastgehouden en waar dat ongeveer was geweest.

'Hoe ben je ontsnapt?' vroeg Paz nadat ze had uitgelegd hoe ze was vastgebonden.

'Het was daar erg warm en de tape om een van mijn polsen zat zo los dat ik mijn hand eruit kon krijgen. Er lag daar gereedschap waar ik bij kon. Ik heb een stanleymesje gebruikt om de rest van de tape door te snijden.'

'Wat deden de ontvoerders terwijl je daarmee bezig was?'

'Ze waren... Ze gingen een tijdje weg,' loog ze. Paz zag dat ze loog, maar ging er niet op in. Hij verliet de kamer en bleef met Amelia op de afdelingspost tot Lola terugkwam. Ze had een blik van stel geen vragen in haar ogen en een draagtas van een Target-winkel in haar hand. Ze liep de kamer van Jenny Simpson in. Kort daarna kwam Robert Zwick in een rolstoel voorbij. Hij had een wandelstok bij zich.

'Je hebt je voet nog, zie ik,' zei Paz. 'Krijg je genoeg pijnstillers?'

'Amper. Breng je me naar huis?'

'Dat kan even duren. Ik moet iets uitzoeken wat met een politiezaak te maken heeft. Die raadselachtige jaguar waar we het over hadden.'

'Mag ik meekomen?'

'Wil je dat? Ik zal het vragen.'

Morales was met zijn mobieltje aan het bellen. Paz riep: 'Hé, Tito, Zwick wil met ons mee.'

'Nee,' zei Morales.

'Hij is de intelligentste mens op aarde. Hij zou ons erg kunnen helpen als er subtiele aanwijzingen zijn.'

'Nee,' zei Morales, en hij praatte weer in zijn mobieltje.

'Dat betekent ja,' zei Paz.

Morales liet enkele politieagenten een oogje op het ziekenhuis houden, en op Jenny Simpson, en toen nam hij Paz en Zwick in zijn auto mee. Ze reden naar het gebouw dat het meisje had beschreven, een vierkant geelbruin gebouw ten zuiden van Dixie bij Eighty-Second Street, met op de voorkant een groot bord: TE HUUR. De golfplaten deuren die naar de reparatieruimte van de garage leidden, waren omlaag en op slot, maar de deur van het kantoor was opengelaten, en zelfs buiten hoorden ze het aanhoudende verwoede gezoem dat in het zuiden van Florida altijd een teken van onheil was. Ze vingen ook een zweem op van de weeige lucht die met dat geluid gepaard ging. In het kantoor stond een tv met een besneeuwd scherm te knetteren; blijkbaar was het een aflevering van *Jeopardy!* Ze liepen door naar de reparatieruimte. Morales vond de lichtschakelaar.

Het was of ze nog steeds naar het defecte tv-toestel keken, zo dicht waren de zwermen vliegen die zich voedden met het bloed en het rode vlees op de vloer, al konden ze dat vlees niet goed zien, want het lijk en de losse brokken waren helemaal bedekt met grote kakkerlakken. Toen het licht aanging, kozen honderden van hen het luchtruim, ritselend met hun chitinevleugels. De drie mannen hurkten neer en zwaaiden automatisch en belachelijk met hun armen, en Zwick draaide zich om en maakte met opmerkelijk snelle strompelpassen dat hij buiten kwam. Ze hoorden hem overgeven.

'Hij kotst tenminste niet op de plaats delict,' bromde Morales. Met zijn vingers schoot hij een kakkerlak van zijn mouw. Mensen die het vertikken om kakkerlakken over zich heen te laten kruipen houden het bij de afdeling moordzaken van de recherche van Miami niet lang uit. 'Jezus, dit lijkt wel... Wat is dat daar, een stuk van deze kerel of is het een andere?'

'Een andere, denk ik. Laten we gaan kijken.'

Morales ging voorop. Hij wapperde voortdurend met zijn hand voor zijn gezicht om de vliegen weg te jagen, als de dirigent van een helse fanfare.

'Geef je zaklantaarn eens. Dat lijkt wel...'

Morales gaf hem een krachtige miniatuur-Kel-Light en Paz richtte hem op de vloer. 'We hebben die pootafdrukken al eerder gezien, niet-waar, Tito? Die imitatoren van jou moeten een hele verzameling jagu-arklauwen hebben.' Paz richtte de lichtbundel op een hoopje glas op de vloer en toen op het schemerige dakraam. 'Hij heeft die ruit gebroken en zich door de opening laten vallen. Wat denk je, zou die ruit vijftig centimeter breed zijn? Een klein mannetje kan erdoorheen vallen en... ja, kijk hier eens, afdrukken van blote voeten in het stof. Hij liet zich vallen en toen moet iemand hem hebben gezien, want je ziet aan die voetafdrukken dat hij achter die kast met onderdelen is weggedoken en...'

'Wil je hier even schijnen?' zei Morales. Hij was bij een grote opge-droogde bloedplas neergehurkt. In de lichtbundel die Paz er nu op richtte, was te zien dat er een hoekig voorwerp, ongeveer met de groot-te en de vorm van een winkelhaak of een semiautomatisch pistool, op die plek had gelegen toen het bloed op de vloer spoot. De negatieve vorm was duidelijk te zien, als het patroon van bladeren dat ze op de kleurschool op papier maken met tandenborstels die in waterverf zijn gedoopt.

'De moordenaar heeft het pistool opgepakt,' zei Morales. 'Kijk, daar heb je de afdruk van een schoen, en daar zie je een deel van een hak.'

'Dus je denkt dat de man die de ingewanden uit deze twee jongens heeft gehaald nétjes was?'

'Het kan het wapen zijn geweest dat is gebruikt om Kevin Voss dood te schieten. Ze wilden niet dat er verband werd gelegd.'

'Nou, misschien niet,' zei Paz. 'Maar in elk geval is dit de plaats waar ze het meisje hebben vastgehouden.' Hij richtte de zaklantaarn op het autoplatform. 'Daar hebben ze haar vastgebonden; je kunt de tape nog zien. Maar de man die het pistool oppakte, behoorde tot de mensen die de moordenaars van Voss en ontvoerders van het meisje hadden inge-huurd. Hij is niet degene die deze lijken heeft opengesneden. Ze belden blijkbaar naar de jongens die ons meisje moesten bewaken, kregen geen antwoord en kwamen kijken. Ze zagen dit hier, pakten de wapens op en gingen ervandoor.'

'Hoe weet je dat zij die kerels niet hebben vermoord? Die kerels hadden het meisje laten ontsnappen, en toen gaf de baas opdracht ze te vermoorden en in stukken te hakken. Op die manier wilde hij een voorbeeld stellen.'

'Geloof je het verhaal van het meisje? Dat ze zelf los kon komen en aan minstens twee gewapende Colombiaanse gangsters kon ontsnappen?'

'Ze had geluk,' zei Morales schouderophalend. 'Wat is jouw theorie dan?'

'Ik zal het je laten zien. Met al dat stof en vet op de vloer is het net of je een boek leest. Ons kleine mannetje klimt op het dak, breekt het dakraam en laat zich hier op de vloer vallen.' Paz wees met de zaklantaarn, als een leraar die met een rode laserstip iets op een dia voor de klas aanwijst. 'Dode nummer één ziet hem en hij duikt weg achter die onderdelenkast. Je kunt de veeg zien op de plaats waar hij zich heeft afgezet... Hé, Zwick, gaat het een beetje?'

Zwick was de garage binnengekomen. In het schemerige licht zag hij er groen uit. 'Het gaat wel,' zei hij, vliegen verjagend. 'Wat is er aan de hand?'

'We zijn het misdrijf aan het reconstrueren,' Paz vatte samen wat Morales en hij hadden gezegd en scheen met de zaklantaarn op de vloer. 'Hier houden de afdrukken van de blote voeten op. Ze gaan achter de kast en houden dan op. En dan hebben we jaguarafdrukken. De jaguar loopt achter de kast langs, en hier zie je waar hij zich met zijn achterpoten op het beton heeft afgezet. Hij vliegt door de lucht en stort zich op dode nummer één, waarschijnlijk van achteren, want hij heeft de achterkant van zijn schedel finaal afgebeten. Dan keert hij hem om en trekt de ingewanden uit zijn lijf. Hij krijgt veel bloed op zijn poten en je kunt zien dat hij naar de voorkant van de garage loopt. Dan komt dode *numero dos* binnen, en hier zie je dat het beest zich weer afzet, een sprong maakt. Hij scheurt de keel van de man en zijn buik open, neemt een hapje lever en loopt dan naar het platform en maakt een praatje met onze vriendin Jenny. O ja, ze moet het allemaal hebben zien gebeuren. Nu zien we hier twee afdrukken van blote voeten, vlak bij de afdrukken van de jaguar, en moet je daar eens kijken! Als je heel goed kijkt, zie je dat een van die afdrukken boven op de pootafdruk zit en dus later is gemaakt. Je ziet ook dat de tape is doorgesneden met een heel scherp mes, alle vier de tapes op dezelfde manier. Dat betekent dat ons meisje inderdaad loog toen ze zei dat ze zich los had gewriemeld. Ze is door die kleine indiaan bevrijd nadat hij de gangsters had uitgeschakeld.'

Er volgde een stilte, en toen zei Morales: 'Dus je bedoelt dat jouw indiaan hier binnenkwam, zichzelf in een jaguar veranderde, de schurken doodmaakte, zich weer in een mens veranderde, het meisje bevrijdde en verdween.' Morales sprak langzaam en zorgvuldig, alsof hij het tegen een zwakzinnige of een kind had, maar Paz kon zich voorstellen dat de gedachten van de man als kakkerlakken in het rond vlogen, op zoek naar een veilig holletje waar zijn wereldbeeld niet belaagd werd door de feiten die Paz hem had voorgelegd. Hij zag niet groen, zoals Zwick, maar hij was bezweet en trilde. Zijn handen waren voortdurend in beweging; hij krabde zichzelf. 'Eh,' zei Morales, maar hij hoefde geen reactie uit te spreken, want op dat moment liet Zwick een minachtend gesnuif horen.

'O, dat kun je niet menen, Paz. Dat is achterlijk.'

'Hoezo? Het blijkt uit de feiten.'

'Dan kloppen die feiten niet,' zei Zwick. 'Hoor eens, jongens, als iets duidelijk niet kan gebeuren, en de feiten wijzen erop dat het wél is gebeurd, dan is een van tweeën het geval: je hebt de feiten verkeerd geïnterpreteerd, of iemand haalt een truc met je uit.'

'Ik dacht dat wetenschap gebaseerd was op feiten,' zei Paz.

'Tot op zekere hoogte. Als je een gegeven aan een vaststaand veld toevoegt, mag het feit van bescheiden aard zijn. Als je de hele orde van het fysieke universum overhoopgooit, moet je wel met een enorme hoeveelheid keiharde feiten komen aanzetten. En die hebben we hier niet.'

'Dus we vergeten even dat je in en uit de zeven Calabi-Yau-dimensies kunt springen?'

Zwick keek hem ijzig aan. 'Speculaties in dronkenschap zijn tot daaraan toe. Geloof in een voorgelegde verklaring voor een specifiek fenomeen is heel iets anders.'

'Hoe zou je dan te overtuigen zijn van wat de feiten hier uitwijzen?'

'Heb je ooit de film *Close Encounters of the Third Kind* gezien? Ja? Weet je nog dat het moederschip omlaag kwam? Er draaide daar een hele rij camera's. Ze hadden alle opnameapparatuur die de mens bekend zijn. Hier is dat net zo. Als je mij wilt laten geloven dat een indiaan zichzelf in een jaguar heeft veranderd, wil ik dat er camera's zijn die het hele spectrum van infrarood tot gammastraling kunnen registreren. Dan wil ik complete telemetrie: massadetectors, stralingdetectors, elektromagnetische chemosensors. Ik wil dat er allemaal draden naar je indiaan lopen, als bij iemand op de intensive care. En dan zal ik het misschien, heel misschien, geloven. Deze shit?' Hij wees naar de voetafdrukken. 'Dit kan ik met wat eenvoudig gereedschap in een uur voor elkaar krijgen. Als de man die dit deed een beetje goed is, durf ik te wedden dat je zelfs jaguarharen en DNA-sporen op de lijken aantreft. Leuk geprobeerd, maar ik trap er niet in.'

'Waarom zou iemand al die moeite doen?' vroeg Paz.

'Hé, jullie zijn hier de rechercheurs. Misschien willen ze jullie laten denken dat er een mystiek beest aan het werk is, in plaats van een stel handige jongens met messen en gipsen pootafdrukken, zoals ze op zomerkampen gebruiken om de meisjes bang te maken. Als je de vent vindt die dit heeft gedaan, kun je het hem vragen. Ik moet hier weg.' En dat deed hij. Hij verpletterde de kakkerlakken op zijn pad.

'Kijk aan,' zei Paz. 'De intelligentste mens op aarde heeft gesproken.'

'Geloof je hem?' vroeg Morales.

'Nee, jíj bent de rechercheur, Tito. Ik ben maar een bijgelovige Cubaanse kok.' Hij trok een idiote glimlach, en even later glimlachte Morales ook. 'Ja, dat vergeet ik steeds,' zei hij. 'Nou, we zijn hier op het territorium van de county, dus ik bel Finnegan en dan moet hij maar verder zien. Hij vindt het vast net zo prachtig als ik.'

Paz wachtte niet tot de rechercheurs van de county kwamen, maar belde een taxi. Hij zette Zwick bij zijn appartement in Coral Gables af, dicht bij de universiteit. Zwick had een dubbele dosis Vicodin genomen, droog, en sukkelde onderweg al in slaap.

'Wat een leuke dag!' zei hij toen hij uit de taxi stapte. 'We moeten gauw nog eens gaan vissen.'

'Ik bel je als ik die indiaan zie,' zei Paz. 'Dan zullen we zien hoe hij over telemetrie denkt.'

'Doe dat,' bromde Zwick, en hij strompelde weg.

Toen Paz bij zijn huis aankwam, hing daar de geur van gegrild vlees in de lucht, en meteen voelde hij zich uitgehongerd. Hij besefte dat hij sinds zijn vroege ontbijt niets meer had gegeten en dat de dingen die hij in de garage had gezien zijn eetlust tot nu toe hadden onderdrukt. Hij ging naar de badkamer, trok zijn kleren uit en nam een snelle, hete douche. Toen hij onder de douche vandaan kwam en zich afdroogde, bespeurde hij een intense geur die boven de zeeplucht en het zwakkere aroma van gegrild vlees uitkwam. Die geur kwam van zijn kleren; hij was vergeten hoe de stank van de plaats waar een moord was gepleegd in je kleren bleef hangen. Het was erger dan sigarenrook, en toen hij nog rechercheur bij moordzaken was, waren zijn stomerijrekeningen astronomisch opgelopen. Hij deed de kleren in de wasmachine, pakte een blikje bier uit de koelkast en ging in T-shirt en korte broek de patio op.

Daar trof hij zijn vrouw in een ligstoel aan. Ze nam er als een hertogin haar gemak van terwijl het eten werd bereid. Dat was geen verrassing: Lola kookte niet. Daarentegen was het wel een verrassing dat Jenny Simpson aan de grill stond. Ze was onder aandachtige leiding van Amelia Paz aan het werk. Die twee konden het blijkbaar goed met elkaar vinden en lachten heel wat af. Jenny leek in haar nieuwe kleren niet ouder dan een jaar of twaalf. Ze droeg een lichtblauwe korte broek en een T-shirt met een opdruk van blauwe bloemen en knalgroene bladeren.

Paz begroette iedereen vriendelijk, complimenteerde de twee koks en dronk zijn blikje bier leeg.

'Waar ben je geweest?' vroeg Lola.

'Weg. Kan ik je even spreken?' Hij gaf met een hoofdbeweging te kennen waar hij het gesprek wilde laten plaatsvinden. Ze gingen samen naar de keuken, en daar vroeg Paz: 'Wat doet zij hier?'

'Ik heb haar mee naar huis gebracht. Je zei dat het ziekenhuis misschien gevaarlijk voor haar was en ik wilde haar onder observatie houden. En ze maakte zo'n verloren indruk.'

'Heeft iemand je met haar zien weggaan?'

'Volgens mij niet. We gingen via de achteruitgang en de parkeergarage. Hoezo?'

'Hoezo? Omdat de mensen die haar zoeken niet graag getuigen achterlaten als ze aan het moorden zijn. Wat ga je doen als ze hier komen? God, Lola, heb je helemaal niet nagedacht?'

'Schreeuw niet tegen me! Ze is mijn patiënte! Ik maakte me zorgen.'

'Je hebt duizenden patiënten gehad. Je hebt er nooit eerder een mee naar huis genomen.'

Lola deed haar mond open om iets venijnigs en agressiefs te zeggen. Ze wist dat er dan ruzie kwam, gevolgd door een ijzig avondmaal, waarbij ze allebei met onnatuurlijke kalmte tegen het kind spraken en niet tegen elkaar. Omdat het haar aan de energie ontbrak om zoiets te doorstaan, snauwde ze niet tegen hem, maar legde ze haar vijandige gevoelens in een diepe zucht en zei ze de simpele waarheid: 'Ik weet niet waarom, Jimmy. Ik vond gewoon dat ik het moest doen. En weet je, ik dacht ook aan Emmylou Dideroff, en hoe we haar toen uit het ziekenhuis hebben gesmokkeld. Ze is hetzelfde soort... Nee, ze is niet echt hetzelfde. Emmylou was briljant en dit meisje… Ik weet het niet, ze lijkt me een beetje zwakbegaafd, maar ze heeft ook iets onwerelds, iets hulpeloos. Ik wilde weggaan en ging nog even bij haar kijken, en toen zat ze daar met haar handen op haar knieën en zag ze eruit alsof ze niet één vriend op de hele wereld had. Ik nodigde haar uit om bij mij thuis te komen, en ik smokkelde haar naar buiten. Ik heb echt niet aan het gevaar gedacht. Wat het ook is, ik denk dat ik over de angst heen ben. Dat schijnen soldaten aan het front ook te hebben. En politiemensen. Is dat zo?'

'Ja, dat is zo.' Paz' stem klonk gesmoord.

Ze zei: 'Als je wilt, kan ik haar terugbrengen naar haar huis aan Ingraham…'

Paz sloeg zijn armen om zijn vrouw heen. Zo bleven ze een hele tijd staan, zo lang dat ze zich allebei een beetje vreemd voelden, alsof ze buiten de normale tijd waren gekomen en niets hun kwaad kon doen zolang ze daar maar bleven staan.

Een roep vanaf de achterkant van het huis. Hun dochter: 'Hé, het eten is klaar.'

'Ach, laat haar vannacht ook maar blijven,' zei Paz, en hij trok zich met tegenzin van haar terug. Er zat een vochtige plek op zijn wang, waar ze tegenaan had gestaan. 'Ik ga mijn pistool halen.'

Ze aten worstjes, kip, bananenchips en rijst met van alles erdoor. De volwassenen dronken rode Californische wijn. Paz hield Jenny's glas goed gevuld, zette zijn charme in, en liet Jenny, zonder dat duidelijk was dat hij erop aanstuurde, haar levensverhaal vertellen, of tenminste de gedeelten daarvan die geschikt waren voor kinderoren. Lola was zelf ook een goede ondervrager en ze zag in de subtiele aandrang van haar man weer iets wat ze in hem kon bewonderen en betreuren.

Toen werd het opeens donker, alsof er een lichtschakelaar was overgehaald, zoals dat in de tropen gaat. Lola haalde kaarsen en Paz droeg de vermoeide Amelia naar bed. Het gesprek ging verder, zij het nu ongecensureerd, met alle gruwelverhalen van het pleegkind. Jenny was nooit eerder het middelpunt van de aandacht van meer dan één volwassene tegelijk geweest; niemand behalve Cooksey had ooit zo belangstellend naar haar geluisterd, en ze wilde dat er nooit een eind aan kwam. Ze zoog hun aandacht in zich op als een spons, die lang droog was geweest maar nu zachter werd en zich uitzette. Cookseys aandacht was ook zo intens geweest, maar toen ging het over zijn vak en wilde hij haar tot een instrument maken dat hij voor zijn onderzoek kon gebruiken. Ze bracht dat een beetje beschaamd ter sprake, en het gesprek kwam op Cooksey zelf: alles wat ze over zijn achtergrond en zijn tragedies wist kwam in de met kaarsen verlichte avondlucht naar buiten.

Ten slotte ging ze onder invloed van de wijn steeds langzamer praten, en uiteindelijk hield ze daarmee op; ze knikkebolde. Lola liet haar op de divan in de studeerkamer liggen. Het meisje viel meteen in slaap. Lola legde een lichte deken over haar heen en ging naar de patio terug.

Ze trof Paz met een glas wijn in de ligstoel aan, ging naast hem liggen en dronk haar wijnglas leeg. Er volgde een beetje echtelijk geknuffel, waarvan ze beiden vonden dat het te lang achterwege was gebleven.

Toen ze weer normaal ademhaalden, zei Lola: 'Het arme kind! Wat een ellendig leven!'

'Ja, maar ze is niet helemaal verloren. Op de een of andere manier heeft ze geleerd zichzelf te beschermen. Ik bedoel, waarom is ze geen crackhoer? Ze zou tenminste een excuus hebben.'

'Een van de grote raadsels, net als jij en ik. Het viel me op dat je haar steeds weer over die Cooksey liet praten. Waarom ben je zo in hem geïnteresseerd?'

'Omdat hij, afgezien van onze raadselachtige indiaan, het interessantste personage in dit hele vreemde verhaal is.'

'Hoe kom je daar nu bij? Zoals zij hem beschreef, leek hij me de zoveelste trieste balling die in Miami is aangespoeld en geen kans meer ziet om naar de beschaving terug te keren. Ongeveer zoals ikzelf.'

'Dat ben ik niet met je eens. Miami is het middelpunt van de beschaving. Het is de enige stad ter wereld met Cubaans voedsel, goedkope sigaren en vierentwintig uur per dag elektriciteit. Maar we hadden het over professor Cooksey. Triest, ja, maar geen balling. Hij zou overal kunnen werken, maar hij is hier en werkt vanuit een kleine milieugroep/commune, waarvan de andere leden blijkbaar enigszins getikt zijn of in elk geval aan de grond zitten. Waarom?'

'Om zijn trieste verleden te vergeten?'

'Nee, Cooksey is niet iemand die vergeet. Hij is iemand die onthoudt. Stel, je komt van een andere planeet, en je loopt over een leeg strand op een onbewoond eiland, en je vindt een horloge. Wat zegt dat je dan?'

'Hoe laat het is?'

Hij gaf haar een zachte por in de ribben. 'Nee, je weet wat ik bedoel. Het wijst erop dat daar een horlogemaker is. Denk nu eens aan het verhaal dat het meisje ons zojuist heeft verteld, al die dingen die ze van Cooksey en die Moie heeft gehoord, en combineer dat alles met de vreemde gebeurtenissen van de afgelopen maanden, de raadselachtige moorden enzovoort. Op de een of andere manier weet een priester midden in de jungle de namen van de mensen achter Consuela. Hoe?

En die priester weet niet alleen die namen maar heeft ook een trouwe indiaanse vriend, die in zijn kleine kano naar Miami gaat, als een geleid projectiel uit het stenen tijdperk, en die de desbetreffende personen koud maakt. En op de een of andere manier is een Colombiaanse *guapo*-gangster ook bij die houtkap betrokken. Ze vragen hem naar Miami te komen, en hij komt, en nu worden zijn jongens ook koud gemaakt. Wat is er zo belangrijk aan het omhakken van bomen dat een Colombiaanse drugsbaron zijn veilige schuilplaats verlaat en naar de Verenigde Staten reist? Oké, hij wast geld wit via de firma Consuela, dat weten we, maar waarom zou hij zich er persoonlijk mee bemoeien? Het moet om iets groters gaan dan bomen en geld witwassen. En midden in dat alles zit die professor, die toevallig ook een training in clandestiene oorlogvoering heeft gehad. Die zijn vrouw heeft verloren doordat iemand illegaal in het regenwoud aan het kappen was; oké, alleen maar indirect, maar misschien ziet hij het niet zo. Misschien heeft hij dit alles láten gebeuren...'

Lola drukte zich dichter tegen hem aan en kuste zijn hals. Ze schoof haar hand onder zijn shirt. 'Dat is ook een reden waarom ik van je houd. Je levendige fantasie.'

'Geloof je het niet?'

'Er valt niets te geloven, schat. Jij bent net als Amy met haar vis en Bob Zwick. Er gebeuren dingen, en als gevolg daarvan gebeuren weer andere dingen. Als je daar patronen in wilt zien, word je gek. Dat is trouwens een duidelijk teken van gekte: patronen zien die er niet zijn.'

'Was dat niet ook de grondslag van wetenschappelijke ontdekkingen?'

'Misschien is het wel het begin, maar niet het eind. We hebben statistische modellen om causale verbanden van louter toeval te kunnen onderscheiden. Ik merk dat je de belangstelling van je raadselachtige indiaan voor Amy niet in je complottheorie hebt verwerkt.'

'Nee. Ik heb geen idee hoe dat zit.'

'Misschien heeft het er niets mee te maken. Misschien is er helemaal geen patroon, behalve in jouw hoofd. Misschien zijn het allemaal op zichzelf staande gebeurtenissen die aan elkaar gekoppeld worden door een ex-briljante rechercheur die zich stierlijk verveelt omdat hij voor kok moet spelen. In elk geval wil ik er nu niets meer over horen. Het is saai.' Nu trok Lola haar shirt uit, en ook haar beha, en bracht haar fraaie borsten onder zijn aandacht, die hij haar schonk nadat er nog meer kleding op de patio was gevallen. De kaarsen gaven nog maar een klein beetje licht.

'Dit is een goede manier om mijn hersenen stop te zetten,' zei Paz. 'Als dat de bedoeling was.'

'Tot op zekere hoogte,' zei zijn vrouw, en hij liet haar begaan, en zij liet hem begaan, maar midden in die gedachteloze bezigheid merkte Paz dat hij toch weer aan Gabriel Hurtado moest denken, en aan diens reden om naar Miami te komen. Dat was bijna even raadselachtig als die onmogelijke jaguar.

18

De volgende dag bleef Paz lang in bed liggen. Hij zakte telkens weg in een onregelmatige, wazige slaap vol zorgen en ontevredenheid. Toen hij eindelijk wakker was, lag hij met zijn armen achter zijn hoofd naar het witte plafond te kijken en somde hij de redenen op waarom hij zich zo veel zorgen maakte. Colombiaanse *pistoleros*? Oké. Een kolossale magische jaguar die het op zijn dochter had voorzien? Oké. Vreemd genoeg dacht hij dat die zorgen, hoe vreselijk een normaal persoon ze ook zou vinden, niet de oorzaak waren van het onbehaaglijke gevoel dat hij had. Het zat dieper, existentieel diep. Noch hij noch zijn gezin had last van nachtmerries gehad sinds hij de *santería*-amuletten uit de kleine *botánica* had meegebracht. En ondanks de bravoure waarmee hij op het ongeloof van zijn vrouw had gereageerd, wist hij dat zoiets onmogelijk was. Kleine zakjes met wat dan ook zouden geen invloed op hun dromen moeten hebben, maar dat hadden ze wel gehad, al was Amelia een kind en geloofde Lola er helemaal niet in. Hij wist niet meer wat hij moest geloven, maar hij begreep dat het amfibische leven dat hij met betrekking tot *santería* had geleid steeds meer afbrokkelde. Hij zou in een van beide richtingen moeten gaan, naar de zonovergoten hoogvlakten van de rationaliteit waar Bob Zwick, zijn vrouw en al hun vrienden woonden, of naar beneden, de troebele massa in, waar zijn moeder was.

En omdat zijn omgeving bestond uit mensen die hetzij gelovigen hetzij sceptici waren, was er niemand die hem een zinvol advies kon geven, of... Toen die gedachte door zijn hoofd ging, herinnerde hij zich dat er minstens één andere persoon was die in precies dezelfde positie had verkeerd en hem zelfs had gewezen op de mogelijkheid dat er wel degelijk een onzichtbare wereld bestond. Hij pakte de telefoon op het nachtkastje en zijn adresboekje en belde een geheim nummer in Long Island.

Een vrouw nam op.

'Jane?' zei hij. 'Met Jimmy Paz.'

Een korte stilte. 'Uit Miami?'

'Van je vele Jimmy Pazzen ben ik inderdaad die uit Miami. Hoe gaat het, Jane? Hoe lang is het geleden? Acht, negen jaar?'

'Zo ongeveer. Goh, ik ga even zitten, hoor. Nou, dat is een verrassing.'

Ze praatten over van alles, en Paz was daar wel blij om, want hij had er moeite mee om de reden van zijn telefoontje ter sprake te brengen. Hij hoorde hoe het met haar ging: dochter Luz die nu twaalf was en al een echte dame werd, Jane die antropologie doceerde aan Columbia en leidinggaf aan de stichting van haar familie. Hij vertelde haar over zijn eigen familie.

'Je bent nog bij de politie, neem ik aan.'

'Nee, ik run het restaurant met mijn moeder. Waarom neem je dat aan?'

'O, niets… We hebben acht jaar geleden vierentwintig intense uren met elkaar beleefd, maar je kon het geen relatie noemen. En plotseling bel je. Ik nam aan dat het een politiezaak was.'

'Nou, in zekere zin is dat ook zo. Zeg, ik zit in een… Ik weet niet hoe je het moet noemen, misschien een existentiële impasse…'

Ze lachte, een diepe grinniklach die hem al die jaren in de tijd terug stuurde. Hij haalde haar gezicht uit zijn geheugen naar boven: Jane Doe, een knappe vrouw met fijne trekken, kort blond haar en een waanzinnige blik in haar fletse ogen. Jane Doe van de roemruchte voodoomoorden, een vrouw met wie hij de meest angstaanjagende ervaring van zijn leven had meegemaakt: echte zombies die door de straten van Miami liepen en Afrikaanse goden die de grenzen van tijd en materie doorbraken.

'Die zijn het ergste,' zei ze. 'Wat is het probleem? Nog meer *voudon*?'

'Nee, niet echt. Weet je iets van gedaanteverandering?'

'Een beetje wel. Hebben we het over imitatieve, pseudomorfische of fysieke gedaanteverwisseling?'

'Wat is het verschil?'

'Het is ingewikkeld.'

'Als jij de tijd hebt, heb ik ook de tijd.'

Hij hoorde haar diep ademhalen.

'Nou, in het algemeen hebben mensen het onprettige gevoel dat ze opgesloten zitten in zichzelf. Onze neiging om ons te identificeren met naties en sportteams is daar waarschijnlijk een overblijfsel van, en op een hoger niveau is er natuurlijk de religie. Traditionele mensen identificeren zich vaak met dieren, en zo ontstaat de imitatieve magie. De sjamaan staat toe dat de geest van het totemdier bezit neemt van zijn psyche. Hij wordt het dier, en niet alleen in symbolische zin. Voor hem en de mensen die eraan deelnemen ís hij de bizon, of wat dan ook. Ze zien een bizon.'

'Je bedoelt dat ze hallucineren.'

'Nee, dat bedoel ik helemaal niet. "Hallucinatie" is geen bruikbare term als je het over dit soort antropologie hebt. Het is een vergissing om te denken dat de psyche van traditionele volkeren dezelfde is als die van ons. Dan zou je net zo goed kunnen zeggen dat een deeltjesfysicus zijn gegevens hallucineert om ze in overeenstemming te brengen met een ritueel dat wetenschap heet. Bij pseudomorfische gedaanteveranderingen creëert of ontbiedt de sjamaan een spiritueel wezen dat een waarneembare realiteit bezit. De waarnemer hoort krabben, ziet een gedaante, ruikt het wezen enzovoort. Traditionele mensen zijn natuurlijk meestal substantiedualisten. De geest is volkomen gescheiden van het vlees, en het lichaam dat de geest op dat moment toevallig in zijn bezit heeft is niet het enige lichaam dat hij in zijn bezit kan nemen. Antropologen trekken hier meestal de streep. We begrijpen niet hoe zoiets mogelijk is, want het is de bedoeling dat we allemaal brave materialistische monisten zijn. Ik heb persoonlijk ervaring met beide typen gehad, als je daar wat aan hebt.'

'En fysieke gedaanteverandering?'

Weer een grinniklachje. 'O, dat. Eh, Jimmy, wil je me vertellen waar dit over gaat?'

Hij vertelde haar alles: de moorden, de sporen, de dromen, de *enkangues*, de indiaan, zijn gesprekken met Zwick. En die kwestie met Amelia.

'Nou, wat denk je, Jane?' vroeg hij ten slotte. 'Een truc of niet?'

'Zo te horen denk jij dat het echt is.'

'Ik weet niet wat ik moet denken. Daarom praat ik met jou.'

'Oké dan: fysieke gedaanteverandering. Ik heb het nooit gezien, maar er is genoeg anekdotisch materiaal. Er is een heel boek over geschreven, *Human Animals* van een zekere Hamel. Interessant leesvoer. Als we op de feiten afgaan, weten we natuurlijk absoluut niet hoe het gaat, zoals je slimme vriend zegt. Als ik niet had gezien wat jij en ik indertijd hebben gezien, zou ik het van de hand hebben gewezen, maar omdat ik dat heb gezien, denk ik dat de wereld anders is dan wat wij met onze zintuigen waarnemen, en groter dan wat in een laboratorium past. Waarom denk je dat hij het op je kind heeft voorzien?'

'Ik heb geen idee. Ik begrijp er niets van.'

'Jij misschien niet, maar traditionele volkeren denken op golflengten die voor ons hightechmensen gesloten zijn. Is je moeder er nog?'

'Ja. Hoezo?'

'Wat vindt zij van dit alles?'

'Ik heb haar niet op de hoogte gesteld.'

'Waarom niet?'

'Ik hoopte dat je zou zeggen dat ik zilveren kogels in mijn pistool moest doen en dat het dan allemaal goed zou komen. Of dat ik knoflook moest gebruiken.'

'Nou, iemand die de structuur van ruimte en materie kan manipuleren, zal wel niet te verslaan zijn met een kogel die van één bepaald element is gemaakt. Je durft de sprong nog steeds niet te maken, hè? Ik herinner me dat je er toen ook al weinig voor voelde om de uiterste consequenties te aanvaarden. Dat is je kostbare ontologische maagdelijkheid.'

Een nerveus lachje van Paz. Het was koel in de slaapkamer, maar hij voelde het zweet op zijn voorhoofd en zij. 'Ik beken schuld. Ik ben niet in de wieg gelegd voor dit soort dingen. Ik wil dat alles gewoon is, zoals mijn kind zegt. Waarom ik? Hoor mij klagen.'

'Ja, de grote vraag. Je bent niet religieus, hè?'

'Liever niet. Hoezo?'

'Omdat de vraag "waarom ik?" daarmee vrij goed te beantwoorden is. En gelovigen kunnen met hun gebeden veel van die dingen uit de onzichtbare wereld te boven komen. Ik raad je aan om met je moeder te gaan praten.'

'Ja, daar denk ik al over.'

'En…?'

'Ik weet het niet, Jane. Ik denk dat ik… Ik denk dat ik tot nu toe niet bereid was de realiteit te accepteren van…'

'Je bent doodsbang.'

Hij kon een lachje niet bedwingen, maar slaagde erin de hysterie buiten de deur te houden. 'Ja, zo zou je het kunnen stellen.'

'Dat is eigenlijk wel goed,' zei Jane. 'Als je niet bang was, zou je verdoemd zijn. De vrees voor de Heer is het begin van de wijsheid.'

'Maar we hebben het hier niet over God, hè?'

'O, nee? Het is een vergissing om hem in een vakje onder te brengen en te zeggen: dit is heilig en dat niet. Zodra we iets goeds aanbidden, iets anders dan onszelf, aanbidden we hem. Jij en ik zijn op het linkerpad geraakt, zoals ze dat vroeger wel eens noemden. We hebben de illusie

dat we weten waar we heen gaan en we zijn heel trots op ons navigatie-
vermogen. En dan staan we opeens voor een verrassing. We komen in
een kleine benauwde ruimte terecht, zonder uitweg behalve één smalle
spleet, maar daar kunnen we niet door, tenzij we erkennen dat wij niet
de almachtige God zijn en dus niet alles beheersen. Op dat moment ervaren we die verscheurende existentiële angst. Als ik jou was, zou ik
vaak naar de badkamer gaan.'

'O, dank je, Jane. Over kleine benauwde ruimten gesproken; ik voel
me al veel beter. Zeg, voel je er iets voor om hierheen te komen en mijn
hand vast te houden, omdat je zo veel ervaring met dit soort dingen
hebt?'

Ze slaakte een kreet. 'O nee, dank je! Na wat er toen is gebeurd meen
ik wel te kunnen zeggen dat mijn zombietijd voorbij is: hierbij zweer ik
al die magie af. Ik ben nu goed katholiek, ik ga elke zondag met mijn
kind en mijn vader naar de mis, en ik heb zelfs een hoedje. O ja, en dit
zul je grappig vinden. De kerk waar we heen gaan heet Maria Ster van
de Zee. Weet je nog dat je dat reciteerde toen het uur van de hekserij was
aangebroken…?'

'Ja, al probeer ik het te vergeten,' zei Paz vlug.

'Ja, ik ook. Nou, je kunt tegen je moeder zeggen dat ik elke week een
kaars voor Yemaya aansteek in een kerk die aan haar is gewijd. En, Jimmy? Als het zover is, moet je het allemaal gewoon in je toelaten, moet je
het tot in het diepst van je wezen laten doordringen. Liefde is ook magisch. Ze zal niet toestaan dat jou iets ergs overkomt.'

'Als jij het zegt. Nou, Jane, bedankt voor het advies. Misschien krui-
sen onze paden elkaar nog eens, in deze wereld of de volgende.'

Een diep lachje. 'Reken maar. En veel succes. Ik zal voor je bidden.'

Paz nam afscheid, verbrak de verbinding en dacht erover dat hij het
tot in het diepst van zijn wezen moest laten doordringen. Zonder de
hoorn weer op de haak te leggen belde hij zijn zus thuis op. Hij had een
kort en enigszins zakelijk gesprek met haar en meende daarna vrij zeker
te weten waarom Gabriel Hurtado in Miami was. Dat probleem was
dus opgelost. Hij liet de telefoon op de haak zakken en was niet erg verbaasd toen het toestel tien seconden later overging en hij zijn moeder
aan de lijn kreeg. Ze kwam meteen ter zake.

'Het is tijd dat je *asiento* wordt,' zei ze. 'Je moet vanavond beginnen.'

Paz haalde adem om dat voorstel van de hand te wijzen. *Asiento* was
het ritueel dat iemand erop voorbereidde om als 'zetel' voor een god te
fungeren.

Mevrouw Paz zei: 'Het is noodzakelijk, als je Amelia wilt beschermen. De *santeros* zijn bijeengekomen en ze zijn het er allemaal over eens. Je moet worden gewijd. En wel gauw. Nu.'

Hij hoorde zichzelf instemmend antwoorden. Dat verbaasde hem ook niet.

'Ik ben er over een uur,' zei ze.

'Wat moet ik meenemen?'

'Niets,' zei ze. 'Het is geen vakantie.'

Hij mocht dan niet verbaasd zijn geweest, zijn vrouw was dat wel toen ze hoorde dat hij een hele week onbereikbaar zou zijn.

Ze zaten op de achterpatio toen hij het haar vertelde. Hij was zo slim geweest het uit te stellen tot ze op het punt stond naar haar werk te gaan. Achter hen hoorden ze kreten van pret en het geluid van spattend water. Jenny had het opblaasbadje neergezet en hield Amelia daarmee bezig.

'Dat is krankzinnig,' zei zijn vrouw.

'Zeg je dat als psychiater of bij wijze van spreken?'

'Jimmy, jij gelooft niet eens in die dingen.' Een scherpe blik. 'Of wel?'

'Laten we zeggen dat mijn geloof in beweging is. Ik weet dat je vergeten bent hoe je er kort geleden aan toe was en wat daar een eind aan maakte, en dat komt je wel goed van pas, maar ik ben bij iets betrokken geraakt en kan het niet zo gemakkelijk laten gaan.'

'En Amy? Ik kan niet een week vrij nemen om jou in de gelegenheid te stellen aan een of ander ritueel deel te nemen, alleen omdat je moeder dat wil.'

'Dat hoeft ook niet. Jenny kan op haar passen. Zie je wel, het is allemaal mystiek geregeld.' Hij keek haar met een brede glimlach aan, maar ze glimlachte niet terug.

'Doe niet zo belachelijk! Dat meisje kan amper voor zichzelf zorgen. Als ze nu eens weer een aanval krijgt?'

'Ik dacht dat we gehandicapten in dienst moesten nemen.'

'En de Colombianen dan?'

'Je bent hier gedekt. Ik zal Tito vierentwintig uur per dag, zeven dagen per week een patrouillewagen hier op straat laten zetten zolang ik weg ben. En als je je dan nog niet op je gemak voelt, wil mijn moeder hier vast wel de hele week komen logeren.'

Ze kon haar afschuw niet verborgen houden. 'We praten hier nog wel over,' zei ze, en ze stapte op haar fiets. Toen hij haar nakeek, moest Paz onwillekeurig grinniken. Hij was nu eenmaal een handige manipulator en had geweten dat Lola haar dochter nog liever aan iemand die hersendood en vierzijdig verlamd was zou toevertrouwen dan dat ze Margarita Paz een week lang in haar huis toeliet. Hij liep naar de meisjes in het opblaasbad terug.

'Dat ziet er leuk uit,' zei hij.

'Dat is het ook,' zei Amelia. 'Kom je er ook in?' Paz wierp een blik op Jenny, die een elektrisch blauwe stringbikini van Lola droeg die Lola in geen jaren aan had gedurfd en daarmee zo veel jeugdige heerlijkheid vertoonde als iemand maar kon verlangen. Ongeveer twaalf seconden lang vroeg Paz zich af wat er, geheel en al onvrijwillig, zou gebeuren als hij in dat kleine badje ging zitten en in aanraking kwam met dát. Nee.

'Ik denk het niet, schatje,' zei hij. 'Misschien straks. Jenny, kan ik je even spreken?'

Ze sprong met een prachtige wiegende beweging overeind en hij leidde haar enkele stappen bij het badje vandaan. Ze ging meteen akkoord met het plan, alsof ze het al had verwacht. Ze had natuurlijk veel ervaring met het passen op jonge kinderen, vaak onder moeilijke omstandigheden. Het geld dat hij haar aanbood, was goed. Haar medische conditie zou geen probleem zijn, zei ze.

'Je gebruikt medicijnen, nietwaar?'

'Ja.'

Dat was een leugen, zag hij, maar hij ging er niet op in. Toen Amelia van de regeling op de hoogte werd gesteld, juichte en huppelde ze van blijdschap.

Paz ging naar zijn ligstoel op de patio terug. Hij nam slokjes van zijn afgekoelde koffie en las de krant zonder veel belangstelling. Het belangrijkste verhaal betrof de vernietiging van de s-9, een pompstation ten noorden van Miami, door een krachtige bom. Een organisatie die zich de Earth People's Army noemde had de verantwoordelijkheid opgeëist, al werd dat niet geheel en al door de autoriteiten geaccepteerd. In een commentaar werd het vermoeden uitgesproken dat de wrede hand van Al-Qaeda of een nog schimmiger groepering in het spel was. Ze zouden de Amerikaanse welvaart willen treffen door duur onroerend goed in Florida onder water te laten lopen. In een verklaring die in de krant werd afgedrukt, dreigde deze vermeende organisatie de ondergang van de industriële samenleving te bewerkstelligen, tenzij de Everglades in hun maagdelijke staat werden hersteld en er onmiddellijk een heleboel andere milieumaatregelen werden genomen. Hij wenste de boosdoeners veel succes, gooide de krant opzij en liep de serre in om daar tv te kijken: een golftoernooi, een oude comedyserie, een shoppingprogramma, een bijeenkomst van het countybestuur, een ballonvaart over een Franse wijnstreek, dat alles telkens een minuut of twee. Toen zette hij het geluid uit en belde hij Tito Morales.

'Brengt dit je in de problemen?' vroeg Paz nadat hij de rechercheur had verteld dat hij een aantal dagen niet bereikbaar zou zijn en dag en nacht bescherming voor zijn gezin wilde. Hij zei niet waar hij heen ging. Morales zei: 'Maak je je zorgen om die indiaan?'

'Ja, een beetje wel. Daarom moet ik een tijdje weg.'

'Ik ga je niet vragen waarheen. Denk je dat een paar agenten hem kunnen tegenhouden?'

'Eigenlijk niet, maar wat kan ik anders doen? Ik hoop alleen dat ik op tijd kan doen wat ik moet doen. Intussen zijn er die Colombianen. Die zijn misschien nog steeds geïnteresseerd in het meisje Simpson. Hoe loopt de zaak tegen hen?'

'O, de záák. Vergeet die zaak maar, man. De zaak is officieel opgelost. Alle wagens kijken uit naar één moorddadige indiaan. De county is tevreden, wij zijn tevreden, en we gaan door naar nieuwere, grotere avonturen. Heb je van onze terrorist gehoord?'

'Alleen wat in de krant stond.'

'Nou, je snapt wel hoe het is. De FBI interesseert zich niet meer voor Colombiaanse drugsbaronnen. Het laat iedereen nu koud of de levers van Cubaanse *guapos* worden opgevreten, en wat die twee drugsgangsters in die garage betreft gaan ze een medaille toekennen aan degene die het heeft gedaan. Intussen wordt elke smeris – FBI, county, stad – nu ingezet in de strijd tegen het terrorisme. Alle verloven zijn ingetrokken en er zijn automatische wapens uitgedeeld. Het is een compleet circus.'

'Voor een pompstation?'

'Ik merk dat je weinig van waterbeheer weet. Miami is een moeras. Als die klootzakken nog een paar pompstations opblazen, en als we dit jaar dan ook nog een paar van die verrekte orkanen krijgen, kun je in Flagler Street op marlijn vissen. Ik moet je van de commissaris trouwens bedanken voor je waardevolle hulp. Misschien maken ze een plaquette voor je.' Paz hoorde geluiden op de achtergrond, stemmen en automotoren. 'Hé, ik moet gaan, man,' zei Morales. 'Tot straks.'

Paz had tegen Morales willen zeggen dat er minstens één man in de stad was die met de milieubeweging in verbinding stond en professionele ervaring met bommen had, maar de gelegenheid was voorbij. Ze moesten het zelf maar uitzoeken. Per slot van rekening had Paz een boot, en het leek hem nog niet zo gek om in de ondergelopen straten van de binnenstad te gaan vissen. Trouwens, hij wilde zelf met Cooksey over deze kwestie en nog andere dingen praten. Maar niet deze dag. De komende week was hij bezet. Hij ging naar de ligstoel terug en maakte zijn geest helemaal leeg. Hij luisterde naar de vogels en het lachen van zijn kind, totdat hij het geluid van zijn moeders auto op het pad hoorde.

Jenny was eigenlijk wel opgelucht toen de man wegging. Hij keek op een bepaalde manier naar haar, met een scherpe blik die haar aan straatagenten deed denken, alsof hij dingen over haar wist die ze niet in de openbaarheid wilde hebben. Cooksey had ook een scherpe blik, maar dat was anders. Bij hem had ze het gevoel dat hij iets in haar zag waarvan ze niet wist dat het er was en waarvan het goed zou zijn als ze er meer over te weten kwam. Ze miste Cooksey een beetje, maar haar leven had haar er bijna immuun voor gemaakt om iemand erg te missen. Misschien miste ze de vissen nog iets meer.

Omdat het kind rimpelig werd van het water, liet Jenny haar uit het bad komen. Ze droogde haar af en kleedde haar aan, waarbij ze vol verwondering naar de kleren in de kast keek. Ze nam aan dat al die kleren nieuw gekocht waren. Zijzelf had als kind nooit nieuwe kleren gehad, maar omdat ze zo'n goed karakter had, koesterde ze geen rancune tegen dit kind. Ze had eigenlijk juist medelijden met haar, al wist ze niet precies waarom. Het was een raadseltje dat telkens even de kop opstak.

De dag verliep prettig genoeg. Ze belde Cooksey en vertelde hem min of meer wat er was gebeurd sinds ze met Kevin uit La Casita was vertrokken, inclusief haar redding door Moie, maar liet de details weg. Ze zei dat ze waarschijnlijk nog wel een tijdje in het huis van de familie Paz zou blijven. Blijkbaar hadden ze haar nodig. Cooksey maakte geen bezwaar; hij was blij dat ze in veiligheid was.

Toen maakte ze het middageten voor het meisje klaar, sandwiches met tonijn uit blik. Ze hield zich strikt aan de instructies van het kind, want de sandwiches moesten tot in bijzonderheden lijken op wat haar vader maakte. Dat gold ook voor de toast zonder korst en de chocolademelk in het speciale glas. Jenny hield zich goedmoedig aan die dictaten. Ze vond het leuk om bij een kind te zijn dat genoeg zelfvertrouwen had om een volwassene te commanderen. Zelf had ze in haar jeugd nooit zoiets meegemaakt.

Na de lunch maakte ze snel en efficiënt de keuken schoon en ze liep daarna met het kind op sleeptouw door het huis. Ze maakte een spelletje van het huishoudelijk werk: opruimen, afstoffen, boenen, speelgoed en rondslingerende luxe voorwerpen oprapen. Ze had geen hoge dunk van de huishoudelijke kwaliteiten van de moeder, maar misschien kon je van een arts niet anders verwachten. Cooksey was ook een slodder-vos. Het kind vertelde haar dat niemand in mama's studeerkamer mocht komen als ze er niet was, en Jenny berustte daarin.

Ze keken naar dvd's, *De leeuwenkoning* en *De kleine zeemeermin*, waarbij het kind Jenny steeds van tevoren vertelde wat er ging gebeuren en met de liedjes meezong. Toch kon de Disney-muziek het nummer niet uit haar hoofd verdrijven dat daar nu al een hele dag en misschien nog langer in rondzweefde, een oud nummer van Pink Floyd: 'Brain Damage'. Een ouder kind in een van haar pleegtehuizen had dat altijd gespeeld. Ze had er in geen jaren aan gedacht, maar kon het nu niet uit haar hoofd krijgen.

You lock the door
And throw away the key
There's someone in my head but it's not me

Je doet de deur op slot en gooit de sleutel weg, en er zit iemand in mijn hoofd, maar ik ben het niet. Er zat inderdaad iemand in haar hoofd die zijzelf niet was, iets, discreet, stil, maar zonder enige twijfel aanwézig, zoals iemand die in een druk restaurant de hele tijd naar je keek, alleen gebeurde dat nu van binnenuit. Maar ze was niet bang, en dat was op zichzelf al schokkend. Na alles wat er de laatste tijd was gebeurd – Kevins hersenen die op haar schoot waren gespat, en dat ze was ontvoerd en naakt vastgebonden, en wat ze in de garage had gezien – zou ze een wrak moeten zijn. Ik zou een wrak moeten zijn, zei ze tegen zichzelf, maar dat ben ik niet. Ik voel me goed, alsof ik net een fikse joint eerste-klas dope heb gerookt. Ik zweef zo'n beetje door het leven, als een vis of als die kleine zeemeermin op tv. Misschien kwam het door het bezoek dat ze met Moie aan het land van de doden had gebracht. Misschien had ze daar al haar angst achtergelaten. In zekere zin was het wel prettig, alsof ze over geheime krachten beschikte. Zachtjes neuriënd liet ze zich in de kussens zakken en keek ze naar de film.

Tegen het eind van de film viel Amelia in slaap. Jenny keek naar de rest en boende toen, onrustig als ze was, al het meubilair dat geboend kon worden. Ze maakte ook alle ramen schoon waar ze bij kon, met krantenpapier en azijn. Toen zocht ze de ingrediënten voor een maal-tijd bij elkaar. Ze was onzichtbaar en onmisbaar, de twee pijlers van haar levensstrategie, de houding waarop ze altijd weer terugviel. Ze ging daarop over zonder erbij na te denken, als een gekko die bladgroen wordt op een blad.

Toen Lola thuiskwam (en constateerde dat er een politiewagen met twee agenten aan de overkant van de straat stond), kreeg ze dan ook het ideaalbeeld van huishoudelijke hulp te zien: ze maakt schoon, ze kookt, ze woont in, ze is spotgoedkoop, het kind is gek op haar, ze heeft een lief karakter, al gaat er niet veel van haar uit, ze is géén schuldgevoelens opwekkend lid van een tot nu toe uitgebuit ras, eigenlijk juist het tegenovergestelde: een schuldgevoelens wegnemend lid van de gehandicapte bevolkingsgroep. Zeker, Jenny had misschien iets met een moorddadige Colombiaanse bende te maken gehad, en misschien slopen er op datzelfde moment gemene moordenaars bij het huis rond (terwijl haar idiote man naar een voodoofeest was in plaats van zijn dierbaren te beschermen, de rat), maar aan de andere kant kon je echt door de ramen kijken en plakten je blote voeten niet op een walgelijke manier aan de vloer vast. En van voedsel dat al in huis was had ze een heerlijke krabsalade gemaakt, en er waren warme koekjes die ze zelf uit het niets had gebakken. Dat alleen al maakte het de moeite waard om het tegen het hele Calikartel op te nemen, ja zelfs om haar echtgenoot te vergeven.

Die echtgenoot was inmiddels door zijn moeder aan de zorgen van drie bejaarde *santeras* in wit gewaad overgedragen. Een van hen bleek Julia van de *botánica* te zijn; blijkbaar werd zij zijn *yubona*, sponsor. Julia legde hem uit dat het nogal ongewoon was wat ze deden, want in het oude Cuba waren er negen maanden van voorbereidingen voor nodig om het hoofd van een *iyawo*, een ingewijde, te laten verenigen met de *orisha*, maar Pedro Ortiz en de andere *santeros* waren het erover eens geweest dat dit noodzakelijk was, terwijl ze het ook uit respect voor Paz' moeder deden. Ze bevonden zich in een kamer aan de achterkant van het huis waar Pedro Ortiz zijn *ilé* hield, een kamer die ooit een kast of werkruimte moest zijn geweest, want er waren geen ramen. De inrichting bestond alleen uit een mat en een grote mahoniehouten *canistillero*, een kast voor rituele voorwerpen.

De uitleg ging nog enige tijd door. Paz had een redelijke kennis van Lucumi, de uit Afrika afkomstige taal van *santería*, maar Julia gebruikte woorden die hij niet kende en citeerde spreuken die niet alleen uit Ifa afkomstig waren maar ook uit de speciale teksten die deel uitmaakten van de *asiento*-ceremonie zelf, teksten die niet met palmnoten of waarzeggerskettingen werden uitgesproken maar met handenvol kaurischelpen. Die *ita*-voorspellingen hielden in dat er iets duisters zou gebeuren als niet op een gegeven moment op een bepaalde plaats iets met iets werd gedaan.

'*Mi madrina*,' zei Paz. 'Ik begrijp niet wat je zegt.'

De oude vrouw haalde haar schouders op, grijnsde en wisselde een blik met de twee anderen. 'Natuurlijk niet, maar als de *orisha* in je hoofd zit, begrijp je alles.'

'Er is nog iets wat ik niet begrijp,' zei Paz. 'Ik heb altijd gedacht dat de *orisha* de persoon riep en dat de persoon zich er dan op voorbereidde die *orisha* te ontvangen. Maar ik ben door geen enkele *orisha* geroepen.'

'De *orisha* roept je al jaren,' zei de *yubona*, 'maar je hield je oren voor hem dicht. Hij riep zo luid dat alle anderen het hoorden. Het was heel ergerlijk.'

'Het spijt me,' zei Paz, en toen hij die frase uitsprak, ontdekte hij dat hij het echt meende. De oude vrouw gaf een klopje op zijn hand. 'Maak je geen zorgen, mijn jongen, wij maken alles in orde, al zal het moeilijk zijn. Jij bent een koppige ezel, net als je moeder, God zegene haar.'

'O, ja? Ik dacht dat mijn moeder altijd al gewijd was, al toen ze een jong meisje was.'

'Als je dat denkt, weet je niet veel,' zei Julia. Ze legde haar hand op Paz' vragende mond en zei: 'Nee, dit is voor jou niet het moment om te praten. Dit is voor jou het moment om te luisteren, te kijken en je hoofd voor te bereiden op de *orisha*.'

En zo begon het. Paz werd ritueel gebaad en zijn hoofd werd gewassen en geschoren, en hij kreeg witte gewaden aan. Hij werd op een mat gezet, en de drie vrouwen verzorgden hem alsof hij een klein kind was. Ze voerden hem eten en drinken, hielden de lepel en de beker bij zijn lippen. Het voedsel was smakeloos, geprakt en vaal van kleur, en de drank was een thee van veel verschillende kruiden. Er werd veel gereciteerd en veel wierook gebrand. Een man die Paz niet kende kwam binnen en offerde een zwarte duif, waarbij hij het bloed in een kom van kokosnootschaal liet vallen. Dat bloed gebruikte hij vervolgens om figuren op Paz' kale schedel te tekenen. Nog meer thee, nog meer wierook, nog meer gezang. Paz verloor het besef van de tijd. Hij merkte dat hij terugviel in zijn eerste kinderjaren en dat zou ook wel de bedoeling zijn, dacht hij. Uiteindelijk viel hij in slaap.

En natuurlijk droomde hij. Toen hij wakker werd, was Julia er. Haar donkere ogen en gelooide zwarte gezicht waren dicht bij het zijne en ze vroeg hem naar zijn droom. De twee anderen zaten rustig op de achtergrond toe te kijken, als juryleden bij een turnwedstrijd. Hij vertelde haar over de droom. Hij was in Havana en liep met Fidel Castro over een bospad. Hij had het gevoel dat hij zo veel indruk op Fidel had gemaakt dat Fidel het communisme zou opgeven en Cuba vrij zou maken. Er stond die grote zegen nog maar één ding in de weg: Fidel wilde een feestmaal houden om het einde van het communisme te vieren, en het enige wat hij op het feest wilde, waren jonge wilde zwijnen. Ze zouden er zeven nodig hebben. Fidel gaf Paz een boog en zeven pijlen en Paz ging het bos in om op wilde zwijnen te jaren. Hij merkte dat hij een geweldig goede jager was en had algauw zeven biggetjes in zijn tas. Toen hij naar Fidels paleis terugliep, kwam hij zijn dochter tegen. Hij vertelde haar wat er in de zak zat en ze vroeg of ze er een van mocht hebben. Maar Paz zei nee, ze waren nodig voor iets heel belangrijks, de bevrijding van Cuba, iets wat Fidel alleen wilde doen als hij met de zeven biggetjes terugkwam. Zelfs niet één? riep Amelia uit. Nee, zelfs niet één, zei Paz. Het moesten er zeven zijn. Toen ging Amelia weg, en het ging stormen en regenen, een echte orkaan. Paz kwam nat en verwaaid bij het paleis aan en gaf Fidel zijn zak. Maar toen Fidel de biggetjes eruit haalde, waren het er maar zes. Fidel was kwaad en zei: 'Kun je mijn bevelen niet opvolgen, Paz? Ik zei zeven. Nu komt er geen vrijheid voor Cuba!'

En dus, dacht Paz, had een slecht mens een van de biggetjes gestolen. Ondanks de orkaan ging hij het bos weer in en vond weer een kudde wilde zwijnen. Met zijn pijl en boog schoot hij weer een biggetje en bracht het naar Fidel, die er heel blij mee was. Toen zei Fidel: 'Je hebt goed werk verricht. Wil je nu iets voor jezelf? Vraag het maar, en je zult het krijgen.' En Paz dacht daarover na en antwoordde: 'Ja, ik wil dat die slechte dief die mijn biggetje heeft gestolen door de politie wordt opgepakt en doodgeschoten.' En dus zei Fidel: 'Het zal geschieden.' Maar de politie pakte de kleine Amelia op, en Paz moest toezien hoe ze haar voor het vuurpeloton zetten.

'En werd je dochter doodgeschoten?'

'Dat weet ik niet. Ik richtte mijn pijl en boog op Fidel en dreigde hem dood te schieten als ze haar niet lieten gaan. Het was een patstelling, denk ik.'

'Nee, in de droom sterft ze. Weet je dat dit de droom van Oshosi is?'

'Dat wist ik niet. Hoe weet je dat?'

'Het is hetzelfde verhaal. Wij noemen het de *apataki*, het leven van de *orishas* toen ze nog menselijk waren. Maar in dat verhaal jaagt Oshosi op kwartel voor Olodumare, de god der goden, en zijn moeder steelt zijn kwartel, en Oshosi vangt er weer een. Olodumare is daar blij mee, en Oshosi vraagt of zijn pijl het hart van de dief mag vinden, en dat gebeurde, zodat zijn eigen moeder omkwam. Verder is Oshosi's getal zeven, en er waren zeven pijlen en zeven zwijntjes. Welke kleren had je aan in je droom?'

'Dat weet ik niet. Een of ander uniform, een groen en bruin uniform zoals ze in Cuba dragen.'

'Ja, groen en bruin zijn de kleuren van Oshosi. Hij is de heer van de jacht. Nu weet je wie je hoofd wil vullen. Dat is goed.' Ze keek hem met een stralende glimlach aan, en de andere heilige dames deden dat ook. En het wás goed, dacht Paz. Oshosi de Jager voelde goed aan. Hij was zelf ook jager geweest, een jager op mensen, en al was hij dat nu niet meer, hij voelde de aantrekkingskracht van de jacht en was zelfs weer betrokken geraakt bij de jacht op de magische jaguar. Hij herinnerde zich dat hij de kleine boog in de *botánica* in handen had gehad, en een van de andere symbolen van Oshosi was een gevangenis. En wat was Paz' favoriete vrucht? De mango, ook die van Oshosi. Ja, alles stond met elkaar in verbinding, een geheid teken van krankzinnigheid, zou zijn vrouw hebben gezegd, maar zijn vrouw was er nu niet bij. Hier waren alleen de *madrinas*, tenzij dit ook een droom was, een droom waarin hij in een kleine witte kamer was, met in het wit gehulde vrouwen die hem als een klein kind behandelden. In dat geval was hij verdoemd, dus waarom zou hij erover nadenken?

Onder zijn belangstellend oog legden ze de ronde stenen, de *fundamentos*, van Oshosi in een halve kring voor hem neer. Deze stenen bevatten de *ashe* van de *orisha*, die naar Paz' hoofd zou overgaan. De vrouwen eerden de *fundamentos* door ze te baden en kruidige extracten over hun gladde oppervlak te gieten. Dat gebeurde ook met Paz' hoofd.

Zo gingen vijf dagen voorbij. Paz mocht niet lopen of praten en werd met de hand gevoerd. Werd hij gedrogeerd? Dat wist hij niet, en na een tijdje kon het hem niet meer schelen. Zijn vroegere leven werd vaag, een verre droom die hij zich maar half herinnerde. Dit was de enige realiteit, de langzame, rokerige, eindeloze middagen en avonden waarin onophoudelijk werd gereciteerd. En waarin steeds weer offers werden gebracht. De *santero* kwam van tijd tot tijd binnen en offerde dieren: hanen, duiven, een biggetje, een zwarte geit. De *santero* leidde een deel van het bloed van de offerdieren naar de stenen en legde hun koppen en poten in *soperas*, diepe aardewerken potten. Aan het eind van de vijf dagen maakte Julia bekend dat er een zetel voor de *orisha* was gevormd in Paz' hoofd.

Paz voelde dat ook. Het was een subtiel maar reëel verschil, zoals het verlies van maagdelijkheid of het gevoel dat je had als je iemand had gedood. Blijkbaar mocht hij nu praten en rondlopen, en dat laatste deed hij op gevoelige voeten die de vloer net niet leken aan te raken. De vijf dagen van persoonlijke incubatie waren voorbij; nu was het *el dia de la coronación*. Paz was *iyawo*, een bruid van de *orisha*. De *madrinas* hulden hem in schone witte gewaden en schoren zijn hoofd opnieuw kaal, waarbij de tekens ook werden vernieuwd. Hij kreeg een kroon van felgroene papegaaienveren, een mantel van smaragdgroen brokaat en de symbolen van zijn *orisha*: een boog, een leren koker met zeven pijlen en een klein houten model van een gevangenis. Om zijn schouders droeg hij de grote *collares de mazo* met borduurwerk waarin kralen waren verwerkt en met schelpen die er los aan hingen. Aldus gekleed werd hij naar de grote kamer van het huis geleid, waarvan een hoek als troonkamer was ingericht, met zijden draperieën in groene en bruine tinten en een *pilón*, een koninklijke kruk zoals de koningen van Ifé gebruikten. Daar lieten ze hem plaatsnemen, en om zijn voeten legden ze stapels yams en mango's, en de geuren van die vruchten, en van de bereiding van het huwelijksfeestmaal, en van het bakken en roosteren van offerdieren, vervulden de lucht.

Er kwamen nu veel mensen binnen. Ze zongen lofliederen en vernederden zich voor de troon van Paz-Oshosi. Onder hen was zijn moeder, en toen hij haar zag, begreep Paz dat er verandering was gekomen in hun onderlinge relatie, dat de vleugelachtige, sarcastische persoonlijkheid waarmee hij zich zijn hele leven tegen haar kracht had verdedigd nu weg was en dat ze voortaan als halfgoden met elkaar zouden omgaan.

Er kwamen steeds meer mensen in de kamer en het werd warmer. Paz kreeg een glas en ze zeiden dat hij eruit moest drinken: het was *aguardiente*, de drank van Oshosi. Het zweet stond op zijn bovenlip. De trommelaars kwamen, drie erg zwarte mannen. Ze begroetten de *santero* en zetten hun instrumenten op een houten platform langs een muur: de *iya*, de grote moedertrommel, de kleinere *itotele* en de kleine *okonkolo*. En toen gingen ze op de ongedwongen Afrikaanse manier gewoon van start. Het scherpe, indringende daveren van de *iya* ging door de kamer, en het kletteren van de andere trommels en het ratelen van de kalebas in de handen van de *santero*. Het waren eeuwenoude, complexe geluiden, muziek als de taal van de *santos*. De *ilé* voerde het lied omhoog naar Eshu-Elegua, de poortwachter, *ago ago ago ilé ago*: open de poort, open de poort.

Paz zat op zijn troonkruk en dacht aan zijn moeder en aan iemand van wie hij lang geleden gehoord scheen te hebben, een zekere Jimmy Paz, die een kind had en getrouwd was met een arts, best een aardige kerel, al was hij een beetje eigenwijs. Hij vroeg zich af of datgene wat hij nu was ooit nog in dat vat gegoten kon worden.

Mensen deinden op het ritme, en een oudere vrouw die aan Eshu was gewijd, danste voor Paz. Het reciteren werd luider, indringender. De mensen zongen tot Oshosi, vroegen hem naar beneden te komen om zijn nieuwe bruid te nemen. Paz knipperde zweet uit zijn ogen; de vormen van mensen en voorwerpen werden vreemd en beverig. En toen was er een vragend stemmetje in zijn hoofd, en Paz moest toegeven dat hij, ja, dat hij dit nogal saaie ritueel had doorstaan. Hij zag de voordelen van de zuivering in en zag er ook een symbool in van een soort volwassenwording. Hij had vrede gesloten met het Afrikaans-Cubaanse deel van zijn achtergrond, en ja, dat had hem veranderd, hij was er werkelijk een beter mens door geworden, en hij verbeeldde zich zelfs dat hij dit alles met een rationele stem aan zijn vrouw uitlegde. Maar midden in dat aangename, denkbeeldige gesprek (dat voortkwam uit een angst die Paz nog niet wilde erkennen) stapte Oshoshi, Heer der Dieren, door de poort van de onzichtbare wereld en in Paz' hoofd.

Nu begreep Paz dat er een maagdelijkheid was die veel dieper ging dan de seksuele maagdelijkheid waar mensen zich zo druk om maakten, namelijk het elementaire inzicht in het fysieke bestaan dat we vanaf onze vroegste kinderjaren bezitten en dat bijna iedereen in de moderne wereld tot aan het graf intact met zich meedraagt: dat de wereld is zoals hij door onze zintuigen wordt weergegeven, dat we voortdurend in ons eigen hoofd zitten, dat we daar helemaal alleen zijn en dat geloof een beslissing is die we met onze geest maken. Dat alles verdween op het moment dat de *orisha* in zijn lichaam binnenging, en nu begreep hij dat het niet alleen een zegswijze was om de persoon die in die situatie verkeert een bruid te noemen. Hij werd geneukt door een god. Dat onderging hij blijkbaar niet onvrijwillig, maar evengoed werd hij bezeten en zou hij nooit meer dezelfde zijn.

Paz heeft al vaker mensen gezien die door de *orishas* werden bereden. Hij heeft altijd gedacht dat die mensen dan bewusteloos waren, maar nu merkt hij dat het niet zo is. Hij is nu buiten zijn lichaam, een onstoffelijke geest die niet meer dan een lichte aandacht heeft voor wat zijn lichaam doet. Dat danst daar voor de troon terwijl de trommels zingen. Die dans gaat een hele tijd door; Paz ziet zijn lichaam dingen doen die het gewoonlijk niet kan.

Dan is hij weer in zijn lichaam terug en helpen mensen hem te gaan staan. Zijn benen kunnen hem nauwelijks dragen en hij is nat van het zweet. Er zat warmte in zijn kruis en zijn gewrichten, alsof hij urenlang de liefde had bedreven. Ze hielpen hem op zijn troon, en Julia en de *madrinas* en de *santero* vertelden hem over zijn nieuwe leven, en over de *ewos*, de rituele plichten en verboden waarmee dat gepaard ging. Zo verstreek *el dia de la coronación*. De volgende dag was *el dia del medio*, gewijd aan feesten en bezoeken van leden van de *santería*-wereld van Miami. Mensen wierpen zich neer voor Oshosi als Paz. Paz merkte dat hij ervan genoot om een god te zijn. Zijn moeder kwam, en ze hadden daar een lang gesprek over waarin Paz opgewekt kon toegeven dat hij zich in bijna alles had vergist, en waarin zijn moeder hetzelfde kon zeggen over alle fouten die ze had gemaakt toen ze hem opvoedde. Daarna konden ze er allebei hartelijk om lachen.

De volgende dag was *el dia del Ita*. Een man, de *italero*, erg oud en bruin en gehuld in smetteloos witte kleding, kwam binnen en gooide kaurischelpen op een mat. Uit de manier waarop ze vielen was de rest van Paz' leven te voorspellen: de gevaren, mislukkingen, triomfen. Paz verbaasde zich over sommige dingen, maar de rest leek hem een redelijk vervolg op de huidige stand van zaken.

Hij vroeg de *italero* naar jaguars en dochters en kreeg het gebruikelijke orakelantwoord. Blijkbaar hing het er allemaal van af of Paz de juiste beslissing nam. Hij moest vertrouwen op zijn *orisha*. Nu hij dat wezen had ontmoet, leek het Paz een vrij goede raad.

19

Terwijl Paz een god wordt, glipt Moie onzichtbaar langs de bewakers die door Felipe Ibanez zijn ingehuurd en verschijnt hij in Ibanez' slaapkamer. Moie heeft voorbereidingen voor de komst van Jaguar getroffen, maar Jaguar komt niet. In dit geval is dat ook niet nodig. Ibanez ontwaakt uit zijn gebruikelijke nachtmerrie, ziet de kleine indiaan, begrijpt wat hij vertegenwoordigt en herinnert zich wat er met zijn collega's is gebeurd. In zijn angst laat de zakenman zijn blaas leeglopen, en dan belooft hij de Consuela Company op te heffen en een eind te maken aan de houtkap in de Puxto. Hij spreekt Spaans en Moie begrijpt het. Moie maakt aanstalten om weg te gaan, maar de man wil blijven praten. Het is Moie opgevallen dat de dode mensen de lucht ook nog met woorden willen vullen als al het noodzakelijke al is gezegd. Als Consuela niet in de Puxto gaat kappen, zegt Ibanez, wil dat nog niet zeggen dat anderen dat niet doen. Er zijn nog veel meer houtbedrijven. Hurtado zet alles in beweging, Hurtado met zijn connecties in de Colombiaanse regering, Hurtado die de guerrillero's omkoopt, en ook de paramilitairen die tegen de guerrillero's vechten, Hurtado die de Puxto ontruimd wil hebben om in dat maagdelijke gebied coca te verbouwen, en ook om nog een andere reden die hij nu aan Moie vertelt. 'Je moet Hurtado doden,' roept Ibanez als de indiaan weggaat. Dan drukt hij op de alarmknop. In het daaropvolgend tumult schiet een van de bewakers op een andere, die niet ernstig gewond raakt. Niemand ziet de indiaan, en de bewakers zijn het er onder elkaar over eens dat die ouwe lul heeft gedroomd. Ibanez is al aan het bellen met zijn filiaal in Cali.

Terwijl Paz een god wordt, verblijft Hurtado in een middelmatig hotel in North Miami. Toen hij het nieuws hoorde dat Ibanez zich uit het Puxto-project had teruggetrokken, liet hij El Silencio bij zich komen. 'Kijk, je geloofde me niet, maar dit is het bewijs. Ibanez zit achter dit al-

les, de *chingada*, en een van de anderen moet hem te pakken hebben gekregen.'

'Weet je dat zeker? Hij heeft de eerste zending goed geregeld. Die
kwam zonder problemen in Miami aan.'

'Om mij in slaap te sussen! Hij was slim, slimmer dan ik dacht. Sommigen van die oude Cubanen... Dit is een goede les, Ramon. Je moet
nooit de intelligentie van je vijanden onderschatten, zeker niet als het je
vrienden zijn.'

El Silencio keek naar zijn werkgever, die nu heen en weer liep voor de
schetterende televisie. Het was onwaarschijnlijk dat iemand wist dat ze
in dit snerthotel logeerden, maar Hurtado had de tv altijd hard aan-
staan als hij iets hardop zei. De baas zag er niet goed uit. Hurtado was al
erg lang op de vlucht, dacht El Silencio, en hij was nog langer bang voor
iets. De arrestaties en het verlies van drie mannen waren hem niet in de
koude kleren gaan zitten. Hij vroeg steeds waar Martínez was, alsof hij
hier over net zo'n ogenblikkelijk informatiesysteem beschikte als thuis.
Wie wist waar die *cabrón* heen was gegaan? Het was duidelijk dat hij
was verdwenen nadat de twee mannen waren gedood en het meisje was
ontsnapt, en dat was op zichzelf al genoeg om Hurtado van streek te
maken. Mensen liepen niet weg van Hurtado. Het had de man erg nerveus gemaakt.

'Weten we waar de kleindochter van Ibanez is?'

'Ja, iemand belde en zei dat ze in dat huis met die vissenvijver is, waar
dat andere meisje ook was.'

'Ga daarheen. Haal haar op. Snijd haar tiet af en stuur hem naar Ibanez. En dood ieder ander in dat rothuis, allemaal.'

El Silencio kwam niet in beweging. Hurtado keek hem fel aan. 'Nou?'

'Baas, weet u, misschien is dat niet zo'n goed idee. Thuis zou het geen
probleem zijn. Maar er is hier iets aan de gang wat me helemaal niet bevalt. Het bevalt me niet als ik niet begrijp waartegen ik het moet opnemen...'

'Het zijn indianen. Ibanez en zijn compagnons – Equitos of de Pas-
torans, of iemand uit Medellin – hebben hier een stel indianen naartoe
gehaald. Je zult het zien: als we dat meisje grijpen, geeft hij ons die verrekte indianen. Dat hadden we direct al moeten doen, maar hoe konden we dit weten...?'

'Ik weet het niet, baas. Ik denk dat er iets anders is...'

'Ramon, je denkt weer,' zei Hurtado op scherpe toon. 'Hou op met
denken en ga doen wat ik zei!'

El Silencio verliet de kamer zonder nog een woord te zeggen. Hij

335

werkte al bijna twintig jaar voor Hurtado en was ongeveer zó onafhankelijk als een broodrooster, maar toch kon hij het gevoel dat de organisatie zich voor het eerst geen raad wist niet helemaal onderdrukken. Thuis zouden ze bijvoorbeeld geen problemen met de politie hebben gehad. Ze hadden de politie in hun zak zitten, en het leger ook, en ook de speciale, onomkoopbare drugspolitie die met de Amerikanen samenwerkte, en mocht er iemand ten tonele verschijnen die niet omgekocht kon worden, dan kon je hem vermoorden. Blijkbaar was dat hier in Amerika niet het geval. Bovendien bleef Hurtado hardnekkig geloven dat een rivaliserende Colombiaanse bende het op zijn handel voorzien had en daarbij Ibanez als instrument en indianen als soldaten gebruikte. Dat vond El Silencio onwaarschijnlijk, en hij wist meer over indianen dan Hurtado, want hij was zelf voor een kwart indiaan. Hij had verhalen van zijn oma gehoord over de dingen die sommige indianen in de binnenlanden deden, en hoewel hij niet erg bijgelovig was, had het bloedbad in de garage hem aan het denken gezet. El Silencio had de leiding gehad bij nogal wat verminkingen en hij wist zeker dat de twee gangsters niet door een mens in stukken waren gesneden. En Prudencio Martínez was ook niet bijgelovig. Hij was de efficiëntste ploegbaas (geweest) die Hurtado ooit had gehad, en als híj ervandoor ging, hadden ze niet alleen maar met een stelletje indianen te maken.

El Silencio liep door de schemerige gang, die naar chloor van het zwembad en bakvet van de cafetaria rook, en ging een kamer binnen. Daar keken zijn beschikbare mannen, zes in getal, allemaal van hun kaartspel, tv of tijdschrift op toen hij binnenkwam. Hij kende hen niet goed, want hij was zelf geen ploegbaas en voelde zich niet op zijn gemak als hij leiding moest geven. Hij had bijna altijd in zijn eentje geopereerd, en bovendien moest hij iemand achterlaten om Hurtado te bewaken. Dit was bijzonder verontrustend.

Ze keken hem allemaal aan. Iemand zette het geluid van de televisie af en trok daarmee El Silencio's aandacht: iemand die onafhankelijk kon opereren, die een beetje alerter was dan de anderen? Of vond hij het programma gewoon niet interessant? De man heette... Ochoa en hij was een veteraan van de paramilitairen die de grote latifundas gebruikten om zich tegen de marxisten te beschermen, een stevig gebouwde, kaalgeschoren man met een litteken onder zijn oog. El Silencio wees naar hem. 'Delegeren' was een van Hurtado's favoriete woorden. 'Delegeren' en 'verantwoordelijk stellen'. El Silencio had met het laatste nooit een probleem gehad en moest het nu met het eerste proberen. Hij nam Ochoa mee naar zijn eigen kamer om met hem te praten.

Terwijl Paz een god wordt, verbergt Geli Vargos zich in het huis van Rupert Zenger. De vrouw was daar 's avonds laat aangekomen met alleen de kleren die ze droeg, want in het tumult na de arrestatie van Hurtado's mannen was ze in allerijl het huis van haar opa ontvlucht. Cooksey was aardig, gaf haar iets te drinken, ondervroeg haar op milde toon.

'Is Hurtado zelf gearresteerd?'

'Nee, hij is daar maar één keer geweest. Mijn opa was doodsbang voor hem. Hij bleef vooral in een hotel. Er was iemand anders die zijn bevelen uitvoerde… Zelfs de gangsters waren bang voor hem, maar de politie heeft hem ook opgepakt. Toen ik hoorde dat ze waren vrijgelaten, ben ik meteen weggegaan. Ik voel me zo'n lafaard! Wat denk je dat ze met mijn opa gaan doen?'

'Niets, denk ik,' zei Cooksey. 'Hij dekt hen, en ze hebben hem nodig voor hun activiteiten in de Puxto. Ik denk niet dat ze de grootste bedreiging voor meneer Ibanez vormen. Maar als hij niet ophoudt met het kappen van dat regenwoud, vrees ik… Ik bedoel dat hem hetzelfde kan overkomen als zijn medefirmanten.'

Toen Geli begreep wat hij bedoelde, barstte ze in hysterisch snikken uit. Cooksey hield haar tegen zich aan en streek gedachteloos over haar rug. Bij irreguliere oorlogvoering, was hem geleerd, was er een tijd om voor beroering te zorgen en een tijd om onder dekking af te wachten. Dit was de tijd om te wachten.

Paz kwam op zondagavond naar huis terug, acht dagen nadat hij was vertrokken. Zijn moeder bracht hem.

'Je redt je wel,' zei ze toen ze voor de deur stopte. 'Je hebt mijn gebeden en de gebeden van iedereen in de *ilé*. Blijf op het pad van de heilige.' Ze omhelsden elkaar stuntelig, zoals je op de voorbank van een auto doet en ook omdat ze niet veel ervaringen hadden met onderlinge omhelzingen. Paz keek zijn moeder na toen ze wegreed. Hij had zijn pijl en boog en zijn model van een gevangenis bij zich, en een ogenblik voelde hij zich net een kind dat met speelgoed bij het huis van een vriendje was afgezet om daar te spelen. Bij die gedachte lachte hij hardop.

Er kwam ook gelach uit het huis, van de patio aan de achterkant, en Paz liep om het huis heen om te zien wat dat voor pret was. Blijkbaar had Lola bezoek. Paz liep de patio op en ze keken hem allemaal aan alsof hij een spook was. Amelia was de eerste die reageerde. Met een schel 'Pappiiiie!' stoof ze op hem af en beklom hem als een aap. Paz moest zijn emblemen op een stoel leggen om haar te kunnen knuffelen, en dat deed hij tot ze protesteerde. Hij zette haar neer en keek naar de aanwezigen: Lola, Bob Zwick, Beth Morgensen en een oudere kalende man met een aangenaam lelijk gezicht die Paz herkende als Kemmelman, Lola's baas in het ziekenhuis.

De conversatie kwam weer op gang; ze wilden allemaal weten wat er gebeurd was. Paz negeerde dat. Hij boog zich over Lola heen en kuste haar.

'Wat ben ik gemakkelijk te vervangen,' fluisterde hij. 'En nog een Joodse dokter ook.'

'Ik vind dat geen antwoord waard,' fluisterde ze terug, maar de dynamiek in de groep was veranderd. Kemmelman voelde zich blijkbaar niet meer op zijn gemak, en algauw stond hij op en zei hij dat hij naar huis moest. Toen hij weg was, zei Zwick: 'Nou, kom op, Paz. Ben je nu heilig?'

'Ja, dat ben ik inderdaad.'

'O, ja? Doe dan iets heiligs. Wat zijn dat voor dingen?' Hij pakte de boog op en liet hem trillen. 'Of zijn ze zo heilig dat ik ze niet mag aanraken?'

'Nee, het zijn alleen maar symbolen van mijn status, net als jouw witte jas.'

'O, dus ze zíjn heilig.'

De volwassenen lachten en de gespannen sfeer werd enigszins ontladen, maar Paz bleef op zijn hoede. Er was iets mis met hun gezichten, of misschien keek hij alleen maar met andere ogen. Het was of hij door hun masker heen kon dringen en de echte persoon kon zien die eronder zat. Dat was geen prettige ervaring: Zwicks intellectuele arrogantie die de angstige, gedreven nerd afschermde, Beth' angst voor eenzaamheid die een krampachtige verleidelijkheid voortbracht... Het kostte hem moeite om naar zijn vrouw te kijken. Getrouwde mensen hebben, hoe intiem ze ook met elkaar zijn, behoefte aan een zekere mate van privacy; hij had het gevoel dat hij die privacy nu zou kunnen schenden, en dat stond hem tegen. Alleen Amelia was blijkbaar tot in de kern helemaal echt.

Ze stelden vragen over het ritueel dat hij zojuist had doorgemaakt, en die ontweek hij met nogal gekunstelde humor, al gaf hij toe dat hij bezeten was door zijn *orisha*, hetgeen Zwick afdeed als het effect van meeslepende ritmen, gedrogeerd voedsel en de uitwerking van lichtschakeringen op de mediale temporale hersenkwab. Dat scheen uitgebreid te zijn aangetoond in de literatuur.

Paz vond die verklaring nog vermoeiender dan het ritueel zelf. 'Wat is er met Jenny gebeurd?' vroeg hij toen Zwick eindelijk klaar was.

'Ze maakt ons eten klaar,' zei Amelia. 'Ze kan heel goed koken, papa.

We gaan garnalen eten. Ik heb geholpen met pellen.'

En daar was het meisje zelf. Ze droeg een dampende wok vol geroerbakte garnalen en groenten. Paz keek naar haar toen ze het onder applaus op tafel zette. Toen ze zich oprichtte, keek hij recht in haar ogen en er ging meteen een huivering door zijn hals. Het zweet stond op zijn voorhoofd. Er was daar ook een masker, maar daarachter zat niet alleen Jenny Simpson.

Ze aten en voerden de gebruikelijke gesprekken, waaraan Paz deelnam als het onbeleefd zou zijn om dat niet te doen. In zijn ogen waren het net kinderen; hij zat op een kinderfeestje, leuk, gemakkelijk, een beetje saai. Toen ze klaar waren, ging hij de tuin in en plukte een paar rijpe mango's van zijn boom. Hij ging ermee naar de tafel terug, sneed ze behendig in stukken en gaf zijn gasten het zoete gele vruchtvlees, samen met het kokosnootijs dat Jenny uit de vriezer haalde.

Toen dat toetje op was, zei Paz: 'Wie heeft er zin in een expeditie?'

'Waarheen?'

'Ik vind dat we naar Jenny's oude huis moeten gaan. We kunnen professor Cooksey een mandje mango's brengen.'

'Ze hebben genoeg mango's bij dat huis,' zei Jenny.

'Nou, dan nemen we ook een fles *aguardiente* mee. We gaan daar zitten, drinken *aguardiente*, eten mango's en praten. Ze hebben daar een grote vijver met tropische vissen. Als we beneveld zijn van de *aguardiente*, springen we naakt in het water.'

'Ik ben voor,' zei Zwick, en Beth Morgensen liet een ondeugend lachje horen.

'Moeten we niet eerst bellen?' vroeg Lola.

'O, dat lijkt mij niet,' zei Paz. 'Professor Cooksey houdt altijd open huis. Hij is een gastvrij type. Dat is toch zo, Jenny?'

Die haalde haar schouders op en zei: 'Volgens mij wel.'

'We moeten zwemkleding meenemen, tenminste diegenen van ons die daar behoefte aan hebben,' zei Paz.

Ze gingen met zijn allen in de Volvo zitten en reden naar het huis aan Ingraham Highway. Paz nam niet alleen het fruit en de *aguardiente* mee maar ook zijn pijl en boog; niemand vroeg waarom. Zoals Paz had voorspeld, was professor Cooksey thuis en was hij bijzonder vriendelijk, alsof hij het wel gewend was dat er 's avonds groepen van merendeels vreemden langskwamen. Cooksey liet hen allemaal om de grote tafel op het terras zitten, en ze dronken een rondje uit Paz' fles en lieten daar bier op volgen. Cooksey vertelde op een levendige manier over de geschiedenis en architectuur van het huis en de tuin, en over de constructie en ecologische opzet van de visvijver. Degenen die dat wonder nog niet hadden aanschouwd, vroegen of ze het mochten zien, en Cooksey leidde het hele gezelschap de tuin in. Hij deed de onderwaterlichten aan en ze keken allemaal met grote ogen.

Cooksey maakte gebruik van deze afleiding door naar Jenny toe te gaan en op vertrouwelijke toon te zeggen: 'Ik ben erg blij je weer te zien, jongedame. Ben je voorgoed terug?'

'Ja. Ik help daar alleen maar een handje.'

'Voel je je wel goed? Je ziet er anders uit.'

'Nou, ik ben een beetje uit het lood geraakt door wat er is gebeurd.'

'Natuurlijk. Je hebt Moie niet gezien sinds de, eh...'

'Nee,' zei ze. 'Jij wel?'

'Niet als zodanig. Maar hij is beslist in de buurt.'

Op dat moment kwamen Scotty en Geli Vargos over een van de paden aangelopen. De vrouw bleef abrupt staan toen ze de onbekende mensen zag. Blijkbaar wilde ze zich over datzelfde pad terugtrekken, maar Jenny zag haar.

'O, daar is Geli!' riep ze, en ze rende haar vriendin tegemoet om haar op omhelzingen en Jenny-achtig gebabbel te onthalen, waarop Geli in snikken uitbarstte. Jenny liep met haar naar een bankje, waar ze zo te zien een intens gesprek voerden. Zwick, Lola, Beth en Amelia hadden niets van dit alles gemerkt en waren in het ondiepe gedeelte van de vijver aan het spetteren.

'Ik dacht wel dat u haar hier had verstopt,' zei een stem naast Cooksey.

'En waarom dacht u dat, meneer Paz? Al is verstopt niet het woord dat ik zou hebben gebruikt. Geli heeft blijkbaar familieproblemen.'

'O ja, dat zou je kunnen zeggen. Problemen die u hebt veroorzaakt.'

'Nou, ik zou niet van veroorzaken willen spreken. Ik denk dat zo'n begrip niet van toepassing is op wat hier gebeurt. Of misschien ziet u als ex-politieman alles in termen van complotten en samenzweringen.'

'Dus u had niets te maken met die vent die benzinestations opblaast?'

'O, dat. Ik heb inderdaad enige zuiver theoretische gesprekken gevoerd over het maken, activeren en detoneren van bepaalde ladingen. Kevin en zijn vriend waren geïnteresseerd, en omdat ik nu eenmaal docent van beroep ben, kost het me moeite om informatie die ik tot mijn beschikking heb niet aan anderen door te geven, vooral wanneer hetzelfde materiaal gemakkelijk te vinden is op internet. Eigenlijk was ik bang dat ze zichzelf zouden opblazen. Ik legde ze uit dat het zinloos was om de Everglades met explosieven te herstellen, maar ja, u weet hoe het is. De jeugd is onstuimig. De naam van de terrorist is trouwens Kearney. Hij werkte in de dierentuin, en daar haalden ze de jaguarpoep vandaan voor het stomme spelletje dat ze bij de huizen van de Consuela-mensen speelden. Hij moet niet moeilijk te vinden zijn.'

'U hebt niet geprobeerd hen ervan af te brengen en u hebt de politie niet gebeld?'

'Nee, dat heb ik niet gedaan, al heb ik hem zojuist aan u gegeven. Ik zou me verantwoordelijk voelen als hij zichzelf of iemand anders had gedood. Omdat ik wetenschapper ben en de voordelen van de westerse beschaving geniet, zou ik erop tegen moeten zijn die beschaving aan stukken te scheuren. Maar deze kinderen richten zo veel minder schade aan dan de westerse beschaving zichzelf toebrengt, dat het absurd is om je druk te maken om hun zielige pogingen. Als de beschaving ooit instort, zal het niet op die manier gebeuren.'

Paz ging daar niet op in en zei: 'En blijkbaar wist u dat Moie die moorden pleegde en hebt u hem geholpen.'

Cooksey glimlachte daarom. 'Nou, hij had niet bepaald hulp nodig. Moie en zijn gevlekte vriend zijn heel goed in staat om te doen wat ze willen. En wat de politie betreft… Daar zouden ze denken dat ik knettergek was, als ik de waarheid vertelde. Ze zouden denken dat ú dat ook bent, zoals u vast wel weet.'

'Ja, daar hebt u gelijk in,' gaf Paz toe. 'Maar ik ben nieuwsgierig naar één ding. Ik was er al achter dat u de namen van de Consuela-mensen van mevrouw Vargos hier had gehoord, en dat u ze aan die priester in de jungle hebt doorgespeeld. Hoe wist u dat Moie zou komen?'

Cooksey grinnikte en sloeg zijn ogen ten hemel. Paz kon zijn gezicht niet goed zien in de schemering, maar dat zag hij wel. Cooksey zei: 'Echt, beste man, u geeft me veel te veel eer. Onze Jenny zal u over de dood van mijn vrouw hebben verteld: hoe ze zich uitputte om een heel klein deel te redden van de levende informatie die destijds in geld werd omgezet en hoe ze daardoor haar ondergang tegemoet ging. Wat Jenny er niet bij vertelde, omdat ik het haar niet heb verteld, was dit. Ten eerste was de vernietiging van dat specifieke stuk regenwoud een Consuela-project, zodat alle calamiteiten die daarna in mijn leven zijn gebeurd aan die firma toe te schrijven zijn. Ten tweede werd ik helemaal gek toen ze dood was. Ik nam een *canoa* en voer stroomopwaarts tot ik bij San Pedro Casivare kwam, de laatste plaats op de kaart. Ik dronk pisco. Ik had genoeg geld om me dood te drinken, en dat was ik van plan. Er was daar iemand die hetzelfde van plan scheen te zijn.'

'De priester,' zei Paz.

'Precies. Pater Timothy. Nou, om een lang verhaal kort te maken: we wisselden droevige verhalen uit, en daarna dronken we elke dag een beetje minder en visten we een beetje meer. Hij wilde uiteindelijk weer priester worden en het heilige martelaarschap zoeken bij een stam waarvan we hadden gehoord, een stam die routinematig iedereen doodde die in de buurt kwam. Hij overtuigde me ervan dat ik het aan mijn dochter verplicht was om naar huis te gaan en voor haar te zorgen. En dat deed ik; ik zorgde voor haar door haar te doden. Ze was het evenbeeld van mijn vrouw.'

Cooksey zweeg nu. Paz wachtte. Hij zag dat Cooksey naar de groep bij de vijver keek en blijkbaar vooral naar de spelende Amelia. De volwassenen droegen uiteenlopende gradaties van kleding. Zwick en Scotty waren in korte broek, en Jenny was helemaal naakt, net als Beth. Lola en Amelia droegen een badpak, Geli een beha en slipje. Iemand had de *aguardiente*-fles meegebracht, en een fles Mount Gay-rum om hem gezelschap te houden; beide flessen waren bijna leeg. De eerste zwakke gevoelens van onbehagen prikten in Paz' buik. Het was allemaal net een beetje te uitbundig. Geli Vargos bijvoorbeeld was daarstraks nog neerslachtig geweest; nu was ze bijna naakt en juichte ze het uit.

Cooksey vertelde verder en leidde hem daarmee van die gedachten af. 'De priester ging naar de Runiya, en ik kwam hierheen. Toen ik ontdekte wie Geli was, moedigde ik haar aan om uit te zoeken wat Consuela deed, en ik gaf de informatie door aan de priester, die er gebruik van maakte om zijn martelaarschap te bereiken; een beetje laat, maar beter laat dan nooit. Ik ging ervan uit dat natuurbeschermers of milieugroepen of anderen iets met de informatie zouden doen, dus dat ze stampij zouden maken. Ik verzeker u dat ik Moie niet had verwacht.'

'Waarom maakte u hier geen stampij? U had hier een hele milieuorganisatie.'

'Nou, dan zou ik Geli in de problemen hebben gebracht, nietwaar? Ze heeft, eh… verstrengelde loyaliteiten. Ze wilde voorkomen wat er uiteindelijk gebeurde, dus dat die Colombiaanse gangsters hierheen kwamen. En zodra we het soort ophef hadden gemaakt dat respectabele milieubewegingen kunnen maken, zou Consuela in een wirwar van nepbedrijven zijn verdwenen. En dan zou de houtkap gewoon zijn doorgegaan. Ik hoopte dat pater Tim woedend ten tonele zou verschijnen, met foto's en zo. Maar hij stuurde Moie. Overigens begrijpt u natuurlijk wel dat hier iets veel groters aan de gang is.'

'Wat bedoelt u, iets groters?'

'Nou, om te beginnen: waarom bent u hier met deze groep mensen?

Dat is eigenlijk nogal vreemd gedrag voor u, vindt u niet?'

'Het is me geadviseerd in de loop van een... religieus ritueel,' zei Paz. Hij voelde zich belachelijk toen hij zichzelf dat hoorde zeggen.

'Ja, ik dacht wel dat het zoiets zou zijn. Weet u, ik heb weinig begrip voor zulke dingen. Dat heeft niets met geloof of ongeloof te maken, denk ik, maar het is een kwestie van temperament. Misschien is het een reactie op mijn moeder; die kreeg altijd een wazige blik in haar ogen en voorspelde dan dingen.'

'En gebeurden die dingen?'

'Min of meer. Ma was een bekwame heks. Ze was opgeleid door beroemde sjamanen. Maar wat ze ook voor gave had, ze gaf hem niet aan mij door, al kan ik het meestal wel bij anderen zien. U hebt het – dat viel me al op toen we elkaar de vorige keer ontmoetten – en natuurlijk is Jenny een klasse apart.'

Hij keek nu naar Jenny, die op een platte rots aan de rand van de waterval lag om het water in te duiken. De vijverlampen verlichtten haar van onderaf. Ze maakten rode vonken in haar haar en gaven haar gezicht en lichaam het uiterlijk van een gesculptuurde figuur uit een vergeten en verschrikkelijke cultus.

'Wat schitterend!' riep Cooksey zachtjes uit toen ze met een plons in het donkere water was verdwenen. 'Maar niet helemaal menselijk. Weet u, toen ze hier kwam, dacht iedereen dat ze geestelijk onvolwaardig was, maar dat is helemaal niet het geval. Ze is volkomen competent als het op taken uit het dagelijks leven aankomt, en op minstens één terrein, de taxonomie van wespen, is ze bijna briljant, al is ze nagenoeg ongeletterd. Ze heeft wat we gevoel voor het organisme noemen, en dat is erg zeldzaam. Ik denk dat haar jeugd zo afschuwelijk was dat ze op een gegeven moment een magische kring om een innerlijke kern van haar wezen trok en zich daarin terugtrok en minimaal reageerde op alles wat er met haar lichaam gebeurde. Een volkomen leeg vat, volkomen ontvankelijk voor... wat dan ook. God. Goden. De polsslag van de natuur. Moie vindt haar heel bijzonder, en hij kan het weten. Maar nu weer over vanavond. Hier bent u dan, in zekere zin opgeroepen, en hier zijn wij, en waarom denkt u dat het zo is?'

'Daar ben ik niet zeker van,' zei Paz, 'maar het heeft iets met mijn dochter te maken. Hij wil haar.'

'Ja, dat is zo. En ik heb me afgevraagd waarom. Komt u mee; ik geloof dat er weer drank moet komen.' Hij liep naar het huis en Paz ging met hem mee. De avond was nog warm maar niet drukkend, eigenlijk ideaal, en de wind was bijna helemaal verdwenen. Elke grashalm, elk blad was stil als steen, en de grotere bomen en struiken leken een eigen persoonlijkheid te hebben, vond Paz. Het was of hij op een *bembé* was, met die verdichting van de lucht, die stralenkrans van kleine spiraaltjes van neonlicht die om levende dingen leek te hangen. Paz' hoofd voelde merkwaardig zwaar aan, alsof de stenen van zijn *orisha* niet figuratief maar echt in zijn hoofd lagen. Achter hem, heel dichtbij, alsof iemand hem letterlijk op de voet volgde of zijn lichaam als een stel kleren droeg, voelde hij de verschijning van zijn heilige.

Hij liep niet met Cooksey mee het huis in, maar bleef op de patio staan wachten. Hij had geen zin om naar binnen te gaan, om kunstmatige wanden om zich heen te hebben. In de tijd dat hij wachtte (een tijd van onbestemde duur, er was ook iets mis met de stroom van de tijd, merkte hij) keek hij naar een bananenboom, de goedheid daarvan, de bescheiden groene schoonheid van de lange bladeren, de dichte donkere roodheid van de vruchten. Toen kwam Cooksey weer naar buiten. Hij had een metalen blad met daarop een ijsemmer, flessen met allerlei drank en een sixpack St. Pauli Girl-bier.

'En bent u tot conclusies gekomen?' vroeg Paz terwijl hij een van de blikjes bier pakte.

'O, ik kan alleen maar theoretiseren. Ik denk dat dit alles in de categorie valt van dingen die de mens niet voorbestemd is te weten, zoals in die oude horrorfilms, maar ik heb de indruk dat dit in de sfeer van een omgekeerd vlindereffect ligt. Kent u die term?'

'Hij komt uit de chaostheorie. De vlinder in China veroorzaakt de wervelstorm in Iowa.'

'Precies,' zei Cooksey, en hij zette het blad op de tafel bij de vijver neer. De zwemmers hadden inmiddels handdoeken uit de kist gepakt en om zich heen geslagen en zich in ligstoelen en op gladde rotsen laten zakken. Alleen Amelia en Jenny speelden nog in het water. Er was nu iets heel Grieks aan deze bijeenkomst, dacht Paz, en dat kwam niet alleen door de handdoeken. Hij vertelde dat aan Cooksey.

'Ja, daar kwam ik nog op. Het is weer helemaal Pan. De echte Eros is al vele eeuwen uit de wereld verdwenen en nu is hij vanavond terug in deze kleine tuin. Maar om verder te gaan: het zou een omgekeerd vlindereffect zijn wanneer iets wat reusachtig en ingewikkeld was iets kleins en eenvoudigs zou voortbrengen wat toch betekenis heeft op een ander bestaansniveau. Ik zal u een verhaaltje vertellen.' Hij goot een fikse scheut whisky in een plastic bekertje en dronk daaruit. 'Toen ik nog een kleine jongen was, nam mijn moeder me een keer mee toen ze op bezoek ging bij een familielid van haar dat in Norfolk in een dorp bij de zee woonde. Het liep tegen het eind van de oorlog, en toen we daar aankwamen, hoorden we dat daar in de buurt een afgedwaalde Duitse bom was neergekomen en geëxplodeerd. Er was niemand gewond geraakt en er was bijna geen schade, maar een klein metaalfragment was naar de tuin van die man gevlogen en had een oude rozenstruik getroffen. De oudeheer jammerde alsof de hele Tweede Wereldoorlog een enorm complot was geweest om die specifieke rozenstruik te vernielen. Eigenlijk heel idioot, maar het bleef in mijn hoofd zitten, de idee dat immense ondernemingen zulke vreemde kleine catastrofes veroorzaken, en ook dat die kleine gebeurtenissen, vanuit een onkenbaar uitzichtpunt bezien, significante indicatoren kunnen zijn. Aan de ene kant vijftig miljoen dode mensen, aan de andere kant een kapotte rozenstruik.'

'Dat is onzinnig,' zei Paz. Hij probeerde zich op Amelia en Lola te concentreren, prentte in zijn hoofd waar ze waren om hen te kunnen beschermen als datgene wat stond te gebeuren zou plaatsvinden. Want er stónd iets te gebeuren: het vreemde gevoel dat hij de afgelopen minuten had gehad (en misschien was het langer dan minuten; hij had dat vreemde gevoel al een hele tijd) was omgeslagen in afgrijzen. Hij voelde dat de waanzin aan de randen van zijn geest plukte. Langzaam liep hij in de richting van zijn gezin. Cooksey liep al pratend met hem mee.

'Ja, het is onzinnig, tenminste wel vanuit ons gezichtspunt, maar misschien zijn er andere gezichtspunten. Misschien zijn er imperatieven waar wij niets van weten, net zomin als de vijgenwesp weet wat ze doet als ze haar individuele leven opoffert voor het behoud van de soort. Als je sociaal levende insecten bestudeert, krijg je een andere kijk op de overleving van het individu, weet u. Hoe dan ook, toen mijn gezin stierf, of was omgekomen, dacht ik daar veel over na. Ik zakte minstens voor een deel weg in de waanzin, zoals u wel kunt begrijpen, want u bent zelf huisvader, maar er kwam één gedachte naar boven die me wel aanstond, namelijk dat íéts ons een boodschap probeert te sturen.'

'Iets,' zei Paz. Hij was nu nog maar een paar meter verwijderd van de plaats waar Amelia en zijn vrouw met handdoeken om zich heen lagen. Lola wreef over het haar van haar dochter. Zwick en Beth lagen in een van de ligstoelen, Scotty en Geli in de andere. Jenny stond. Ze had een gele handdoek om zich heen en droogde haar haar af met een groene. Ze keek in het donkere, dichte gebladerte buiten het bereik van de zwembadverlichting, alsof ze op iets wachtte. Alles leek te langzaam te bewegen, als in een droom. Achter hem ging Cookseys stem verder.

'Ja, de planeet bijvoorbeeld, of de wachters daarvan, of de ideeënwereld, of hoe je het maar wilt noemen. Weet u, op een gegeven moment kwamen we tot de slotsom dat alles dood was, wijzelf ook, en dat het volkomen in orde was om de hele substantie van de natuur in een denkbeeldige abstractie om te zetten: macht, de idee van een natie of ras, en tegenwoordig is het geld. Laten we zeggen dat het "iets" na een lange slaap is ontwaakt, of eigenlijk was het niet zo'n lange slaap voor iets wat al vier miljard jaar leeft, maar lang in onze termen, en toen had het een beetje jeuk, een gevoelig plekje, en daar krabde het gedachteloos aan, en dat was de twintigste eeuw, honderd miljoen doden door oorlog en honger, maar jammer genoeg gingen we gewoon door, we leerden er niets van, en nu is het "iets" een beetje meer geïnteresseerd, want we prutsen aan de elementaire mechanismen die alles in evenwicht houden. En nu blijkt dat de grote Pan toch niet dood was. Nu wordt hij wakker, natuurlijk niet bij óns, want wij zijn dood, maar bij Moies volk, en door wat mij is overkomen voel ik me geroepen om, laten we zeggen, het duwtje te geven dat hem hierheen brengt.'

'En wat betekent dit alles?' vroeg Paz, niet omdat hij dacht dat Cooksey het echt wist, maar om hem te laten doorpraten, alsof dat gepraat van hem een inleiding was van wat er ging gebeuren en het moest wachten tot hij was uitgepraat. Paz dacht dat hij een beetje meer tijd nodig had. Hij had ook zijn pijl en boog nodig, viel hem opeens in, en hij voelde dat zijn lichaam zich omdraaide omdat het naar de Volvo toe getrokken werd. Met enige moeite trok hij de achterklep omhoog, want blijkbaar waren zijn handen vergeten hoe de sluiting werkte. De hele auto leek hem op een bepaalde manier ongezond, afzichtelijk, iets wat niet zou moeten bestaan. Hij liep met de boog en de pijlenkoker naar het zwembad terug. De laatste keer dat Paz met een boog had geschoten, hadden er zuignapjes op de pijlen gezeten. Hij had geen idee wat hij met die dingen moest doen, alleen dat hij ze bij zich moest hebben.

Blijkbaar was niemand in beweging gekomen. Cooksey was ook nog niet klaar; het leek wel of hij tegen de duisternis had gepraat. '… in elk geval konden we een nieuwe orde van de dingen zien, een nieuwe samenhang. In de evolutie zien we soms een tijd of een plaats waar de vorming van nieuwe soorten zich in een versneld tempo voltrekt en we hebben geen idee waarom. Nu hebben we misschien te maken met een situatie waarin een bepaald soort onbewust kwaad rechtstreeks gestraft wordt. Het is een gedeeltelijke beantwoording van de vraag waarom slechte dingen goede in plaats van slechte mensen treffen. Iemand geeft een bevel en aan het andere uiteinde van een lange keten van mensen die iets doen zien we moord, vernietiging, plundering, de wereld die tot gruis wordt vermalen om de cijfertjes van bepaalde bankrekeningen te laten verspringen. Hoe zou het zijn als de baas die het bevel had gegeven werd gebeten? Zou dat dingen veranderen, of zijn wij zo goddeloos dom dat zelfs dat niet zou werken? En als het nu eens van ons wordt gevraagd een kind te offeren? Zou dat dan eindelijk onze aandacht trekken?'

Cookseys stem was bij die laatste woorden omhooggegaan, maar niemand scheen het te merken. Iedereen keek naar Jaguar.

20

Jaguar dook geluidloos uit het donker op en stond nu op de verharde patio bij het zwembad. Hij was veel groter dan Paz zich had voorgesteld, bijna zo groot als een Afrikaanse leeuw, maar slanker en langer, veel groter dan een echte jaguar. Hij glansde alsof hij van binnenuit werd verlicht, als een lampion, en het leek wel of zijn zwarte rozetten trillend op hun goudgele ondergrond lagen. Cooksey was nu sprakeloos, verstijfd, zijn mond nog open van zijn laatste woorden. Paz wilde naar Lola roepen dat ze het kind moest pakken en wegrennen, maar zijn stem weigerde dienst. Hij voelde dat zijn handen een pijl uit de koker trokken en hem op de boog zetten. De pijlen waren lang en voorzien van felgroene papegaaienveren. De punten waren van melkwitte steen en erg scherp.

Jaguar sloop over de patio naar de plaats waar Lola en Amelia lagen. Het hoofd van het kind lag op de knieën van haar moeder. Lola had met haar vingers Amelia's natte haren ontward. Paz zag dat zijn dochter in de topaaslichten keek die de ogen van de god waren. Ze had een milde glimlach. Lola keek naar het beest met wat op Paz overkwam als beleefde belangstelling, alsof het meisje op het punt stond een nieuw en geschikt vriendinnetje aan haar voor te stellen. Alle anderen waren volkomen onbeweeglijk, als de achtergrondfiguren van een klassiek schilderij, een effect dat nog versterkt werd door hun lome houding en de handdoeken die ze om zich heen hadden geslagen.

Paz kwam tot de conclusie dat hij zich had vergist en dat dit in werkelijkheid een bijzonder levendige droom was, zo'n droom als hij de laatste tijd zo vaak had gehad. Daar was zijn dochter en daar was de jaguar en ze zou als offer door hem worden meegenomen en alles zou beter worden voor iedereen. De wereld zou weer intact zijn. In zekere zin was hij er trots op dat zijn dochter die eer te beurt was gevallen. En nu dacht hij aan het wezen van het meisje zelf, de erfelijke lijnen die in haar samenkwamen, de generaties Joden die in de tijd teruggingen tot aan Jeruzalem, de Afrikanen terug tot Ifé, de Spanjaarden tot waar dan ook, Rome, Griekenland, de Gotische landen, Arabië, alle voorouders die in synagogen hadden gestudeerd, die de goden van Yoruba hadden gediend, die de meesters in de suikerrietvelden hadden gediend, die de ongelovigen hadden overwonnen, die Allah hadden aanbeden, dat alles om dit ene, specifieke, stralende kind voort te brengen...

Maar nu werden deze gewichtige overpeinzingen onderbroken door een snelle beweging bij het zwembad. Jenny Simpson was vliegensvlug bij de rand vandaan gekomen en hing aan Jaguars nek. Ze trok aan zijn goudgele kop en riep: 'Nee, nee. Stop. Laat haar met rust.' Paz vond dat absurd. Ze behandelde dat beest als een stout klein hondje, en op een vage manier nam hij het haar kwalijk dat ze de statige esthetiek van dit hele tafereel verstoorde. Jaguar schudde als een hond om de jonge vrouw opzij te werpen. Ze kwam met een hoorbare plof neer. Paz hoorde een geluid, een diep gegrom, zo laag dat hij dacht dat hij het zich misschien verbeeldde, zoals die onechte geluiden die je hoort als je net in slaap bent gevallen.

Ararah. Ararararah.

Alsof het een teken was, voelde Paz dat er iets in zijn hoofd bewoog zodra hij dat geluid hoorde. Hij voelde dat zijn ledematen gevolg gaven aan de aandrang van die Ander in hem, voelde de spanning van de boog in zijn handen, de veren tegen zijn hals, voelde de ontlading van de spanning in zijn schouder en rug.

Jaguar had net zijn kaken boven het kind geopend toen de pijl hem achter zijn voorpoot trof.

Paz probeerde zijn ogen open te houden, maar iets diep in zijn middenhersenen dwong ze om dicht te gaan, opdat het hem bespaard bleef gebeurtenissen te zien waarvan de evolutie niet wilde dat zijn hersenen ze verwerkte. Maar hij voelde wel een luchtstroom en een onbekend geluid, en toen hij weer kon zien, zag hij chaos bij het zwembad. Een kleine bruine man met een bloempotkapsel lag in een plas bloed en hoestte bloed op, met Paz' lange pijl in zijn zij. Zwick zat bij hem neergeknield en putte uit medische instincten die lang in hem hadden gesluimerd. Hij nam even de tijd om te schreeuwen: 'Jezus, Paz, waarom deed je dat?'

Intussen stond Lola bij Jenny, die een hevige epileptische aanval had gekregen op het moment dat de pijl zijn doel had getroffen. Ze schuimbekte en haar naakte lichaam vormde een parabool, waarbij alleen haar kruin en haar hielen de grond raakten. Paz bleek een armvol Amelia tegen zich aan te drukken, die gilde en heen en weer schudde alsof ze door de brandnetels was gerold. De anderen stonden om het getroffen twee-tal heen en probeerden iets nuttigs te doen. Paz droeg zijn dochter naar de patio, waar hij in een stoel ging zitten en het kleine lijfje tegen zich aan hield. Hij kuste haar vochtige haar en mompelde geruststellende woordjes. Het gillen ging uiteindelijk over in snikken met lange uithalen, en toen was er nog één zucht en zei ze met een droge snik: 'Ik was bang, papa.'

'Natuurlijk was je dat. Het was erg angstaanjagend. Ik was ook bang.'

'Hij wilde me opeten! Echt!'

'Ja, dat klopt.'

'Aan de ene kant wilde ik opgegeten worden en aan de andere kant was ik zo bang.'

'Ja, dat was je nare droom, nietwaar? Maar nu is het voorbij. Hij kan je geen kwaad meer doen.'

'En hij veranderde in Moie,' zei ze. 'Dat heb ik gezien! Alles in de lucht was *gizzelig!*' Ze bewoog haar vingers heen en weer en sloeg ze over elkaar om te laten zien hoe *gizzelig* het precies was geweest. 'En toen werd Moie geraakt door een pijl.'

'Ja,' zei Paz.

'Maar hij gaat niet dood, want hij is goed, net als Frodo. Hij is gewónd, hè?'

'Ja. Ik hoop dat hij weer beter wordt.'

'En Jenny begon heel raar te schudden. Dat was ook angstaanjagend. Waarom deed ze dat?'

'Ze heeft een ziekte waardoor ze dat doet. Maar maak je geen zorgen. Je moeder zal goed voor haar zorgen.'

Zo zaten ze een tijdje, Paz' geest helemaal leeg. Toen zei Amelia: 'Kunnen we bij de papegaai kijken? En ik wil een cola.'

Ze keken naar de papegaai. Ze vonden een cola. Na ogenblikken van onschuldige pret, die van Paz wel een week hadden mogen duren, vonden ze een ligstoel en lieten zich daarin zakken. Al zijn botten deden pijn. Toen kwam dokter Wise bij haar gezin kijken. Nadat ze had vast-gesteld dat haar dochter ongedeerd was, ging ze tegenover haar man staan en zei: 'Wil je me vertellen wat dit in godsnaam voorstelde? Waar-om schoot je op dat arme kleine mannetje?'

'Omdat ik een heel grote jaguar zag die op het punt stond het hoofd van onze dochter af te bijten. Wat zag jij?'

'Wat ik…? Jimmy, ik zag wat er wás. We zaten allemaal bij elkaar, ont-spannen na het zwemmen, en toen kwam die man uit het donker geslenterd. Jenny ging naar hem toe en praatte tegen hem, blijkbaar kende ze hem, en voor ik er erg in had, hoorde ik de boog en lag die man op de grond met een pijl door zich heen.'

'Hoe gaat het trouwens met hem?'

'O, hij zal het wel overleven, blijkbaar heb je zijn hart niet geraakt. Hij heeft een lelijke wond in zijn borst. We hebben de pijl doorgeknipt, maar ze zullen hem er in een operatiekamer uit moeten trekken. De ambulance komt eraan. Jezus, hoe gaan we verklaren wat er gebeurd is?'

'Een sukkel die met pijl en boog klungelde schoot per ongeluk op een bevriende bezoeker uit een ander land,' zei Paz. 'De politie van Miami heeft de hele tijd met dat soort dingen te maken. Ik zal me schuldig verklaren en een voorwaardelijke straf krijgen. Hoe gaat het met Jenny?'

'Haar aanval is voorbij en ze ligt op haar bed in het huis. Ik had wat Soma in mijn tas en heb haar een paar capsules gegeven, en ook wat Xanax. Ze wordt de komende uren niet wakker.'

'Goed,' zei Paz. 'En zo lossen farmaceutische middelen het probleem weer op. Weet je, Amelia heeft de jaguar ook gezien.'

Ze sloeg nog net niet haar ogen ten hemel. 'Jimmy, ze is een kind. Het staat me helemaal niet aan dat je zo'n sterke hallucinatie had dat je bijna iemand hebt gedood. Kun je dat begrijpen? Het betekent dat je niet veilig bent.'

'Ga zitten, Lola,' zei Paz vriendelijk, en onwillekeurig gehoorzaamde ze. Ze ging op het voeteneind van de ligstoel zitten zonder hem aan te raken. Hij had iets in zijn ogen, een soort aanwezigheid, waarvan ze zich niet kon herinneren het ooit eerder te hebben gezien.

Hij zei: 'Ik heb mijn hoofd hierover gepijnigd. Waarom wilde hij Amelia? Waarom was zij het offer? Waarom dacht hij dat er een offer moest worden gebracht? En wat was de betekenis van wat hij deed en wat ik deed?'

'Op de indiaan schieten?'

'Nee, ik bedoel mijn hele betrokkenheid bij dit alles, mijn wijding aan de *orishas*, de hele keten van gebeurtenissen die me op een bepaalde tijd op een bepaalde plaats brachten. En nogmaals, het was geen indiaan. Het was Jaguar. Het was een god of halfgod, een geest in een onmogelijk dier. En ik zie aan je gezicht dat je de dromen helemaal bent vergeten, en dat je huilde als een baby omdat je niet kon slapen, want Jaguar zat in je hoofd en vertelde je hoe góéd het was dat je je dochter aan hem gaf. Je hele plank met medicijnen kon geen uitkomst bieden. Alleen een zakje met tovenarij, gemaakt door een oude Cubaanse vrouw, kon je erbovenop helpen.'

Ze voelde dat het zweet op haar voorhoofd stond. De haartjes op haar armen en nek stonden recht overeind.

'Ja.' Hij keek haar onderzoekend aan. 'Nú weet je het weer. Als je wilt, neem ik je mee naar de struiken bij het zwembad, dan kun je de sporen van een reusachtige kat zien, verse sporen, en dan zul je dáár ook een redelijke verklaring voor moeten bedenken.'

Ze zei: 'Wat is dan jóúw verklaring? Gesteld dat ik het verhaal accepteer.'

'Ik heb geen verklaring. Dat is het nou juist. Dat is het verschil tussen ons. Jij denkt dat er in de absolute binnenste kern van het universum een verklaring, een berekening, een formule te vinden is. Ik niet. Ik denk dat er in de absolute binnenste kern van het universum een raadsel is. En we hebben daarnet bij het zwembad, en bij die hele kwestie met Moie, een glimp opgevangen van de dingen die we meestal niet zien, de dingen die we meestal niet mogen zien. Jij zult het wegredeneren, en dat is goed, zo zit je in elkaar, maar ik kan dat niet. Ik moet het met eerbied behandelen en er met ontzag naar kijken. Ik kan alleen maar zeggen dat het een goede dag was. Het meisje is gered en het beest is verslagen. De volgende keer gaat het misschien verkeerd en dat zal ik ook met eerbied en ontzag behandelen. Heb je er nu spijt van dat je met mij getrouwd bent? Over het onverklaarbare gesproken.'

'Nee,' zei ze. 'Ik heb geen spijt. Maar kun je al die dingen in bedwang krijgen? Opdat ik er nooit, nooit meer aan hoef te denken?'

Hij lachte. 'Zoals wanneer je de vuilnis buiten zet.'

'Bij wijze van spreken.'

Er naderde een sirene en er kwamen ziekenbroeders. Ze namen Moie mee, vergezeld door Lola. Daarna ging de rest van het gezelschap, behalve Cooksey, die bij Jenny was gaan zitten, naar de patio terug, waar ze allemaal een stevige borrel namen.

'Nou, Paz,' zei Zwick. 'Jij weet hoe je een feest moet geven.'

Paz keek om zich heen. 'Heeft niemand iets vreemds opgemerkt?' vroeg hij. 'Heeft iedereen alleen maar gezien dat ik op een onschuldige indiaan schoot?'

'Wat hadden we anders moeten zien?' vroeg Beth Morgensen.

Paz negeerde haar. Hij keek naar Scotty, die eruitzag alsof hij net een schop in zijn kruis had gekregen. Scotty wilde Paz niet aankijken. Ook iemand die het onmogelijke had gezien en het zo gauw mogelijk wilde vergeten. De andere volwassenen waren allemaal wetenschappelijk getraind om alleen objectief verifieerbare verschijnselen te zien.

'Kom mee, ik wil naar iets kijken.' Hij pakte een zaklantaarn met vier batterijen uit het dashboardkastje van de Volvo en liep vlug naar het pad waarover het wezen uit het donker was verschenen. Het was een pad van grof oölitisch zand, en algauw vond hij een grote pootafdruk, en toen nog een.

'Wat hebben jullie geleerden daarop te zeggen?' vroeg hij.

'O, in godsnaam!' zei Zwick. 'Je hebt dit toch niet allemaal in scène gezet, en ook nog met een pijl op die man geschoten, alleen om een stom bewijs te leveren voor het bestaan van mystieke jaguars?'

Paz keek naar de vage gezichten in het schijnsel van de zaklantaarn. Hij vond nergens enige steun.

'Oké,' zei hij. 'Ik breng jullie naar huis.'

Toen ze haar ogen opendeed, was Cooksey er, en daar was ze blij om. Ze lag op haar bed in haar oude nis in Cookseys deel van het huis en droeg een versleten kaki overhemd van hem. Cooksey droeg zelf een donker trainingspak. Er zaten zwarte vegen op zijn gezicht.

'Ik had een aanval,' zei ze.

'Nou en of. Hoe voel je je?'

'Goed. Een beetje pijn. Er is iets gebeurd voordat ik die aanval kreeg.'

'Ja. Jaguar verscheen in al zijn trots en glorie. Hij wilde dat kleine meisje doden, en jij versperde hem heldhaftig de weg. Het offer is niet gebracht. God alleen weet wat dit alles betekent. Toen schoot Paz een pijl in het beest en veranderde het weer in onze Moie.'

'Is hij dood?'

'Blijkbaar niet. Toevallig hadden we twee artsen in ons gezelschap, of misschien kun je niet meer van toeval spreken. Hoe dan ook, hij heeft het overleefd. Kun je je er iets van herinneren?'

'Min of meer. Ongeveer zoals je je een droom herinnert. En het was niet echt, Jimmy. Ik zag… Ik zag iets anders, in hem verward, iets groters, een lichtgevend ding. Ik weet niet wat het was. Maar het was goed. Maar… Moie is ook goed, hè? En Jaguar. Hij heeft die schurken gedood en hij wilde alleen maar zijn land beschermen.' Ze zuchtte. 'Ik begrijp hier niets van, Cooksey.'

'Nee, en ik betwijfel of we kunnen werken met de soorten goed en kwaad die we in de bioscoop zien. We zijn in diep water verzeild geraakt, meisje, en wij arme wetenschappers weten ons geen raad. En ik ben bang dat het niet voorbij is. Er moeten nog problemen worden opgelost die minder kosmisch maar even dodelijk zijn.'

'Wat bedoel je?'

'Ik bedoel dat ik gauw bezoek verwacht van de bende die jou heeft ontvoerd en Kevin heeft vermoord.'

'Komen ze hierheen? Vanwege mij?'

'Nee, vanwege Geli. Ze hebben haar nodig om haar opa onder druk te zetten, want hij is van cruciaal belang voor hun criminele plannen.'

'Maar hoe weten ze dat ze hier is? Ze zei dat ze niemand heeft verteld waar ze is, zelfs haar moeder niet.'

'Nou, ze weten het omdat ik naar het huis van haar opa heb gebeld en het personeelslid dat de telefoon opnam op de hoogte heb gesteld. Natuurlijk zijn alle personeelsleden omgekocht en bedreigd, en ik denk dan ook dat de bendeleider het binnen enkele minuten wist. Ze wachten tot we alleen zijn.'

'Jezus, Cooksey! Waarom deed je dat?'

'Omdat ik hen wil doden, jongedame. Allemaal. Daarom draag ik mijn commandokleren en heb ik camouflage op mijn gezicht. Ik vrees dat ik meer op Moie lijk dan ik heb laten blijken. Deze mensen zijn de houtkappers die mijn vrouw hebben vermoord.'

'Ik dacht dat ze door een slang was gebeten.'

'Nou, het spijt me dat ik je iets op de mouw moest spelden, maar ik moest nu eenmaal een zekere geheimhouding in acht nemen en ik wilde jou ook niet met de waarheid belasten. De houtbedrijven nemen gangsters in dienst om de mensen uit de bossen weg te krijgen voordat ze gaan kappen, en in ons geval was dat de organisatie van Hurtado. Portia had een dorp ingehuurd om specimina voor haar te vangen, en toen ze daar was, werd het dorp overvallen door die mensen, of door degenen die ze in dienst genomen hadden. Iedereen werd vermoord. Dus ze is alleen in figuurlijke zin door een slang gedood. Ik werk al jaren naar deze avond toe. Ik hoop dat je me zult vergeven.'

'Cooksey, dit is krankzinnig. Alleen Scotty en jij tegen al die kerels...'

'Scotty blijft erbuiten. Hij heeft opdracht gekregen op Geli te passen. Ze zijn in zijn huisje, met de deuren en ramen op slot en vergrendeld en met opdracht de politie te bellen als er iets misgaat. En hij heeft zijn geweer. Intussen moeten we ervoor zorgen dat jij buiten het geweld blijft. Ik kan mijn grote kast voor de ingang van deze nis schuiven. Dan is niet te zien dat er hier nog een kamer is, en trouwens, ik denk niet dat iemand naar jou op zoek gaat. Het is ze om Geli te doen. Wat je buitendeur betreft, moeten we maar op het slot vertrouwen. Het zal natuurlijk donker zijn; ik ben van plan de stoppen uit de meterkast te halen. Dat werkt in het voordeel van de verdediger, weet je.'

Hij stond op en liep het kamertje uit om even later terug te komen met een grote zwarte revolver. 'Mijn trouwe vuurwapen,' zei hij, en ze zag zijn lange tanden. 'Heb je het comfortabel? Kan ik iets voor je halen?'

'Nee, ik red me wel.'

Hij ging op de rand van het bed zitten. 'Dan ga ik nu. Als het misgaat ligt er een pakje met je naam erop in de rechterla van mijn bureau. Daar zitten introductiebrieven in voor het geval je een carrière in de wespenentomologie wilt opbouwen. Je moet er natuurlijk wel over blijven lezen, maar ik ken mensen die je graag in hun lab zouden hebben. Ik heb ook enige financiële regelingen getroffen om je niet straatarm achter te laten. Ik hoop dat je het niet erg vindt...'

'Cooksey...'

'Nee, niet huilen, meisje, daar hebben we nu geen tijd voor. En mag ik zeggen dat het me een groot genoegen was je de afgelopen maanden te hebben gekend? Het was het mooiste wat me in een erg sombere tijd is overkomen. O ja, en je mag mijn *Wind in de wilgen* hebben.'

Voordat ze nog een woord tegen hem kon zeggen, was hij de kamer uit en schoof hij de hoge kast voor de opening. Ze liet zich in haar kussen zakken, huilde even en viel toen van pure uitputting weer in slaap.

El Silencio had zich zo goed op het werk van die nacht voorbereid als in zo'n kort tijdsbestek mogelijk was. Hij had een connectie van Hurtado gevonden, een kleine dealer die in een vervallen woonwagenkamp woonde, en hij had zijn mannen daarheen gebracht om de operatie met ze door te nemen. Hij zat met het probleem dat hij weliswaar ongeveer wist hoe het huis en het terrein waren ingedeeld maar niet waar de vrouw zou zijn als ze daar aankwamen. Daarom had hij besloten teams van twee mannen naar elk van de twee kleine huisjes te sturen, terwijl hij en Ochoa bij het grote huis wachtten. Als de vrouw in een van de huisjes was, zouden ze haar naar buiten halen; als ze in het huis was, zou de hele groep het huis omsingelen en het vanuit verschillende kanten aanvallen. Ze repeteerden die manoeuvres in het woonwagenkamp, totdat El Silencio de indruk had dat zijn mensen niet over elkaar zouden struikelen als het echt zover was. Hij was niet helemaal overtuigd, maar hij had weinig keus. Trouwens, hij geloofde niet dat een vrouw en een paar burgers hem voor problemen zouden stellen.

Ze kwamen om twee uur 's nachts aan en reden gewoon het pad van het huis op. Het hek zat niet op slot en het was overal donker en stil. Het enige geluid kwam van de wind in de bomen en van stromend water. El Silencio herinnerde zich dat er een soort vijver was. Het was een heldere avond met een halvemaan, en in het maanlicht en de weerschijn van de stad in de hemel konden ze zien waar ze liepen, al zou het op de paden helemaal donker zijn.

Ochoa en hij liepen door de boog die naar de patio leidde en bleven in de schaduw staan, terwijl hun teams de paden naar de twee huisjes volgden. Vanaf deze plaats konden ze tegelijk de voordeur van het grote huis en de uitgang van het terrein in het oog houden. Ze wachtten zonder te praten.

Toen flitste er een oranje licht op de onderkant van de palmbladeren boven hen, gevolgd door een BENG, veel luider dan een geweerschot. Ze zagen een fel vuur. Ochoa vloekte en rende weg. El Silencio hoorde een schelle kreet als van een varken dat werd doorstoken, vermengd met vloeken en smeekbeden om mama. Even later was er een nog hardere explosie die de palmbladeren en de ruiten liet ratelen.

Hij hoorde een schreeuw van Ochoa en het geluid van voetstappen die zich verwijderden. De kreten stierven weg. Nu klonken er drie harde schoten, vermoedelijk van .45's, dacht El Silencio. Toen was het stil.

De gangster liep naar de donkere hoek van de patio en liet zich achter een grote, afgedekte, verrijdbare propaangrill zakken. Het was een principe van hem dat als het misging je beter niet kon wegrennen, zoals Ochoa had gedaan. Je moest kalm blijven en afwachten wat er ging gebeuren. Hij haalde zijn 9mm-pistool tevoorschijn en luisterde. Blijkbaar had iemand bommen op de paden gelegd en waren zijn vier mannen daardoor uitgeschakeld. Hij had niet gedacht dat die mensen tot zoiets in staat waren, maar daar had hij zich in vergist en het was nu eenmaal niet anders. Ochoa was blijkbaar in een hinderlaag gelopen, en dat was ook een reden om stilletjes te blijven zitten. Hij zou zelf waarschijnlijk wel kunnen ontsnappen, maar daar voelde hij weinig voor. Hij had al eerder gefaald, en hij dacht dat hij nog steeds al die mensen overhoop kon schieten en dat meisje Vargos kon meenemen. Eigenlijk werkte hij het liefst alleen.

Hij hoorde een vrouwenstem roepen, en toen sprak er een man. Een deur klapte dicht. Hij wachtte meer dan veertig minuten en wilde net opstaan en van positie veranderen toen hij voetstappen hoorde, eerst op een zandig pad en toen op verhard terrein. Een magere man van een jaar of vijftig in zwarte kleren liep hem voorbij, de patio op. El Silencio kwam achter de grill overeind en schoot hem drie keer in zijn rug.

Jenny was wakker geworden van de bommen, en ze keek door de ruit in de deur die van haar nis naar de patio leidde. Ze zag Cooksey vallen. Zonder erbij na te denken maakte ze de deur open en rende ze naar buiten. De man stond over Cooksey gebogen. Ze zag dat zich een plas bloed onder hem vormde en slaakte een kreet. De man hoorde haar, draaide zich om en hief zijn pistool. Hij zei iets in het Spaans en richtte het pistool op haar. Ze draaide zich bliksemsnel om en rende van de patio weg.

El Silencio schoot bijna op het meisje maar zag daar op het laatste moment van af. Dit was duidelijk het roodharige meisje dat uit de garage was ontsnapt, en hij wilde heel graag weten hoe ze dat had klaargespeeld. Bovendien kon hij, als hij haar te pakken had, haar dwingen hem te vertellen waar La Vargos was. Hij rende achter haar aan.

Ze waren op een donker pad. Zij en El Silencio sprongen over de ineengezakte en rokende lijken van twee van zijn mannen en toen ging ze abrupt naar links, over een smaller pad dat enigszins omhoogleidde en van grof zand in ruwe steen overging. Het stromende water was steeds luider te horen. Hij zette er meer vaart achter. Het meisje was niet meer dan een meter bij hem vandaan. Plotseling kwamen ze op open terrein. Zijn schoenen kletterden over rotsen. Hij stak zijn hand uit om haar golvende rode haar vast te grijpen en toen zag hij haar in de lucht springen en uit het zicht verdwijnen. Zijn voeten plensden door water en hij probeerde zich in te houden, maar zijn dunne stadsschoenen gleden uit over de gladde stenen en hij viel de duisternis in.

Het was een val van vijf meter naar de bodem van de waterval, en El Silencio kwam lelijk terecht. Hij liep een gecompliceerde breuk in zijn linkerarm op, en de ruwe koraalrots haalde zijn benen en rug diep open. Door de kracht van de waterval werd hij onder water gedrukt, maar hij kon goed zwemmen en het lukte hem met slagen van één arm boven te komen. Daar draaide hij zich op zijn rug, en met zijn linkerarm tegen zijn borst aangedrukt, trapte hij door het water om bij de rand van de vijver te komen. Hij dacht aan wat hij met het meisje zou doen als hij haar te pakken had.

Een piranha zwom naar zijn bloedende dij en trok er een stuk vlees ter grootte van een whiskyglas uit. El Silencio maakte een geluid dat een schreeuw zou zijn geweest bij iemand met een normaal stemapparaat maar in zijn geval als een lang, schurend gekef klonk. Hij spartelde met beide armen en zonk, en toen stortte de hele school zich op hem.

Jenny zat aan het ondiepe eind en zag het water kolken, rood worden en toen weer verstillen. Ze rende naar de patio terug. Cooksey was nog niet dood, maar in tegenstelling tot de stervende mannen die ze in films had gezien, had hij geen laatste woorden die er gesmoord uit moesten komen. Ze belde de politie en zat zijn hand vast te houden terwijl hij stierf. Haar tranen vielen op zijn gezicht en trokken heldere sporen in de commandoverf.

Jimmy Paz sliep die nacht onregelmatig, al zag hij dat zijn vrouw wel goed sliep. Nadat hij telkens wakker was geworden, stond hij op om met een kop koffie aan zijn nieuwe leven als misschien-halfgod te beginnen. Hij zette Bustelo-koffie in de zandloperpot en verwarmde een even grote hoeveelheid melk in een pannetje. Toen de *café con leche* klaar was, besmeerde hij Cubaanse toast met boter en guavejam en nam hij alles mee naar de achterpatio. Hij keek naar de hemel, die van roze in donkerblauw overging, met vlekjes van schapenwolken, en toen ging tot zijn verbazing de bel. Het was Tito Morales.

'We moeten praten,' zei de rechercheur. Hij zag er smoezelig en verfomfaaid uit.

'Wil je koffie?' vroeg Paz vriendelijk.

Die wilde Morales wel. Ze gingen aan de counter in de keuken zitten en Paz maakte hetzelfde ontbijt voor hem als hij voor zichzelf had gemaakt.

'Het gaat over de indiaan, hè?' vroeg Paz toen Morales dankbaar een slok nam.

'Welke indiaan bedoel je?'

'Onze indiaan. Hij kwam gisteravond naar het huis van Zenger en ik heb hem met mijn Oshosi-boog neergeschoten.'

'Je Oshosi-boog,' zei Morales dof. 'En waarom zou je dat doen?'

'Omdat hij de gedaante van een reusachtige jaguar had aangenomen en op het punt stond Amelia op te eten. Gelukkig was het een magische pijl, die hem uitschakelde en weer in onze indiaan veranderde. Hij ligt in het South Miami Hospital. Ik dacht dat je daarom hier was.'

'Nee, en ik ga tijdelijk vergeten wat je zojuist hebt gezegd, want ze hebben me uit een diepe slaap gebeld en misschien hallucineer ik. Ik zit met een… hoe noem je dat, een zevenvoud? Een zevenvoudige moordsituatie bij het huis van Zenger. Vier van de slachtoffers zijn blijkbaar Colombiaanse *chuteros* die door bommen zijn opgeblazen, een ander is doodgeschoten, en van weer een ander weet ik niet wat het is, want die is alleen nog maar een stuk vlees dat door die verrekte piranha's in die vissenvijver is verscheurd. Geen gezicht, geen vingers.'

'Dat zijn er nog maar zes.'

'Cooksey is ook dood. Iemand heeft hem doodgeschoten; het is onduidelijk wie. Het meisje Simpson had gebeld. Ze heeft me een interessant verhaal verteld. Daarom ben ik hier. Ik wil graag dat jij je licht erover laat schijnen.'

'Wat is haar verhaal?'

'Nou, ze zegt dat Cooksey het meesterbrein achter alles was. Het schijnt dat die Colombianen jaren geleden daar in het oerwoud zijn vrouw hebben vermoord. Daarom heeft hij het allemaal in werking gezet. Geli Vargos, de kleindochter van de oude Ibanez, had hem alles over dat Consuela-project verteld, en op de een of andere manier heeft hij die indiaan uit Zuid-Amerika laten komen om hem je vader en Fuentes te laten vermoorden. Dat leidde er weer toe dat Hurtado en zijn vrolijk troepje naar Miami kwamen. De indiaan heeft een paar van zijn mensen koud gemaakt en – oké, vanaf dit punt weet ze het niet helemaal zeker – Hurtado had een of andere deal met Ibanez, en Ibanez wilde zich terugtrekken, en dus kwam Hurtado op het idee Geli te ontvoeren en op die manier de oude man onder druk te zetten. Cooksey heeft het allemaal geregeld, en hij maakte bommen om de schurken uit te schakelen. Hij schoot er ook een neer en duwde de laatste man in de vijver, zij het pas toen hij zelf al door een kogel was geraakt. Dat is gelul, maar ik kan het niet bewijzen. Het meisje was drijfnat toen we daar aankwamen. Blijkbaar had ze met de Señor Zonder Gezicht in het water gestoeid. Waarschijnlijk had hij Cooksey neergeschoten. Ik weet niet precies hoe het is gegaan, maar dat doet er ook niet zo veel toe. We hebben Hurtado trouwens ook opgepakt.'

'O, ja? Ik dacht dat hij verdwenen was.'

'Dat was hij ook, maar het meisje zei dat Cooksey naar het huis van Ibanez had gebeld om te vertellen waar Geli was, en dat het dienstmeisje of iemand anders Hurtado had getipt. We maakten iedereen in het huis wakker, en het dienstmeisje gaf het nummer waarop ze hem had gebeld en we vonden hem in een tweederangs hotel in North Miami Beach. Ik weet niet op welke gronden we hem kunnen vasthouden. Het is geen misdaad om door iemand gebeld te worden en we kunnen geen direct verband leggen tussen hem en de dode mensen bij Zengers huis. Nou, vertel me over die indiaan.'

Paz glimlachte. 'De indiaan blijft in leven.'

'Hij is nog niet klaar met ons! Hij heeft vier mensen vermoord, vier mensen van wie we dat zeker weten. Ik durf er alles onder te verwedden dat de afdrukken van blote voeten in die garage en die bij het huis van je vader van hem zijn.'

359

'Waarschijnlijk heb je gelijk. In dat geval kun je twee dingen doen. Ik zal het voor je uiteenzetten. Plan A houdt in dat je de indiaan arresteert – hij heet trouwens Moie – en aan commissaris Oliphant en de officier van justitie het hele verhaal vertelt van een klein indiaantje dat amper vijftig kilo weegt en helemaal in zijn eentje vier moorden voor elkaar krijgt, waaronder een op een zwaarbewapend slachtoffer en twee op gewapende gangsters, terwijl hij jaguarpootafdrukken achterlaat die gemaakt zijn door iets wat meer dan tweehonderd kilo weegt. Voor het plegen van die moorden was ook nog een bovenmenselijke kracht en behendigheid nodig. En dan waren de lijken ook nog helemaal verscheurd. Forensische deskundigen zullen je vertellen dat die ravage alleen door de tanden van een grote katachtige kan zijn aangericht. Hou je het op plan A, dan zullen ze meewarig glimlachen en je voor de rest van je carrière aan een bureau zetten. Plan B houdt in dat je een stel dode Colombianen hebt aangetroffen, leden van een bende die bekendstaat om zijn wrede moorden, om de gruwelijke manier waarop ze wraak nemen op verraders, een bende die intensief betrokken was bij illegale zakelijke transacties met die dode Cubanen. Het is duidelijk dat de dode kerels alle moorden hebben gepleegd. Zaak gesloten. O ja, en als je voor plan B gaat, kan ik je ook nog Hurtado geven, en dan heb je de arrestatie van het decennium op je naam staan en ben je voorgoed de grote held van de politie van Miami en ook een held in de Cubaanse gemeenschap. En ik heb nog een extratje voor je.'

Morales keek Paz dertig seconden woedend aan en kwam toen tot bedaren. 'Verdomme, Jimmy! Hij heeft je vader vermoord, man! Hoe kun je hem zomaar laten lopen?'

'Hij had niets met de moord op mijn vader te maken. Mijn vader is ten gevolge van zijn eigen misdaden gedood door een bovennatuurlijk wezen, of je dat nu gelooft of niet. Als je Moie arresteert, is dat net zoiets als wanneer je een auto arresteert wegens doorrijden na een ongeluk.'

'Oké, man, als we het zo gaan spelen, geef ik het op. Ik weet dat dit boven mijn macht gaat. Vertel me over Hurtado.'

'Een goede beslissing, Tito. Oké, Hurtado is een drugsbaron. Hij was geld aan het witwassen met Consuela, maar evengoed is hij een drugsbaron, en ik begreep niet waarom het voor hém zo belangrijk was om een of ander bos te kappen in de rimboe van Colombia. Toen ik vanmorgen wakker werd, kwam het ineens bij me op. Ik had van mijn zus gehoord dat Consuela daar houtboormachines had gekocht. En ik belde haar en ze beschreef die machines en vertelde waar ze voor dienden.

En nu vraag ik je: waarom zouden ze een gigantische houtboormachine nodig hebben voor het kappen van bossen? Je weet dat de grenzen tegenwoordig dichter zijn vanwege de terrorismedreiging en dat er vliegtuigen uit de lucht worden geschoten. Ze moeten gebruikmaken van bolletjesslikkers. En Hurtado heeft toegang tot een project om duizenden mahoniestammen via een volkomen legitiem en deugdelijk importbedrijf naar de Verenigde Staten te brengen.'

'Ze versturen dope in uitgeholde boomstammen!'

'Enórme hoeveelheden dope, met bijna geen risico dat iemand in een pakhuis vol hout gaat kijken. Ik garandeer je dat als je met snuffelhonden en wat eenvoudig gereedschap naar Ibanez' terrein in de haven gaat je de vangst van je leven hebt. Ik weet dat je moe bent, maar je zou het nu meteen moeten doen. Daarna kun je veel beter slapen. O ja, ik vergat bijna het extraatje dat je krijgt als je de juiste keuze maakt.' En hij vertelde Morales ook over Kearney de ecoterrorist.

In het ziekenhuisbed spreekt Moie zachtjes in het Spaans tegen Vuurhaarvrouw. De *jampiri*, Paz, vertaalt voor hen. Ze komen elke dag, en dit is de laatste dag, denkt Moie. Hij ziet zijn dood nu duidelijk, en ook de heldere koorden die zijn dood met zijn stervende lichamen verbinden. Zeker, zijn wond geneest, maar alle *aryu't* is uit hem weggelopen, en hij is hol, als een vijg die door wespen is uitgeboord.

Hij kan ook de dood van de vrouw en de *jampiri* zien, zodat ze niet meer echt *wai'ichuranan* zijn, en dat had hij niet verwacht. Het is in beide gevallen een schitterende dood, duidelijk met grote kracht. Moie wist niet dat de *wai'ichuranan* zichzelf op die manier konden veranderen, of dat ze zulke *jampiri* hadden, de reden waarom hij is verslagen. Het is de reden waarom Jaguar hem heeft verlaten, en ook waarom hij nu stervende is. Hij wil de vrouw vertellen hoe ze gebruik kan maken van wat haar is gegeven, maar de taal is te lastig en er zijn woorden en ideeën die niet in het Spaans tot uiting gebracht kunnen worden. Hij zou willen dat er tijd was om haar de heilige taal te leren. Het is zijn grootste verdriet dat zijn lichaam niet op de juiste manier zal worden behandeld, dus niet aan de rivier zal worden gegeven. Hier in het land van de doden, heeft hij gehoord, begraven ze het lijk onder de aarde, als een yam, en dat is walgelijk, of anders verbranden ze het, zoals de Runiya met een heks doen. Daar staat tegenover dat Vuurhaarvrouw zegt dat de *chinitxi* allemaal dood zijn en dat de Puxto in leven zal blijven.

'Ik zou graag naar huis terug willen,' zegt hij na een lange stilte.

'Als je beter bent, Moie,' zegt de *jampiri*.

'Ik word niet beter. Ik bedoel dat als ik dood ben en jullie mijn lijk hebben verbrand ik graag wil dat mijn as in onze rivier wordt gestrooid. Wij verbranden heksen, maar we strooien hun as natuurlijk niet in de rivier. Als jullie dat doen, zal ik misschien evengoed naar de maan opstijgen om bij mijn voorouders te zijn.'

'Ze zegt dat ze dat voor je zal doen,' zegt de *jampiri*. 'Ze belooft het.'

'En breng mijn dromenzak en mijn medicijntas daar ook heen. Misschien stuurt Jaguar een ander om *jampiri* van de Runiya te zijn.'

'Dat zal ze ook doen,' zegt de *jampiri*.

Moie zegt tegen de vrouw: 'Je moet oppassen met waar je je tranen laat vallen. Een vijand kan ze tegen je gebruiken.'

Jenny Simpson en Jimmy Paz stonden op het parkeerterrein van het uitvaartbedrijf waar Moie zojuist in een blik met as was veranderd. Jenny had dat blik in haar rugzak gedaan. Daarin had ze ook schone kleren, *De wind in de wilgen*, *Latin American Insects and Entomology* van Hogue, Moies tovermateriaal, een ultralichte tent, een slaapzak en -matje en twaalfhonderd dollar van het verrassend grote geldbedrag dat Nigel Cooksey haar had nagelaten. Ze droeg voor de reis een spijkerbroek met afgeknipte pijpen, een geel topje en een Dolphins-honkbalpet.

'Ga je echt liften naar Colombia?' vroeg Paz.

'Ja.'

'Je kunt ook het vliegtuig nemen. Je hebt nu geld.'

'Ja, maar ik wil een lange reis in mijn eentje maken, dan kan ik onderweg over dit alles nadenken. En ik wil zijn geld opsparen, voor als ik een opleiding wil volgen. Dat zou hij leuk hebben gevonden.'

'Er is veel onherbergzaam land tussen hier en daar. Er zijn veel schurken.'

'Ik red me wel.' Ze lachte. 'Mijn hele leven heeft niemand ooit iets om me gegeven, en plotseling is iedereen bezorgd om me: Cooksey, jij, Lola, Moie.'

'Misschien heeft niemand ooit eerder je goede eigenschappen gezien.'

Ze haalde haar schouders op. 'Gisteravond… Het was heel mooi dat Lola dat afscheidsfeest voor me gaf. Ze denkt dat ik gek ben omdat ik dit doe, hè?'

'Lola denkt dat veel dingen die mensen doen gek zijn. Dat is haar beroep.'

'Ja. En ze wil niets van dit alles geloven, hè? Wat er allemaal is gebeurd met Jaguar en zo.'

'Nee, ze zit op een andere golflengte.'

'Hoe ga jij, eh, daarmee om?'

'Met liefde. Liefde maakt veel mogelijk. En Amelia weet het. Dat zal helpen. En mijn moeder.'

'God, het is allemaal zo bizar, al die mensen die dood zijn en wat er allemaal uit voortgekomen is. Weet je, je hebt een leven, en al is het rottig, je denkt toch dat het je leven is en dat het altijd hetzelfde blijft, en dan: beng! ben je opeens een andere persoon met een ander leven. Hoe zit dat?'

'Hoe dat zit? Daar kun je tien uur over praten en een leven lang over nadenken. Intussen kunnen we maar beter vertrekken, als je vandaag nog ergens wilt komen. Ik zet je af bij de oprit Bird Road van de snelweg. Daar maak je waarschijnlijk de meeste kans om naar het noorden te gaan.'

Ze stapten in de Volvo en reden in behaaglijke stilte naar het westen. Paz bedacht dat ze allebei anders waren dan wat ze waren geweest toen ze elkaar leerden kennen. In beide gevallen hadden de goden op een meer directe manier ingegrepen dan God meestal bij mensen deed. Hij was blij dat het was gebeurd en hoopte vurig dat het nooit opnieuw zou gebeuren. Daar was nogal kans op, dacht hij, en hij lachte in zichzelf.

Paz stopte bij de oprit. Ze kuste hem op zijn wang, beloofde kaarten te sturen en stapte uit. Hij wachtte terwijl ze stond te liften. Roodharige meisjes met lange benen en een fantastisch lijf hoeven meestal niet lang op een lift te wachten, en voordat er veel minuten waren verstreken, ging een achttienwieler met een diepe zucht in de remmen en klom ze de cabine in. Wat hij nu verder ook mocht zijn, Paz was nog steeds vader en politieman, en dus noteerde hij het nummer voordat hij wegreed.

Jenny ging op de passagiersplaats zitten en glimlachte naar de chauffeur. Hij was een man van in de veertig met lang haar, stoppelwangen en diep in hun kassen weggezonken, lichtblauwe ogen die erg kleine pupillen hadden. Toen hij de wagen in de versnelling zette, vroeg hij: 'Waar ga je heen, schat?' Hij had een Texaans accent.

'Colombia.'

'In Carolina?'

'Nee, het land. In Zuid-Amerika.'

'Echt waar? Nou, dat is een heel eind voor een klein meisje in haar eentje.'

Ze zei daar niets op en hij praatte verder. Ze reageerde als het onbeleefd was om dat niet te doen en verzon geloofwaardige leugens als hij haar vragen stelde. Ze vertelden elkaar hun naam: hij heette Randy Fry. Randy Fry de Good-Time Guy, zoals hij zei. Hij mocht graag over zichzelf praten, en hij had veel verhalen. Ter hoogte van West Palm had hij genoeg zelfvertrouwen om de verhalen een beetje obsceen te maken; bij Yeehaw Junction informeerde hij (zonder succes) naar haar seksuele voorgeschiedenis en liet hij zijn opmerkingen vergezeld gaan van kleine aanrakingen van haar schouder en arm. Bij Kissimmee waren ze zulke goede maatjes dat hij zijn grote rode hand op de binnenkant van haar dij legde, klop, klop, klop, knijp.

Ze draaide zich om en keek hem recht aan. Randy Frye zag dat haar ogen, die lichtblauw waren geweest, nu glanzend geel waren en verticale pupillen hadden. Uit haar keel kwam een geluid dat niet uit zo'n keel zou moeten komen.

Ararah. Ararararh.

De truck slingerde even opzij, met woedend getoeter van een bijna van de weg gedrukt busje tot gevolg. Bij knooppunt Orlando was het Fry zo ongeveer gelukt te vergeten wat hij had gezien en gehoord en had hij een verhaal bedacht over een koud klein kreng, waarschijnlijk een lesbo, waar je hem écht niet in wilde steken… Daarna liet hij haar, zonder nog meer dan een stuk of tien woorden te zeggen, helemaal meerijden tot aan Corpus Christi.

Runiya-woorden

achaurit – letterlijk 'de dood', maar ook de zichtbare geesten die de levenden vergezellen
ajampik – de geestenwereld
aryu't – spirituele volledigheid, de eigenschap van een echt mens
assua – *Paullinia sp.*; een stimulerend middel dat bij rituelen wordt gebruikt
aysiri – een heks
chaikora – *Cannabis sp.*; een hypnotisch middel
chinitxi – demonen
hninxa – een meisje dat wordt geofferd
iwai'chinix – letterlijk 'geesten in het leven roepen'; een soort 'droomtherapie' van de Runiya
jampiri – dierengeestdokter; meervoud *jampirinan*
Jan'ichupitaolik – Jezus Christus, letterlijk 'hij is tegelijk levend en dood'
layqua – een doos om geesten in te vangen
mikur-ka'a – *Petiveria sp.*: parelhoenkruid, een plant die in geneeskunde en magie wordt gebruikt
pa'hnixan – een slachtoffer dat wordt geofferd
pacu – een grote zonnebaars
pisco – suikerrietdrank
Puxto – de regio, het indianenreservaat
Runiya – Moies volk, letterlijk 'sprekers van taal'
ry'uulu – mahonie
ryuxit – harmonie; de levenskracht
siwix – disharmonieus, taboe
t'naicu – amulet
tayit – eretitel
tichiri – een wachtergeest in de droomwereld

tucunaré – de pauwbaars

uassinai – een plantaardige stof van onbekende herkomst die met andere hypnotische middelen voor rituelen wordt gebruikt

unancha – een totem- of clansymbool

unquayuvmaikat – letterlijk 'de vallende gave'; epilepsie

wai'ichuranan – de dode mensen, blanken; *wai'ichura* (enkelvoud)

yana – hallucinogene stof die in ceremonies wordt gesnoven